BESTSELLER

V. C. Andrews nació en 1918 en Washington. Su editor nunca reveló su nombre completo, de modo que no fue hasta su muerte en 1986, que se supo que fue una mujer. Ella nunca apareció en público. Se dice que durante su juventud sufrió un accidente de tráfico que la obligó a quedarse en silla de ruedas durante el resto de su vida. Nunca se casó ni tuvo hijos, lo cual le dejó mucho tiempo para sus libros.

Biblioteca
V. C. ANDREWS™

Semillas del ayer

Traducción de
Montserrat Solanas

⊔ DeBOLSILLO

Esta novela es una obra de ficción. Nombres, personajes, lugares y acontecimientos son producto de la imaginación del autor o se utilizan de modo ficticio. Cualquier parecido con situaciones, lugares o personas reales vivas o muertas es mera coincidencia.

Título original: *Seeds of Yesterday*
Diseño de la portada: Depto. de Diseño de Random House Mondadori
Fotografía de la portada: Siqui Sánchez

Octava edición en este formato: octubre, 2010

Printed in Spain – Impreso en España

ISBN: 978-84-9759-599-5 (vol. 182/4)
Depósito legal: B. 38668 - 2010

Impreso en Liberdúplex, S. L. U.
Sant Llorenç d'Hortons (Barcelona

P 895998

LISTA DE PERSONAJES

Christopher SHEFFIELD (antes Dollanganger, antes Foxworth), hermano y marido de Catherine.

Catherine SHEFFIELD, hermana y mujer de Christopher.

Jory MARQUET, hijo de Catherine y Julian Marquet.

Bart SHEFFIELD FOXWORTH, hijo de Catherine y Bart Winslow (fallecido).

Melodie RICHARME, esposa de Jory.

Cindy Nickols SHEFFIELD, hija adoptiva de Catherine y Christopher.

Joel FOXWORTH, tío-abuelo de Catherine y Christopher, hijo de Olivia y Malcolm Foxworth.

Lance SPALDING y **Victor WADE**, amigos de Cindy.

Darren y **Deidre MARQUET SHEFFIELD**, gemelos, hijos de Melodie y Jory.

Toni, enfermera.

LIBRO PRIMERO

FOXWORTH HALL

Y así llegó el verano en que, cuando yo tenía cincuenta y dos años, y Chris, cincuenta y cuatro, se cumplió finalmente la promesa de riquezas que nuestra madre nos había hecho hacía mucho tiempo, cuando Chris y yo teníamos catorce y doce años, respectivamente.

Los dos nos quedamos de pie contemplando aquella enorme y espantosa casa que habíamos esperado no volver a ver jamás. Aunque no era una reproducción exacta del Foxworth Hall original, sentí un estremecimiento interior. Qué precio habíamos tenido que pagar Chris y yo para estar ahí, donde nos hallábamos en ese momento, dueños provisionales de esa gigantesca casa que hubiera debido permanecer en ruinas carbonizadas. En otro tiempo muy lejano, yo había creído que los dos viviríamos en aquella casa como una princesa y un príncipe, y que entre nosotros existía el toque dorado del rey Midas, aunque mejor controlado.

No he vuelto a creer en cuentos de hadas.

Tan vivamente como si hubiera sucedido el día anterior, recordé aquella desapacible noche de verano, tenuemente iluminada por la mística luz de la luna llena y estrellas mágicas en un cielo de terciopelo negro, cuando nos acercamos a ese lugar por vez primera, con la esperanza de que únicamente nos sucedería lo mejor para acabar encontrando solamente lo peor.

Por aquel entonces Chris y yo éramos tan jóvenes, inocentes y confiados que creíamos en nuestra madre, la amábamos, nos dejábamos guiar por ella mientras nos conducía, a nosotros y a nuestros hermanos gemelos, una parejita de cinco años, a través de una noche en cierto modo horrible, hacia aquella mansión llamada Foxworth Hall. A partir de aquel momento, todos nuestros días futuros estarían iluminados por el verde, símbolo de riqueza, y el amarillo de la felicidad.

Qué fe tan ciega tuvimos cuando la seguíamos de cerca.

Encerrados en aquella sombría y lúgubre habitación en lo alto de la escalera, jugando en aquel ático mohoso y polvoriento, habíamos conservado nuestra confianza en las promesas de nuestra madre de que algún día poseeríamos Foxworth Hall y todas sus fabulosas riquezas. Sin embargo, a pesar de sus promesas, un viejo abuelo, cruel e inhumano, con un perverso pero tenaz corazón, que rehusaba dejar de latir para que cuatro jóvenes corazones, rebosantes de esperanza, pudieran vivir, lo impedía, de modo que nosotros esperamos y esperamos, hasta que transcurrieron más de tres larguísimos años y sin que mamá cumpliera su promesa.

Y no fue hasta el día en que ella murió —y se leyó su última voluntad— cuando Foxworth Hall cayó bajo nuestro control. Ella había legado la mansión a Bart, su nieto favorito, e hijo mío y de su propio segundo marido; pero hasta que Bart cumpliese veinticinco años, las propiedades quedaban bajo la custodia de Chris.

La reconstrucción de Foxworth Hall había sido ordenada antes de que ella partiera hacia California para buscarnos, pero hasta después de su muerte no fueron completados los últimos retoques de la nueva Foxworth Hall.

Durante quince años, la casa permaneció vacía, cuidada por celadores, administrada legalmente por un bufete de abogados que habían escrito o telefoneado a Chris para discutir con él los problemas que iban surgiendo. La mansión aguardaba, agraviada tal vez, el día en que Bart decidiese vivir allí, como siempre habíamos supuesto haría un día. Y ahora nos la cedía por un corto espacio de tiempo para que fuese nuestra hasta que él llegase y tomase posesión de todo.

«Siempre existe una trampa en cada ganga ofrecida», susurraba mi mente suspicaz. Y sentía el señuelo que se nos ofrecía para tendernos un lazo de nuevo. ¿Habíamos recorrido Chris y yo un camino tan largo con el único fin de completar la vuelta al círculo, regresando al principio?

¿Cuál sería esta vez la trampa?

«No, no», me repetía a mí misma una y otra vez; mi naturaleza recelosa, siempre insegura, estaba dominándome. Teníamos el oro sin empañar..., ¡lo teníamos! Algún día teníamos que obtener nuestra recompensa. La noche había terminado: nuestro día había llegado por fin, y ahora estábamos de pie, a la plena luz de los sueños que se habían realizado.

Hallarnos aquí en ese momento, planeando vivir en esa casa restaurada, puso repentinamente una amargura familiar en mi boca. Todo mi placer desapareció. Estaba viviendo una pesadilla que no se desvanecería cuando abriese los ojos.

Aparté tal sentimiento y sonreí a Chris, apretándole los dedos. Contemplé la reconstruida Foxworth Hall, que se alzaba entre las cenizas de la antigua mansión, para enfrentarnos y confundirnos de nuevo con su majestuosidad, su formidable tamaño, su sensación de albergar el mal y sus innumerables ventanas con persianas negras como párpados pesados sobre unos oscuros ojos pétreos. Se levantaba imponente, enhiesta y amplia, extendiéndose sobre varios centenares de metros cuadrados en una grandeza tan magnífica que intimidaba.

Era mayor que muchos hoteles, construida en forma de una gigantesca «T», con una enorme sección central de la que partían alas que se proyectaban en dirección norte y sur, este y oeste.

Estaba construida con ladrillos rosados. Las numerosas persianas negras hacían juego con el tejado de pizarra. Cuatro impresionantes columnas corintias de color blanco soportaban el gracioso pórtico de la fachada. Sobre la doble puerta principal negra, se percibía una especie de fuego de artificio producido por los cristales de colores. Unas enormes planchas de latón con el escudo de armas adornaban las puertas y convertían aquello que hubiera podido ser sencillo en algo elegante y menos sombrío.

Eso habría debido animarme, si el sol no hubiera adoptado, de pronto, una posición huidiza detrás de una oscura nube empujada por el viento. Levanté la mirada hacia el cielo, que se había vuelto tempestuoso y lleno de malos presagios, anunciando la lluvia y el viento. Los árboles del bosque circundante comenzaron a balancearse de tal modo que los pájaros se alborotaron alarmados, revoloteando y chillando mientras huían en busca de cobijo. Los prados verdes, conservados sin mácula, enseguida quedaron cubiertos de ramitas rotas y hojas caídas, y las flores, abiertas en sus cuadros dispuestos de manera geométrica, eran fustigados sin piedad contra el suelo.

Temblé y pensé: «Dime otra vez, Christopher querido, que todo saldrá bien. Dímelo otra vez, porque ahora que el sol se ha ido y la tormenta se acerca, ya no puedo creerlo.»

Él miró también hacia arriba, presintiendo mi creciente ansiedad, mi poco deseo de seguir adelante, a pesar de la promesa formulada a Bart, mi hijo segundo. Hacía siete años que los psiquiatras nos habían dicho que su tratamiento estaba teniendo éxito y que Bart era normal por completo y podía vivir su vida entre la sociedad sin necesidad de ninguna terapia.

Con la intención de animarme, el brazo de Chris se alzó para rodearme los hombros, y sus labios rozaron mi mejilla.

—Acabará por dar un buen resultado para todos nosotros. Sé que será así. Ya no habrá muñecas de Dresde atrapadas en la habitación del ático, pendientes de que los mayores hagan lo correcto. Ahora nosotros somos los adultos, controlamos nuestras vidas. Hasta que Bart alcance la edad fijada para recibir su herencia, tú y yo somos los amos; el doctor Christopher Sheffield y su esposa, de Marin County, California. Nadie nos conocerá como hermano y hermana. No sospecharán que somos legítimos descendientes de los Foxworth. Hemos dejado detrás de nosotros todos nuestros problemas. Cathy, ésta es nuestra oportunidad. Aquí, en esta casa, podemos reparar todo el daño que nos han causado a nosotros y a nuestros hijos, en especial a Bart. No gobernaremos con voluntad de acero y puño de hierro, al estilo de Malcolm, sino con amor, compasión e inteligencia.

Chris me rodeaba con su brazo, estrechándome contra su costado, y eso me hizo reunir las fuerzas suficientes para contemplar la casa bajo una nueva luz. Era hermosa. Por el bien de Bart, nos quedaríamos hasta que cumpliera los veinticinco años y, pasado ese día, Chris y yo partiríamos, acompañados por Cindy hacia Hawai, donde siempre habíamos querido pasar nuestra vida, cerca del mar y las blancas playas. Sí, así debía ocurrir. Sonriente, me volví hacia Chris:

—Tienes razón. No tengo miedo de esta casa ni de ninguna otra.

Él rió suavemente y bajó su brazo hasta mi cintura, apremiándome para que avanzara.

Poco después de haber finalizado sus estudios en el instituto, mi hijo mayor, Jory, se había trasladado a Nueva York para reunirse con su abuela, madame Marisha, en cuya compañía de ballet se integró. Pronto fue mencionado por los críticos en sus artículos y conseguía papeles principales. Su enamorada de la infancia, Melodie, había escapado al este para reunirse con él.

A la edad de veinte años mi Jory se casó con Melodie, un año más joven que él. Juntos habían luchado y trabajado para alcanzar la cima. Formaban la pareja de danza más notable del país, con una coordinación bella y perfecta, como si el uno pudiera penetrar en la mente del otro con un destello de la mirada. Durante cinco años habían permanecido en la cresta del éxito. Cada representación provocaba elogiosos comentarios de crítica y público. Sus programas de televisión les proporcionaron una audiencia mayor de la que jamás hubieran obtenido solamente con actuaciones en teatros.

Madame Marisha había fallecido mientras dormía hacía dos años, aunque nos consolábamos sabiendo que había vivido ochenta y siete años y había trabajado hasta el mismo día de su muerte.

Hacia los diecisiete años, mi segundo hijo, Bart, se transformó casi mágicamente, dejando de ser un estudiante torpe para convertirse en el más brillante de su escuela. En esa época Jory se había establecido en Nueva York. En aquel momento pensé que la ausencia de Jory había provocado que Bart saliera de su caparazón y que mostrara interés por aprender. Dos días antes se había graduado en la Facultad de Derecho de Harvard, y él fue el alumno que pronunció el discurso de despedida de fin de carrera.

Chris y yo nos habíamos reunido con Melodie y Jory en Boston, y en el enorme paraninfo de la Facultad de Derecho de Harvard habíamos presenciado cómo Bart recibía su diploma de graduación. Cindy, nuestra hija adoptiva, no nos acompañaba, pues se encontraba entonces en Carolina del Sur, en la casa de su mejor amiga. Me había causado un nuevo dolor saber que Bart seguía sintiendo celos de una chica que había hecho todo lo posible por lograr su aprobación, especialmente cuando él no había tratado en absoluto de ganarse la de ella. Otro disgusto adicional para mí fue comprobar que Cindy no se había liberado de su antipatía hacia Bart durante el tiempo suficiente como para asistir a la ceremonia.

—¡No! —me había dicho ella por teléfono—. ¡No me importa que Bart me haya enviado una invitación! Sólo lo ha hecho para presumir. Puede poner diez títulos detrás de su nombre y yo seguiré sin admirarlo ni simpatizar con él. No podría después de cuanto me ha hecho. Explica a Jory y a Melodie el porqué, para no herir sus sentimientos, pero no tienes que dar explicaciones a Bart; él ya lo sabe.

Yo estaba sentada entre Chris y Jory, asombrada de que mi hijo, que en casa se mostraba tan reticente, caprichoso y poco dado a comunicarse con los demás, pudiera haberse alzado hasta el primer lugar de su clase y ser nombrado *valedictorian*. Sus serenas palabras crearon un hechizo contagioso. Miré de reojo a Chris, que, pletórico de orgullo, me devolvió la mirada con un guiño.

—¿Quién lo hubiera adivinado? Es formidable, Cathy. ¿No estás orgullosa? Yo sí lo estoy.

Sí, sí, por supuesto, me enorgullecía ver a Bart allá arriba. Sin embargo, sabía que el Bart del podio no era el Bart que todos conocíamos en casa. Quizá ahora estaba sano, era completamente normal, como habían asegurado los médicos.

No obstante, a mi modo de ver, todavía existían pequeños indicios de que Bart no había cambiado de forma tan radical como sus médicos pensaban. Justo antes de separarnos me había dicho:

—Debes estar allí, madre, cuando yo asuma mi independencia. —Ni siquiera había mencionado la probabilidad de que Chris me acompañara—. Para mí, lo importante es que tú estés allí.

Siempre había tenido que esforzarse por pronunciar el nombre de Chris.

—Invitaremos a Jory y a su esposa, y, por supuesto, también a Cindy. —Hizo una mueca cuando nombró a la muchacha.

Yo no conseguía comprender cómo podía haber alguien que sintiera tal animosidad por una chica tan linda y dulce como nuestra querida hija adoptiva. Me habría resultado imposible amar más a Cindy aunque hubiera sido carne de mi carne, y sangre de mi Christopher Doll. En cierto modo, desde que la habíamos acogido en nuestro hogar, cuando sólo tenía dos años, la habíamos considerado nuestra hija, la única que verdaderamente podíamos declarar que nos pertenecía a ambos.

Cindy tenía dieciséis años y era mucho más sensual de lo que yo había sido a su edad. La diferencia se debía a que ella no había sufrido tantas privaciones como yo. Sus vitaminas las había recibido del aire fresco y la luz del sol, elementos que habían sido negados a cuatro niños prisioneros. Cindy había disfrutado de lo mejor; buenos alimentos, ejercicio... En cambio, a nosotros sólo se nos había ofrecido lo peor.

Chris preguntó si nos quedaríamos fuera todo el día, esperando que la copiosa lluvia nos empapara antes de entrar. Tiraba de mí hacia dentro, animándome con su desenfadada confianza.

Lentamente, mientras los truenos comenzaban a retumbar aproximándose con rapidez y en el cielo cargado y oscuro zigzagueaba la electricidad de terribles relámpagos, nos acercamos al gran pórtico de Foxworth Hall.

Observé detalles que antes me habían pasado inadvertidos. El suelo del pórtico estaba cubierto por teselas de tres tonalidades distintas de rojo, que formaban un mosaico en que se dibujaba un esplendoroso sol, que conjuntaba con el sol del cristal que aparecía en la parte superior de las dobles puertas principales. Miré aquellas resplandecientes ventanas y me alegré. No estaban allí antes. Quizá sería como Chris había predicho.

—Deja de buscar algo que nos robe el placer de este día, Catherine. Lo veo en tu rostro, en tus ojos. Juro y doy mi palabra de honor de que abandonaremos esta casa y partiremos hacia Hawai tan pronto como Bart haya celebrado su fiesta. Si una vez allí se acerca un huracán y envía una ola gigante que barra nuestro hogar, seguro que habrá ocurrido porque tú habrás esperado que tal desgracia suceda.

Me hizo reír.

—No te olvides del volcán —dije sonriendo maliciosa—. Podría arrojarnos lava ardiente. —Él rió y me dio una palmada juguetona en el trasero.

—¡Para! Por favor, por favor. El 10 de agosto estaremos en el avión, pero te apuesto a que entonces te preocuparás por Jory, por Bart, y te preguntarás que estará haciendo en esta casa, completamente solo.

En ese momento recordé algo que había olvidado. En el interior de Foxworth Hall nos aguardaba la sorpresa que Bart había prometido que encontraríamos. Me miró de forma extraña cuando me dijo:

—Madre, te quedarás pasmada cuando veas... —Hizo una pausa, sonrió, y lo noté inquieto—. He viajado en avión hasta allí todos los veranos sólo para comprobar cómo marchaban las obras y asegurarme de que la casa no estaba desatendida y abandonada al deterioro y la ruina. He dictado órdenes a los decoradores de interiores para que le den el aspecto exacto que solía tener, excepto en mi despacho. Quiero que sea muy moderna, con todo el confort electrónico que yo necesitaré. Pero si quieres puedes modificar algunas cosas para hacerla más agradable.

¿Agradable? ¿Cómo podía resultar agradable una casa como ésa? Sabía qué se sentía al estar encerrada dentro, engullida, atrapada para siempre. Me estremecí al oír el ruido de mis tacones altos junto al sonido apagado de los zapatos de Chris mientras nos aproximábamos a las puertas negras con sus escudos de armas decorados con los emblemas heráldicos. Me pregunté si

Bart habría buscado hasta encontrar, entre los antepasados de Foxworth, los títulos aristocráticos y los blasones que él deseaba desesperadamente y parecía necesitar. En cada una de las negras puertas había pesados aldabones de cobre y, entre las puertas, un pequeño pulsador casi invisible, que hacía sonar un timbre.

—Estoy seguro de que esta casa está llena de aparatos modernos que sobresaltarían a los genuinos habitantes de los hogares históricos de Virginia —susurró Chris.

Sin duda, Chris tenía razón. Bart estaba enamorado del pasado, pero aún más encaprichado con el futuro. No había ingenio electrónico salido al mercado que él no comprase.

Chris sacó del bolsillo la llave de la puerta que Bart le había entregado en el mismo instante en que tomamos el avión de Boston. Chris me sonrió cuando introdujo la gran llave de latón en la cerradura. Antes de completar el giro, la puerta se abrió silenciosamente. Asustada, retrocedí un paso. Chris me empujó de nuevo hacia adelante, mientras hablaba con cortesía al viejo que nos invitó a entrar con un gesto.

—Pasen —dijo con voz débil pero ronca, al tiempo que nos examinaba de arriba abajo—. Su hijo telefoneó y me pidió que les esperase. Estoy contratado para ayudar…, por así decirlo.

Observé con atención al flaco anciano que se inclinaba de tal modo que su cabeza se proyectaba de forma desgarbada, y parecía que se hallaba escalando una montaña incluso estando sobre una superficie llana. Tenía el cabello descolorido, ni gris ni rubio. Sus ojos eran de un acuoso azul pálido, las mejillas desvaídas, los ojos hundidos, como si hubiera padecido tremendos sufrimientos durante muchos, muchísimos años. Había algo en él que me resultaba familiar.

Mis piernas, como si de pronto fueran de plomo, se negaban a moverse. El feroz viento agitaba la ancha falda de mi vestido blanco de verano, alzándola lo suficiente para mostrar mis caderas en el momento en que ponía un pie dentro del fastuoso vestíbulo del Fénix llamado Foxworth Hall.

Chris permanecía muy cerca de mí. Me soltó la mano para rodear con el brazo mis hombros.

–Soy el doctor Christopher Sheffield, y esta señora es mi esposa. –Nos presentó con su amable estilo–. ¿Cómo está usted?

El enjuto anciano parecía reluctante a tender la mano para estrechar la fuerte y morena de Chris. En sus delgados y viejos labios se dibujaba una sonrisilla torcida, cínica, que duplicaba la malicia de una ceja poblada.

–Encantado de conocerle, doctor Sheffield.

Yo era incapaz de apartar la vista de aquel viejo encorvado de ojos azules. Había algo en su sonrisa, su cabello fino con grandes mechones plateados, aquellos ojos con sus sorprendentes pestañas oscuras... ¡Papá!

Se parecería a nuestro padre si hubiera vivido el tiempo suficiente para llegar a ser tan viejo como ese hombre que teníamos delante de nosotros y hubiera sufrido toda clase de tormentos conocidos por la humanidad. Me recordaba a mi papaíto, mi adorable y guapo padre que había sido el gozo de mi juventud. Cómo había rogado volver a verle algún día.

La vieja mano fibrosa fue asida firmemente por Chris, y fue entonces cuando el viejo nos dijo quién era él.

–Soy vuestro viejo tío perdido, según se creía, en los Alpes suizos, hace ahora cincuenta y siete años.

JOEL FOXWORTH

Rápidamente Chris dijo todas las frases adecuadas para disimular la impresión que, sin duda, traslucieron nuestros rostros.

—Ha asustado usted a mi esposa —explicó cortésmente—. Su nombre de soltera era Foxworth, y hasta ahora ella había creído que todos los miembros de su familia materna habían muerto.

Una leve sonrisa de soslayo flotó como una sombra en la cara de «tío Joel» antes de que en ella apareciese el gesto piadoso y benigno de los excelsamente puros de corazón.

—Comprendo —dijo el anciano con una voz susurrante que sonaba como un viento ligero haciendo crujir de forma desagradable las hojas muertas.

En las profundidades cerúleas de los lacrimosos ojos de Joel anidaban oscuras sombras siniestras. Sabía que Chris consideraría que mi imaginación estaba trabajando otra vez más de lo debido.

«No hay sombras, no hay sombras, no hay sombras...», intentaba convencerme, salvo aquellas que yo misma me creaba.

Para ahuyentar las sospechas que despertaba en mí ese viejo que declaraba ser uno de los dos hermanos de mi madre, observé con atención el vestíbulo que tan a menudo se había utilizado como sala de baile. Oí cómo el viento aumentaba su intensidad a medida que los truenos se acercaban indicando que la tempestad estaba casi encima de nosotros.

¡Oh! Lancé un suspiro por aquel día en que yo tenía doce años y contemplaba la lluvia, deseando bailar en aquella misma sala con el hombre que era el segundo esposo de mi madre y que más tarde sería el padre de mi segundo hijo, Bart: un suspiro por la joven llena de fe que fui entonces, tan confiada en que el mundo era un lugar bello y bondadoso.

Lo que me pareció impresionante cuando era sólo una niña, no era nada en comparación con cuanto había visto después de que Chris y yo hubiéramos viajado por toda Europa y visitado Asia y Egipto. Sin embargo, el vestíbulo me pareció más elegante y grandioso de lo que me había parecido cuando yo tenía doce años.

Era una pena que aquel esplendor todavía me abrumara. Miré alrededor y sentí temor a mi pesar. Una angustia extraña se apoderaba de mi corazón y hacía que palpitara con más fuerza y que mi sangre corriera más aprisa y ardientemente. Contemplé las tres arañas de cristal y oro, cada una de las cuales medía más de cuarenta y cinco decímetros de diámetro y sostenía siete hileras de velas. ¿Cuántas filas había habido antes? ¿Cinco? ¿Tres? No podía recordarlo. Observé los grandes espejos de marcos dorados, que rodeaban el vestíbulo, reflejando el exquisito mobiliario Luis XIV donde aquellos que no bailaban podían acomodarse para conversar.

¡No tenía que ser así! Las cosas pasadas nunca son como se recuerdan... ¿Por qué ese segundo Foxworth Hall me intimidaba aún más que el original?

Entonces reparé en algo más, algo que no esperaba ver. Aquellas escaleras dobles que formaban curva, dispuestas una a la derecha y otra a la izquierda de un vasto espacio de mármol de cuadros rojos y blancos, ¿no eran las mismas escaleras, restauradas, pero las mismas? ¿No había presenciado yo cómo el incendio había consumido Foxworth Hall hasta dejarlo convertido en rescoldos rojos y humo? Las ocho chimeneas habían aguantado, firmes, así como las escaleras de mármol. Las barandillas de diseño y el pasamanos de palo de rosa debieron quemarse y ser reemplazados. Tragué para deshacer el nudo que se me había formado en la garganta. Hubiese deseado que la casa fuese nueva, totalmente nueva, que nada quedase de lo viejo.

Joel me observaba atentamente, demostrado así que mi cara revelaba más que la de Chris. Cuando nuestras miradas se cruzaron, él desvió de inmediato la suya antes de hacer un gesto para indicarnos que le siguiéramos. El anciano nos mostró las hermosas habitaciones del primer piso mientras yo permanecía aturdida, sin habla, y Chris formulaba todas las preguntas necesarias antes de que nos acomodáramos en uno de los salones de la planta inferior y Joel comenzara a relatarnos su propia historia.

Durante el recorrido se detuvo en la enorme cocina para prepararnos un tentempié como merienda. Rechazó la ayuda de Chris y nos sirvió una bandeja con té y unos exquisitos bocadillos. Chris estaba hambriento y en pocos minutos había despachado seis bocadillos y se disponía a coger otro cuando Joel le sirvió una segunda taza de té. En cambio yo tenía poco apetito, lo que era de esperar. Me limité a comer un poco y a sorber algo de té, que estaba muy caliente y era muy fuerte, ansiosa por oír la historia que Joel iba a contarnos.

Su voz era débil, con aquellos ásperos tonos bajos que hacían creer que estaba resfriado y le resultaba difícil hablar. Sin embargo, olvidé enseguida el tono desagradable de su voz cuando procedió a explicar lo que yo siempre había querido saber sobre nuestros abuelos y la infancia de nuestra madre. No tardó en hacerse evidente que había odiado mucho a su padre, y entonces comencé a sentir cierta simpatía hacia él.

—¿Se dirigía usted a su padre por su nombre de pila? —Fue la primera pregunta que planteé desde que él inició su narración, y mi voz sonó como un susurro asustado, como si el propio Malcolm pudiera estar acechando, escuchando desde algún lugar cercano.

Sus labios delgados se movieron para torcerse en una grotesca sonrisa burlona.

–Naturalmente. Mi hermano Mel era cuatro años mayor que yo, y nosotros siempre nos referíamos a nuestro padre por su nombre, aunque nunca en su presencia; no teníamos tanto coraje. No podíamos llamarle «padre» porque no era un padre de verdad. Llamarle «papá» parecía ridículo porque hubiera indicado una relación afectuosa, que ni teníamos ni deseábamos. Cuando debíamos dirigirnos a él, le llamábamos «padre», aunque en realidad procurábamos no ser vistos ni oídos por él. Desaparecíamos cuando se hallaba aquí. Aparte de un despacho en la casa, tenía una oficina en la ciudad, desde la que dirigía la mayoría de sus negocios. Siempre estaba trabajando, sentado detrás de una pesada mesa de escritorio que suponía una especie de barrera para nosotros. Incluso cuando se encontraba en casa, se las arreglaba para mostrarse distante, intocable. Nunca estaba ocioso, sino que ocupaba su tiempo efectuando llamadas telefónicas desde su despacho para que nosotros no pudiéramos escuchar sus transacciones.

»Hablaba poco con nuestra madre, pero a ella no parecía importarle. En raras ocasiones le vimos sostener a nuestra hermanita, bebé todavía, en su regazo. Cuando así ocurría, nos escondíamos y lo observábamos con extraños anhelos en nuestros pechos. Después hablábamos de ello, preguntándonos por qué sentíamos celos de Corrine, puesto que ella era a menudo castigada con la misma severidad que nosotros. Sin embargo nuestro padre se mostraba apesadumbrado cuando la castigaba a ella. Para compensar alguna humillación, alguna paliza, o haberla encerrado en el ático, uno de sus modos favoritos de castigarnos, acostumbraba regalar a Corrine una costosa pieza de joyería, una muñeca o un juguete caro. Ella disfrutaba de cuanto una niña pudiera desear, pero si obraba mal él le quitaba lo que ella más apreciaba y lo donaba a la iglesia de que era protector. Corrine lloraba y procuraba conquistar de nuevo su afecto, pero él podía volverse contra ella con la misma facilidad con que se inclinaba en su favor.

»Cuando Mel y yo intentábamos conseguir algún obsequio de consolación, él nos volvía la espalda y nos decía que nos portásemos como hombres y no como chiquillos. Nosotros dos creíamos que tu madre sabía muy bien cómo engatusar a nuestro padre para obtener de él lo que deseaba. En cambio nosotros éramos incapaces de actuar con dulzura, de persuadirle.

Podía imaginar a mi madre de niña, corriendo por esa hermosa pero siniestra casa, creciendo entre cosas lujosas y caras. Por esa razón cuando más tarde se casó con papá, que ganaba un salario modesto, ella seguía sin preocuparse por lo que gastaba.

Yo continuaba sentada allí, escuchando asombrada las palabras de Joel.

—Corrine y nuestra madre no simpatizaban. A medida que mi hermano y yo crecimos, constatamos que nuestra madre envidiaba la belleza de su propia hija, y sus muchos encantos, que le permitirían convertir a cualquier hombre en su juguete. Corrine era excepcionalmente hermosa. Incluso nosotros, sus hermanos, percibíamos el poder que ella llegaría a alcanzar algún día. —Joel colocó las manos abiertas sobre sus piernas. Sus manos eran nudosas, pero de alguna manera conservaban cierto resto de elegancia, quizá porque las movía con gracia o tal vez porque eran pálidas—. Observad toda esta grandiosidad y belleza e imaginad una familia cuyos miembros, atormentados, luchaban por liberarse de las cadenas con que Malcolm nos amarraba. Incluso nuestra madre, que había heredado una fortuna de sus propios padres, estaba sujeta a un estricto control.

»Mel escapó del negocio bancario, que detestaba y en el que Malcolm le había forzado a participar, y lanzándose en su moto hacia las montañas, para quedarse allí en una cabaña de troncos que ambos habíamos construido. Invitábamos a nuestras amigas y hacíamos todo aquello que sabíamos que nuestro padre desaprobaría, desafiando, deliberadamente, su absoluta autoridad.

»Un terrible día de verano, Mel se despeñó por un precipicio; tuvieron que extraer su cuerpo de la hondonada. Tenía entonces veintiún años, y yo, diecisiete. En ese momento me sentí medio muerto, vacío y solo sin mi hermano. Mi padre se dirigió a mí tras el funeral de Mel para anunciarme que debería ocupar el puesto de mi hermano mayor y trabajar en uno de sus bancos para aprender lo necesario sobre el mundo financiero. Hubiera podido muy bien ordenarme que me cortara las manos y los pies. Aquella misma noche huí de casa.

En torno a nosotros, la enorme casa parecía aguardar silenciosa, demasiado silenciosa. También la tempestad parecía contener la respiración, aunque, según contemplé a través de la ventana, el pesado cielo gris aparecía cada vez más denso y cerrado. Me moví ligeramente, acercándome más a Chris en el elegante sofá. Frente a nosotros, en una butaca de respaldo alto, Joel permanecía sentado, callado, como si estuviera atrapado en sus melancólicos recuerdos y Chris y yo hubiéramos dejado de existir para él.

—¿Dónde fue usted? —preguntó Chris, dejando su taza de té y acomodándose antes de cruzar las piernas. Su mano buscó la mía—. Debió de ser difícil para un muchacho de diecisiete años sentirse solo y libre...

Joel volvió bruscamente a la realidad y parecía asombrado por hallarse de nuevo en la odiada casa de su infancia.

—No resultó fácil. No sabía hacer nada práctico, pero tenía mucho talento para la música. Me enrolé en un vapor de carga y trabajé como marinero para pagarme el viaje a Francia. Por primera vez en mi vida, tuve callosidades en las manos. Una vez en Francia, encontré trabajo en un local nocturno donde ganaba unos francos a la semana. No tardé en cansarme de las largas horas

28

perdidas allí y me marché a Suiza, con la intención de ver mundo y nunca regresar a casa. Encontré otro trabajo como músico de un local nocturno en un pequeño hotel suizo cerca de la frontera italiana y pronto me uní a los grupos de esquiadores alpinos. Pasaba la mayor parte de mi tiempo libre esquiando, y durante el verano, haciendo excursiones o paseando en bicicleta. Un día, unos buenos amigos me pidieron que les acompañara en una aventura algo arriesgada que consistía en esquiar montaña abajo desde un pico muy elevado. Tendría entonces unos diecinueve años.

»Durante el trayecto perdí el control y caí de cabeza en una profunda grieta de hielo. Como los otros cuatro marchaban delante de mí riendo y gritándose los unos a los otros, no se dieron cuenta de ello. Me rompí la pierna en la caída. Estuve allí tendido durante un día y medio, casi inconsciente, hasta que dos monjes que viajaban en burro oyeron mis débiles gritos de ayuda. Consiguieron sacarme de allí, aunque yo no lo recuerdo bien, pues estaba exánime por el hambre y enloquecido por el dolor. Cuando recobré el sentido, me hallaba en su monasterio, y unos rostros bondadosos me sonreían. El convento se encontraba en la parte italiana de los Alpes, y yo no sabía ni una palabra de italiano. Me enseñaron latín mientras mi pierna rota se curaba, y después aproveché mi limitado talento artístico para pintar murales y decorar manuscritos con ilustraciones religiosas. A veces tocaba el órgano. Cuando la pierna hubo sanado y pude caminar, descubrí que me agradaba aquella vida tranquila, las tareas artísticas que me encargaban, la música que tocaba a la salida y la puesta de sol, la silenciosa rutina de los sosegados días de rezos, trabajo y abnegación. Me quedé y, con el tiempo, me convertí en uno de ellos. En aquel monasterio, en lo alto de las montañas, encontré al fin la paz.

Su historia había terminado. Continuó sentado, mirando a Chris. Luego dirigió sus ojos pálidos, pero ardientes, hacia mí. Sobrecogida por su mirada penetrante, intenté no temblar para no manifestar la repugnancia que aquel hombre me inspiraba. Él no me gustaba, aunque se pareciera un poco al padre a quien tanto había amado. De hecho no tenía ningún motivo para sentir aversión hacia Joel. Sospeché que aquel sentimiento lo provocaban mi propia ansiedad y el temor de que estuviera al tanto de que Chris era realmente mi hermano y no mi marido. ¿Se lo había contado Bart? ¿Habría advertido el parecido de Chris con los Foxworth? No podía saberlo. Joel me sonreía, desplegando su caduco encanto para conquistarme. Era lo bastante sensato para intuir que no era a Chris a quien tenía que convencer...

—¿Por qué regresó usted? —preguntó Chris.

De nuevo Joel se esforzó en sonreír.

—Un día, un periodista americano fue al monasterio para escribir una historia acerca de lo que representaba ser monje en el mundo moderno de hoy. Puesto que yo era el único que hablaba inglés allí, solía actuar como representante de los demás. Pregunté casualmente a aquel hombre si había oído hablar de los Foxworth de Virginia. Por supuesto, así era, ya que Malcolm había acumulado una gran fortuna y a menudo participaba en la vida política. Fue entonces cuando me enteré de su muerte y de la de mi madre. Cuando el periodista se marchó, no podía evitar pensar en esta casa y en mi hermana. Los años se funden con facilidad unos con otros cuando todos los días son iguales y no hay calendarios a la vista. Por tanto, decidí regresar y hablar con mi hermana para tratar de conocerla mejor. El periodista no había mencionado si ella se había casado. Cuando ya llevaba casi un año en el pueblo, alojado en un motel, me enteré de que la casa original se había incendiado una noche de Navidad, que mi hermana había sido internada en un manicomio y que la tremenda fortuna de los Foxworth le había sido legada. Cuando Bart se presentó, aquel verano, supe el resto: cómo murió mi hermana, como heredó él...

Bajó los ojos con modestia:

—Bart es un joven notable; yo disfruto con su compañía. Antes de que él viniese, solía pasar buena parte de mi tiempo aquí arriba, charlando con el guardián, quien me habló de Bart y sus frecuentes visitas para dar instrucciones a los constructores y los decoradores, a quienes había expresado su deseo de conseguir que esta casa tuviera un aspecto idéntico a la anterior. Me propuse estar presente cuando Bart acudiera la próxima vez. Nos conocimos, le expliqué quién era yo, y él pareció alegrarse mucho. Ésa es toda la historia.

¿Realmente? Lo miré con dureza. ¿Habría regresado pensando obtener una parte de la fortuna que Malcolm había dejado? ¿Podría él destruir la voluntad de mi madre y quedarse con un buen pedazo para sí? Si así era, me preguntaba por qué a Bart no le había inquietado enterarse de que Joel estaba vivo.

No traduje mis pensamientos con palabras, sino que me limité a permanecer sentada, mientras Joel se sumía en un largo silencio taciturno. Chris se levantó.

—Ha sido un día muy ajetreado para nosotros, Joel, y mi esposa está muy cansada. ¿Podría usted indicarnos qué habitaciones vamos a ocupar para que podamos refrescarnos y descansar?

Joel se puso en pie al instante excusándose por mostrar una hospitalidad tan pobre y enseguida nos acompañó hasta la escalera.

—Me encantará ver de nuevo a Bart. Fue muy generoso al ofrecerme alojamiento en esta casa. Sin embargo, todas estas habitaciones me recuerdan demasiado a mis padres. Mi dormitorio se halla encima del garaje, cerca de las dependencias de los sirvientes.

Justo en aquel momento sonó el teléfono. Joel me lo tendió.

—Es tu hijo mayor que llama desde Nueva York —dijo con su voz fría y áspera—. Podéis usar el teléfono del primer salón si ambos queréis hablar con él.

Chris se apresuró a descolgar el auricular de otro teléfono mientras yo saludaba a Jory. Su voz feliz disipó algo la tristeza y la depresión que me embargaban.

—Mamá, papá, he conseguido cancelar algunos pequeños compromisos, y Mel y yo estamos libres para viajar hasta ahí en avión y estar con vosotros. Los dos estamos cansados y necesitamos unas vacaciones. Además, nos gustaría echar un vistazo a esa casa de que tanto hemos oído hablar. ¿Es realmente como la original?

Oh, sí, demasiado. Yo rebosaba de alegría porque Jory y Melodie se reunirían con nosotros. Cuando Cindy y Bart llegasen, volveríamos a ser una familia, viviendo bajo el mismo techo, algo que yo no había conocido desde hacía mucho tiempo.

—No, naturalmente que no me importa renunciar a la escena durante una temporada —aseguró con tono desenfadado respondiendo a mi pregunta—. Estoy cansado. Incluso noto mis huesos debilitados por la fatiga. A ambos nos conviene un buen descanso..., y tenemos noticias para vosotros.

No dijo nada más.

Colgamos, y Chris y yo sonreíamos. Joel se había retirado para dejarnos solos y reaparecía de nuevo. Se acercaba con paso inseguro y vacilante a una mesa de estilo francés, sobre la que había un gran jarrón de mármol que contenía un ramo de flores secas, mientras hablaba del conjunto de habitaciones que Bart había planeado para mi uso. Me miró primero a mí y después a Chris, antes de añadir:

—Y para usted también, doctor Sheffield.

Joel volvió sus lacrimosos ojos para estudiar mi expresión, encontrando al parecer algo en ella que le complacía.

Enlazando mi brazo con el de Chris, me encaminé hacia la escalera que nos conduciría arriba, otra vez a aquel segundo piso donde todo había comenzado; el maravilloso y pecaminoso amor que entre Chris y yo había nacido en la penumbra del polvoriento y ruinoso ático, un lugar oscuro lleno de muebles viejos y trastos, con papel floreado en la pared y promesas rotas a nuestros pies.

RECUERDOS

Cuando nos hallábamos en mitad de la escalera, me detuve para mirar hacia abajo, deseando ver algo que antes hubiera escapado a mi atención. Incluso durante la narración de Joel y nuestra frugal merienda, yo no había dejado de observar cuanto había visto con anterioridad. Desde la habitación donde habíamos estado, había podido mirar fácilmente hacia el vestíbulo, decorado con los espejos y el elegante mobiliario francés dispuesto ordenadamente en pequeños grupos que trataban, en vano, de crear un ambiente de intimidad. El suelo de mármol brillaba como el cristal a causa de los muchos pulimentos. Sentí el abrumador deseo de bailar, bailar, y hacer piruetas hasta caer...

Chis se impacientaba y tiraba de mí hacia arriba, hasta que por fin llegamos a la gran rotonda. De nuevo miré hacia abajo, hacia la sala de baile-vestíbulo.

—Cathy, ¿te has perdido en tus recuerdos? —murmuró Chris, ligeramente contrariado—. ¿No ha llegado ya el momento de que ambos olvidemos el pasado y sigamos hacia adelante? Vamos, debes de estar muy cansada.

Los recuerdos acudían a mi mente con rapidez y furia; Cory, Carrie, Bartholomew Winslow. Los presentía a todos alrededor, susurrantes, susurrantes. Volví a mirar a Joel, que nos había dicho que no quería que le llamásemos tío Joel. Aquel distinguido título estaba reservado para mis hijos.

Su aspecto debía de ser como el que tuvo Malcolm, aunque sus ojos eran más blandos, menos penetrantes que aquellos que nosotros habíamos visto en aquel enorme retrato, tamaño natural, de Malcolm en la sala de «trofeos». Me dije que no todos los ojos azules eran crueles e inhumanos. En realidad, yo debía saberlo mejor que nadie.

Estudié abiertamente el rostro avejentado que tenía ante mí, en el cual todavía podían apreciarse los rasgos del joven que había sido. Sus finos cabellos debieron de ser rubios, y su cara, muy semejante a la de mi padre, y la de su hijo. Al pensar en tal parecido, me relajé y me obligué a avanzar un paso para abrazarle.

—Bien venido al hogar, Joel.

Su viejo cuerpo frágil me resultó frío y quebradizo entre mis brazos. Noté su mejilla áspera cuando mis labios depositaron un beso en ella. Se encogió y se separó de mí como si se sintiera contaminado por mi contacto; quizá tenía miedo de las mujeres. Me aparté con brusquedad, lamentando entonces haber intentado mostrarme cálida y amistosa. El contacto corporal estaba vedado a los Foxworth a menos que existiera un certificado de matrimonio primero. Me sentí alterada y mi mirada buscó la de Chris. «Tranquila —me dijeron sus ojos—, todo saldrá bien.»

—Mi esposa está muy cansada —recordó con suavidad Chris—. Hemos tenido un programa muy apretado, con la graduación de nuestro hijo menor, las fiestas y el viaje.

Joel rompió el prolongado y tenso silencio que nos mantenía a todos de pie en la rotonda a media luz, y mencionó que Bart había previsto contratar sirvientes. De hecho ya había telefoneado a una agencia de empleo y anunciado que nosotros entrevistaríamos a algunas personas en su nombre. Su murmullo era tan inaudible que apenas entendí lo que dijo; sobre todo, porque mi mente estaba muy ocupada con especulaciones mientras miraba fijamente hacia el ala norte, hacia aquella habitación aislada del fondo donde habíamos sido encerrados. ¿Estaría todavía igual? ¿Habría ordenado Bart que se colocaran allí dos camas dobles, entre el cúmulo de muebles oscuros y antiguos? Esperaba y rogaba que no fuese así.

De pronto Joel pronunció unas palabras para las que no estaba preparada.

—Te pareces a tu madre, Catherine.

Lo miré fijamente, con el rostro inexpresivo, resentida por lo que él quizá consideraba un cumplido.

Permaneció inmóvil, como si aguardara una orden silenciosa, mirándonos a mí y a Chris antes de darse la vuelta para conducirnos hasta nuestra habitación. El sol, que había brillado de modo resplandeciente cuando llegamos era ya un recuerdo remoto al empezar la lluvia a caer copiosamente sobre el tejado de pizarra con una fuerza dura y firme semejante a la de las balas. Los truenos rugían y estallaban sobre nuestras cabezas, y los relámpagos rasgaban el cielo, crepitando cada pocos segundos. Me cobijé en los brazos de Chris, estremecida ante lo que me parecía la ira de Dios.

Tras los cristales de las ventanas los hilillos de agua caían de los canalones del tejado formando regueros que pronto inundarían los jardines y arrasarían cuanto estaba vivo y era hermoso. Suspiré y me sentí miserable por haber regresado al lugar que me hacía sentir de nuevo joven y tremendamente vulnerable.

—Sí, sí —musitó Joel—, igual que Corrine. —Sus ojos me examinaron con atención una vez más, y después bajó la cabeza con tal lentitud que pudieron haber transcurrido cinco minutos, o acaso cinco segundos.

Quizá los monjes se quedan a menudo en pie con las cabezas inclinadas, rezando, sumidos en una adoración silenciosa; tal vez eso era lo que aquello significaba. Yo no sabía nada en absoluto sobre monasterios y la clase de vida que los monjes llevaban.

—Tenemos que deshacer el equipaje —dijo Chris, más enérgico—. Mi esposa está agotada. Necesita un baño y una siesta, ya que los viajes siempre hacen que se sienta cansada y sucia. —Me pregunté por qué se molestaba en dar explicaciones.

Con paso lento, arrastrando los pies, Joel nos condujo finalmente por el largo pasillo. Giró y, para mi consternación y angustia, se encaminó hacia el ala sur donde se hallaban las suntuosas habitaciones que antaño había ocupado nuestra madre. En otro tiempo, yo había deseado ansiosamente dormir en su gloriosa cama de cisne, sentarme a su tocador largo, sumergirme en su bañera de mármol negro, empotrada en el suelo y rodeada de espejos.

Joel se paró ante la doble puerta, sobre los dos escalones anchos, alfombrados, curvados hacia fuera formando medias lunas. Esbozó una sonrisa extraña.

—El ala de tu madre —dijo.

Me detuve delante de aquella puerta que tan bien recordaba. Me sentí trastornada y miré con desesperación a Chris. La lluvia se había calmado hasta convertirse en un persistente tamborileo *staccato*. Joel abrió un batiente de la puerta y entró en el dormitorio. Chris aprovechó la oportunidad para susurrarme:

—Para él somos sólo marido y mujer, Cathy..., es todo lo que sabe.

Con lágrimas en los ojos, entré en aquella habitación, donde, para mi sorpresa, encontré lo que suponía se había quemado en el incendio: ¡la cama! Allí se hallaba la cama en forma de cisne, cuyos cortinajes de fantasía rosa eran graciosamente sostenidos por los extremos de las plumas de las alas, transformadas en dedos. La curvatura del cuello y el ojo de rubí vigilante y soñoliento que custodiaba a los ocupantes de la cama, eran idénticos a los que tenía el cisne que yo recordaba.

La contemplé sin dar crédito a mis ojos. ¿Dormir en aquella cama? ¿Acostarme en la cama donde mi madre había yacido en los brazos de Bartholomew Winslow, su segundo marido, hombre que yo le había robado y que era el padre de mi hijo Bart? Aquel hombre todavía aparecía en mis pesadillas y me llenaba de remordimientos. ¡No! ¡No podría dormir en aquella cama! ¡Jamás!

En el pasado había ansiado acostarme en ese mismo lecho con Bartholomew Winslow. Qué joven y estúpida fui entonces al creer que lo material proporcionaba realmente la felicidad, y que si él fuese sólo mío ya nada más desearía en la vida.

–¿No es una maravilla esa cama? –preguntó Joel detrás de mí–. Bart se encargó personalmente de encontrar artesanos que esculpieran la cabecera de forma de cisne. Según me comentó, lo miraban como si de un loco se tratara. Pero contactó con algunos hombres viejos que estuvieron encantados de poder construir algo que consideraron creativo y económicamente rentable. Al parecer, Bart disponía de descripciones que detallaban que el cisne debía de tener la cabeza vuelta, un ojo soñoliento con un rubí y plumas en forma de dedos para sostener los cortinajes transparentes de la cama. ¡Oh!, qué alboroto armó cuando no lo hicieron bien la primera vez. Después quiso que hubiera un pequeño cisne a los pies de la cama; para ti, Catherine, para ti.

Chris habló con voz severa.

–Joel, ¿qué te ha contado realmente Bart?

Se colocó a mi lado y me rodeó los hombros con su brazo, protegiéndome de Joel, de todo. Junto a él, yo habría vivido en una choza con techumbre de paja, en una tienda de campaña o en una cueva. Él me daba vigor.

El viejo esbozó una sonrisa débil y sarcástica al darse cuenta de la actitud protectora de Chris.

–Bart me explicó toda la historia de su familia. Siempre ha necesitado a un hombre más viejo que él con quien hablar.

Hizo una pausa significativa, dirigiendo una mirada a Chris, que no podía dejar de aceptar la insinuación. Aunque se esforzaba por dominarse, lo vi fruncir ligeramente el entrecejo. Joel parecía sentir complacencia en continuar.

—Bart me contó cómo su madre y los hermanos de ella fueron encerrados bajo llave durante más de tres años, hasta que ésta huyó con su hermana, Carrie, la gemela que quedaba viva, a Carolina del Sur. También me dijo que tú, Catherine, tardaste años en encontrar el marido adecuado que mejor se acomodara a tus necesidades. Por eso ahora estás casada con el... doctor Christopher Sheffield.

Sus palabras contenían tantas alusiones veladas que bastaron para hacerme estremecer con un frío súbito.

Joel salió por fin de la habitación y cerró la puerta con suavidad. Entonces Chris pudo proporcionarme la seguridad que yo necesitaba si tenía que permanecer en ese dormitorio, aunque sólo fuese una noche. Me besó, me abrazó, me acarició la espalda y el cabello; me tranquilizó hasta que fui capaz de contemplar el conjunto de habitaciones a las que Bart se había empeñado en dotar del lujo que antes había tenido.

—Se trata sólo de una cama, una reproducción de la original —dijo Chris suavemente, con ojos cálidos y comprensivos—. Nuestra madre no se ha acostado en esta cama, cariño mío. Recuerda que Bart leyó tus escritos. Todo está dispuesto así porque tú construiste el modelo para que él lo siguiera. Describiste esa cama recreándote de tal modo en los detalles que él seguramente creyó que deseabas que tus habitaciones fueran como las que solía tener nuestra madre. Quizá sigues deseándolo inconscientemente, y Bart lo sabe. Perdónanos a los dos por el error, si acaso me equivoco. Debes pensar que su única intención ha sido complacerte decorando esta habitación tal y como estaba antes, y que para ello ha gastado mucho dinero.

Aturdida, negaba que alguna vez hubiera deseado lo que ella tenía, pero no me creyó.

–¡Tus deseos, Catherine! ¡Anhelabas tener cuanto ella poseía! Lo sé, tus hijos también. Por tanto, no nos culpes por ser capaces de interpretar tus deseos, aunque tú los disimules con subterfugios inteligentes.

Hubiera querido odiarle por conocerme tan bien. Sin embargo, le rodeé con mis brazos y apreté la cara contra la pechera de su camisa, temblando y tratando de ocultar la verdad, incluso a mí misma.

–Chris, no seas duro conmigo –sollocé–. Me sorprendió tanto ver que estas habitaciones tenían casi el mismo aspecto que cuando nosotros entrábamos para robar..., y su marido...

Chris me abrazó con fuerza.

–¿Qué te parece Joel? –pregunté.

Reflexionó antes de responder:

–Me gusta, Cathy. Parece sincero y sin duda agradece que estemos dispuestos a permitir que se quede aquí.

–¿Le has dicho que podía quedarse? –murmuré.

–Claro, ¿por qué no? Nosotros nos marcharemos tan pronto como Bart cumpla veinticinco años, cuando se independice. Además, piensa en la maravillosa oportunidad que se nos brinda de saber más sobre los Foxworth. Joel puede explicarnos detalles que rememoramos acerca de la juventud de nuestra madre y la vida de la familia en aquella época. Quizá cuando conozcamos todos los datos comprenderemos qué le incitó a ella a traicionarnos y por qué el abuelo nos deseaba la muerte. Tengo la impresión de que en el pasado se oculta una horrible verdad que torturó el cerebro de Malcolm de tal forma que le impulsó a dominar los instintos naturales de nuestra madre de mantener con vida a sus propios hijos.

En mi opinión, Joel ya había dicho lo suficiente abajo. Yo no quería enterarme de nada más. Malcolm Foxworth había sido uno de esos extraños seres humanos nacidos sin conciencia e incapaces de sentir remordimientos por cualquier mala acción cometida. No había justificación para él ni posibilidad de entenderlo.

En actitud suplicante, Chris me miró fijamente a los ojos exponiendo su corazón y su alma a las injurias de mi desprecio.

–Me gustaría saber algo más sobre la juventud de nuestra madre, Cathy, para comprender qué le llevó a ser como era. Nos hirió tan profundamente que considero que ninguno de nosotros se recobrará hasta que logremos entender la razón. Yo la he perdonado, pero no consigo olvidar. Deseo conocer las causas para poder ayudarte a perdonarla...

–¿Servirá eso de algo? –pregunté con sarcasmo–. Ya es demasiado tarde para comprender o perdonar a nuestra madre, y, para ser sincera, no deseo encontrar la comprensión, pues, si la encuentro, quizá no me quede más remedio que perdonarla.

Chris dejó caer los brazos a los lados del cuerpo. Se dio la vuelta y se alejó de mí a grandes zancadas.

–Voy a buscar nuestro equipaje. Toma un baño entretanto. Cuando hayas terminado yo ya habré desempaquetado todo. –Se detuvo en el umbral, sin volverse para mirarme–. Intenta con todas tus fuerzas, aprovechar la situación para reconciliarte con Bart. No se ha perdido toda esperanza de recuperación, Cathy. Ya lo oíste en la ceremonia de graduación. Ese muchacho tiene una habilidad notable para la oratoria. Pronunció un discurso inteligente. Ahora es un líder, Cathy, cuando antes no era más que un ser tímido e introvertido. Debemos considerar una bendición que al fin Bart haya salido de su concha.

Bajé la cabeza con humildad.

–Sí, haré lo que pueda. Perdóname, Chris, por mostrarme tan testaruda una vez más.

Chris sonrió y se marchó.

En el baño de «ella», contiguo a un magnífico vestidor, me desnudé con lentitud mientras se llenaba la bañera de mármol negro que se encontraba a ras del suelo. Me rodeaban espejos con marcos dorados que reflejaban mi desnudez. Estaba orgullosa de mi figura, aún esbelta y firme, y de mis pechos que no colgaban fláccidos. Despojada de la ropa, alcé los brazos para quitarme las pocas horquillas que quedaban en mis cabellos. Imaginé a mi madre como debió estar ahí, de pie, haciendo lo mismo que yo mientras pensaba en su segundo marido, más joven que ella. ¿Se habría preguntado alguna vez dónde se hallaba él las noches que pasaba conmigo? ¿Habría sabido ella quién era la amante de Bart antes de que yo lo revelara en la fiesta de Navidad? Confiaba en que así fuese.

Dos horas después de una cena nada notable, contemplaba tumbada en la cama que había alimentado mis ensueños cómo se desnudaba Chris. Fiel a su palabra, había deshecho el equipaje, colgado nuestros trajes y guardado la ropa interior en la cómoda. Parecía cansado, y lo noté ligeramente infeliz.

—Joel me ha dicho que mañana vendrán algunos sirvientes para las entrevistas. Espero que te sientas dispuesta para hacerlas.

Me incorporé, asombrada.

—Suponía que Bart contrataría personalmente a sus sirvientes.

—No, lo ha dejado para ti.

—Vaya...

Chris colgó su traje en el galán de noche de cobre, que se parecía al que había utilizado el padre de Bart cuando él vivía aquí o en el otro Foxworth Hall.

Estaba hechizada. Totalmente desnudo, Chris se encaminó hacia el cuarto de baño «de él».

—Me ducharé rápidamente y volveré a tu lado. No te duermas hasta que yo haya terminado.

Me acosté y observé con atención, muy excitada, la habitación en penumbra. Me sentí como si fuera mi madre, sabiendo que había cuatro niños encerrados con llave en el ático, experimentando el pánico y el sentimiento de culpa que a ella seguramente le asaltaban mientras vivía su malvado viejo padre, cuya presencia se intuía amenazadora incluso cuando no estaba delante. «Nacido malo, perverso, infame», me susurraba una vocecilla una y otra vez. Cerré los ojos e intenté detener aquella locura. No oía voces ni música de ballet. No oía nada. Tampoco olía el aroma seco y enmohecido del ático. Era imposible, porque yo tenía cincuenta y dos años, no doce, trece, catorce o quince.

Los antiguos olores habían desaparecido. Sólo olía a pintura fresca, madera joven, papel de pared recién aplicado y telas. Todo era –alfombras, tapices, mobiliario– nuevo; todo excepto las antigüedades del primer piso. No se trataba del auténtico Foxworth Hall, sino de una imitación.

Sin embargo, no podía evitar preguntarme por qué había regresado Joel si tanto le gustaba ser monje. No era posible que deseara dinero de la herencia, puesto que se había acostumbrado a la austeridad monacal. Aparte de querer ver a sus familiares, debía existir otra buena razón que justificara su presencia en la casa. A pesar de que la gente del pueblo le anunció que nuestra madre había muerto, decidió quedarse. ¿Acaso esperaba la oportunidad de conocer a Bart? ¿Qué había encontrado en Bart que le había hecho permanecer más tiempo? Por supuesto, era impensable que se debiera a que mi hijo le ofreció el puesto de mayordomo hasta que nosotros contratáramos uno de verdad.

Suspiré. ¿Por qué estaba convirtiendo todo eso en un misterio cuando había por medio una fortuna? Siempre parecía que el dinero era la razón que motivaba cualquier acción.

La fatiga me cerraba los ojos. Ahuyenté el sueño. Necesitaba ese tiempo para pensar en el mañana y en ese tío surgido de la nada. ¿Habíamos ganado por fin cuanto mamá nos había prometido, solamente para perderlo a causa de la intervención de Joel? Si él no intentaba impugnar el testamento de mamá, y nosotros conseguíamos conservar lo que teníamos, ¿llevaría eso un precio marcado?

Por la mañana Chris y yo descendimos por el lado derecho de la escalera doble, sintiendo que habíamos llegado a «ser nosotros mismos» y que controlábamos, por fin, nuestras vidas. Chris me cogió la mano y la apretó, adivinando, por mi expresión, que la casa ya no me intimidaba.

Encontramos a Joel en la cocina, afanándose en preparar el desayuno. Llevaba un largo delantal blanco y en la cabeza un gorro alto de cocinero, que, por alguna razón inexplicable, resultaba ridículo en un hombre frágil, alto y viejo como él. «Sólo los hombres gordos deberían ser *chefs*», pensé, aunque agradecía que él hubiera asumido una tarea que nunca me ha gustado.

—Espero que os gusten los huevos Benedict —dijo Joel sin mirarnos.

Me sorprendió comprobar que el plato que había cocinado era exquisito. Chris repitió. Después Joel nos enseñó las habitaciones, todavía sin decorar. Me dirigió una sonrisa maliciosa cuando dijo:

—Bart me explicó que prefieres las habitaciones con un mobiliario cómodo e informal. Desea que amuebles estas salas vacías de un modo confortable, imprimiendo en ellas tu estilo inimitable.

¿Estaba burlándose de mí? Él sabía que Chris y yo nos hallábamos de forma temporal en la casa. Entonces me di cuenta de que quizá Bart me necesitara para ayudarle a decorar la casa y que le resultaba difícil pedírmelo él mismo.

Cuando pregunté a Chris si Joel podía impugnar el testamento de mamá y quitar a Bart el dinero que él consideraba indispensable para su estimación, Chris cabeceó admitiendo que en realidad ignoraba los detalles legales que existían cuando un heredero que se creía difunto aparecía con vida.

—Bart podría entregarle el dinero suficiente para que viviera con desahogo los pocos años que le quedan —dije

43

yo, hurgando en mi cerebro para recordar todas las palabras de la última voluntad de mi madre en su testamento. No mencionaba a sus hermanos mayores, a quienes ella suponía muertos.

Cuando salí de mis pensamientos, Joel estaba de nuevo en la cocina. Había encontrado en la despensa suficientes provisiones para alimentar a un regimiento. Respondió a una pregunta que Chris había formulado y yo no había oído con voz sombría.

—Naturalmente, la casa no es exactamente la misma; ya nadie usa pernos, sino clavos de hierro. Puse todos los muebles viejos en mi alojamiento. Yo no pertenezco realmente a este lugar, de modo que me quedaré en las habitaciones destinadas a los sirvientes, encima del garaje.

—Te repito que no deberías hacer eso —dijo Chris frunciendo el entrecejo—. No sería justo permitir que un miembro de la familia viva de forma tan austera.

Habíamos visto el enorme garaje, y las dependencias de los sirvientes que más que austeras, eran pequeñas.

«¡Déjale!», quise decir, pero guardé silencio.

Antes de que me diera cuenta de lo que estaba sucediendo, Chris ya había instalado a Joel en el segundo piso del ala oeste. Suspiré, lamentando que Joel viviera bajo el mismo techo que nosotros. Sin embargo, estaba segura de que todo iría bien; en cuanto nuestra curiosidad quedase satisfecha y Bart celebrara su aniversario, partiríamos con Cindy hacia Hawai.

Alrededor de las dos de la tarde, Chris y yo entrevistamos en la biblioteca al hombre y la mujer que acudieron, avalados por excelentes referencias. No encontré ninguna falta en ellos, excepto algo furtivo en sus ojos. Me molestó e inquietó la manera en que nos miraban a Chris y a mí.

—Lo siento —se excusó Chris, interpretando el ligero gesto de negativa que hice—, pero ya hemos elegido otra pareja.

El matrimonio se levantó para marcharse. La mujer se dio la vuelta en el umbral para dirigirme una mirada larga y significativa.

—Vivo en el pueblo, señora Sheffield —dijo fríamente—, desde hace sólo cinco años, pero he oído hablar mucho de los Foxworth que viven en la colina.

Sus palabras me hicieron volver la cabeza hacia otro lado.

—Sí, estoy seguro de que así es —atajó Chris con cortante sequedad.

La mujer emitió un sonido despectivo antes de cerrar de un portazo.

A continuación se presentó un hombre alto y aristocrático, de porte militar, vestido de un modo impecable hasta el último detalle. Entró dando grandes pasos y aguardó respetuosamente hasta que Chris le indicó que se sentara.

—Me llamo Trevor Mainstream Majors —declaró con un estilo británico vigoroso—. Nací en Liverpool hace cincuenta y nueve años. Me casé en Londres cuando tenía veintiséis y mi esposa murió hace tres años. Mis dos hijos viven en Carolina del Norte... Por eso estoy aquí, esperando poder trabajar en Virginia para visitar a mis hijos en mis días libres.

—¿Dónde trabajó usted después de dejar a los Johnston? —preguntó Chris, mirando los informes del hombre—. Parece poseer usted excelentes referencias hasta hace un año.

Trevor Majors cambió sus largas piernas de posición y se ajustó la corbata antes de responder con toda cortesía:

—Trabajé para los Millerson, que dejaron la colina hace aproximadamente seis meses.

Silencio. Yo había oído a mi madre mencionar a los Millerson muchas veces. Los latidos de mi corazón se aceleraron.

—¿Durante cuánto tiempo estuvo usted al servicio de los Millerson? —preguntó Chris cordialmente, como si no sintiera ningún recelo, a pesar de haber advertido mi ansiosa mirada.

–No mucho, sir. Vivían cinco de sus hijos en la casa, que siempre estaba llena de sobrinos y sobrinas, amigos a quienes invitaban. Yo era el único sirviente. Aparte de hacer de cocinero y chófer, cuidaba de la casa, el lavado de la ropa..., y es un orgullo y un placer para los ingleses ocuparse también del jardín. Como chófer de los cinco niños, a quienes llevaba y traía de la escuela, las clases de baile, los acontecimientos deportivos, los cines y otras actividades, pasaba tanto tiempo en la carretera que rara vez tenía oportunidad de preparar una comida decente. Un día, el señor Millerson se quejó de que no había segado el césped ni arrancado los hierbajos del jardín, y de que no había disfrutado de una buena comida en casa desde hacía dos semanas. Me reprendió con severidad porque la cena se retrasaba. Señor, ¡eso fue demasiado! Su esposa me había ordenado que la aguardase en el automóvil mientras ella hacía sus compras; después me envió a recoger a los niños al cine..., y sin embargo se suponía que yo debía servir la cena. Le dije al señor Millerson que yo no era un robot capaz de hacer mil cosas y todo al mismo tiempo..., y me marché. Estaba tan enojado que me amenazó con no darme buenas referencias jamás. Pero si espera usted algunos días, se le pasará el enfado y se dará cuenta de que yo realicé mi labor lo mejor que pude pese a las difíciles circunstancias...

Suspiré, miré a Chris y le hice furtivamente una señal. Ese hombre era perfecto. Chris ni siquiera me miró.

–Creo que usted encajará muy bien, señor Majors. Le contrataremos durante un período de prueba de un mes, y si, transcurrido ese tiempo, no encontramos satisfactorio su trabajo, daremos por rescindido el contrato. –Me miró–. Es decir, si mi esposa está de acuerdo...

Me levanté y asentí en silencio. Necesitábamos sirvientes. No tenía intención de pasar mis vacaciones quitando el polvo y limpiando la enorme mansión.

–Señor, señora, si lo desean ustedes, llámenme simplemente Trevor. Será un honor y un placer servir en esta casa. –Se puso en pie de un salto en el instante en que yo me levanté, y después, cuando Chris lo hizo, ambos se estrecharon la mano–. Realmente será un placer –dijo mientras nos sonreía satisfecho.

En tres días contratamos a tres sirvientes, lo que resultó bastante fácil, puesto que Bart los pagaría con generosidad.

Al atardecer de nuestro quinto día en la mansión, me hallaba de pie junto a Chris en la terraza, mirando las montañas que nos rodeaban, contemplando aquella misma luna antigua que solía contemplarnos a su vez mientras estábamos tumbados en el tejado del viejo Foxworth Hall. Cuando tenía quince años, creía que era el único y enorme ojo de Dios. Otros lugares me han brindado lunas románticas, claros de luna que conseguían que se desvaneciesen mis temores y culpas. En cambio, en ese lugar sentía que la luna era un juez severo dispuesto a condenarnos incesantemente, una y otra vez.

–Qué noche más bella, ¿no crees? –dijo Chris rodeándome la cintura con su brazo–. Me gusta esta terraza que Bart añadió a nuestras habitaciones. No estorba la apariencia exterior, pues se encuentra en un lado, y fíjate en el panorama que ofrece de las montañas.

Las nebulosas montañas azuladas habían representado siempre para mí una valla dentada que nos mantenía atrapados, como prisioneros de la esperanza. Incluso en ese momento, veía en sus cimas una barrera entre mi persona y la libertad. «Dios mío, si estás ahí arriba, ayúdame a resistir las próximas semanas.»

Al día siguiente, cerca de las doce, Chris y yo, junto con Joel, observábamos desde el pórtico de entrada cómo el Jaguar rojo, de afilado diseño, subía veloz por la empinada carretera serpenteante que llevaba a Foxworth Hall.

Bart conducía a gran velocidad, desafiador, como si retara a la muerte. Yo me sentía desfallecer mientras veía cómo tomaba las peligrosas curvas.

–Dios sabe que debería tener más sentido común –gruñó Chris–. Siempre ha sido propenso a los accidentes..., y fíjate cómo conduce, como si tuviera un seguro de inmortalidad.

–Algunos lo tienen –replicó Joel enigmáticamente.

Le lancé una mirada inquisitiva, y después volví a mirar el deportivo rojo, que había costado una pequeña fortuna. Bart compraba cada año un coche nuevo, siempre de color rojo. Había probado todos los automóviles de lujo para descubrir cuál le gustaba más. Aquél era su favorito, hasta el momento, según nos había informado en una breve carta.

Frenó con un chirrido, quemando caucho y manchando la curvada avenida con largas señales negras. Al tiempo que saludaba con la mano, Bart se quitó las gafas de sol, sacudió la cabeza para poner en orden sus alborotados rizos oscuros y, prescindiendo de la puerta saltó de su descapotable. Se quitó los guantes y los arrojó descuidadamente en el asiento. Subió corriendo los escalones y me cogió entre sus fuertes brazos para plantar varios besos en mis mejillas. Yo estaba asombrada por su afectuoso saludo. Le respondí ansiosamente. En el instante en que mis labios tocaron su mejilla, me dejó en el suelo y me apartó de él como si enseguida se hubiera cansado de mí.

Se quedó de pie a pleno sol. Observé al joven alto, de brillante inteligencia, cuyos ojos castaños denotaban energía. Su espalda era ancha, y su cuerpo musculoso se estrechaba en unas esbeltas caderas y largas piernas. Estaba tan atractivo con su traje blanco informal...

–Tienes un aspecto estupendo, madre, sencillamente formidable. –Sus ojos oscuros me examinaron de arriba abajo–. Gracias por ponerte ese vestido rojo; es mi color favorito.

Cogí la mano a Chris.

—Gracias, Bart, lo elegí precisamente por ti.

«Ahora podría decir alguna palabra amable a Chris», pensé. Lo esperé. Sin embargo, Bart ignoró a Chris y se volvió hacia Joel.

—Hola, tío Joel. ¿No es cierto que mi madre es tan hermosa como te dije?

La mano de Chris apretó la mía con tanta fuerza que me hizo daño. Bart siempre encontraba la manera de despreciar al único padre que podía recordar.

—Sí, Bart, tu madre es muy bella —respondió Joel con su voz ronca—. De hecho, es exactamente como imagino que mi hermana Corrine era a su edad.

—Bart, saluda a tu... —me interrumpí. Estuve a punto de decir «padre» pero sabía que Bart negaría tal relación con rudeza. De modo que dije «Chris». Volviendo sus ojos oscuros, y salvajes en ocasiones, hacia Chris, lo miró un instante y profirió un áspero «¡hola!».

—Tú pareces no envejecer —dijo con tono acusador.

—Siento mucho que así sea, Bart —repuso Chris con indiferencia—. Pero el tiempo cumplirá puntual con su tarea.

—Esperemos que sea así.

Yo hubiera sido capaz de abofetear a Bart en ese momento.

Olvidando nuestra presencia, Bart se dio la vuelta para contemplar los prados, la casa, los frondosos macizos de flores, los exuberantes arbustos, los senderos del jardín, las bañeras para los pájaros y otros objetos de adorno, y sonrió con el orgullo de un propietario.

—Es grande, realmente grande, tal como esperaba que fuese. He buscado por todo el mundo y no he encontrado ninguna mansión que pueda compararse con Foxworth Hall.

Sus ojos oscuros se volvieron, y nuestras miradas se cruzaron.

—Ya sé qué estás pensando, madre. Sé que ésta no es todavía la mejor casa, pero un día lo será. Me propongo construir y añadir nuevas alas para que esta mansión exceda en brillantez a cualquier palacio de Europa. Concentraré todas mis energías en convertir Foxworth Hall en un edificio prominente.

–¿A quién vas a impresionar cuando lo hayas conseguido? –preguntó Chris–. El mundo ya no admira las mansiones ni las grandes riquezas, ni respeta a quienes las han obtenido por herencia.

¡Oh, maldita sea! Chris rara vez pronunciaba palabras tan duras. ¿Por qué había dicho aquello? El rostro de Bart se encendió bajo su intenso bronceado.

–¡Pretendo aumentar mi fortuna con mis propios esfuerzos! –exclamó Bart, colérico, acercándose a Chris. Dado que Bart era más delgado que Chris, parecía dominar a éste en estatura. Contemplé cómo el hombre a quien consideraba mi marido miraba fijamente, con ojos retadores, a mi hijo.

–He estado haciendo eso mismo para ti –dijo Chris.

Ante mi sorpresa, Bart se mostró complacido.

–¿Insinúas que como fiduciario te has preocupado de acrecentar mi parte de la herencia?

–Sí; no ha resultado difícil –contestó Chris, lacónico–. El dinero atrae más dinero, y las inversiones que realicé en tu nombre dieron magníficos resultados.

–Seguro que yo podría haberlo hecho mejor.

Chris sonrió con ironía.

–Debí suponer que me lo agradecerías de esta manera.

Yo los miraba, angustiada por ambos. Chris era un hombre maduro, seguro de sí mismo, que sabía quién y qué era; en cambio Bart, aún luchaba por encontrarse a sí mismo y por hacerse un lugar en el mundo.

«Hijo mío, hijo mío, ¿cuándo aprenderás a comportarte con humildad y gratitud?» Muchas noches yo había visto a Chris hacer cuentas, intentando decidir cuáles eran las mejores inversiones, como si él supiera que antes o después Bart lo acusaría de un pobre conocimiento financiero.

—No tardarás en tener la oportunidad de ponerte a prueba a ti mismo —añadió Chris. Se volvió hacia mí—. Cathy, demos un paseo hasta el lago.

—Esperad un minuto —exclamó Bart a quien al parecer enfurecía que nos marchásemos cuando él acababa de llegar a casa. Yo me debatía entre el deseo de huir con Chris y el de complacer a mi hijo—. ¿Dónde está Cindy?

—Pronto llegará —respondí—. En estos momentos se halla en casa de una amiga. Quizá te interese saber que Jory y Melodie pasarán aquí sus vacaciones.

Bart se limitó a mirarme atentamente, tal vez aterrado ante la idea de encontrarse con su hermano. Después una extraña excitación reemplazó a todas las demás emociones en su bello rostro bronceado.

—Bart —proseguí, resistiéndome a la voluntad de Chris de alejarme de una conocida fuente de problemas—, la casa es realmente hermosa. Las innovaciones que has introducido para mejorarla han resultado maravillosas.

Pareció sorprendido de nuevo.

—Madre, ¿quieres decir que no es exactamente igual? Yo... creía que lo era...

—Oh, no, Bart. Antes no había una terraza en nuestra habitación.

Bart se volvió rápidamente hacia su tío abuelo.

—¡Tú dijiste que antes estaba allí!

Joel avanzó un paso, sonriendo cínicamente.

—Bart, hijo mío, no mentí. Nunca miento. La casa original tenía ese balcón. La madre de mi padre ordenó que lo construyeran. Por ese balcón entraba sigilosamente su amante, sin que los sirvientes lo advirtiesen. Más tarde, se fugó con ese mismo amante sin despertar a su marido, quien cerraba con una llave que escondía la puerta del dormitorio que ambos compartían. Cuando Malcolm se convirtió en propietario, mandó que se derribara el balcón. Pero esta terraza añade cierto encanto a aquel lado de la casa.

Satisfecho, Bart se dirigió nuevamente a Chris y a mí.

—¿Lo ves, madre?, tú no sabes absolutamente nada de la casa. Tío Joel es el experto. Él me ha descrito con todo detalle el mobiliario, los cuadros. Cuando acabemos, no sólo no tendremos la misma casa, sino que será mejor que la original.

Bart no había cambiado. Continuaba obsesionado; aún deseaba ser una copia exacta de Malcolm Foxworth, si no en su aspecto físico, sí en personalidad y resolución de ser el hombre más rico del mundo, sin importarle qué tuviera que hacer para conseguir tal título.

MI SEGUNDO HIJO

Poco después de que Bart hubiera llegado a casa, comenzó a elaborar complicados planes para su próxima fiesta de cumpleaños. Para mi sorpresa y satisfacción, descubrí que había hecho muchos amigos durante las vacaciones de verano que había pasado en Virginia. Solía apesadumbrarnos que dedicara pocos días de sus vacaciones a estar con nosotros en California, lugar al que yo consideraba que él pertenecía. Pero, al parecer, conocía a muchas personas de las que nunca habíamos oído hablar, y había entablado amistad con chicos y chicas en la universidad a quienes deseaba invitar para que compartieran su celebración.

Habían transcurrido sólo unos días desde que llegamos a Foxworth Hall, y ya la monotonía de estar sin nada que hacer excepto comer, dormir, leer, ver la televisión y vagabundear por los jardines y bosques, me inquietaba. Ansiaba escapar de allí tan pronto como fuese posible. El profundo silencio de las montañas me apresaba en su hechizo de aislamiento y desesperación; el silencio excitaba mis nervios. Quería oír voces, muchas voces, el timbre del teléfono, recibir visitas, charlar con alguien; pero nadie nos visitaba. Chris y yo debíamos evitar relacionarnos con las personas que habían conocido bien a los Foxworth. Por otro lado deseaba invitar a la fiesta a antiguos amigos de Nueva York y California, pero no me atrevía a hacerlo sin su consentimiento. Deambulaba intranquila por los grandes salones, algunas veces acompañada de Chris. Paseábamos por el jardín, caminábamos por los bosques, algunas veces en silencio, otras en alegre conversación.

Chris había reanudado su vieja afición a la acuarela, actividad que le mantenía ocupado, y posé para él de buena gana cuando me lo pidió. En cambio, era improbable que volviera a bailar nunca más. De todas formas hacía mis ejercicios de ballet para mantenerme ágil y esbelta. En cierta ocasión Joel entró en la salita de estar mientras, apoyada en una silla, realizaba los ejercicios vestida con unas mallas rojas. Oí un ruido en el umbral de la puerta abierta y, cuando me volví, le sorprendí mirándome de hito en hito, como si me hubiera encontrado desnuda.

—¿Qué ocurre? —pregunté preocupada—. ¿Ha sucedido algo terrible?

Abrió sus delgadas, largas y pálidas manos, mientras examinaba con desprecio mi cuerpo.

—¿No crees que eres algo mayor para intentar ser seductora?

—¿Nunca has oído hablar del ejercicio, Joel? —dije impaciente—. No tienes por qué entrar en esta ala. Si te mantienes lejos de esta zona, tus ojos no tendrán que escandalizarse.

—No respetas a alguien más viejo y sabio que tú —replicó mordaz.

—Si es así, te pido perdón, pero tus palabras y tu expresión me ofenden. Si queremos que haya paz en esta casa durante nuestra estancia, permanece alejado de mí, Joel, mientras me encuentre en mis habitaciones. Aquí disponemos de espacio más que suficiente para preservar nuestra intimidad sin necesidad de cerrar las puertas.

Muy erguido, Joel dio la vuelta y se retiró, no sin que antes percibiera yo la indignación que traslucían sus ojos. Lo observé mientras se marchaba, planteándome si no me equivocaba respecto a él. Tal vez era un anciano inofensivo que se inmiscuía sin mala intención en los asuntos ajenos. Sin embargo, no le llamé para disculparme. Me quité las mallas, me puse unos pantalones cortos y una blusa y, confortándome con el pensamiento de la próxima llegada de Jory y su mujer, salí para buscar a Chris. Me detuve junto a la puerta del despacho de Bart y oí que hablaba con su proveedor, haciendo planes para un mínimo de doscientos invitados. Escucharle hizo que me sintiese aturdida. «Oh, Bart, no te das cuenta de que algunos no vendrán, y si lo hacen, que Dios nos asista.»

Mientras continuaba allí, inmóvil, oí que Bart nombraba a algunos de sus convocados, muchos de los cuales eran europeos, personas notables a quienes había conocido en sus viajes. Durante sus días universitarios, Bart se había mostrado incansable en sus esfuerzos por ver mundo y relacionarse con gente importante que gobernaba y dominaba ya fuese con un poder político, el cerebro o su habilidad financiera. Yo atribuía su inquietud a su incapacidad para sentirse feliz en un lugar concreto, pues siempre ansiaba el campo contiguo más verde, y el de más allá...

–Todos vendrán –dijo a la persona con quien hablaba por teléfono–. Cuando lean mi invitación, no podrán rechazarla.

Tras colgar el auricular, giró el sillón para encararse conmigo.

–¡Madre! ¿Estás espiando?

–Es una costumbre que aprendí de ti, querido. –Hizo una mueca–. Bart, ¿por qué no limitas esa fiesta a la familia solamente? Invita a tus mejores amigos si lo deseas. Nuestros vecinos no acudirán, pues, según lo que mi madre solía contarnos, ellos nunca han simpatizado con los Foxworth, ya que éramos demasiado poderosos cuando ellos poseían muy poco. Los Foxworth viajaban mientras los del pueblo debían permanecer aquí. Por favor, no incluyas a la sociedad local, aunque Joel te haya dicho que son amigos suyos y, por tanto, tuyos y nuestros.

–¿Temes que se descubran tus pecados, madre –preguntó Bart, sin ninguna misericordia.

Pese que estaba acostumbrada a su crueldad, me rebelé. ¿Tan terrible resultaba que Chris y yo viviésemos juntos como marido y mujer? ¿No aparecían en los periódicos delitos mucho peores que el nuestro?

–Oh, vamos, madre, no lo tomes así. Seamos felices para variar. –Su semblante se alegró, excitado, como si nada de lo que yo dijese pudiera empañar su agitación–. Madre, confía en mí, por favor. Estoy encargando lo mejor de todo. Cuando se difunda la noticia, lo que no tardará en ocurrir, pues a mi proveedor, el mejor de Virginia, le gusta fanfarronear, nadie se negará a participar en mi fiesta. Se enterarán de que estoy contratando gente de Nueva York y Hollywood para divertirnos, y aún más, estoy seguro de que todos querrán ver bailar a Jory y Melodie.

La sorpresa y la felicidad me invadieron.

–¿Les has pedido que lo hagan?

–No, pero ¿cómo van a rehusar mi hermano y mi cuñada? Mira, madre, organizaré la fiesta al aire libre, en el jardín, a la luz de la luna. Los prados estarán iluminados con globos dorados. Instalaré fuentes por doquier, y unas luces de colores jugarán con el agua de los surtidores. Se servirá champán importado, y cualquier licor que puedas imaginar. La comida será exquisita. Estoy haciendo construir un teatro en medio de un mundo maravilloso de fantasía, donde las mesas se cubrirán con bellos tejidos de todos los colores. Habrá flores en abundancia por todas partes. Demostraré al mundo lo que un Foxworth sabe hacer.

Y así prosiguió, entusiasmado.

Cuando salí de su despacho y hallé a Chris hablando con uno de los jardineros, me sentía feliz, tranquila. Quizá durante ese verano Bart se encontraría finalmente a sí mismo.

Sería como Chris siempre había predicho; junto con la fortuna, Bart heredaría el orgullo y la vanidad necesarios y se encontraría a sí mismo... Y que Dios quisiera que encontrara asimismo la cordura.

Dos días después, estaba de nuevo en su despacho, sentada en una de sus lujosas y mullidas butacas de cuero, asombrada de que hubiera sido capaz de realizar tantas cosas en tan corto espacio de tiempo. Al parecer, todo el equipo de oficina había estado dispuesto para ser instalado en el momento en que él estuviera presente para dirigir el emplazamiento. El pequeño dormitorio situado detrás de la biblioteca, donde nuestro odiado abuelo había vivido hasta su muerte, se había acondicionado como sala para los archivos. La habitación donde las enfermeras del abuelo se habían alojado, se convirtió en una oficina para la secretaria de Bart, si alguna vez encontraba una que cumpliera sus severos requisitos. Un ordenador dominaba una mesa de escritorio larga, curvada, conectado con dos impresoras que trabajaban en dos cartas distintas, incluso mientras Bart y yo conversábamos. Me sorprendió ver que Bart escribía a máquina más deprisa que yo. El tableteo de las impresoras quedaba amortiguado por unas gruesas cubiertas de plástico.

Orgulloso, Bart me mostró cómo se mantenía en contacto con el mundo mientras permanecía en casa, tan solo pulsando botones y uniéndose a un programa llamado «La Fuente». Entonces me enteré de que se había dedicado durante dos meses de un verano a estudiar cómo se programaban los ordenadores.

–Mira, madre, puedo llevar a cabo mis compras, dar órdenes y aprovecharme de los datos técnicos de los expertos por medio de este ordenador. Ocuparé mi tiempo así hasta que abra mi propia firma legal.

Por un momento se sumió en sus reflexiones, con expresión dubitativa. Yo seguía creyendo que Bart había estudiado en Harvard impulsado, por el deseo de emular a su padre. En realidad, las leyes no le interesaban, pues lo único que le importaba en la vida era conseguir dinero.

–¿Acaso no tienes ya suficiente dinero, Bart? ¿Qué hay que no puedas comprar?

En sus oscuros ojos apareció algo maliciosamente infantil y dulce.

–Respeto, madre. Yo no poseo el talento que tú y Jory demostráis. No puedo bailar y no soy capaz de dibujar con gracia una flor y mucho menos un cuerpo humano. –Estaba aludiendo a Chris y su afición a la pintura–. Cuando visito un museo, me siento frustrado ante la admiración que las obras despiertan en los demás. No encuentro nada maravilloso en la *Mona Lisa;* sólo veo un rostro suave, una mujer de aspecto más bien corriente que no podía inspirar mucha pasión. No aprecio la música clásica, ninguna clase de música, aunque me han asegurado que tengo una voz bastante buena para cantar. Solía intentarlo y cantaba cuando era pequeño; un niño bastante tonto, ¿verdad? Debes haberte reído un millón de veces conmigo. –Hizo una mueca de súplica, y después abrió los brazos en gesto implorante–. Como carezco de aptitudes artísticas, me centro en las cosas que comprendo fácilmente, las que representan los dólares y los centavos. Cuando miro alrededor en los museos, los únicos objetos que sé valorar son las joyas.

Sus oscuros ojos chispearon.

–Sólo puedo apreciar el brillo y el resplandor de los diamantes, los rubíes, las esmeraldas, las perlas... Oro, montañas de oro, eso sí puedo comprenderlo. Descubro la belleza en el oro, la plata, el cobre y el petróleo. ¿Sabes que visité Washington con la única finalidad de ver cómo convertían el oro en monedas? Y sentí cierto deleite, como si algún día todo ese oro debiera ser mío.

Se desvaneció mi admiración, y me invadió una gran compasión hacia él.

–¿Y qué hay sobre mujeres, Bart? ¿Y del amor, la familia, los buenos amigos? ¿No esperas enamorarte algún día y casarte?

Me miró con el rostro inexpresivo durante unos segundos, tamborileando con las puntas de sus fuertes dedos, de uñas cuadradas, sobre la superficie de la mesa antes de levantarse y quedarse de pie, ante una ventana, contemplando los jardines y las montañas vagamente azules.

—He tenido experiencias sexuales, madre. No esperaba disfrutar con el sexo, pero me equivoqué. Sentí que mi cuerpo traicionaba mi voluntad. Pero nunca he estado enamorado. Me cuesta imaginar que pudiera dedicarme por entero a una sola mujer cuando hay tantas bellas y bien dispuestas. Veo una hermosa muchacha que pasa a mi lado, me doy la vuelta, la contemplo y me encuentro con que ella se ha vuelto y me mira también fijamente. Resulta fácil conseguir que se metan en mi cama... No hay ningún estímulo. —Hizo una pausa y volvió la cabeza para mirarme—. Yo utilizo a las mujeres, madre, y en algunas ocasiones me avergüenzo de mí mismo. Las tomo, las rechazo, e incluso simulo no conocerlas cuando las encuentro otra vez. Todas terminan odiándome.

Sostuvo la mirada de mis asombrados ojos en actitud desafiadora.

—¿No estás escandalizada? —preguntó con amabilidad—. ¿O acaso soy el tipo sórdido que siempre creíste que sería?

Tragué saliva, esperando que esta vez sabría dar la respuesta acertada. En el pasado, parecía que nunca hubiera dicho lo que convenía. Dudé de que nadie pudiera pronunciar las palabras que hicieran cambiar el modo de ser de Bart y en lo que él quería convertirse, si es que él mismo lo sabía.

—Supongo que eres un producto de tu época —comencé con voz suave, sin recriminaciones—. Tu generación casi me inspira lástima, ya que estáis perdiendo ese aspecto tan hermoso del amor. ¿Dónde están los sentimientos en tu manera de tomar a una chica, Bart? ¿Qué les das a las mujeres con las que te acuestas? ¿No sabes que se necesita tiempo para construir una relación amorosa duradera? Eso no se consigue en una noche. Los encuentros de una noche no crean compromisos. Puedes mirar un cuerpo hermoso, desearlo, pero eso no es amor.

Sus ardientes ojos mostraban tal interés que yo me animé a proseguir, especialmente cuando Bart preguntó:

—¿Cómo explicas tú el amor?

Era una trampa que me tendía, pues él sabía que los amores de mi vida habían tenido un final desgraciado. Sin embargo, contesté, con la esperanza de librarle de todos los errores que con seguridad cometería.

—No explicaré el amor, Bart. No creo que haya nadie capaz de hacerlo. El amor crece día tras día por la relación con otra persona que comprende tus necesidades, y cuyas necesidades comprendes. Se inicia como un balbuceo vacilante que te llega al corazón y te hace vulnerable a cuanto es hermoso. Percibes belleza allí donde anteriormente habías visto fealdad. Te sientes resplandeciente en tu interior y eres muy feliz sin conocer la razón. Aprecias lo que en el pasado ignorabas. Cuando tus ojos se encuentran con los de quien amas, ves reflejados en ellos tus sentimientos, esperanzas y deseos, y te sientes dichoso sólo por estar con aquella persona. Aunque no haya contacto físico, notas el calor de estar junto a quien ocupa tus pensamientos. Entonces, un día surge el contacto, aunque ni siquiera se trate de un contacto íntimo: tu mano roza la suya y te sientes feliz. Comienza a crecer la excitación, de modo que deseas estar con aquella persona, no para hacer el amor, sino que sólo anhelas permanecer a su lado, sentir cómo aumentan los sentimientos de uno hacia el otro. En otras palabras compartes tu vida antes de compartir el cuerpo. Es en ese instante cuando te planteas seriamente gozar del sexo con aquella persona. Empiezas a soñar en ello y, sin embargo, lo pospones, esperando, esperando el momento adecuado. Quieres que ese amor perdure, que nunca termine. Por eso te acercas lenta, muy lentamente hacia la experiencia definitiva de tu vida, hasta que presientes que aquella persona no te defraudará, consciente de que te será fiel, que podrás confiar en ella..., incluso cuando esté lejos de ti. Hay confianza, satisfacción, paz y felicidad cuando se experimenta el amor auténtico. Estar enamorado es como encender una luz en una habitación a oscuras; de pronto todo se hace brillante y visible. Jamás estás solo porque te sientes amado, y tú también amas.

Me detuve para recuperar el aliento. Su interés me dio valor para proseguir.

—Yo quiero eso para ti, Bart, más que todos los millones de toneladas de oro del mundo, más que todas las joyas guardadas en cajas fuertes. Me gustaría que encontrases una muchacha maravillosa a quien amar. Olvida el dinero. Ya tienes suficiente. Abre los ojos mira alrededor, descubre la hermosura de la vida y olvida tu obsesión por el dinero...

Meditabundo, Bart dijo:

—De modo que es así como las mujeres sienten el amor y el sexo. Siempre me lo había preguntado. No es así como lo ve un hombre. No obstante, lo que has dicho es interesante.

Se volvió antes de proseguir.

—Ciertamente, ignoro qué quiero de la vida, aparte de más dinero. Algunos opinan que seré un excelente abogado gracias a mi habilidad dialéctica. Sin embargo, me cuesta decidir qué especialidad prefiero. No quiero ejercer de abogado criminalista, como lo fue mi padre, ya que tendría que defender a menudo a personas cuya culpabilidad me consta. Sería incapaz de hacerlo. Por otro lado, el derecho administrativo me resulta aburrido. He considerado intervenir en política, actividad que encuentro fascinante, pero mi condenado pasado psicológico puede empañar mi historial... Por lo tanto, ¿cómo puedo participar en política?

Alzándose desde detrás de la mesa del despacho, se adelantó para coger mi mano entre las suyas.

—Me gusta lo que has contado. Háblame más de tus amores, del hombre que más has amado. ¿Fue Julián, tu primer marido? ¿O tal vez aquel maravilloso doctor llamado Paul? Creo que, si pudiera recordarle, le amaría. Se casó contigo para darme su nombre. Desearía evocar su imagen, como hace Jory, pero no puedo. Jory lo recuerda muy bien, e incluso recuerda haber visto a mi padre. —Sus maneras se tornaron más vehementes mientras se inclinaba para clavar su mirada en la mía—. Di que amaste más a mi padre, que él fue el único que de verdad conquistó tu corazón. ¡No me digas que le utilizaste exclusivamente para vengarte de tu madre ni que aprovechaste su amor para escapar del de tu propio hermano!

Yo no podía hablar. Sus ardientes y hoscos ojos oscuros me escrutaban.

—¿No te das cuenta de que tú y tu hermano habéis conseguido arruinar y contaminar mi vida con vuestra incestuosa relación? Rogaba que algún día lo abandonaras, pero sigues con él. He asumido el hecho de que estáis obsesionados el uno por el otro. Quizá disfrutáis más de vuestra relación porque contraviene la voluntad de Dios.

¡Atrapada de nuevo! Me levanté, consciente de que se había servido de su dulce voz para atraerme hacia su anzuelo.

—Sí, amé a tu padre, Bart, no lo dudes ni por un instante. Admito que deseaba vengar el dolor que nuestra madre nos había causado, y que por ello, perseguí a mi padrastro. Sin embargo, cuando lo tuve comprendí que lo amaba tanto como él a mí, y me di cuenta de que le había hecho caer en una trampa en la que yo también había sido cogida. No podía casarse conmigo. Nos amaba a mi madre y a mí, aunque de distinta forma. Estaba dividido entre ambas. Consideré que el mejor modo de acabar con su indecisión era quedándome embarazada. A pesar de ello, no tomó ninguna determinación. Sólo cuando aquella noche expliqué y él aceptó como cierto que su esposa me había tenido prisionera, se revolvió contra ella y aseguró que se casaría conmigo. Yo había supuesto que el dinero de mi madre le ataría a ella para siempre, pero él se hubiera casado conmigo.

Me disponía a marcharme. Bart no pronunció ni una palabra que me indicara cuáles eran sus pensamientos. Ya en la puerta, me volví para mirarle. Se había sentado de nuevo en la butaca de su escritorio, acodado sobre la mesa, con la cabeza apoyada en las manos.

—¿Crees que alguien me amará alguna vez por mí mismo y no por mi dinero, madre?

Aquello me partió el corazón.

—Sí, Bart. Pero por estos alrededores no encontrarás ninguna mujer que desconozca que eres muy rico. ¿Por qué no te marchas? Establécete en el nordeste o el oeste, donde nadie sabrá que eres rico, especialmente si trabajas como un abogado corriente...

Alzó entonces la mirada.

—He cambiado legalmente mi apellido, madre.

El desasosiego se adueñó de mí y, aunque intuía la respuesta, pregunté:

—¿Cuál es ahora tu apellido?

—Foxworth —contestó, confirmando mis sospechas—. Después de todo, no puedo ser un Winslow si mi padre no era tu marido. Por otro lado, mantener el apellido Sheffield resulta engañoso, pues Paul no era mi padre, como tampoco lo es tu hermano, gracias a Dios.

Me estremecí, llena de aprensión. Ése era el primer paso que le conduciría a convertirse en otro Malcolm, lo que yo más temía.

—Me hubiera gustado que escogieras Winslow como apellido, Bart. Hubiera complacido a tu difunto padre.

—Sí, seguro que sí —dijo, categórico—. Lo consideré muy seriamente, pero al elegir el apellido Winslow hubiera puesto en peligro mi derecho legítimo al nombre de Foxworth. Es un buen nombre, madre, respetado por todos excepto por esos pueblerinos, que de todos modos no cuentan para nada. Creo que Foxworth Hall me pertenece de verdad, sin remordimiento, sin culpa. —En sus ojos resplandeció un brillo de felicidad—. ¿Sabes?, tío Joel está de acuerdo conmigo. No todo el mundo me odia y cree que valgo menos que Jory. —Hizo una pausa para estudiar mi reacción. Traté de mostrarme impasible, y él pareció defraudado—. Vete, madre. Me espera un día lleno de trabajo.

Me expuse a su ira, entreteniéndome el tiempo suficiente para decir:

—Quiero que no olvides, Bart, mientras estás aquí, encerrado en este despacho, que tu familia te ama muchísimo y desea lo mejor para ti. Si poseer más dinero te hará sentir más satisfecho de ti mismo, entonces, conviértete en el hombre más rico del mundo. Lo único que nosotros deseamos es que seas feliz. Encuentra tu hueco, aquel donde encajes; eso es lo más importante.

Tras cerrar la puerta del despacho, me encaminé hacia la escalera y casi choqué con Joel. En el azul de sus ojos lacrimosos chispeó por un momento una expresión de culpa. Supuse que había estado escuchándonos. Pero ¿no había hecho yo lo mismo?

—Disculpa por no haberte visto en la penumbra, Joel.

—No era mi intención escuchar detrás de la puerta —dijo, con una mirada peculiar—. Aquellos que esperan oír el mal no quedarán defraudados.

Se alejó deslizándose como una vieja rata de iglesia, magro por la falta de suficiente alimento para saciar sus ansias de causar problemas. Me hizo sentir culpable, avergonzada y recelosa, como siempre, de cualquiera que se llamase Foxworth.

Desde luego, tenía motivos para ello.

MI PRIMER HIJO

Seis días antes de la fiesta, Chris y yo fuimos a recibir a Jory y Melodie al aeropuerto local, con el entusiasmo que se reserva para aquellos a quienes no se ha visto durante años, aunque no hacía ni diez días que nos habíamos separado. Jory se disgustó porque Bart no nos había acompañado para darles la bienvenida a su fabulosa casa nueva.

—Está ocupado en los jardines. Nos pidió que le excusaseis —mentimos.

Ambos se miraron como si supieran la verdad. Enseguida empecé a explicar cómo Bart estaba supervisado la labor de numerosos trabajadores que habían acudido para transformar nuestro jardín en una especie de paraíso.

Jory sonrió cuando se enteró de que se estaba organizando una fiesta tan ostentosa; él prefería las fiestas más modestas e íntimas, donde todo el mundo se conocía. Comentó amablemente.

—Nada nuevo bajo el sol. Bart siempre está muy ocupado cuando se trata de atender a mí y mi mujer.

Observé con atención su rostro, que tanto se parecía al de mi primer marido y pareja de baile, Julián. Su recuerdo todavía me atormentaba con aquel sentimiento de culpabilidad que yo intentaba borrar amando mejor a su hijo.

—Cada día te pareces más a tu padre.

Ambos nos hallábamos en la parte posterior del coche. Melodie estaba sentada junto a Chris, a quien de vez en cuando dirigía algunas palabras. Jory rió y me abrazó, inclinando su hermosa cabeza morena para rozarme la mejilla con sus cálidos labios.

—Mamá, dices lo mismo cada vez que nos vemos. ¿Cuándo alcanzaré el cenit, siendo mi padre?

Riendo también, me aparté de él y me acomodé para admirar la bella campiña, las colinas onduladas, las vagas montañas con sus cimas ocultas entre las nubes. «Son el cerco del cielo», pensaba yo. Centré mis pensamientos en Jory que poseía muchísimas virtudes de las que Julián había carecido. El carácter de Jory era más parecido al de Chris que al de Julián, lo que me hacía sentir culpable y avergonzada, pues todo hubiera podido ser diferente entre Julián y yo de no haber sido por Chris.

Con veintinueve años de edad, Jory era un hombre atractivo, de largas y fuertes piernas, y nalgas redondas y firmes que maravillaban a todas las mujeres cuando lo veían danzar en el escenario con sus mallas ajustadas. Su espeso cabello era de un negro azulado, rizado, pero no crespo; sus labios, muy rojos y sensuales; su nariz, una línea perfecta, cuyas aletas se levantaban en momentos de ira o pasión. Hacía mucho tiempo que había aprendido a dominar su temperamento irascible, sobre todo por el control que necesitaba para tolerar a Bart. Irradiaba su belleza interior con una fuerza eléctrica, una *joie de vivre*. Su hermosura era más que un simple atractivo, pues poseía además un magnetismo procedente de alguna cualidad espiritual. Compartía con Chris su alegre optimismo y su fe en que cuanto le había sobrevenido en la vida había sido positivo.

Jory asumía su éxito con elegancia, con un toque de humildad y nobleza conmovedoras, sin mostrar la arrogancia que Julián exhibía incluso cuando había ofrecido una mala actuación.

Melodie apenas había hablado hasta entonces, como si se esforzara por contener un caudal de secretos que estaba deseando revelar. Sin embargo por alguna razón se reservaba, esperando su oportunidad para situarse en medio de la escena. Mi nuera y yo éramos muy buenas amigas. En diversas ocasiones se volvió desde su asiento para sonreírme feliz.

—Deja de torturarnos —le advertí—. ¿Cuáles son esas buenas noticias que tenéis que darnos?

En el rostro de Melodie apareció una expresión tensa mientras desviaba su mirada hacia Jory; era como una bolsa cerrada que contenía oro, a punto de estallar.

—¿Ha llegado ya Cindy? —preguntó Melodie.

Cuando respondí que no, Melodie se volvió de cara al parabrisas. Jory me guiñó un ojo.

—Vamos a mantener el suspense un poco más, para que todos puedan disfrutar de nuestra sorpresa en toda su magnitud. Además, en este momento papá está tan concentrado en la carretera, procurando que lleguemos sanos y salvos a esa casa, que no concedería a nuestro secreto la importancia que se merece.

Tras una hora de viaje, tomamos nuestro camino particular, que ascendía en espiral montaña arriba, con profundos barrancos y precipicios a un lado, lo que obligaba a Chris a conducir con más cuidado.

Después de llegar a casa y mostrarles el piso inferior, ante cuya magnificencia ellos lanzaron las exclamaciones de rigor. Melodie se arrojó en mis brazos para acurrucar su cabeza tímidamente en mi hombro, unos centímetros más alta que yo.

—Vamos, cariño —la animó Jory con delicadeza.

Me soltó y sonrió con orgullo a Jory, que le devolvió la sonrisa, tranquilizándola. Entonces, volcó el contenido de aquella bolsa repleta de oro.

—Cathy, quería esperar a Cindy para decíroslo a todos al mismo tiempo, pero soy tan feliz que reviento.

¡Estoy embarazada! No podéis imaginar lo emocionada que me siento, ya que he deseado este bebé desde el primer año de nuestro matrimonio. Estoy de algo más de dos meses. El bebé nacerá a principios de enero.

Estaba tan asombrada que sólo pude mirarla fijamente antes de echar una ojeada a Jory, que en numerosas ocasiones me había asegurado que él no quería crear una familia hasta que hubiera gozado durante diez años del éxito. Sin embargo, allí estaba, sonriente y con el aspecto orgulloso que cualquier otro hombre tendría en ese instante, como si aceptase feliz ese inesperado bebé. Eso bastó para que me sintiera más complacida.

–¡Oh, Melodie, Jory! Me alegro tanto por vosotros dos. ¡Un bebé! Voy a ser abuela. –Entonces me serené. ¿Deseaba yo ser abuela?

Chris estaba dando palmadas a Jory en la espalda, como si hubiera sido el primer hombre que hubiese fecundado a una mujer; después abrazó a Melodie y, como médico que era, le preguntó cómo se encontraba y si sufría mareos por las mañanas. Por lo visto, él había observado algo que me había pasado inadvertido. Miré a Melodie con más detenimiento. Tenía muchas ojeras y estaba demasiado delgada para su estado. Sin embargo, nada podía arrebatar a la muchacha su tipo clásico de fría belleza rubia. Se movía con gracia, con aire regio incluso cuando cogía una revista y la hojeaba, como estaba haciendo en ese momento. Me sentí confusa.

–¿Algo va mal, Melodie?

–No –respondió, erguida de pronto sin motivo aparente, lo que atestiguaba que algo no iba bien.

Mi mirada buscó la de Jory, que asintió, indicándome que más tarde me explicaría qué preocupaba a Melodie.

Durante todo el trayecto de regreso a Foxworth Hall, había temido el momento del encuentro entre Bart y su hermano mayor, espantada de que se produjese una escena desagradable. Me asomé por una ventana que daba a un prado y vi que Bart se hallaba en la pista de tenis, jugando solo, pero con el mismo empeño que ponía para ganar, como si se enfrentara a un contrincante a quien debiera derrotar.

–¡Bart! –llamé, abriendo una contraventana–. Tu hermano y su mujer han llegado.

–Estaré ahí en un segundo –contestó, y continuó jugando.

–¿Dónde están todos los trabajadores? –preguntó Jory, contemplando los espaciosos jardines, ahora vacíos. Le expliqué que la mayoría se marchaba a las cuatro para llegar a su casa antes de quedar atrapados en el tráfico del atardecer.

Por fin Bart arrojó su raqueta y se aproximó presuroso, con una amplia sonrisa de bienvenida en la cara. Nos encaminamos hacia una terraza lateral, cubierta con losas multicolores y adornada con plantas, un bonito mobiliario de exterior y sombrillas de vivos colores para resguardarnos del sol. Melodie parecía respirar hondo y erguía la espalda. Esta vez no necesitaba la protección de Jory. Bart aligeró el paso hasta que echó a correr; Jory también corrió para saludarle. Mi corazón pudo haber estallado... Hermanos al fin, como habían sido cuando ambos eran muy jóvenes. Se abrazaron, se alborotaron el cabello mutuamente, y entonces Bart estrechó con fuerza la mano 'de Jory, al tiempo que le daba palmadas en la espalda, como suelen hacer los hombres. Se volvió para mirar a Melodie. Todo su entusiasmo se desvaneció,

–Hola, Melodie –saludó, secamente. Después felicitó a Jory por los éxitos que su esposa y él habían obtenido en el escenario y los elogios que recibían–. Me siento orgulloso de vosotros dos –dijo con una extraña sonrisa en los labios.

–Tenemos noticias para ti, hermano. Tienes ante ti a la pareja más feliz del mundo. Vamos a ser padres en enero.

Bart clavó su mirada en Melodie, que trató de evitarla. Se volvió hacia Jory, y el sol, detrás de ella, tiñó su pelo rubio de un cálido tono rojizo y transformó las puntas de sus cabellos en una nebulosa dorada, de modo que daba la impresión de estar rodeada por una aureola. Como una virgen pura, su silueta parecía equilibrarse para volar. La gracia de su largo cuello, la suave curva de su pequeña nariz y la plenitud de sus labios rosados le conferían esa belleza etérea que la había convertido en una de las bailarinas más hermosas y admiradas de América.

—Te sienta bien el embarazo Melodie —dijo Bart, suavemente, sin atender a las palabras de Jory, que le explicaba que se proponía cancelar sus compromisos para estar junto a Melodie durante todo el embarazo y ayudarla después, en la medida de lo posible, cuando el bebé hubiera nacido.

Bart miró hacia el lugar donde se hallaba Joel, contemplando en silencio nuestra reunión familiar. No me agradó su presencia; luego, avergonzada, le indiqué con un gesto que se acercara mientras Bart le decía:

—Ven, déjame que te presente a mi hermano y su mujer.

Joel avanzó lentamente, con su característica forma de arrastrar los pies por las losas, haciendo susurrar cada uno de sus pasos. Después de que Bart le hubiera presentado, saludó con gravedad a Jory y Melodie, sin tender la mano.

—He oído que eres bailarín —dijo a Jory.

—Sí. He trabajado toda mi vida para que me llamaran así.

Joel dio la vuelta y salió sin dirigir una palabra a nadie más.

—¿Quién en ese viejo tan raro? —preguntó Jory—. Mamá, creía que tus dos tíos maternos habían muerto en sendos accidentes cuando eran muy jóvenes.

Me encogí de hombros y dejé que Bart se lo explicara.

En un abrir y cerrar de ojos, instalamos a Jory y su esposa en unas habitaciones lujosas, con pesados cortinajes de terciopelo rojo, alfombra del mismo color y paredes con paneles oscuros que daban un aire extraordinariamente masculino al conjunto. Melodie echó una ojeada alrededor, arrugando la naricilla con desaprobación.

—Rico, acogedor..., realmente —dijo con un gran esfuerzo.

Jory echó a reír.

—Cariño, no podemos encontrar siempre paredes blancas y alfombras azules, ¿no crees? Me gusta esta habitación, Bart. Has imprimido en ella tu estilo; tiene clase.

Bart no escuchaba a su hermano. No apartaba la vista de Melodie, que se deslizaba de un mueble a otro, pasando sus gráciles dedos por encima de las pulidas y brillantes superficies. Miró la salita de estar adyacente y después entró en el magnífico cuarto de baño. Rió al ver la antigua bañera de nogal forrada de peltre.

—Oh, cómo voy a disfrutar. Fíjate en la profundidad... El agua puede cubrirte hasta la barbilla.

—Las mujeres rubias contrastan de forma espectacular en ambientes oscuros —musitó Bart, sin darse cuenta de que había hablado. Nadie pronunció ni una palabra, ni siquiera Jory, que le dirigió una mirada severa.

Aquel cuarto de baño disponía, además, de una ducha y un precioso tocador de la misma madera de nogal, con un espejo movible de tres lunas con marco dorado, de modo que la persona sentada en el taburete tapizado de terciopelo podía contemplarse desde todos los ángulos.

Cenamos temprano y nos sentamos en la terraza durante el crepúsculo. Joel no se unió a nosotros, lo que agradecí. Bart tenía poco que decir y no cesaba de mirar a Melodie, ataviada con un tenue vestido azul que marcaba las exquisitas curvas de su cadera y busto. Experimenté una sensación sofocante al ver que Bart estudiaba tan minuciosamente a Melodie, con el deseo escrito de manera ostensible en aquellos hirientes ojos oscuros.

En la mesa del desayuno dispuesta en la terraza situada junto al comedor, las margaritas eran amarillas. Ahora teníamos esperanza. Podíamos mirar el amarillo y dejar de temer que no veríamos más el sol.

Chris se reía por algo gracioso que Jory acababa de contar, mientras Bart se limitaba a sonreír con la mirada fija en Melodie, que picaba de su desayuno sin apetito.

—Devuelvo todo lo que como antes o después —explicó algo avergonzada—. No es la comida, soy yo. He de comer lentamente y no pensar en que vomitaré pero me resulta imposible.

A su espalda, a la sombra de una gigantesca palmera plantada en una enorme maceta de barro, Joel la observaba detenidamente, estudiando su perfil. Luego miró a Jory, con los ojos entornados.

—Joel —lo llamé—, ven y únete a nosotros para el desayuno.

El anciano avanzó de mala gana, con precaución, haciendo susurrar sus zapatos de suela blanda sobre las losas, con los brazos cruzados sobre el pecho, como si vistiera un áspero hábito de monje tejido en casa, y sus manos estuvieran ocultas por las amplias mangas. Semejaba un juez enviado para decidir si merecíamos las nacaradas puertas del cielo. Su voz sonó débil y cortés cuando saludó a Jory y Melodie. Asintió en respuesta a sus preguntas que le pedían información sobre lo que significaba vivir como un monje.

—Yo no soportaría la vida sin mujeres —dijo Jory—, música e innumerables personas diferentes alrededor; obtengo algo de esta persona, y algo más de aquella otra. Necesito centenares de amigos para ser feliz. Ya empiezo a añorar a los de nuestra compañía de ballet.

—El mundo gira con toda clase de gente —repuso Joel—, y el Señor dio antes de quitar. —Comenzó a alejarse lentamente, con la cabeza baja, como si murmurara y pasara las cuentas de un rosario—. El Señor supo qué hacía al crearnos a todos tan distintos —oí que musitaba.

Jory se volvió en su silla para mirar a Joel.

—De modo que ése es nuestro tío abuelo, quien creíamos que había muerto en un accidente de esquí... Mamá, ¿no sería raro si también el otro hermano se presentara de repente?

Bart se levantó de un salto, con el rostro encendido de furia.

—¡No seas ridículo! El hijo mayor de Malcolm murió cuando su motocicleta cayó por un precipicio, y su cuerpo fue hallado. Está enterrado en el cementerio familiar que he visitado a menudo. Según el tío Joel, su padre contrató detectives para que buscaran a su segundo hijo, y por esta razón mi tío tuvo que permanecer escondido en aquel monasterio hasta que acabó acostumbrándose a aquella vida y asustándole el mundo exterior. —Desvió su mirada hacia mí, como si comprendiera que nosotros, siendo niños, también nos habíamos acostumbrado a vida de encierro exterior—. Dicen que cuando uno está aislado durante largos períodos, comienza a ver a la gente como realmente es, como si la distancia proporcionara una perspectiva mejor.

Chris y yo nos miramos. Sí, nosotros habíamos experimentado qué era el aislamiento. Chris hizo un gesto a Jory y se ofreció para mostrarle el lugar.

—Bart tiene intención de construir establos para los caballos, y así organizar la caza del zorro, como Malcolm solía hacer. Quizá algún día incluso nosotros queramos participar en ese deporte.

—¿Deporte? —exclamó Melodie, levantándose graciosamente y apresurándose a ir al lado de Jory—. Yo no diría que una manada de perros hambrientos persiguiendo una pequeña zorra inofensiva sea un auténtico deporte... Es algo bárbaro.

—Ése es el problema de los bailarines; demasiado sensibles para el mundo real —replicó Bart antes de alejarse en dirección contraria.

A última hora de la tarde encontré a Chris en el vestíbulo, contemplando cómo Jory trabajaba ante los espejos, utilizando una silla como *barre*. Entre los dos hombres existía la clase de relación que yo deseaba que un día se estableciera entre Chris y Bart; padre e hijo, ambos admirando y respetando al otro. Crucé los brazos sobre el pecho, abrazándome. Me sentía dichosa por tener a toda mi familia reunida, o por lo menos así sería cuando Cindy llegase. Y el bebé esperado nos uniría aún más...

Jory ya había realizado los ejercicios de calentamiento y comenzó a danzar la música de *El pájaro de fuego*. Girando con rapidez, era como un remolino confuso. Entrecruzaba las piernas, saltaba en el aire y se posaba en el suelo con la ligereza de una pluma, de tal modo que no se oía el golpe de sus pies contra el suelo. Sus músculos se tensaban mientras se lanzaba de nuevo, una y otra vez, abriendo las piernas y estirando los brazos hasta que las puntas de los dedos rozaban las de los pies. Contemplé, excitada su ensayo, sabiendo que nos lo dedicaba a nosotros.

—¿Quieres ver bien esos *jetés*? —preguntó Chris en cuanto advirtió que estaba observándolos—. Fíjate, se alza del suelo tres metros y medio o más. ¡No puedo creer lo que estoy viendo!

—Sólo tres metros —corrigió Jory mientras giraba y giraba, cubriendo el inmenso espacio del vestíbulo en pocos segundos. Después cayó sin aliento sobre la esterilla acolchada colocada en el suelo para que tuviese un lugar donde descansar sin que el sudor del cuerpo estropeara la delicada tapicería de los lujosos sillones.

–Maldito suelo duro, si me caigo... –dijo, jadeando, mientras se tumbaba sobre los codos.

–Y la abertura de sus piernas cuando salta; es increíble que siga siendo tan flexible a su edad.

–Papá, ¡solamente tengo veintinueve años, no treinta y nueve! –protestó Jory, a quien inquietaba un poco envejecer y perder la brillantez de un *danseur* más joven–. Me quedan al menos once años buenos antes de que mi carrera artística empiece a declinar.

Yo sabía exactamente qué estaba pensando Jory cuando se tendió en la esterilla; ¡se parecía tanto a Julián! Era como si yo tuviese de nuevo veinte años. Cuando frisan en los cuarenta, los músculos de los bailarines varones se endurecen y vuelven más frágiles, de modo que sus cuerpos, en otro tiempo magníficos, ya no resultan tan atractivos para el público. ¡Abajo la vejez, viva la juventud...! Ése era el miedo de todos los artistas, aunque las bailarinas, con su capa de grasa bajo la piel, podían durar algo más. Me senté junto a Jory, con las piernas cruzadas, enfundadas en unos pantalones de color rosa.

–Jory, tú aguantarás mucho más que la mayoría de los *danseurs;* por tanto, deja de preocuparte. Aún has de recorrer un largo y luminoso camino antes de cumplir los cuarenta, y, quién sabe, quizá no te hayas retirado cuando tengas cincuenta.

–Sí, seguro –dijo él, colocando las manos debajo de su cabeza para clavar la mirada en el alto techo–. Soy el decimocuarto de una larga saga de bailarines; tiene que ser el número afortunado, ¿no es cierto?

¿Cuántas veces le había oído decir que no podría vivir sin bailar? Desde que era un niño de dos años, yo le había animado a emprender el camino que le conduciría al puesto que había alcanzado.

Melodie bajó al escalera, hermosa y fresca después de haberse bañado y lavado el cabello. Con sus mallas azules, parecía una delicada flor de primavera.

–Jory, mi médico opina que puedo continuar practicando con cuidado, y yo quiero bailar todo el tiempo

posible para mantener los músculos flexibles y dilata-
dos... Así pues, baila conmigo, cariño. Dancemos y
dancemos y después, dancemos un poco más.

Jory se levantó de un salto y se acercó girando hasta
el pie de la escalera, donde hincó una rodilla para
adoptar la posición de un príncipe ante la princesa de
sus sueños.

—Será un placer, señora... —Y la cogió al tiempo que
daba una vuelta, elevándola en el aire y girando con ella
en los brazos antes de depositarla en el suelo con una
gracia y habilidad adquiridas que hacían parecer a Melodie ligera como una pluma. Giraban y giraban, bailando
siempre el uno para el otro, como en otra época habíamos hecho Julián y yo; por el puro deleite de ser jóvenes,
vivir y ser capaces de danzar. Las lágrimas asomaron a
mis ojos mientras los contemplaba al lado de Chris.

Leyendo mis pensamientos, Chris rodeó mis hombros con su brazo y me atrajo hacia sí.

—Una bella pareja, ¿no es cierto? Hechos el uno para
el otro, diría yo. Si entorno los ojos, me parece veros a
ti y Julián bailar, aunque tú eras mucho más bonita,
Catherine, mucho más bonita...

A nuestras espaldas, Bart lanzó un bufido. Me di la
vuelta al instante y vi que Joel se hallaba detrás de él,
como un cachorro bien adiestrado que se había detenido junto a sus talones. Estaba con la cabeza gacha y las
manos metidas todavía en aquellas invisibles mangas
color marrón de tejido basto.

—El Señor da y el Señor quita —murmuró Joel de
nuevo.

¿Por qué demonios insistía en decir eso?

Inquieta, aparté la vista de Joel y observé a Bart, que
contemplaba con admiración a Melodie, quien, en posición de arabesco, esperaba que Jory la recogiera en sus
brazos. No me gustó lo que percibí en los ojos oscuros
y envidiosos de Bart, el deseo que ardía cada vez con
más viveza. El mundo estaba lleno de mujeres solteras;
no necesitaba a Melodie, ¡la esposa de su hermano!

Bart aplaudió con entusiasmo cuando terminó la danza y la pareja permaneció mirándose, hechizados el uno por el otro, olvidando nuestra presencia.

—¡Debéis de bailar así en mi fiesta de cumpleaños! Jory, promete que tú y Melodie lo haréis.

De mala gana, Jory volvió la cabeza para sonreír a Bart.

—Bueno, si quieres que baile, lo haré, por supuesto, pero Mel no. Su médico permitirá que baile suavemente y entrene, como ahora hemos hecho, pero no consentiré la actividad agotadora que requiere una preparación de profesional, y sé que tú querrás sólo lo mejor.

—Pero también deseo que esté Melodie —protestó Bart. Sonrió con encanto a su cuñada—. Por favor, baila para mi cumpleaños, Melodie, solamente esta vez... Además, te encuentras al principio de tu embarazo, y nadie notará tu estado.

Indecisa al parecer, Melodie miró a Bart.

—Creo que no debería —dijo con mansedumbre—. Quiero que nuestro bebé nazca sano. No puedo arriesgarme a perderlo.

Bart intentó persuadirla, y quizá lo hubiera logrado, pero Jory atajó bruscamente la conversación.

—Mira, Bart, he explicado a nuestro agente que el médico de Mel no considera conveniente que ella actúe. Si lo hace, él podría enterarse y quizá nos pusiese un pleito. Además, Melodie está muy fatigada. Lo que acabas de ver ahora no es la clase de danza que hacemos en serio. Una actuación profesional exige horas de calentamiento, práctica y ensayos. No me lo pidas, pues me resulta violento. Cuando Cindy venga, podrá bailar conmigo.

—¡No! —exclamó Bart, frunciendo el entrecejo y perdiendo todo su atractivo—. Ella no puede bailar como Melodie.

No, no podía. Cindy no era una profesional, pero lo hacía bastante bien cuando se lo proponía. Había entrenado con Jory y conmigo desde que tenía dos años.

Joel permanecía a cierta distancia detrás de Bart, como una sombra flaca y oscura. Sacó las manos de las anchas mangas y se las llevó a las sienes. Con la cabeza inclinada y los ojos cerrados, parecía estar rezando de nuevo. Qué irritante resultaba su presencia en todo momento.

Tratando de olvidar al anciano, desvié mis pensamientos hacia Cindy. Estaba impaciente por verla de nuevo, por escuchar su vehemente charla juvenil sobre bailes, citas y muchachos. Su conversación me hacía revivir mi juventud y los deseos de sentir lo que Cindy estaba experimentando.

Envuelta en el rosado resplandor del crepúsculo, de un gran arco, desde la penumbra sin ser vista, contemplé cómo Jory bailaba con su esposa en el enorme vestíbulo. Melodie vestía de nuevo unas mallas, esta vez color violeta, y una leve túnica que flotaba de forma tentadora, y se había atado unas cintas de satén violeta debajo de los pequeños y firmes senos. Me recordó a una princesa bailando con su enamorado. La pasión que existía entre Jory y Melodie avivó un ansia ardiente en mis propias entrañas. Ser joven otra vez con ellos, tener la oportunidad de repetir todo, hacerlo acertadamente una segunda vez...

De pronto advertí que Bart se encontraba en otra habitación, como si se hubiera quedado para espiar... o para observar como hacía yo, aunque movido por una intención menos noble. Precisamente a él no le gustaba el ballet ni le interesaba la música. Se apoyó en actitud indiferente contra el marco de una puerta, con los brazos cruzados sobre el pecho. Sin embargo, los ardorosos ojos oscuros que seguían a Melodie no mostraban indiferencia, sino que rebosaban del deseo que yo había visto antes. Mi corazón dio un vuelco.

¿Acaso en alguna ocasión no había deseado Bart lo que pertenecía a su hermano?

La música se elevaba. Jory y Melodie habían olvidado que podían ser observados y se entregaron con tanto fervor a lo que estaban haciendo que continuaron bailando sin cesar, frenéticamente, apasionados, encantados el uno con el otro, hasta que Melodie corrió para saltar a los brazos que Jory le tendía. Cuando lo hizo, sus labios se unieron a los de él. Sus labios separados se encontraban una y otra vez, y sus manos inquietas buscaban los lugares secretos. Yo estaba tan prendida en su acto de amor como Bart, incapaz de retirarme. Parecían devorarse mutuamente con sus besos. En el calor de un deseo encendido, cayeron al suelo y rodaron por la alfombra. Me dirigí hacia Bart y oí su respiración pesada, cada vez más ruidosa.

—Vamos, Bart, no está bien que nos quedemos aquí si el baile ya ha terminado.

Bart dio un respingo como si mi contacto ardiera. El anhelo que traslucían ojos me dolió y asustó a un tiempo.

—Deberían aprender a controlarse, ya que son huéspedes en mi casa —dijo con voz áspera, sin apartar la vista de la pareja que rodaba por la alfombra, besándose con los brazos y las piernas entrelazados, y el cabello sudoroso y húmedo.

Tiré de Bart hacia el salón de música y cerré la puerta con suavidad. Ese salón no me gustaba. Había sido decorado según el gusto, muy masculino, de Bart. Había un gran piano que nadie tocaba, aunque en un par de ocasiones yo había sorprendido a Joel pasando los dedos en él para retirar a continuación las manos bruscamente, como si las teclas de marfil le quemaran por el pecado. El instrumento lo atraía, y con frecuencia lo miraba fijamente, cerrando y abriendo los dedos de la mano.

Bart abrió un armarito que reveló ser un mueble bar iluminado. Cogió una botella de cristal para servirse un whisky, sin agua ni hielo, que bebió de un solo trago. Entonces me miró con aire culpable.

—Tras nueve años de matrimonio, todavía no se han cansado el uno del otro. ¿Qué tenéis tú y Chris que Jory ha sabido captar y yo no?

Me ruboricé antes de bajar la cabeza.

—No sabía que bebías.

—Hay muchas cosas que ignoras de mí, querida madre. —Se sirvió un segundo whisky. Oí el lento gorgoteo del líquido sin alzar la cabeza.

—Incluso Malcolm tomaba un trago de vez en cuando.

—¿Sigues pensando en Malcolm? —pregunté, llena de curiosidad.

Bart se dejó caer en una butaca y cruzó las piernas colocando el tobillo en la rodilla opuesta. Desvié la mirada, recordando que en el pasado, debido a su irritante costumbre de poner los pies sobre cualquier cosa disponible, había estropeado con sus botas sucias de lodo más de una silla. A medida que maduraba, Bart había abandonado sus hábitos desordenados. Me fijé entonces en sus zapatos. ¿Cómo conseguía mantener las suelas tan limpias que parecían que nunca habían pisado sino terciopelo?

—¿Por qué miras mis zapatos, madre?

—Son muy bonitos.

—¿Lo crees de verdad? —Bart los miró con indiferencia—. Me han costado seiscientos pavos y pago cien más para que cuiden las suelas de modo que nunca se vean marcas de desgaste o suciedad. ¿Sabes?, está de moda llevar zapatos con las suelas limpias.

Fruncí el entrecejo. ¿Qué mensaje psicológico contenía aquello?

—La parte superior se desgastará antes que las suelas.

—¿Y qué?

Tuve que estar de acuerdo. ¿Qué significaba el dinero para nosotros? Teníamos más del que podíamos gastar.

—Cuando la parte superior se desgaste, los tiraré y compraré otro par de nuevo.

—Entonces ¿por qué molestarse en reparar las suelas?

—Madre —respondió, crispado—, me gusta que todo conserve su apariencia de nuevo hasta que yo esté dispuesto a tirarlo... Sentiré rabia cuando vea a Melodie hincharse como una vaca preñada...

—Yo me sentiré feliz el día que eso ocurra; entonces quizá podrás quitarle los ojos de encima.

Bart encendió un cigarrillo y se enfrentó con toda tranquilidad a mi mirada.

—Apuesto a que me sería fácil arrebatársela a Jory.

—¿Cómo te atreves a decir semejante cosa? —exclamó enfadada.

—Ella nunca me mira, ¿te has dado cuenta? Tengo la impresión de que se niega a aceptar que mi aspecto es mejor que el de Jory ahora, que soy más alto e inteligente, y cien veces más rico.

Sostuvimos nuestras miradas. Tragué saliva, excitada, y saqué una hila invisible de mis ropas.

—Cindy llegará mañana.

Bart cerró un instante los ojos, se agarró con más fuerza a los brazos de su sillón; aparte de hacer eso, no demostró ninguna emoción.

—Desapruebo a esa chica —consiguió decir finalmente.

—Espero que no seas rudo con ella mientras esté aquí. ¿Recuerdas cómo solía andar Cindy alrededor de ti? Ella te adoraba antes de que tú hicieras todo lo posible para que te detestase. Todavía te amaría si hubieras dejado de atormentarla tan implacablemente. Bart, ¿no lamentas las cosas feas que has hecho y has dicho a tu hermana?

—Ella no es mi hermana.

—Lo es, Bart, ¡lo es!

—Oh, Dios mío, madre nunca consideraré a Cindy mi hermana. Es adoptada, no uno de nosotros. He leído alguna de las cartas que te escribe. ¿No comprendes lo que es? ¿O acaso te limitas a leer lo que dice, y no lo que realmente quiere decir? ¿Cómo puede una chica ser tan popular sin estar entregándose?

Me puse en pie de un salto.

—¿Qué te ocurre, Bart? Niegas que Chris sea tu padre y Cindy y Jory tus hermanos. ¿Es que no necesitas a nadie excepto a ti mismo y a ese viejo odioso que te sigue a todas partes?

—Te tengo a ti, ¿no es cierto, madre? —dijo, entornando los ojos hasta convertirlos en unas siniestras rendijas—. Y tengo a mi tío Joel, un hombre muy interesante, que en este momento está rezando por nuestras almas.

Me inflamé con una ira súbita.

—Eres un estúpido si prefieres ese viejo tortuoso al único padre que jamás has tenido. —Intenté controlar mis emociones pero fracasé, como siempre que me enfrentaba a Bart—. ¿Has olvidado ya las numerosas muestras de bondad que Chris ha tenido para contigo? ¿Que todavía te está demostrando?

Bart se inclinó, horadándome con su acerada mirada.

—De no haber sido por Chris, yo hubiera podido disfrutar de una vida feliz. Si te hubieras casado con mi verdadero padre, ¡yo hubiera podido ser el hijo perfecto! Mucho más perfecto que Jory. Quizá soy como tú, madre. Tal vez yo necesite también la venganza más que cualquier otra cosa.

—¿Por qué debes vengarte tú? —En mi voz había sorpresa, y un cierto matiz de desaliento—. Nadie te ha hecho lo que me hicieron a mí.

Se inclinó y, con enorme intensidad, dijo, mordaz:

—Creías que, porque me proporcionabas todas las cosas necesarias, los vestidos que yo pedía, comida y un hogar donde cobijarme, con eso me bastaba, pero no era así. Yo sabía que reservabas lo mejor de tu amor para Jory. Más tarde, cuando Cindy llegó, volcaste en ella la mejor segunda parte de tu amor. No te quedaba nada para mí, salvo la compasión. ¡Te odio por compadecerme!

Una náusea repentina casi me ahogó. Por fortuna la silla estaba detrás de mí.

—Bart —comencé, esforzándome por no llorar y mostrar esa clase de debilidad que él despreciaba—, quizá en el pasado te compadecí por ser tan torpe, por tu inseguridad. Pero, ¿cómo puedo sentir compasión por ti ahora? Eres atractivo, inteligente y, cuando quieres, un verdadero encanto. ¿Qué motivos tengo ahora para compadecerte?

—Es eso lo que precisamente me preocupa —susurró—. Me miro en el espejo, preguntándome que ves en mí que te inspira tanto recelo. He llegado a la conclusión de que simplemente no te gusto. No confías ni crees en mí. En este mismo instante tus ojos me indican que dudas de que yo esté totalmente sano. —De pronto sus ojos, que había mantenido entornados, se abrieron mucho. Me miró de un modo penetrante a los ojos, en los que siempre había sido fácil leer. Soltó una risa breve y dura—. Ahí están, querida madre, como siempre, la suspicacia y el temor que nunca que te han abandonado. Puedo leer en tu mente. Crees que algún día os traicionaré a ti y tu hermano. Sin embargo se me han presentado bastantes oportunidades para hacerlo y las he dejado pasar. Me he guardado vuestros pecados para mí mismo.

»¿Por qué no eres sincera y admites ahora mismo que no amaste al segundo marido de tu madre? Confiesa con franqueza que sólo lo utilizaste como instrumento de tu venganza. Lo perseguiste, lo conseguiste, me concebiste y él murió. Luego, haciendo honor a la clase de mujer que eres, recurriste a aquel pobre médico de Carolina del Sur que, sin duda, creyó en ti y te amó más allá de cualquier medida razonable. ¿Te diste cuenta entonces de que te habías casado con él única y exclusivamente para poder dar un nombre a tu hijo bastardo? ¿Sabía ese hombre que te habías servido de él para huir de Chris? Fíjate cuánto he meditado sobre tus motivaciones... Y últimamente he llegado a otra conclusión: ves mucho de tu hermano en Jory... ¡y es eso lo que amas! En cambio, yo te recuerdo a Malcolm a pesar de que mi cara y mi físico se parezcan a los de mi verdadero padre. En mis ojos tú crees ver el alma de Malcolm. ¡Y ahora di que mis suposiciones no son ciertas! Vamos, di que lo que he dicho no es la verdad.

Mis labios se abrieron para negar cada una de sus afirmaciones, pero fui incapaz de articular palabra. Me sentí invadida por el pánico, anhelando correr hacia él y apoyar su cabeza en mi pecho, como hacía cuando consolaba a Jory, pero no conseguí que mis pies avanzaran hacia él. Reconocí que le tenía miedo. Tal como se mostraba en ese momento, fieramente intenso, frío y duro, sentí miedo de él, y el miedo convertía mi amor en desagrado.

Bart esperó a que yo hablase, que negase sus acusaciones. Pero no me defendí. Reaccioné de la peor manera posible; salí corriendo de la habitación.

Me arrojé en la cama y lloré. ¡Cada una de las palabras que Bart había proferido eran ciertas! Hasta entonces había ignorado que Bart fuera capaz de leer en mí como en un libro abierto. Ahora me aterrorizaba pensar que podría hacer algo para destruirnos, no sólo a Chris y a mí, sino también a Cindy, Jory y Melodie.

CINDY

Alrededor de las once del día siguiente, Cindy llegó en un taxi, entró corriendo en la casa como una brisa primaveral, fresca y estimulante y se arrojó a mis brazos. Olía a un perfume exótico que yo consideré demasiado sofisticado para una chica de dieciséis años, opinión que sabía que era mejor guardase para mí.

–Oh, mamá –exclamó, abrazándome y besándome muchas veces–, ¡soy tan feliz de volver a verte! –Sus exuberantes demostraciones de afecto me dejaban sin respiración mientras le correspondía ansiosamente.

Entretanto, incluso mientras nos abrazábamos, ella miraba alrededor, observando los grandes salones y sus elegantes mobiliarios. Cogida de la mano, me llevaba de una habitación a otra, dando respingos y lanzando exclamaciones ante la belleza y magnificencia de la casa.

–¿Dónde está papá? –preguntó.

Expliqué que Chris había ido a Charlottesville para cambiar su automóvil alquilado por un modelo más lujoso.

–Cariño, pensaba regresar antes de que tú llegases. Algo debe de haberle entretenido. No tardarás en verle entrar por esa puerta para darte la bienvenida.

Satisfecha, exclamó:

—Mamá, ¡caramba! ¡Qué casa! No me habías dicho que sería así. Me habías hecho creer que el nuevo Foxworth Hall sería tan feo y terrible como el primero.

Para mí Foxworth Hall siempre sería feo y terrible y, sin embargo, me emocionaba contemplar la excitación de Cindy. Era más alta que yo; los senos jóvenes, maduros y llenos, y el vientre, liso. Su talle, muy esbelto, realzaba la curva suave de sus caderas formadas, mientras que las nalgas redondeaban deliciosamente la parte posterior de sus vaqueros. Mirando su figura de perfil, me recordaba el capullo de una flor, tierna y frágil en apariencia y, sin embargo, con una resistencia excepcional.

Su largo cabello, rubio y abundante, volaba mecido por el viento mientras nos encaminábamos hacia las nuevas pistas de tenis, donde Jory y Bart disputaban un partido.

—Vaya, mamá, tienes dos hijos muy hermosos —susurró, observando sus cuerpos fuertes y bronceados—. Nunca pensé que Bart se convirtiera un día en un chico tan atractivo como Jory, teniendo en cuenta que de pequeño era bastante bruto y feo.

La miré sorprendida. Bart había sido demasiado delgado. Siempre había tenido costras y cicatrices en las piernas, y su cabello oscuro nunca había estado bien peinado, pero había sido un muchachito de buen aspecto, en absoluto feo... En todo caso, podría decirse se comportaba de un modo feo. Además, en otro tiempo, Cindy había adorado a Bart. Un cuchillo atravesó mi corazón al darme cuenta de que muchas de las acusaciones que Bart me había lanzado la noche anterior eran ciertas. Siempre había sentido más inclinación por Cindy que por él. Había pensado que ella era perfecta e incapaz de obrar mal, y seguía creyéndolo.

—Procura ser bondadosa y comprensiva con Bart —murmuré, al advertir que Joel se acercaba.

—¿Quién es ese viejo tan raro? —preguntó Cindy, volviéndose para observar con atención a Joel mientras él se inclinaba rígidamente para arrancar algunos hierbajos–. No me digas que Bart ha contratado de jardinero a alguien como ese... Vaya, si casi no podía incorporarse...

Antes de poder responder, Joel ya estaba junto a nosotras, sonriendo tan ampliamente como le permitía su dentadura postiza.

–Tú debes ser Cindy, esa de quien a menudo habla Bart –dijo, tomando la mano que Cindy tendía de mala gana y llevándola hasta sus finos labios.

Intuí que ella quería retirar la mano, pero toleró el contacto con sus labios. Iluminado por el sol, el cabello casi blanco de Joel, todavía con algunos mechones dorados, parecía más ralo. De pronto me di cuenta de que no había hablado a Cindy de Joel y me apresuré a presentarles. Ella pareció quedar fascinada cuando se enteró de quién era él.

–¿Quieres decir que tú conociste a ese odioso abuelo Malcolm? ¿De verdad eres su hijo? Debes de ser muy viejo...

–Cindy, eso es una impertinencia...

–Lo siento, tío Joel. Lo que ocurre es que cuando oigo a mis padres hablar de su juventud, tengo la impresión de que hablan de hace un millón de años. –Echó a reír de forma encantadora–. Te pareces mucho a mi padre en algunos rasgos. Cuando él sea viejo, no hay duda de que será como tú.

Joel dirigió su mirada hacia Chris, que acababa de salir, cargado de paquetes, de un flamante Cadillac de color azul. Había recogido los regalos que yo había hecho grabar para el cumpleaños de Bart. Había decidido obsequiarle con lo mejor: una cartera de cuero, que Chris le ofrecería; gemelos de oro de dieciocho quilates, con incrustaciones en diamantes formando sus iniciales, y una pitillera también de oro y con sus iniciales en diamantes, la piedra preciosa que Bart admiraba más, según me parecía a mí. Su padre había utilizado otra como aquélla, regalo de mi madre.

Después de depositar los paquetes en una butaca del jardín, Chris abrió los brazos en señal de bienvenida, y Cindy se arrojó a ellos con ímpetu. Cubrió la cara de Chris con una lluvia de diminutos besos, dejando la marca de sus labios en ella. Alzó la mirada hacia el rostro de él y comentó:

—Éste será el mejor día de mi vida, papaíto. ¿No podríamos quedarnos aquí hasta que comiencen las clases en otoño, para que yo pueda saber cómo se vive en una auténtica mansión, con hermosas habitaciones y lujosos cuartos de baño? Ya he decidido cuál es mi favorito; uno que tiene todos los detalles y adornos en rosa, blanco y dorado. Bart sabe que adoro el rosa, que amo el color rosa, y ¡ahora también adoro y amo a esta casa! ¡La amo, la amo!

En los ojos de Chris se reflejó una sombra cuando se apartó de Cindy y se volvió hacia mí.

—Tendremos que reflexionar sobre eso, Cindy. Como sabes, tu madre y yo estamos aquí con el único propósito de ayudar a Bart en la celebración de su aniversario.

Miré a Bart, que golpeaba la pelota con tanta fuerza que resultaba asombroso que no la reventase. Corriendo como un rayo de luz blanca, Jory devolvió la pelota amarilla a Bart, que corrió con la misma rapidez para devolverla. Ambos estaban sofocados y sudorosos, y sus rostros, enrojecidos por el ejercicio y el ardiente sol.

—Jory, Bart —llamé—. Cindy está aquí. Venid a saludarla.

Jory volvió al instante la cabeza para sonreír, lo que hizo que perdiera la siguiente pelota amarilla que iba furiosa hacia él. No pudo llegar a ella y Bart lanzó un grito de regocijo. Saltaba alborozado y arrojó la raqueta.

—¡He ganado!

—Has ganado a causa de mi descuido —se quejó Jory, tirando también su raqueta al suelo. Corrió hacia nosotros, sonriendo y dijo a Bart—: Ganar por descuido del contrario no cuenta.

–¡Claro que cuenta! –bramó Bart–. ¿Qué demonios nos importa que Cindy esté aquí? Te aprovechas de eso sencillamente para retirarte antes de que yo te ganase en puntos.

–Si así lo crees... –replicó Jory.

En un momento había alzado a Cindy del suelo para hacerla dar vueltas y más vueltas, de tal modo que su falda azul se levantó y reveló una braguita de escasa tela.

Melodie se levantó de un asiento de mármol del jardín desde donde había visto la partida de tenis, medio oculta hasta entonces por la alta maleza. Apretó los labios al observar el demasiado afectuoso saludo de Cindy.

–De tal madre, tal hija –masculló Bart a mi espalda.

Cindy se acercó a Bart despacio, tan recatada que no parecía la misma chica que había besado a Jory.

–Hola, hermano Bart. Tienes muy buen aspecto.

Bart la miró fijamente como si no la reconociera. Habían transcurrido dos años desde la última vez que se vieron y entonces Cindy se recogía el cabello en trenzas o colas de caballo y llevaba unos horribles correctores en los dientes. En cambio ahora sus relucientes dientes blancos estaban perfectamente espaciados, y su cabello era una dorada masa flotante. Ninguna chica de las que aparecían en las revistas dedicadas al cuidado del cuerpo tenía una figura mejor o una complexión más perfecta, y me di cuenta, compungida, de que Cindy sabía que su aspecto resultaba espectacular con traje azul y blanco.

Los ojos oscuros de Bart se detuvieron en sus senos firmes, sueltos, que saltaban cuando ella caminaba y cuyos pezones se marcaban claramente. La mirada de Bart medía su cintura antes de posarse en la zona pélvica; bajó entonces la vista para examinar sus lindas y largas piernas que terminaban en unas sandalias blancas. Cindy se había pintado las uñas de los pies del mismo color rojo brillante que las uñas de las manos y los labios.

Era una muchacha extraordinariamente adorable, de un modo dulce, fresco e inocente que se debatía sin éxito por parecer sofisticado. Ni por un momento se me ocurrió pensar que aquella larga e intensa mirada que Cindy dirigió a Bart significara lo que él creyó interpretar.

—No eres mi tipo —dijo con desprecio, volviéndose para lanzar una larga y significativa mirada a Melodie. Después se dirigió de nuevo a Cindy—. Resultas algo vulgar. A pesar de tus vestidos caros... careces de nobleza.

Me dolió oírle pisotear deliberadamente el orgullo de Cindy. La radiante expresión de mi hija se desvaneció. Mientras se cobijaba en los brazos cariñosos de Chris, se marchitaba ante mis ojos. Como una tierna flor necesitada de la admiración de la lluvia para nutrir la fe en sí misma.

—Discúlpate Bart —ordenó Chris. Yo me encogí de hombros, consciente de que Bart nunca lo haría.

Bart apretó los labios, con evidente desprecio, mientras aparentaba indignación y enfado. Abrió la boca para insultar a Chris como tantas veces había hecho, pero entonces miró a Melodie, que se había vuelto para observarle de forma curiosa. Bart se ruborizó.

—Me disculparé cuando ella aprenda a vestirse y comportarse como una señora.

—Discúlpate ahora, Bart —ordenó Chris.

—No me vengas con exigencias, Christopher —dijo Bart, mirando con malévola intención a Chris—. Estás en una posición muy vulnerable. Tú y mi madre. No eres un Sheffield ni un Foxworth... o por lo menos no puedes permitir que se sepa que eres un Foxworth. En definitiva, ¿qué eres tú que pueda importar? El mundo está lleno de médicos más jóvenes y sabios que tú.

Chris se irguió con orgullo.

—Mi ignorancia médica te ha salvado la vida más de una vez, Bart, y las vidas de muchos otros. Quizá algún día lo reconocerás. Nunca has agradecido nada de lo que yo he hecho por ti. Estoy esperando que llegue ese día.

Bart palideció, no tanto por lo que Chris acababa de decir, sino, me pareció a mí, porque Melodie estaba observando y escuchando.

–Gracias, tío Chris –dijo Bart con un marcado sarcasmo.

¡Qué burla y falta de sinceridad transmitían sus palabras! Contemplé a los dos hombres, enfrentados en un silencioso desafío, y vi que Chris fruncía el entrecejo por el énfasis que Bart había puesto en la palabra «tío». Entonces, sin motivo alguno, miré a Joel, que se hallaba detrás de Melodie. En su cara se dibujaba una sonrisa amable y bondadosa, pero en sus ojos acechaba algo más oscuro. Jory y yo nos acercamos a Chris.

Me disponía a enumerar una larga lista de cosas que Bart debería agradecer a Chris, cuando, de pronto, Bart se aproximó a Melodie, ignorando a Cindy.

–¿Te he hablado ya de mi fiesta? ¿Del baile que he escogido para ti y Jory? Causará sensación.

Melodie permaneció inmóvil. Clavó la mirada en los ojos de Bart, con evidente desprecio.

–No bailaré para tus invitados. Creo que Jory te ha explicado más de una vez que estoy haciendo todo lo posible por tener un bebé sano..., y eso no incluye bailar para entretenerte a ti y a gente que ni tan siquiera conozco.

Su voz era fría. Sus oscuros ojos azules revelaban el desagrado que Bart le causaba.

Melodie inició la marcha, acompañada por Jory, y los demás los seguimos. Joel cerraba la comitiva, como el extremo de una cola que no supiera moverse.

Rápida en recuperarse de todas las heridas, como siempre se había repuesto de las rabietas de Bart, Cindy charlaba alegremente del bebé que la convertiría en tía.

–¡Qué maravilloso! ¡Estoy impaciente! Estoy segura de que será un bebé muy bello, siendo sus padres Jory y Melodie, y sus abuelos personas como tú y papá.

La deliciosa presencia de Cindy compensó el dolor que el odio de Bart me producía. La abracé con fuerza,

y ella se acurrucó en el gran sofá de mi salita de estar
privada para contarme todos los detalles de su vida. Yo
la escuchaba ansiosa, fascinada por aquella hija que, me
compensaba de toda la excitación de que Carrie y yo
habíamos carecido.

Chris y yo solíamos madrugar para disfrutar de la
belleza de las frescas mañanas en la montaña, perfuma-
das por el aroma de las rosas y otras flores para deleite
de los sentidos. Los cardenales escarlata revoloteaban
como llamas por doquier mientras los arrendajos chilla-
ban y los dignos vencejos buscaban insectos entre las
hierbas. En el jardín que rodeaba Foxworth había docenas de jaulas para alojar reyezuelos, vencejos y otras
especies, y estanques rocosos en cuyo agua las aves se
metían aleteando alborozadas. Comíamos en alguna de
las terrazas para disfrutar de los distintos panoramas,
que nos habían sido negados en nuestra infancia, cuando los hubiéramos apreciado incluso más que ahora.
Nos apenaba pensar en nuestros pequeños gemelos, que
habían implorado salir allí fuera; y el único jardín en
que habían jugado había sido aquel que nosotros les
construimos en el ático con papel y cartón. Y todo
había estado allí entonces, sin ser aprovechado ni disfrutado, cuando dos pequeños de cinco años de edad se
hubieran sentido en el séptimo cielo de haber podido
gozar un ápice de lo que nosotros admirábamos todos
los días ahora.

A Cindy le gustaba levantarse tarde, al igual que a
Jory y Melodie, que se quejaba de sentir náuseas por las
mañanas. Temprano, a las siete y media, Chris y yo
observábamos la llegada de los vehículos en que acudían
los trabajadores, decoradores de la fiesta y proveedores.
También los decoradores de interior llegaban para completar detalles en alguna de las habitaciones no termina-
das, pero ni un vecino se presentó para darnos la
bienvenida. El teléfono privado de Bart sonaba con

frecuencia, pero los de las otras líneas rara vez lo hacían. Estábamos sentados en la cima del mundo, o así nos lo parecía, totalmente solos, y, aunque en algunos aspectos era agradable, en otros resultaba algo pavoroso.

En la distancia, casi ocultos entre la niebla, podíamos vislumbrar dos campanarios de iglesia. En noches silenciosas y apacibles, oíamos débilmente el sonido de las campanadas al dar las horas. Uno de esos campanarios había sido regalado por Malcolm mientras vivía. Aproximadamente a dos kilómetros de Foxworth, se hallaba el cementerio donde él y nuestra abuela habían sido enterrados uno junto al otro, bajo lápidas labradas y vigilados por ángeles guardianes que nuestra madre había hecho colocar.

Yo ocupaba los días jugando a tenis con Chris o Jory. En algunas ocasiones, disputaba una partida con Bart, y era en esos momentos cuando parecía sentir más simpatía por mí.

—¡Me sorprendes, madre! —exclamaba por encima de la red, golpeando con tal fuerza aquella pelota amarilla que casi atravesaba mi raqueta. Como podía, conseguía correr para devolvérsela, y entonces la rodilla que tantos problemas me daba comenzaba a dolerme y tenía que dejar el juego. Bart se lamentaba de que yo utilizaba aquello como pretexto para abandonar el partido.

—Aprovechas cualquier excusa para alejarte de mí —me reprochaba, como si las palabras de Chris nada significasen—. Si la rodilla te doliese realmente..., estarías cojeando.

En efecto, yo cojeaba al subir por la escalera, pero Bart no estaba allí para notarlo. Me sumergía en una bañera con agua caliente durante una hora para aliviar el dolor. Chris entraba para reprenderme:

—Hielo, Catherine, ¡hielo! Metiendo la rodilla en agua caliente lo único que consigues es inflamarla más. Sal de ahí. Llenaré una bolsa con hielo picado y la mantendrás en la rodilla durante veinte minutos. —Me besaba para borrar el enfado de sus palabras–. Te veré más tarde.

Pronto el frío daba resultado, y el ardiente y palpitante dolor desaparecía.

Estaba preparando una canastilla para el esperado bebé de Jory, lo que exigía salir de compras para proveerme de hilos, agujas, ganchillos y visitar adorables tiendas de ropitas para bebés. A menudo Cindy, Chris y yo íbamos en coche hasta Charlottesville y en dos ocasiones hicimos el largo recorrido hasta Richmond, donde, después de las compras e ir al cine, pasamos la noche. Algunas veces, Jory y Melodie nos acompañaban, pero no con la frecuencia que yo hubiera deseado. El encanto de Foxworth Hall ya estaba debilitándose.

Pero mientras su encanto se desvanecía para mí, Jory y Melodie, la mansión estaba imprimiendo su hechizo en Cindy, que adoraba su habitación, lujosamente amueblada, y su baño ultrafemenino, decorado en tonos rosas, dorados y verdes.

–De modo que no siente simpatía por mí –decía, dando vueltas y bailando ante los numerosos espejos–, y sin embargo decora mi habitación con el estilo que me gusta. Oh, mamá, ¿cómo comprender a Bart?

¿Quién podía responder a esa pregunta?

PREPARATIVOS

A medida que se acercaba el vigésimo quinto aniversario de Bart, una especie de demencia febril descendía sobre Foxworth Hall. Acudieron diversos decoradores para medir los prados, los patios y las terrazas. Susurraban en grupos, elaboraban listas, diseños, probaban distintos colores para los manteles, hablaban en tropel con Bart, discutían sobre el tema de la danza y trazaban planes secretos. Bart rehusaba explicar qué danza había escogido, por lo menos a los miembros de su familia. Los secretos no nos gustaban, pero sí a Bart. Nos convertimos en una familia muy unida de la que Bart deseaba mantenerse al margen.

Los trabajadores comenzaron a levantar con madera, pintura y otros materiales de construcción, lo que parecía ser un escenario y una plataforma para la orquesta. Bart se jactaba entre los que lo rodeaban de estar contratando famosos cantantes de ópera.

Siempre que me encontraba en el exterior, y estaba fuera tanto como me era posible, contemplaba las montañas que nos cercaban envueltas en una neblina azulada, y me preguntaba si ellas recordarían a dos de los niños encerrados en el ático durante casi cuatro años;

me preguntaba si habrían ellas transformado a una chiquilla en un ser lleno de sueños fantásticos que habían acabado por materializarse. Yo había convertido algunas de mis fantasías en realidad, a pesar de haber fracasado más de una vez en mantener vivos a mis maridos. Me enjugué las lágrimas y, al toparme con la mirada, todavía amante, de Chris, sentí que me embargaba aquella vieja tristeza familiar. Me torturaba pensar que Bart hubiera podido ser normal si Chris no me hubiera amado, ni yo le hubiese amado a él.

La gente culpa a las estrellas del destino, pero yo seguía culpando a mi madre.

A pesar de los horribles presentimientos que me asaltaban, no podía evitar sentirme más feliz de lo que había sido en mucho tiempo con sólo contemplar la agitación que se vivía en el jardín, que poco a poco se había convertido en algo salido directamente de un escenario cinematográfico. Di un respingo al ver lo que Bart había hecho.

¡Era una escena bíblica!

—*Sansón y Dalila* —dijo Bart cuando se lo pregunté. Todo su entusiasmo estaba apagado porque Melodie todavía se negaba a interpretar el personaje que él le había asignado. A menudo he oído decir a Jory que le encantaría producir sus propias obras y a él le gusta ese papel más que ningún otro.

Melodie dio la vuelta y se encaminó hacia la casa sin decir nada con el rostro encendido por la ira.

Yo debería haberlo intuido. ¿Qué otro tema podía cautivar tanto a Bart?

Cindy corrió a abrazar a Jory.

—Jory, déjame representar el papel de Dalila, ¡puedo hacerlo! Sé que puedo.

—¡No quiero tus intentos de aficionada! —exclamó Bart.

Ignorándole, Cindy tiraba suplicante de las manos de Jory.

—Por favor, por favor, Jory. Me encantaría hacerlo. He asistido a mis clases de ballet, de modo que no estaré rígida ni te haré parecer poco habilidoso. Además durante estos días que faltan, puedes ayudarme a conseguir un compás más ajustado. Ensayaremos por la mañana, por la tarde y por la noche...

—No hay tiempo suficiente para ensayar si la representación ha de realizarse dentro de dos días —se lamentó Jory, lanzando a Bart una dura mirada de enfado—. Dios mío, Bart, ¿por qué no lo has dicho antes? ¿Crees que porque dirigí la coreografía de ese ballet ahora puedo recordar todos los difíciles movimientos? Un papel como ése requiere semanas de ensayo, y tú has esperado hasta el último momento. ¿Por qué?

—Cindy miente —dijo Bart, mirando melancólico, hacia la puerta por la que Melodie había desaparecido—. Antes era demasiado perezosa para asistir a sus clases, de modo que ¿por qué había de seguir ahora que nuestra madre no estaba allí para obligarla?

—¡He ido! ¡He ido! —repetía Cindy con gran excitación y orgullo.

Yo sabía que odiaba los ejercicios violentos. Antes de los seis años, le encantaban los lindos tutús, las graciosas zapatillas de satén y las pequeñas diademas brillantes de bisutería, y la fantasía de las representaciones que había presenciado la habían hechizado de tal modo que yo había creído que jamás abandonaría la pasión por la danza. Pero Bart la había ridiculizado con demasiada frecuencia, hasta convencerla de que no servía en absoluto para la danza. Cindy tendría unos doce años cuando él le robó el amor por la danza. A partir de entonces, ella nunca iba a las clases. Por esa razón me sorprendió tanto oír que nunca había renunciado a la danza; simplemente había evitado que Bart la viera bailar.

Cindy se volvió hacia mí, como suplicando por su vida.

—¡Estoy diciendo la verdad! Cuando estuve en la escuela privada para chicas, como Bart no estaba allí para ponerme en ridículo, volví a practicar. Siempre he asistido a mis clases de ballet; también sé bailar zapateado.

—Vaya —dijo Jory, impresionado—, podemos dedicar el tiempo que nos queda a ensayar. —Dirigió una severa mirada a su hermano—. Bart, has sido muy poco considerado al pensar que podríamos improvisar la representación en un par de días. No creo que a mí me resulte difícil, pues conozco bien el papel, pero tú, Cindy, ni siquiera has visto ese ballet.

Interrumpiéndole con grosera violencia, Bart preguntó:

—¿Tienes las lentillas blancas? ¿Puedes ver realmente a través de ellas? Os vi a ti y Melodie en Nueva York, hará un año, y desde la platea parecías ciego de verdad.

Frunciendo el entrecejo ante la inesperada respuesta Jory estudió seriamente a Bart.

—Sí, he traído las lentes de contacto —dijo lentamente—. Allá donde voy, alguien me pide que interprete el papel de Sansón, de modo que siempre las llevo. No sabía que apreciaras tanto la danza.

Bart se echó a reír, dando una palmada en la espalda a Jory como si nunca hubieran tenido ninguna desavenencia. Jory se tambaleó por la fuerza de aquel golpe.

—La mayoría de ballets son un solemne aburrimiento, pero éste en particular me fascina. Sansón fue un gran héroe, y yo lo admiro. Y tú, hermano, interpretas de forma extraordinaria ese papel. Vaya, incluso pareces tan poderoso como él. Supongo que ése es el único ballet que me ha emocionado de verdad.

Yo no escuchaba a Bart. Estaba observando a Joel, que se inclinaba, al tiempo que sus delgados labios se movían de forma casi espasmódica, vacilantes entre un gesto de desdén o de risa. De pronto, no quise que Jory y Cindy bailaran en ese ballet, que incluía escenas brutales. Y precisamente la idea había partido de Jory hacía muchos años... ¿No había sido él quien había sugerido que la ópera proporcionaría la música para lo que él consideraba sería el ballet más sensacional?

Pasé aquella noche dando vueltas en la cama, pensando cómo podría disuadir a Bart de su propósito de representar aquella pieza. Nunca había sido fácil detenerle cuando era un muchacho. Y siendo un hombre... no sabía si tendría alguna posibilidad. Pero de todos modos, debía intentarlo.

Al día siguiente, me levanté temprano y me dirigí al patio para hablar con Bart antes de que se marchase en su coche. Me escuchó con impaciencia, rehusando cambiar la obra de su fiesta.

—Ahora no puedo, aunque quisiera. Ya he diseñado los trajes, que están casi terminados, así como los decorados y el escenario. Si cancelo todo, será demasiado tarde para planear otro ballet. Además, a Jory no le importa, ¿por qué ha de importarte a ti?

No podía explicarle que una vocecilla interior, intuitiva, me advertía que no permitiera que ese ballet se representara cerca del lugar de nuestro confinamiento, con Malcolm y su mujer no muy alejados, en el suelo, de modo que la música llenaría sus oídos sin vida...

Jory y Cindy ensayaron día y noche cada vez más entusiasmados. Él descubrió que Cindy era buena; desde luego, no bailaría tan bien como Melodie lo hubiera hecho, pero su actuación sería más que aceptable. Estaba preciosa con el cabello recogido en lo alto de la cabeza. La mañana del aniversario de Bart amaneció brillante y clara, anunciando un perfecto día de verano, sin lluvia ni nubes.

Chris y yo nos levantamos temprano y paseamos por el jardín antes del desayuno, disfrutando del perfume de las rosas, que parecía preludiar un cumpleaños maravilloso y hermoso para Bart. Siempre le habían gustado las fiestas de aniversario, como las que celebrábamos para Jory y Cindy; sin embargo, cuando se le presentaba la ocasión, Bart se las ingeniaba para enfrentar a todos los invitados, de manera que solían marcharse antes de que la fiesta hubiera finalizado y, por lo general, enojados.

Bart era un hombre ahora, me repetía, y, por tanto,

esta vez sería diferente. Precisamente eso era lo que Chris estaba diciéndome, como si entre nosotros existiese una especie de telepatía, y ambos pensáramos lo mismo.

–Está haciéndose independiente –dije–. ¿No es raro cómo se empeña en repetir aquella experiencia infantil, Chris? ¿Leerán los abogados otra vez el testamento después de la fiesta?

Sonriendo con expresión feliz, Chris negó con la cabeza.

–No, querida, todos estaremos demasiado cansados. La lectura se ha fijado para mañana. –Su semblante se oscureció con una sombra–. No recuerdo que haya nada en ese testamento que pueda estropear el cumpleaños de Bart, ¿verdad?

No, yo tampoco recordaba nada lo que era lógico porque cuando se leyó el testamento de mi madre, yo había estado demasiado alterada, llorando, casi sin escuchar, sin importarme demasiado todo aquello, ya que ninguno de nosotros heredaba la fortuna de los Foxworth, que parecía llevar consigo su propia maldición.

–Hay algo que los abogados de Bart me ocultan, Cathy... Sin embargo, algo en sus palabras me indica que no debo haber entendido bien el contenido de la última voluntad de nuestra madre cuando se leyó el testamento poco después de su muerte. No quieren hablar del asunto porque Bart ha exigido que yo no participe en ninguna discusión legal. Los abogados le obedecen como si los asustara o los intimidara. Me sorprende que hombres de mediana edad, con años de experiencia, se dobleguen a los deseos de Bart, como si quisieran conservar su estima, sin prestar ninguna atención a lo que yo pueda decir. Me molesta. Después me pregunto ¿y a mí qué demonios me importa? Pronto nos iremos de aquí y crearemos un nuevo hogar. Bart puede quedarse con su fortuna y gobernar con ella...

Lo abracé, enfadada porque Bart se negaba a darle el reconocimiento que merecía por haber administrado esa vasta fortuna durante tantos años, a pesar de que el ejercicio de la medicina le robaba gran parte de su tiempo.

–¿Cuántos millones heredará? –pregunté–. ¿Veinte, cincuenta, más? Mil millones, dos mil... ¿más?

Chris se echó a reír.

–Oh, Catherine, nunca crecerás. Siempre exageras. Para ser sincero, es difícil precisar la suma total de todos esos valores, pues las inversiones están repartidas en diversos sectores. Sin embargo, creo que estará complacido cuando sus abogados hagan un cálculo aproximado. Es más que suficiente para diez jóvenes ambiciosos.

Nos detuvimos en el vestíbulo para observar cómo Jory y Cindy ensayaban, acalorados y sudorosos por el esfuerzo. Se hallaban allí otros bailarines, antiguos compañeros de Jory, que deambulaban indolentes, contemplando a la pareja o admirando lo que podían ver de la fabulosa mansión. Cindy estaba haciéndolo excepcionalmente bien, lo que me sorprendió sobremanera; y pensar que había seguido con sus clases de ballet sin decírmelo. Debió haberlas costeado con parte del dinero destinado a comprar vestidos, cosméticos y otras cosas superficiales que siempre necesitaba.

Una de las bailarinas más viejas se acercó a mí, sonriente para explicarme que me había visto actuar algunas veces en Nueva York.

–Su hijo se parece mucho a su padre –prosiguió, mientras dirigía una mirada a Jory, que ensayaba con tal pasión que me pregunté si le quedarían fuerzas para la representación de la noche–. Quizá no debería decirlo, pero creo que es diez veces mejor que su padre. Yo tendría unos doce años cuando usted y Julián Marquet representaron *La bella durmiente*. Verles me inspiró el deseo de convertirme en bailarina. Gracias por darnos otro maravilloso bailarín como Jory Marquet.

Sus palabras me colmaron de felicidad. Mi matrimonio con Julián no había sido un fracaso total, pues Jory era su fruto. Debía confiar en que el hijo de Bartholomew Winslow me llenaría de tanto orgullo como el que en esos momentos estaba sintiendo.

Terminado el ensayo, Cindy se acercó a mí sin aliento.

—Mamá, ¿cómo lo he hecho? ¿Bien? —Su cara anhelante esperaba mi aprobación.

—Has bailado bellamente, Cindy, de verdad. Acuérdate de sentir la música y mantén el tiempo; así la actuación será notable pese a ser una principianta.

Ella hizo una mueca.

—Siempre aparece la instructora, ¿eh, mamá? Sospecho que no soy tan buena como quieres hacerme creer, pero en esta representación voy a darlo todo, y si fracaso nadie podrá achacarme no haberlo intentado.

Jory se encontraba rodeado de admiradores, mientras Melodie estaba sentada, silenciosa, en un mullido sofá junto a Bart. No parecían estar conversando ni se mostraban amistosos. Sin embargo, al verlos en aquel sofá para dos personas, me sentí inquieta. Tiré de Chris hacia adelante y nos aproximamos a ellos.

—Feliz cumpleaños, Bart —dije alegremente.

Alzó la mirada y me sonrió con auténtico encanto.

—Anuncié que sería un gran día, con sol y sin lluvia —repuso.

—Así es.

—¿Podemos comer todos ahora? —preguntó Bart, levantándose y tendiéndole la mano a Melodie. Ella despreció su ayuda y se puso en pie—. ¡Estoy hambriento! —prosiguió Bart, un poco molesto por el nuevo rechazo de Melodie—. Los frugales desayunos continentales no me satisfacen.

Formamos un grupo alrededor de la mesa del comedor, todos excepto Joel, que estaba sentado a su propia mesita redonda, en la terraza, separado del resto. Joel consideraba que éramos demasiado ruidosos y comíamos con exceso, insultando sus hábitos monacales que dictaban una actitud seria y largas plegarias antes y después de cada comida. Incluso Bart se enojaba cuando

Joel era demasiado piadoso; ese día su irritación se hizo evidente.

–Tío Joel, ¿has de estar solo ahí fuera? Vamos, únete al grupo familiar y deséame un feliz aniversario.

Joel sacudió la cabeza.

–El Señor desprecia la ostentación de riqueza y vanidad. No apruebo esta fiesta. Deberías mostrar tu gratitud por estar vivo de una manera mejor, contribuyendo en actos de caridad, por ejemplo.

–¿Qué ha hecho la caridad por mí? Ésta es mi ocasión de brillar, tío. Aunque el viejo difunto Malcolm se revuelva en su tumba, pienso divertirme más que nunca esta noche.

Me sentí muy complacida. Rápidamente me incliné para besarle.

–Me gusta verte así, Bart. Éste es tu día... y cuando te entreguemos tus regalos, abrirás los ojos maravillado.

–Así lo espero –respondió, sonriente–. Ya he visto que están amontonándolos en la mesa. Los abriremos en cuanto lleguen los invitados, para poder seguir con la diversión.

Frente a mí, Jory miraba con inquietud a Melodie.

–Cariño, ¿te sientes bien?

–Sí –murmuró ella–. Pero me gustaría representar el papel de Dalila. Me resulta extraño estar mirando mientras tú bailas con otra persona.

–Después de que haya nacido el bebé, volveremos a bailar juntos –dijo él antes de besarla. La mirada de Melodie se clavó con adoración en Jory mientras él se retiraba para ir a ensayar con Cindy.

Fue entonces cuando Bart perdió su expresión de felicidad.

Llegaban continuamente nuevos regalos para Bart. Muchos de sus hermanos de la fraternidad de Harvard iban a asistir con sus amigas o esposas. Aquellos que no podían, le enviaban obsequios. Bart iba y venía, casi corriendo, comprobando todos los aspectos de la fiesta. Los ramilletes de flores llegaban por docenas. Los proveedores llenaban la cocina, de modo que me sentí como una intrusa cuando quise prepararme un bocadillo. Bart me cogió por el brazo y me llevó por todos los salones rebosantes de flores.

–¿Crees que mis amigos quedarán impresionados? –preguntó con expresión inquieta–. ¿Sabes?, me parece que quizá fanfarroneé demasiado cuando estaba en la universidad. Esperarán una mansión de una suntuosidad incomparable.

Eché una mirada alrededor. La casa, engalanada para la celebración, aparecía especialmente hermosa. Foxworth Hall no sólo tenía aire festivo sino espectacular, y las flores frescas no sólo la hacían acogedora, sino que también le conferían gracia y belleza. El cristal resplandecía, la plata brillaba, el cobre relucía..., oh, sí, esa casa podía rivalizar con cualquier palacio.

–Cariño, deja de preocuparte. No puedes ser el mejor del mundo. Ésta es una casa realmente hermosa, y los decoradores han hecho un trabajo espléndido. Tus amigos quedarán impresionados, no lo dudes. Los guardeses la han conservado bien durante estos años, y gracias a ellos los jardines tienen su buen aspecto actual.

Bart no me escuchaba. Tenía la mirada extraviada y el entrecejo fruncido.

–Madre –susurró–, voy a andar por aquí medio perdido después de que tú, tu hermano, Melodie y Jory os hayáis marchado. Afortunadamente, tengo al tío Joel, que se quedará aquí hasta que muera.

Al oírlo se me partió el corazón. No había mencionado a Cindy porque era obvio que él nunca la añoraba.

–¿Realmente aprecias tanto a Joel, Bart? Esta mañana parecía irritarte con sus costumbres monacales.

Sus ojos oscuros se nublaran, haciendo grave su atractivo rostro.

–Mi tío está ayudándome a encontrarme a mí mismo, madre, y si algunas veces me molesta, es porque todavía me siento muy inseguro sobre mi futuro. Él no puede evitar las costumbres adquiridas durante todos esos años que vivió con monjes a quienes no se permitía hablar y que debían rezar en voz alta y cantar en los servicios. Me ha contado un poco cómo fue aquella experiencia, y me temo que debió de resultar bastante siniestra y solitaria. Sin embargo, asegura que allí encontró la paz y su fe en Dios y en la vida eterna.

Mi brazo se separó de su cintura. Él hubiera podido recurrir a Chris para hallar todo lo que necesitaba: paz, seguridad y la fe que había sostenido a Chris durante toda su vida. Bart estaba ciego en cuanto se refería a apreciar la bondad de un hombre que había intentado con tanto empeño ganarse su afecto. Pero mi relación con mi hermano lo condenaba a los ojos de Bart.

Me alejé con tristeza de mi hijo y subí por la escalera. Encontré a Chris en el balcón, observando a los hombres que trabajaban en el patio. Salí para reunirme con él y sentí el ardiente sol en mi cabeza. Contemplamos aquella actividad afanosa en silencio mientras yo rezaba para que esa casa nos diera por fin algo más que calamidades.

Dormimos una siesta de dos horas, y tras una cena frugal, nos apresuramos a subir a nuestras habitaciones para vestirnos para la fiesta. Salí de nuevo al balcón que tanto placer nos proporcionaba a Chris y a mí. El crepúsculo punteaba el cielo de colores rosa profundo y violeta, matizados de magenta y naranja. Los pájaros soñolientos volaban como lágrimas oscuras hacia sus nidos. Los cardenales cantaban, emitiendo sus pequeños sonidos *bip*, no un gorjeo ni un trino, sino un sonido semejante a un eco estridente. Cuando Chris se acercó a mí, húmedo· y fresco, recién salido de la ducha, no hablamos; tampoco sentimos necesidad de hacerlo.

Bart, el fruto de mi venganza, se aproximaba a su independencia. Me aferré a mis esperanzas, deseando que la fiesta resultara bien y le proporcionara la seguridad que necesitaba de que tenía amigos y era bien acogido. Deseché mis temores y me repetí que Bart se lo merecía, y nosotros también.

Quizá Bart se sintiese satisfecho mañana, cuando se leyera el testamento. Quizá, quizá solamente... Yo deseaba lo mejor para él, quería que el destino lo compensara por tantas cosas...

Chris se afanaba en nuestro vestidor poniéndose los pantalones del esmoquin, metiendo dentro ellos los faldones de la camisa y haciéndose el nudo del lazo, para pedirme después que lo retocara.

—Iguala los extremos. —Obedecí gustosa.

Se cepilló el pelo, todavía rubio, aunque algo más oscuro de lo que había sido cuando tenía cuarenta años. Con cada década, nuestros cabellos oscurecían y ganaban algo más de plata. Yo empleaba tintes para mantener el mismo color, pero Chris no quería hacerlo. El cabello rubio me favorecía. Mi rostro era bonito aún. Yo tenía un aspecto al mismo tiempo maduro y juvenil.

Chris se acercó a mi tocador y me cogió por los hombros. Sus manos, tan familiares para mí, se deslizaron dentro de mi vestido y me rodearon los pechos antes de que sus labios acariciaran mi cuello.

—Te quiero. Dios sabe qué haría yo si no te tuviera.

¿Por qué siempre decía eso? Era como si temiera que yo muriese antes que él.

—Cariño, vivirías, eso es lo que harías. Eres útil para la sociedad, y yo no.

—Tú eres la persona que me mantiene vivo —susurró con voz ronca—. Sin ti, yo no sabría cómo continuar..., pero sin mí, tú seguirías y probablemente te casarías otra vez.

Sus ojos se entristecieron.

—Aparte de ti, he tenido dos maridos y un amante, y eso es suficiente para cualquier mujer. Si tengo la mala suerte de perderte, permaneceré sentada día tras día delante de una ventana, con la mirada perdida, recordando cómo fue mi vida junto a ti. —Sus ojos se enternecieron y se clavaron en los míos–. Eres tan hermoso, Chris. Tus hijos te envidiarán.

–¿Hermoso? ¿No crees que ése es un adjetivo utilizado para describir a las mujeres?

–No. Hay una diferencia entre atractivo y hermoso. Algunos hombres son atractivos, pero no irradian belleza interior. Tú sí. Tú, amor mío, eres hermoso... interior y exteriormente.

Sus ojos azules se encendieron.

–Muchísimas gracias. ¿Y podría decir yo que te encuentro diez veces más hermosa de lo que tú me encuentras a mí?

–Mis hijos se sentirán celosos cuando se vean frente a la belleza de mi Christopher Doll.

–Sí, claro –respondió con una mueca–. Tus hijos parecen tener muchas razones para envidiarme.

–Chris, sabes que Jory te quiere. Y algún día Bart descubrirá que te ama también.

–Algún día mi barco llegará... –canturreó Chris ligeramente.

–También es su barco, Chris. La independencia de Bart ha llegado por fin, y con esa fortuna bajo su control, y no bajo tu control, descansará, se encontrará a sí mismo y se dará cuenta de que eres el mejor padre que hubiera podido tener.

Chris esbozó una leve sonrisa triste, reflexivo.

–Para ser sincero, cariño, me sentiré feliz cuando Bart obtenga su dinero, y yo salga de escena. No es tarea fácil manejar toda esa fortuna, aunque hubiera podido contratar a un administrador para que lo hiciera. Como albacea, supongo que quería probarme a mí mismo y probar a Bart que soy más que un doctor, ya que eso nunca le ha parecido suficiente.

¿Qué podía decir yo? Nada de lo que Chris hiciera cambiaría los sentimientos de Bart hacia él, pues su animadversión hacia Chris partía del hecho de que él era mi hermano, y eso no podía cambiarse. Bart nunca le aceptaría como padre.

—¿Qué feo pensamiento, amor mío, te hace fruncir el entrecejo?

—No es nada —respondí y me levanté.

Me había puesto para la fiesta un traje blanco ceñido, de estilo griego. El roce de la seda era sensual con mi piel desnuda. Llevaba el cabello recogido y sujeto con un broche de diamantes —la única joya que llevaba aparte de mis anillos de boda—, dejando que un único rizo me cayera por el hombro.

En medio de las habitación que compartíamos, Chris y yo nos abrazamos. Allí permanecimos de pie, envueltos el uno en los brazos del otro, aferrándonos a la única seguridad que habíamos tenido: nuestro mutuo amor. Alrededor de nosotros, la casa parecía silenciosa. Hubiéramos podido estar perdidos y solos en la eternidad.

—Vamos, cuéntalo —dijo Chris después de algunos minutos—. Siempre adivino cuándo estás preocupada.

—Quisiera que las cosas fueran distintas entre tú y Bart, eso es todo —repliqué, no queriendo estropear la velada.

—Creo que el afecto que Jory y Cindy sienten por mí compensa con creces el antagonismo de Bart. Y, más importante aún, presiento que Bart no me odia de verdad. Algunas veces tengo la impresión de que él desea acercarse a mí, pero el conocimiento de la relación que existe entre tú y yo lo detiene como si estuviera atado con cadenas de acero. Quiere que lo guíen, pero se avergüenza de pedirlo; desea un padre, un padre de verdad. Sus psiquiatras así nos lo han dicho. Me mira y cree que no encajo en ese papel... de modo que busca en otra parte. Primero recurrió a Malcolm su bisabuelo, ya muerto y enterrado; después, a John Amos, pero John le falló. Ahora se ha vuelto hacia Joel, aunque teme que él también le defraude. Sí, advierto en ocasiones que no confía del todo en su tío abuelo. Y sin embargo, a pesar de todo, Bart puede salvarse, Cathy. Todavía tenemos tiempo de ganárnoslo, pues estamos vivos.

–¡Sí, sí! Lo sé. Mientras hay vida, hay esperanza. Dímelo una y otra vez, y si me lo repites a menudo, quizá llegue el día en que Bart te diga: «Sí, te quiero. Sí, lo has hecho lo mejor que has podido. Sí, tú eres el padre que yo he estado buscando toda mi vida...» ¿No sería eso maravilloso?

Inclinó su cabeza sobre la mía.

–No hables con tanta amargura. Ese día llegará, Cathy. Tan seguro como que tú y yo nos amamos y amamos a nuestros tres hijos, ese día llegará.

Estaba dispuesta a hacer lo que fuese necesario para ver el día en que Bart dirigiera auténticas palabras de amor a su padre. Viviría esperando no sólo el momento en que Bart aceptara a Chris y dijera que lo quería, lo admiraba y le agradecía lo que por él había hecho, sino que viviría también el día en que Bart fuese un hermano de verdad, otra vez, para Jory... y un hermano para Cindy.

Minutos después nos hallábamos en lo alto de la escalera, para unirnos a Jory y Melodie que se encontraban cerca de la barandilla, en el piso inferior. Melodie vestía un sencillo traje negro, las tirillas de sus zapatos negros. La única joya que llevaba era un collar de relucientes perlas.

Al oír el ruido de los altos tacones de mis zapatos plateados sobre el mármol, Bart avanzó un paso, con su esmoquin confeccionado a la medida. Di un respingo. Era igual que su padre cuando lo vi por primera vez. Su bigote, ralo siete días antes, estaba más poblado. Parecía feliz, lo que bastaba para que resultara todavía más atractivo. Sus ojos negros rebosaban admiración al contemplar mi traje y mi cabello.

–¡Madre! –exclamó–. ¡Tienes un aspecto fantástico! Has comprado ese adorable vestido blanco especialmente para mi fiesta, ¿verdad?

Riendo, asentí con la cabeza. Como era natural, no podía llevar nada viejo para una fiesta como ésa.

Todos nos dirigimos cumplidos mutuamente, excepto Bart, que no dijo nada a Chris, aunque yo le sorprendí mirándolo con el rabillo del ojo, como si la buena apariencia de Chris le asombrara. Melodie y Jory, Chris y yo, junto con Bart y Joel, formábamos un círculo al pie de la escalera, todos nosotros, excepto Joel, intentado hablar al mismo tiempo. Entonces...

–¡Mamá, papá! –llamó Cindy, que bajaba presurosa los escalones hacia nosotros, recogiéndose la falda del largo traje rojo flameante para no tropezar. Me volví para mirarla, y me resultó increíble lo que vi.

Yo no sabía dónde había encontrado Cindy aquel inapropiado vestido rojo. Parecía la clase de vestido que se pondría una mujerzuela para exhibir sus encantos. En esos momentos me aterrorizó la posible reacción de Bart, y toda mi anterior felicidad fluyó hacia mis zapatos y desapareció por el suelo. El traje que Cindy llevaba se ceñía a su cuerpo como una capa de pintura roja; el escote se abría hasta casi la cintura, y era obvio que no llevaba nada debajo. Los pezones de sus senos firmes eran demasiado evidentes y, cuando se movía, bailoteaban vergonzosamente. La túnica estrecha de satén estaba cortada al bies, y se pegaba al cuerpo como una segunda piel. No había ninguna curva que denunciara un gramo de grasa; sólo un soberbio cuerpo joven que ella quería exhibir.

–Cindy, vuelve a tu habitación –murmuré– y ponte aquel vestido azul que prometiste llevar. Tienes dieciséis años, no treinta.

–Oh, mamá, no seas tan quisquillosa. Los tiempos han cambiado. Ahora la desnudez es lo que está de moda, mamá, de moda. Y comparado con otras cosas que hubiera podido escoger, este vestido es recatado, incluso puritano.

Eché una ojeada a Bart y supe que él no consideraba que el vestido de Cindy fuera recatado. Estaba inmóvil, como aturdido, con el rostro muy encendido y los ojos fuera de las órbitas contemplando cómo Cindy andaba con pasos cortos, pues la falda era tan estrecha que apenas podía mover las piernas.

Bart nos miró primero a nosotros y después a Cindy. Su ira era tan viva que había enmudecido. En aquellos pocos segundos tuve que pensar rápidamente cómo podía aplacarle.

—Cindy, por favor, vuelve de inmediato a tu habitación y ponte algo decente.

Cindy tenía la mirada clavada en Bart. Estaba clarísimo que le desafiaba a hacer algo por detenerla. Parecía estar disfrutando con la reacción de él, que la observaba con los ojos desorbitados y los labios abiertos, mostrando su indignación y asombro. Se pavoneó todavía más, contoneándose como un poni altanero en celo, moviendo las caderas de un modo provocativo. Joel se acercó a Bart, expresando en sus azules ojos lacrimosos frialdad y desprecio mientras miraba a Cindy de arriba abajo; después su mirada se posó en mí «Mira, mira lo que has educado», decía sin palabras.

—Cindy, ¿has oído a tu madre? —rugió Chris—. ¡Haz lo que te ha dicho! ¡Inmediatamente!

Como si le asombrara la orden, Cindy quedó inmóvil, lanzándole una mirada retadora mientras se ruborizada.

—Por favor, Cindy —añadí—, obedece a tu padre. El otro vestido es muy bonito y adecuado. El que llevas ahora resulta vulgar.

—Soy lo bastante mayor para elegir qué me pongo —replicó Cindy con voz trémula, negándose a moverse—. A Bart le gusta el rojo.

Melodie miró a Cindy, luego a mí, e intentó sonreír. Jory parecía divertido, como si todo eso fuese una broma.

En aquel momento, Cindy ya había terminado su representación burlesca. Parecía algo acobardada cuando se detuvo delante de Jory.

—Estás absolutamente divino, Jory... y tú también, Melodie.

Jory no supo qué decir ni adónde mirar, de modo que desvió la vista y después la dirigió hacia ella. Desde el cuello de su camisa blanca le subió el rubor.

—Y tú te pareces a Marilyn Monroe...

La oscura cabeza de Bart se volvió bruscamente. Su fiera mirada quedó clavada nuevamente en Cindy. Su rostro se encendió todavía más, de tal modo que parecía que fuera a disolverse en humo. Estalló, perdido todo el control.

—¡Ve directamente a tu habitación y a ponerte algo decente! ¡Ahora mismo! ¡Sube antes de que te dé tu merecido! ¡En mi casa no permito que nadie se vista como una puta!

—¡Anda y muérete, víbora! —espetó ella.

—¿Qué has dicho? —voceó Bart.

—He dicho: ¡muérete, víbora! ¡Voy a llevar exactamente lo que llevo encima! —Vi que Cindy estaba temblando. Pero por una vez Bart tenía razón.

—Cindy, ¿por qué? —tercié—. Sabes que ese vestido no está bien, y es lógico que todos estemos sorprendidos. Ahora, haz lo que se espera de ti, sube y cámbiate. No formes más alboroto del que ya has creado. Pareces una prostituta callejera, y seguro que tú lo sabes. Normalmente tienes buen gusto. ¿Por qué escogiste esa cosa?

—¡Mamá! —lloriqueó—. ¡Me haces sentir mala!

Bart avanzó un paso hacia Cindy, con expresión amenazadora. Al instante Melodie se interpuso, abriendo sus delgados brazos antes de volverse implorante hacia Bart.

—¿No te das cuenta de que ella hace esto con el único propósito de fastidiarte? Mantén la calma, o darás a Cindy la satisfacción que ella está buscando. —Volviéndose hacia Cindy, dijo con voz fría y autoritaria—: Cindy, ya nos has escandalizado como querías. Así pues ¿por qué no subes y te pones ese lindo vestido azul que has comprado?

Bart avanzó a grandes pasos para coger a Cindy, pero ella se zafó dando un salto. Luego se mofó de él por no ser tan ágil como ella, aquella falda tan estrecha entorpecía sus movimientos. Yo hubiera abofeteado a Cindy de buen grado al oírla decir con voz melosa:

—Bart, cariñito, estaba segura de que este vestido rojo te encantaría. Como de todos modos crees que soy un ser vulgar y despreciable, me acomodo a tus esperanzas representando el papel que tú has escrito para mí.

De un salto rápido, Bart llegó junto a ella y con la mano abierta le dio un fuerte bofetón.

La violencia del golpe hizo caer a Cindy hacia atrás, de tal modo que quedó sentada en el segundo escalón. Oí cómo se descosía la costura de la espalda de su vestido. Me apresuré a acercarme para ayudarla a levantarse. Los ojos de Cindy se llenaron de lágrimas.

Poniéndose en pie con rapidez, Cindy subió de espaldas la escalera, luchando por conservar su dignidad.

—Eres una víbora, hermano Bart, un pervertido extraño que no sabe cómo es el mundo. Apuesto a que eres virgen todavía, ¡o eres homosexual!

La rabia que traslucía la cara de Bart la hizo subir los escalones corriendo. Yo me moví para impedir que Bart siguiera a Cindy, pero él fue demasiado rápido.

Me empujó hacia un lado con tal rudeza que casi caí. Llorando como una niña asustada, Cindy desapareció con Bart pegado a sus talones.

Procedente de una habitación distante, oí a Bart vociferar:

—¿Cómo te atreves a avergonzarme? Tú eres esa mujer vulgar a quien he tenido que proteger evitando que se difundieran todas las historias sucias que me han contado sobre ti. Creía que mentían, ¡pero ahora has demostrado que eres exactamente lo que todos decían que eras! En cuanto termine esta fiesta te marcharás, ¡no quiero verte nunca más!

—¡Como si yo quisiera verte a ti! —replicó ella—. ¡Te odio, Bart! ¡Te odio!

Oí el grito de Cindy, los quejidos... Estaba a punto de llegar arriba cuando Chris trató de detenerme. Me liberé y cuando había subido sólo cinco escalones, Bart apareció con una sonrisa de satisfacción dibujada en su rostro atractivo, en el que también se apreciaba una expresión maligna. Al pasar junto a mí murmuró:

—Acabo de hacer lo que tú nunca has hecho... Le he dado una buena paliza. Si durante una semana puede sentarse cómodamente es que tiene el culo de hierro.

Yo me volví a tiempo para ver a Joel hacer una mueca despectiva ante el uso de esa, para él, obscena palabra.

Ignorando a Joel, para variar, sonriendo como el perfecto anfitrión, Bart nos colocó en hilera de recepción y pronto comenzaron a llegar los invitados. Bart nos presentó a gente que yo no sabía conociera. Me sorprendía el estilo que mostraba, la facilidad con que trataba a todos y les hacía sentir bienvenidos. Sus compañeros de universidad llegaron en grupo, como si quisieran comprobar si era cierto lo que Bart les había contado. Si Cindy no se hubiera puesto aquel horrible vestido, habría podido enorgullecerme de Bart. Después de lo ocurrido, me sentía confusa, creyendo que Bart podía transformarse en aquello que conviniera a sus propósitos.

En aquel mismo momento, estaba empeñado en encantar a todos. Y lo conseguía, incluso más que Jory, quien, con toda sensatez, trataba de pasar inadvertido y dejar que Bart destacase. Melodie permanecía junto a su marido, cogida de su mano, pálida, con aire infeliz. Yo estaba tan absorta observando la actuación de Bart que me asusté cuando alguien me tocó el brazo. Era Cindy, que se había puesto el sencillo vestido de seda azul que yo había escogido para ella. Tenía el aspecto dulce de una adolescente no besada todavía. La reñí.

—En realidad, Cindy, no puedes culpar a Bart. Esta vez te merecías una paliza.

—¡Que se vaya el maldito al infierno! ¡Yo le enseñaré! ¡Bailaré diez veces mejor de lo que nunca ha bailado Melodie! Esta noche conseguiré que todos los hombres de la fiesta me deseen, a pesar de ese traje recatado que tú elegiste para mí.

—No hablas en serio, Cindy.

Ablandándose, se refugió en mis brazos.

—No, mamá, no quería decir eso.

Bart vio a Cindy conmigo, examinó detenidamente su vestido juvenil, esbozó una sonrisa sarcástica y se encaminó hacia nosotras.

Cindy se irguió,

—Ahora, escúchame, Cindy. Te pondrás tu traje de representación cuando llegue el momento y olvidarás lo sucedido entre los dos. Representarás tu papel a la perfección..., ¿de acuerdo?

Le pellizcó la mejilla juguetonamente, tan juguetonamente que dejó una huella roja en el rostro de la muchacha, que lanzó un chillido y le propinó un puntapié. Su tacón alto golpeó con fuerza en la espinilla de él. Bart dio un aullido y le pegó un bofetón.

—Bart —dije—, ¡basta! ¡No le hagas daño otra vez! ¡Ya es suficiente por esta noche!

Chris apartó a Bart de un tirón del lado de Cindy.

—Bueno, ya hemos tenido bastante con esta tontería —reprendió muy enfadado, a pesar de que Chris raras veces se enfadaba—. Has invitado a esta fiesta a algunas de las personas más importantes de Virginia; ahora demuéstrales que sabes cómo comportarte.

Desprendiéndose bruscamente de Chris, Bart lo miró con furia y después se alejó deprisa, sin hacer ni un comentario. Sonreí a Chris, y juntos nos encaminamos hacia los jardines. Jory y Melodie se hicieron cargo de Cindy y comenzaron a presentarle a algunas de las personas más jóvenes que habían acudido con sus parientes. Muchos de los presentes habían conocido a Bart por medio de Jory y Melodie, que tenían multitud de amigos y admiradores.

Yo sólo podía confiar en que todo iría bien.

grupo de recepción, yo tenía la impresión de que la
mayoría de los invitados... muy discretamente hablar
de nosotros, Chris y... estábamos.

—¿Qué sucede? —pregunté... en un susurro.

SANSÓN Y DALILA

Numerosas bombillas doradas iluminaban la noche por doquier, y la luna se alzó en lo alto de un cielo estrellado y sin nubes. En el jardín había docenas de mesas unidas formando una enorme «U», sobre las que se colocó la comida en grandes fuentes de plata. Un surtidor lanzaba al aire champán importado que después se recogía en pequeños recipientes que acababan en grifos. En la mesa central había una enorme escultura de helado que representaba Foxworth Hall.

Además de las mesas principales, rebosantes de cuanto podía comprarse con dinero, había docenas de mesitas individuales, cuadradas y redondas, cubiertas con tejidos brillantes: verde sobre rosa, turquesa sobre violeta, amarillo sobre naranja y otras combinaciones notables. Pesadas guirnaldas de flores dispuestas en los bordes impedían que los manteles volasen con el viento.

Aunque Chris y yo habíamos sido situados en el grupo de recepción, yo tenía la impresión de que la mayoría de los invitados evitaban discretamente hablar con nosotros. Chris y yo nos mirábamos.

–¿Qué sucede? –preguntó en un susurro.

—Los invitados más viejos tampoco hablan a Bart —respondí—. Mira, Chris, han venido a beber, comer y divertirse y no tienen el menor interés por Bart o cualquiera de nosotros. Sólo han venido para beber y comer.

—No estoy de acuerdo —replicó Chris—. Todo el mundo se empeña en hablar con Jory y Melodie, incluso algunas personas hablan con Joel. ¿No crees que esta noche parece un caballero fino y elegante?

Nunca dejaría de asombrarme la manera en que Chris encontraba algo que admirar en todo el mundo.

Joel tenía el aspecto de un propietario de un negocio de pompas fúnebres mientras iba de un grupo a otro con solemnidad. No llevaba un vaso en la mano como todos los demás; rechazaba los refrescos que se amontonaban sobre las mesas en un despliegue admirable. Mordisqueé delicadamente una galleta untada con paté de hígado de ganso y busqué con la mirada a Cindy. La localicé rodeada por cinco jóvenes, como si fuera la bella del baile. Ni su discreto vestido azul ocultaba su atractivo, sobre todo ahora que se había bajado el volante del hombro para mostrar la mitad de su seno.

—Tiene el mismo aspecto que tú solías tener —dijo Chris, observándola también—. La única diferencia es que tú poseías una cualidad más etérea, como si tus pies jamás estuvieran firmes en el suelo y nunca dejases de creer que podían ocurrir milagros. —Hizo una pausa y me miró de ese modo especial que mantenía mi amor hacia él siempre vivo y palpitante—. Sí, amor mío —murmuró—, los milagros pueden ocurrir, incluso aquí.

Todas las esposas y los maridos parecían estar intentando coquetear con algún miembro del sexo opuesto que no fuese el propio. Únicamente Chris y yo permanecíamos juntos. Jory había desaparecido, y Melodie se encontraba de pie junto a Bart, que al parecer le dijo algo que encendió los ojos de Melodie. Ella se volvió para alejarse, pero él la cogió del brazo y la detuvo. Ella se desprendió de su brazo, pero él la agarró de nuevo, y rudamente la rodeó con sus brazos. Comenzaron a bailar, y Melodie lo apartaba de sí evitando que él se apretara contra ella.

Iba a acercarme a ellos, pero Chris me tomó del brazo para impedírmelo.

—Deja que Melodie lo maneje. Solamente conseguirías ponerle furioso.

Suspirando, observé la escaramuza entre Bart y la mujer de su hermano, y vi, muy asombrada, que él ganaba la batalla, pues ella se relajó y finalmente parecía gozar con ese baile que pronto terminó. Entonces, él la llevó de grupo en grupo, como si Melodie fuera su esposa y no la de Jory.

Yo había probado solamente un poco de esto y otro poco de aquello cuando una bella mujer se acercó sonriendo a Chris y a mí.

—¿No es usted la hija de Corrine Foxworth, la que vino a aquella fiesta de Navidad y...?

La interrumpí con brusquedad.

—Si usted me disculpa, tengo cosas que atender —dije, alejándome apresuradamente y agarrándome fuertemente a Christopher.

La mujer corrió detrás de nosotros.

—Pero señora Sheffield...

Me ahorré la respuesta al oírse el sonido de muchas trompetas que anunciaban que la diversión estaba a punto de comenzar. Los invitados de Bart se sentaron a las mesas con platos de comida y bebidas. Bart y Melodie se unieron a nosotros, mientras que Cindy y Jory corrieron para hacer unos ejercicios de precalentamiento antes de vestirse para la representación.

Muy pronto, los actores cómicos me hacían reír tanto como a los demás. ¡Qué fiesta tan maravillosa! Yo echaba frecuentes miradas a Chris, Bart y Melodie. Era una perfecta noche estival. Las montañas que nos rodeaban totalmente formaban un romántico anillo amistoso, y de nuevo me sorprendí de poder contemplarlas como algo distinto a formidables barreras que impidieran alcanzar la libertad. Me sentía feliz al ver reír a Melodie y, sobre todo, feliz al ver que Bart estaba disfrutando de verdad. Acercó su silla a la mía.

–¿Dirías que mi fiesta tiene éxito, madre?

–Sí, ya lo creo que sí. Bart. Has superado cualquier fiesta a la que yo haya asistido. Es maravillosa. Además, la noche es de una belleza admirable, con las estrellas y la luna sobre nosotros, y todas las luces de colores que has hecho colocar. ¿Cuando empezará el ballet?

Bart sonrió y me rodeó amorosamente los hombros con su brazo. Su voz, llena de comprensión, mostraba ternura al preguntar:

–Nada iguala al ballet para ti, ¿verdad? Y no te desilusionarás. Espera un poco y ya verás si Nueva York o Londres pueden igualar mi producción de *Sansón y Dalila.*

Jory había representado ese papel solamente tres veces, pero en cada ocasión sus actuaciones habían despertado tanto entusiasmo que no era de extrañar que Bart estuviera fascinado por esa obra. Los músicos, vestidos de negro, se sentaron, cogieron las nuevas partituras y comenzaron a afinar sus instrumentos.

A unos metros de distancia, Joel permanecía de pie, rígido, con una mirada llena de odio y desaprobación en su rostro, como si reflejara cuanto el fantasma de su padre sentiría ante ese derroche extravagante de dinero.

–Bart, hoy cumples veinticinco años, ¡feliz aniversario! Recuerdo claramente cuando la enfermera te dejó en mis brazos la primera vez. Lo pasé muy mal cuando naciste, y los médicos me repetían continuamente que tenía que escoger entre tu vida y la mía. Elegí la tuya, y fui bendecida con un segundo hijo..., la viva imagen de su padre. Tú estabas llorando, con tus manecitas muy apretadas, agitando los puños en el aire. Tus pies apartaron la manta a un lado, pero en el mismo instante en que sentiste el calor de mi cuerpo, dejaste de llorar. Tus ojos, cerrados hasta entonces, se abrieron levemente. Parecía que me habías visto antes de dormirte.

—Estoy seguro de que pensaste que Jory era un bebé más lindo —dijo Bart con sarcasmo; pero en sus ojos había ternura, como si le gustara oír hablar de sí mismo cuando era un bebé.

Melodie me observaba con una expresión muy extraña. Deseé que no estuviera tan cerca.

—Tú tuviste tu propio estilo de belleza, Bart, tu propia personalidad, desde el principio. Me querías contigo noche y día. Te ponía en la cuna, y llorabas; te cogía, y dejabas de llorar.

—En otras palabras, te causé muchas molestias.

—Nunca me lo pareció, Bart. Te amé desde el día que fuiste concebido. Te amé más cuando me sonreíste. Tu primera sonrisa fue tan vacilante como si te hiciera daño en la cara.

Por un momento parecía que lo había conmovido. Nos cogimos de la mano. En aquel instante comenzó la obertura de *Sansón y Dalila*, y ese momento de emoción que habíamos vivido mi segundo hijo y yo se perdió entre el excitado murmullo de sorpresa cuando los invitados de Bart leyeron el programa y se enteraron que Jory Janus Marquet representaría el papel que tanta fama le había dado y su hermana, Cynthia Sheffield, interpretaría el de Dalila. Muchas personas miraron a Melodie con curiosidad, preguntándose por qué no bailaba ella el papel de Dalila.

Como siempre cuando comenzaba un ballet, me evadí del mundo real, dejándome llevar por una nube de fantasía a algún otro lugar, con un sentimiento tan profundo que resultaba doloroso, bello. Me parecía que era transportada a otra dimensión.

El telón se alzó para mostrar el interior de una tienda de seda de vivos colores situada delante de un decorado que representaba una noche estrellada en el desierto. En el escenario, bajo las palmeras que se mecían suavemente, había unos camellos que parecían auténticos. Cindy estaba en escena, ataviada con un traje diáfano que mostraba claramente su esbelta figura.

Llevaba una peluca negra, hábilmente sujeta a la cabeza con bandas enjoyadas. Cindy inició una seductora danza sinuosa, tentando a Sansón, que se hallaba fuera de la escena. Cuando Jory entró, los invitados se levantaron y le dedicaron una entusiasta ovación.

Jory permaneció en pie hasta que terminaron los aplausos, y empezó entonces su danza. Por toda vestimenta llevaba un taparrabos de piel de león, sostenido por una correa que cruzaba su amplio pecho musculoso. Su bronceada piel parecía aceitada. Su cabello era largo, negro y perfectamente liso. Sus músculos se tensaban cuando giraba en los *jetés*, imitando los pasos de Dalila, aunque con más violencia, como si se burlara de la debilidad femenina y gozara con su propia fuerza, masculina y ágil. Se requería un gran poder para representar a Sansón. Jory parecía tan adecuado para el papel, bailaba tan bien que me estremecí por la pura belleza de contemplar a mi hijo allá arriba, bailando como si Dios lo hubiera dotado de un estilo y una gracia sobrehumanos.

Entonces, como tenía que ser, la danza de seducción de Dalila abatió la resistencia de Sansón, que sucumbió al encanto de la joven, quien soltó sus trenzas oscuras y lentamente comenzó a desnudarse... Un velo tras otro fueron cayendo ante Sansón que se abalanzó hacia ella y la tendió en la pila de pieles de animal. El escenario se oscureció antes de que cayera el telón.

Los aplausos sonaron, atronadores. Observé cierta mirada extraña en el pálido rostro de Melodie. ¿Era envidia? ¿Se arrepentía de haberse negado a bailar Dalila?

—Tú hubieras hecho la mejor de las Dalilas —susurró suavemente Bart, y sus labios acariciaban los mechones rizados por encima de la oreja de Melodie—. Cindy no puede compararse...

—Eres injusto con ella, Bart —le reprendió Melodie—. A pesar de que no ha tenido tiempo de ensayar, ha realizado una actuación de gran belleza. Jory dijo que le había sorprendido lo buena que Cindy era. —Melodie se dirigió a mí—. Cathy, estoy segura de que Cindy ha pasado horas y horas practicando, o de otro modo no podría bailar tan bien como lo hace.

Satisfecha porque el primer acto había resultado un éxito, me incliné hacia atrás para apoyarme en Chris, que me rodeaba con el brazo.

—Me siento muy orgullosa, Chris. Bart se porta de forma correcta. Jory es el *danseur* más perfecto que he visto en mi vida. Y estoy asombrada de la maravillosa actuación de Cindy.

—Jory nació para la danza —dijo Chris—. Aunque le hubieran criado los monjes, él hubiera bailado. Y estoy tan sorprendido como tú, porque recuerdo bien a una niña rebelde que odiaba estirar los músculos y soportar el dolor.

Nos reímos como lo hacen las parejas que llevan muchos años casadas, con una risa cómplice.

El telón se alzó de nuevo.

Mientras Sansón dormía en el lecho que él y Dalila habían compartido, ella se apartó sigilosamente, se atavió con un lindo ropaje de seda y se acercó a la puerta de la tienda para hacer una señal a un grupo de seis guerreros que se hallaban escondidos, todos ellos protegidos con corazas y armados con espadas. Dalila ya había cortado a Sansón su largo cabello oscuro y lo mostraba en alto con una sonrisa triunfal, dando confianza a los tímidos soldados.

Sansón despertó sobresaltado y de un salto salió del lecho e intentó blandir su arma. Tenía el cabello corto y tieso. La espada parecía demasiado pesada. Gritó al descubrir que había perdido toda su fuerza, y su desesperación se hizo patente mientras giraba en su frustración, golpeándose las cejas con brutales puñetazos por haber creído en Dalila y su amor; después cayó al suelo, retorciéndose, girando, mirando con furia a Dalila, que le atormentaba con su risa salvaje. Se abalanzó sobre ella, pero los seis soldados se arrojaron sobre él y lo dominaron. Lo sujetaron con cadenas y cuerdas mientras él luchaba ferozmente para liberarse.

Durante toda la escena, fuera del escenario, el tenor más famoso del Metropolitan House interpretaba su suplicante canción de amor a Dalila, preguntando por qué lo había traicionado. Me conmoví al ver a mi hijo azotado y atado antes de ser arrastrado por los .pies. Luego los soldados iniciaron su danza de la tortura mientras Dalila los contemplaba.

Aunque sabía que todo ese horror era fingido, me acurruqué junto a Chris cuando un hierro incandescente fue acercado cada vez más a los ojos muy abiertos de Sansón. El escenario quedó a oscuras, y sólo el hierro ardiente brilló junto al cuerpo casi desnudo de Sansón. Lo último que se oyó fue el grito de agonía de Sansón.

El telón del segundo acto descendió. De nuevo hubo un aplauso ensordecedor al tiempo que el público vitoreaba:

—¡Bravo! ¡Bravo!

Entre cada acto, la gente hacía comentarios, se levantaba para buscar alguna bebida o llenar otra vez el plato, pero yo permanecía sentada al lado de Chris, casi helada, paralizada por un mal presentimiento que no podía explicar. Melodie estaba sentada junto a Bart, tan tensa como yo, con los ojos cerrados, esperando. Tercer acto. Bart aproximó más su silla a la de Melodie.

—Odio este ballet —murmuró ella—. Siempre me asusta la brutalidad que muestra. La sangre parece real, demasiado real. Las heridas me hacen sentir enferma. Los cuentos de hadas me gustan más.

—Todo saldrá bien —la tranquilizó Bart, colocando su brazo en los hombros de Melodie, que inmediatamente se levantó de un salto. A partir de aquel momento no quiso sentarse de nuevo.

Se alzó la cortina carmesí. El decorado representaba ahora un templo pagano. Enormes y gruesas columnas hechas de cartón piedra se alzaban imponentes hacia el cielo. El vulgar dios pagano estaba sentado en lo alto, cruzado de piernas sobre el centro del escenario, y sus ojillos crueles miraban hacia abajo con malignidad. Lo sostenían dos columnas principales a las que se accedía por unos escalones.

Sonó la señal musical que indicaba que el tercer y último acto iba a iniciarse.

Los bailarines formaban la multitud que habría de contemplar la tortura de Sansón. Luego aparecieron los sacerdotes del templo, que después de realizar su representación en solitario, se acomodaban en los asientos. Por último, unos enanos entraron en el escenario, tirando de unas cadenas que arrastraban a Sansón. Maltrecho y agotado, con sangre brotando de numerosas heridas, Sansón avanzaba tambaleándose en círculos, mientras los enanos lo confundían con terrible maldad; le zancadilleaban para que cayese y, cuando conseguía alzarse de nuevo con esfuerzo, volvían a hacerlo caer. Me incliné ansiosamente. La mano de Chris permanecía en mi hombro, intentando tranquilizarme.

¿Podía Jory ver realmente a través de esas lentillas casi opacas que le hacían parecer ciego de verdad? ¿Por qué no podía Bart haberse contentado con una venda? Lo cierto es que Jory declaró que Bart tenía razón; las lentillas eran mucho más efectistas.

En el ambiente reinaba gran expectación.

Bart volvió su mirada hacia Melodie, mientras centímetro a centímetro Joel acortaba la distancia que le separaba de nosotros, como si quisiera acercarse para estudiar nuestros rostros.

Sansón caminaba dificultosamente a causa de los grilletes que apresaban sus fuertes tobillos. Corriendo y saltando a su lado, una docena de enanos le pinchaba las poderosas piernas con pequeñas espadas y diminutas lanzas. (Los enanos eran niños ataviados de modo que pareciesen grotescos.) Jory alzó en alto las falsas cadenas, como si fueran muy pesadas. En las muñecas llevaba también lo que simulaban ser esposas de hierro.

Mientras se tambaleaba por la arena, dando vueltas, girando a ciegas, tratando de hallar su camino, se oía el ritmo estremecedor de la música. A la derecha del escenario, bajo un pequeño foco azul, la cantante de ópera comenzó el aria de *Sansón y Dalila,* la más famosa de todas: «Mi corazón ante tu voz dulce...»

Atormentado por los latigazos, ciego, llorando sangre, Jory inició una danza lenta, magnética, de tormento y pérdida de fe en el amor, renovada su creencia en Dios, utilizando las falsas cadenas de hierro como parte de su acción. Yo nunca había visto una representación tan sobrecogedora.

La penosa experiencia de Sansón, ciego, agonizante, buscando a Dalila, mientras ella le esquivaba, me rompía el corazón, como si todo aquello fuese real y no una actuación; tan real que todas las personas del público se olvidaron de comer, beber e incluso susurrar a su compañero de mesa.

Dalila vestía un traje de color verde todavía más transparente que el anterior. Las joyas resplandecían como si fuesen diamantes y esmeraldas auténticos. Cuando miré a través de los prismáticos vi, con gran consternación, que eran parte del legado Foxworth; lanzaban reflejos y brillaban de tal forma que Dalila parecía llevar puesta más ropa de la que en realidad llevaba; al parecer, no había escarmentado, a pesar de que sólo hacía unas horas que Bart la había castigado severamente por llevar más de lo que ahora llevaba...

Correteando por el templo, Dalila se ocultó detrás de una columna de falso mármol. Las manos tendidas de Sansón le suplicaban ayuda, aunque el tenor proclamaba su angustia por la traición. Eché una ojeada a Bart. Estaba inclinado, mirando con tanta atención que parecía que nada en el mundo le interesaba más que esa representación de agonía que él había deseado que hermano y hermana vivieran.

De nuevo sentí un mal presentimiento. El ambiente parecía cargado de peligro.

El agudo de la soprano se alzaba cada vez más alto. Sansón comenzó a vacilar dirigiéndose ciegamente hacia su objetivo: las columnas gemelas que él quería separar para derribar el templo pagano.

En lo alto, el gigantesco dios obsceno reía maliciosamente. La canción de amor que envolvía la escena la hacía mil veces más dramática.

Mientras Sansón subía con gran dificultad los peldaños, Dalila se retorcía en el suelo del templo, al parecer arrepentida y angustiada al ver a su amante tratado con tanta crueldad. Algunos guardianes se dirigieron hacia ella para capturarla y, sin duda, le hubieran dispensado al mismo trato que a Sansón. La mujer, comenzó a avanzar hacia él manteniendo su cuerpo muy a ras del suelo, justo por debajo de las caderas que Sansón agitaba furiosamente. Dalila le cogió el tobillo, mirándolo con ojos suplicantes. Parecía que él iba a golpearle con las cadenas, pero Sansón vaciló e intentó mirar ciegamente hacia abajo antes de tender su mano esposada para acariciar con ternura el largo cabello oscuro de Dalila, escuchando las palabras que ella pronunciaba pero que nosotros no podíamos oír.

Con un calculado sentido dramático, con fe renovada en su amor y en su Dios, Jory alzó los brazos, hinchó los bíceps y ¡rompió las cadenas! El público contuvo la respiración ante la pasión que Jory confirió al acto.

Jory giraba salvajemente, lanzando al aire las cadenas que colgaban de sus esposas tratando de golpear a quien estuviese a su lado. Dalila saltó para zafarse de los brutales azotes que derribaron a dos guardianes y un enano. En sus intentos por alejarse, Dalila ejecutó una danza tan excitada que el público quedó como hechizado, silencioso, mientras ella conducía poco a poco y con habilidad a su ciego amante hasta el lugar que él quería, entre las dos grandes columnas que sostenían al dios del templo, esquivando a los guardianes y provocando a Sansón con gestos tentadores y silenciosos, en tanto la canción declaraba su profundo amor hacia él.

Alrededor del escenario el público se inclinaba, ansioso por ver la gracia y la belleza de uno de los más famosos *premiers danseurs* del mundo.

Jory ejecutaba unos asombrosos *jetés*, saltando con un terrible frenesí antes de poner finalmente una mano en una columna de falso mármol; después, de forma enfáticamente dramática, abrazó también la otra columna.

En el suelo, Dalila le besó los pies antes de burlarse de él, atormentándole con palabras que ella no deseaba pronunciar; sólo lo hacía para engañar a la multitud pagana, porque Sansón sabía que ella lo amaba realmente y lo había traicionado impulsada por el despecho y los celos.

Con movimientos impresionantes, Sansón comenzó a presionar para derribar todo el templo, empujando con fuerza contra las columnas. La voz del tenor clamaba a Dios suplicando ayuda para derribar al dios blasfemo.

De nuevo cantó la soprano, intentado seducir a Sansón al tiempo que le hacía creer que no podría realizar lo imposible.

La última nota murió con un hondo suspiro, mientras, con el sudor corriéndole por el rostro y rodando por su cuerpo manchado de rojo, Jory resplandecía de un modo terrible. Brillaban sus blancos ojos ciegos.

Dalila gritó.

La señal.

Con un enorme y poderoso esfuerzo, Jory alzó de nuevo las manos y comenzó a empujar las columnas. Yo tenía el corazón en un puño mientras contemplaba cómo aquellas columnas de cartón piedra se curvaban. A medida que Dios devolvía la fuerza a Sansón, ¡el templo se derrumbaba, enterrando bajo los cascotes a quienes allí se encontraban!

Los obreros del escenario habían colocado detrás del cartón viejos objetos metálicos para que resonaran y produjeran ruidos estridentes. Rasgando láminas de metal, imitaban el estampido del trueno como si Dios descargara su propia venganza. Cindy me contó después algo extraño: mientras las luces enrojecían y empezaron a sonar los discos que reproducían el griterío de la gente, creyó sentir que algo duro le rozaba el hombro.

Poco antes de que bajara el telón, Jory se desplomó al caer sobre él una enorme peña falsa que le golpeó en la espalda y la cabeza.

Quedó tendido, boca abajo, ¡y de sus heridas brotaba sangre! Horrorizada al darme cuenta de que de las columnas rotas no salía la inofensiva arena, me puse en pie de un salto y comencé a gritar. Al instante, Chris se levantó y corrió hacia el escenario.

Las piernas me flaquearon. Me hundí en el césped, viendo todavía a Jory tumbado boca abajo, con la parte inferior de la espalda aplastada por la columna.

Una segunda columna cayó sobre sus piernas. El telón ya estaba abajo.

Los aplausos atronaron. Intenté alzarme y acudir junto a Jory, pero las piernas no me sostenían. Alguien me cogió por el codo y me incorporó. Era Bart. Pronto me encontré en el escenario, mirando el cuerpo roto de mi hijo mayor.

No podía dar crédito a mis ojos. No era mi Jory, mi Jory bailarín. No podía ser el muchachito que, cuando tenía tres años, me había preguntado.

—¿Estoy bailando, mamá?

—Sí, Jory, estás bailando.

—¿Soy bueno, mamá?

—No, Jory..., ¡eres maravilloso!

No era mi Jory, que destacaba por su fuerza física, su belleza y sensibilidad. No podía ser mi Jory..., el hijo de mi Julián.

—Jory, Jory —exclamé, hincándome de rodillas a su lado, viendo a través de mis lágrimas a Cindy, que también lloraba. Jory ya debería estar de pie, pero permanecía allí tendido, sangrando. La sangre «falsa» era pegajosa, caliente; olía como la sangre de verdad—. Jory, Jory... ¿Verdad que no te has hecho daño..., Jory...?

Nada. Ni un sonido, ni un movimiento.

Trastornada, vi a Melodie como a través del extremo erróneo de un telescopio, corriendo hacia nosotros, su traje negro resaltaba de forma dramática la palidez de su rostro.

—Se ha hecho daño. Daño de verdad —dijo alguien. ¿Fui yo?

—¡No! No lo mováis. Llamad a una ambulancia.

—Creo que su padre ya lo ha hecho.

—¡Jory, Jory..., no puedes estar herido! —El grito de Melodie resonó mientras se acercaba corriendo. Bart trató de detenerla. Ella comenzó a chillar cuando vio la sangre—. ¡Jory, no te mueras, por favor, no te mueras! —repetía, sollozando.

Yo sabía cómo se sentía Melodie. En cuanto cayó el telón, todos los bailarines, después de «morir» en el escenario, se habían puesto en pie de un salto... Todos menos Jory.

Se oían gritos por doquier. El olor a sangre nos envolvía.

Miré a Bart fijamente; había sido él quien se había empeñado en que se representara precisamente ese ballet. ¿Por qué ese papel para Jory? ¿Por qué, Bart, por qué? ¿Había planeado él el accidente hacía semanas?

¿Cómo había preparado Bart el escenario? Recogí un puñado de arena y la encontré húmeda. Miré furiosamente a Bart, que contemplaba el cuerpo tendido de su hermano, empapado en sudor, pegajoso por la sangre, lleno de arena. No apartó la vista de Jory mientras dos enfermeros lo alzaban cuidadosamente y lo colocaban en una camilla para depositarlo en la parte posterior de la blanca ambulancia.

Corrí hacia allí.

—¿Vivirá? —pregunté al joven doctor que estaba tomando el pulso a Jory. No veía a Chris por parte alguna.

El doctor sonrió.

—Sí, vivirá. Es joven y fuerte, pero tengo la impresión de que pasará mucho tiempo antes de que baile otra vez.

¡Y Jory había dicho miles de veces que no podría vivir sin el baile!

CUANDO LA FIESTA HA TERMINADO

Entré en la ambulancia, y muy pronto Chris se halló junto a mí. Ambos permanecimos reclinados sobre la figura inmóvil de Jory, sujeta a la camilla. Mi hijo estaba inconsciente, tenía una parte del rostro magullada, y brotaba sangre de sus numerosas pequeñas heridas. Yo no soportaba verlas, me abrumaban, y mucho menos me atrevía a pensar en aquellas horribles marcas que había visto en su espalda.

Aparté la mirada de Jory para contemplar las brillantes luces de Foxworth Hall, como luciérnagas inmóviles en la montaña. Más tarde supe por Cindy que, al principio, los invitados habían quedado confusos, sin saber qué hacer, pero Bart se había apresurado a tranquilizarles diciendo que Jory estaba ligeramente herido y en pocos días se recuperaría.

En el asiento delantero, entre el conductor y un enfermero, se encontraba Melodie, vestida con su traje de noche negro, echando miradas hacia atrás de vez en cuando y preguntando si Jory ya había recobrado el conocimiento.

—Chris, ¿vivirá? —preguntó con voz entrecortada por la ansiedad.

—Naturalmente —respondió Chris, atendiendo febrilmente a Jory, con su esmoquin nuevo manchado de sangre—. Ahora no sangra; he contenido la hemorragia. —Se volvió hacia el enfermero y pidió más vendas.

El sonido de la sirena me crispaba los nervios y me hacía sentir el temor aprensivo de que todos nosotros pronto estaríamos muertos. ¿Cómo me había engañado tanto para creer que Foxworth Hall podía ofrecernos alguna otra cosa que no fuese dolor? Comencé a orar con los ojos cerrados, pronunciando las mismas palabras una y otra vez. «No permitas que Jory muera, Dios mío, por favor, no te lo lleves. Es demasiado joven, no ha vivido lo suficiente. Su hijo que pronto nacerá, lo necesita.» Únicamente después de haber repetido este ruego durante algunos minutos, recordé que había rezado casi la misma plegaria por Julián; y Julián había muerto.

Entretanto, Melodie se había puesto histérica. El interno se disponía a inyectarle alguna droga, pero lo detuve al instante.

—¡No! Está embarazada y eso podría dañar a su hijo. —Me incliné y susurré a Melodie—: Deja de chillar. Así no ayudas ni a Jory ni a tu bebé. —Ella gritó más fuerte e intentó golpearme con sus puños pequeños pero fuertes.

—Cuánto me arrepiento de haber venido... Le dije que era un error venir a esta casa, la mayor equivocación de nuestra vida, y ahora él sufre las consecuencias, sufre, sufre... —Y continuó repitiéndolo hasta que su voz se apagó, en el preciso instante en que Jory abría los ojos y nos hacía una mueca.

—Hola —dijo débilmente—. Por lo visto Sansón no murió después de todo.

Sollocé aliviada. Chris sonrió y limpió los cortes de la cabeza de Jory con yodo.

—Te pondrás bien, hijo, muy bien. Piensa sólo en eso.

Jory cerró los ojos antes de murmurar:

—¿Ha ido bien la representación?

—Cathy, da tu opinión al respecto —sugirió Chris con la más sosegada de las voces.

—Estuviste increíble, cariño mío —dije, inclinándome para besar su pálido rostro manchado con el maquillaje.

—Dile a Mel que no se preocupe —musitó como si la oyera llorar; entonces calló, dormido a causa del sedante que Chris inyectó en su brazo.

Deambulábamos por la sala de espera del hospital situada junto a los quirófanos. Melodie estaba muy abatida, debilitada por el miedo, con los ojos muy abiertos y la mirada perdida.

—Igual que su padre, igual que su padre —repetía con tanto empeño que creí que intentaba que tanto ella como yo nos preparáramos para lo peor. Yo hubiera querido gritar, expresar la angustia que me causaba pensar que Jory podía morir. La abracé para calmarla y apoyé su cara contra mi pecho, tranquilizándola con palabras que pretendían infundirle confianza, a pesar de que ni yo albergaba demasiadas esperanzas. Estábamos de nuevo atrapados en las garras implacables de los Foxworth. ¿Cómo había podido sentirme tan feliz al comienzo del día? ¿Adónde había volado mi intuición? Bart era por fin independiente, pero su independencia parecía haber arrebatado a Jory aquello que sólo pertenecía a mi hijo mayor, su posesión más valiosa: su buena salud y su cuerpo ágil y fuerte.

Horas después, cinco cirujanos vestidos de verde sacaron a Jory del quirófano, cubierto con mantas hasta la barbilla. Había desaparecido su bronceado veraniego; se le veía tan pálido como a su padre le había gustado estar para conservar su atractivo. Su oscuro cabello rizado aparecía mojado. En los pómulos bajo sus ojos cerrados, había magulladuras.

—Ahora se repondrá, ¿verdad? —preguntó Melodie, levantándose de un salto para correr detrás de la camilla que rodaba deprisa hacia un ascensor—. Se recuperará y estará tan bien como antes, ¿verdad? —La desesperación hacía sonar su voz aguda y estridente.

Nadie dijo ni una palabra.

Alzaron a Jory de la camilla utilizando la sábana, lo depositaron cuidadosamente en su cama y después nos hicieron salir a todos, excepto a Chris. En la sala de espera, yo sostenía a Melodie... esperando, esperando...

Al amanecer, cuando el estado de Jory parecía lo bastante estable como para que pudiéramos descansar un poco, Melodie y yo regresamos a Foxworth Hall. Chris permaneció junto a él, durmiendo en alguna habitación de las destinadas a los internos que estaban de servicio.

Hubiera preferido quedarme también, pero Melodie estaba cada vez más histérica; se preocupaba porque, según ella, Jory dormía demasiado, criticaba el olor a medicinas de los pasillos del hospital, despotricaba contra las enfermeras que entraban y salían con sigilo de la habitación portando bandejas de instrumentos y botellas, censuraba la actitud de los médicos, que se negaban a darnos una explicación...

Un taxi nos condujo de vuelta a Foxworth Hall, donde habían dejado encendida una luz cerca de la puerta principal. El sol asomaba ya por el horizonte, tiñendo el cielo de un tenue color rosado. Los pajarillos se despertaban y aleteaban, los pequeños con alegres tentativas mientras sus padres cantaban o piaban antes de alzar el vuelo en busca de comida. Ayudé a Melodie a subir por la escalera y entrar en la casa. En aquellos momentos, era tan ajena a la realidad que se tambaleaba como si estuviera ebria.

Mientras subíamos lentamente y en silencio por una de las dos escaleras interiores, con mi brazo alrededor de su cintura, yo pensaba en el bebé que ella llevaba dentro y en el efecto que todo aquello podría causar en él. Ya en el dormitorio que compartía con Jory, Melodie fue incapaz de desnudarse debido al intenso temblor de sus manos. La ayudé a ponerse un camisón y la arropé. Una vez se hubo acostado, apagué la luz.

—Si lo deseas, me quedaré contigo —dije, al verla allí tendida con un aspecto tan sombrío y desesperado. Me pidió que le hiciera compañía, pues quería hablarme de Jory y criticar la actitud de los médicos, que no querían darnos ninguna esperanza.

—¿Por qué lo harán? —sollozaba.

¿Cómo podía explicarle que los médicos se refugiaban en el silencio hasta estar seguros del diagnóstico? Los disculpé y procuré tranquilizar a Melodie diciéndole que su marido tenía que estar bien, pues de no ser así, los doctores hubieran pedido que ella permaneciera en el hospital.

Por fin, Melodie se sumió en un sueño inquieto. Daba vueltas en la cama, agitada, llamando a Jory, despertándose a menudo para, al volver a la realidad, echarse a llorar de nuevo. Me resultaba penoso ver y oír su angustia y acabé sintiéndome tan abatida como ella.

Una hora después, con gran alivio por mi parte, quedó profundamente dormida, como si intuyera que era el único medio de escapar del horror.

Yo también disfruté de unos minutos de sueño antes de que Cindy entrara en mi habitación y se inclinara ansiosamente sobre mi cama, esperando a que yo me despertase. Al sentir cómo se hundía el colchón cuando ella se sentó encima, abrí los ojos. La miré, le tendí los brazos y la sostuve mientras ella lloraba.

—Se pondrá bien, mamá?

—Cariño, tu padre está con él. Fue necesario operar a Jory inmediatamente. Ahora está en una confortable habitación individual, dormido. Chris estará con él cuando despierte. Después de desayunar iré a la ciudad para estar allí también. Quiero que tú te quedes aquí, con Melodie.

Era evidente que Melodie estaba demasiado histérica para acompañarme al hospital.

Cindy protestó al instante, pues quería visitar a Jory. Negué con la cabeza, insistiendo en que se quedara.

—Melodie es su esposa, cariño, y está sufriendo mucho; es mejor que no vuelva al hospital hasta que no informen del estado real de Jory. Nunca he visto a una mujer tan fastidiosa en un hospital. Parece creer que son tan malos como las funerarias. Así pues, quédate y háblale para que mantenga la calma, cuídala, procura que coma y beba. Proporciónale el sosiego que ahora está buscando desesperadamente. Te telefonearé en cuanto sepa algo.

Cuando, algunos minutos después, asomé la cabeza por la puerta del dormitorio de Melodie, la encontré tan profundamente dormida que supe que había tomado la decisión adecuada.

—Explícale por qué no he esperado a que se despertase, Cindy, no vaya a creer que quiero ocupar su puesto...

Conduje a toda velocidad hacia el hospital. Dado que Chris era médico, yo había pasado buena parte de mi vida entrando y saliendo de los hospitales; para acompañarle o recogerle, visitar amigos, o ver algunos pacientes en los que tenía especial interés. Habíamos ingresado a Jory en el mejor hospital de la zona. Los pasillos eran anchos para permitir el paso y el giro de las camillas, las ventanas, amplias, y las plantas que lo decoraban lo hacían más acogedor. Disponían de los aparatos más modernos para atender a los enfermos. Sin embargo, la habitación donde Jory dormía era pequeña, como todas las demás.

Chris dormía, aunque una enfermera me informó de que había comprobado el estado de Jory cinco veces a lo largo de la noche.

—Realmente es un padre abnegado, señora Sheffield.

Observé a Jory, cuyo cuerpo estaba enyesado. Habían dejado un hueco, a través del cual podía verse y ser tratada la incisión, en caso necesario. Miré sus piernas, preguntándome por qué no se estremecían, doblaban o movían si no estaban encerradas en el yeso.

De pronto, un brazo me rodeó la cintura y unos cálidos labios me acariciaron la nuca.

—¿No te ordené que no volvieras hasta que yo llamase?

Inmediatamente me sentí aliviada. Chris estaba conmigo.

—Chris, ¿cómo pretendes que permanezca alejada? Si no sé cómo van las cosas, no puedo dormir. Dime la verdad ahora que Melodie no está aquí para chillar y desmayarse.

Chris suspiró e inclinó la cabeza. Sólo entonces me di cuenta de lo agotado que parecía, ataviado todavía con su esmoquin arrugado y manchado.

—No son buenas noticias, Cathy. Preferiría no entrar en detalles hasta que haya hablado otra vez con sus médicos y el cirujano.

—¡No uses conmigo ese viejo truco! ¡Quiero saberlo! Yo no soy uno de tus pacientes que cree que los médicos sois dioses en pedestales a los que no se puede hacer preguntas. ¿Se ha roto la espalda Jory? ¿Se ha dañado la columna vertebral? ¿Podrá caminar? ¿Por qué no mueve las piernas?

Chris me condujo al pasillo, como si temiera que Jory estuviese despierto, aunque tenía los ojos cerrados. Tiró suavemente de la puerta tras de sí y después nos dirigimos a un pequeño cubículo donde sólo a los médicos se permitía la entrada. Me hizo sentar, y él se quedó de pie haciéndome notar que iba a comunicarme graves noticias. Entonces habló:

—Lo has adivinado, Cathy; Jory se ha fracturado la columna vertebral. La lesión ha afectado al lumbar inferior, de modo que podemos estar agradecidos de que no dañase la parte superior. Podrá utilizar los brazos con libertad y, con el tiempo, controlar la vejiga y las funciones intestinales, que en este momento, no responden, por así decirlo.

Hizo una pausa, pero yo no pensaba zanjar la conversación. Necesitaba saber la verdad.

—¿La columna vertebral? Di que no quedó aplastada.

—No, aplastada no, pero sí dañada —dijo a regañadientes—. Se ha dañado lo suficiente como para dejar paralizadas sus piernas.

Me quedé helada. ¡Oh, no! ¡Jory no! Grité sin poderme ya controlar, como Melodie unas horas antes.

—¿Volverá a caminar? —susurré una vez calmada, sintiendo que me debilitaba por momentos. Cuando abrí de nuevo los ojos, Chris estaba de rodillas a mi lado, agarrándome fuertemente las manos.

—Sé fuerte... Está vivo y eso es lo que cuenta. No morirá..., pero... ¡no volverá a caminar!

Me ahogaba, me ahogaba, hundiéndome otra vez en aquel viejo lago familiar de desesperación. Una especie de pececillo de centelleante cabeza de cisne me mordisqueaba el cerebro, arrancándome pedacitos de alma.

—Y eso significa que jamás volverá a bailar... Nunca caminará, nunca bailará... Chris, ¿cómo va a poder soportarlo?

Chris me abrazó con fuerza, apoyando su cara en mi pelo; su respiración me lo agitaba mientras hablaba entrecortadamente.

—Sobrevivirá, cariño mío. ¿No es lo que todos hacemos cuando la tragedia entra en nuestras vidas? La aceptamos, sonreímos tristemente y nos resignamos; después sacamos el partido de lo que nos queda. Olvidamos lo que teníamos ayer y nos concentramos en lo que tenemos hoy. Cuando podamos enseñar a Jory a aceptar lo sucedido, tendremos otra vez a nuestro hijo entre nosotros; incapacitado, pero vivo.

A medida que Chris hablaba, mi cuerpo se sacudía entre sollozos. Sus manos recorrían mi espalda de arriba abajo, sus labios me rozaban los ojos, los labios, buscando la forma de sosegarme.

—Hemos de ser fuertes por y para él, querida. Llora ahora todo lo que quieras, pues deberás reprimirte cuando él abra los ojos y te vea. No debes permitir que advierta que sientes lástima, ni mostrarte demasiado compasiva. Cuando se despierte, te mirará a los ojos y leerá en tu mente. Su reacción ante la invalidez dependerá de los temores o la piedad que dejes traslucir en tu semblante o en tus ojos. Será devastador, ambos lo sabemos. Querrá morir. Pensará en su padre y en la decisión que tomó para escapar de la misma situación;

hemos de recordar eso también. Tendremos que explicar a Cindy y Bart los papeles que desempeñarán en la recuperación de Jory. Hemos de formar una fuerte unidad familiar para ayudarle a superar este mal trance, pues será muy duro, Cathy, muy duro.

Yo asentí, intentando controlar el flujo de mis lágrimas, sintiendo que yo estaba dentro de Jory, consciente de cada uno de los atormentados momentos que lo esperaban y que también me destrozarían a mí.

Chris prosiguió durante un rato, mientras me abrazaba para infundirme ánimos y valor.

—Jory ha edificado toda su vida alrededor de la danza y nunca más volverá a bailar. No, no me mires así, no abrigues ninguna esperanza. ¡Jamás bailará! Existe posibilidad de que algún día recupere la fuerza suficiente para apoyarse en los pies y desplazarse con muletas..., pero nunca caminará con normalidad. Debes aceptarlo, Cathy.

»Sin embargo, hemos de convencerle de que esa dificultad no importa, que él es la misma persona que era antes. Y más importante aún, tenemos que convencerle de que es tan viril y humano como antes... Muchas familias cambian cuando un miembro queda incapacitado, de modo que, bien se tornan demasiado comprensivos con él, bien se sienten ajenos, como si la invalidez transformase a la persona a la que solían amar y conocer. Hemos de mantener el término medio y ayudar a Jory a encontrar la fuerza necesaria para que supere este difícil período.

Sólo oí un poco de lo que decía.

¡Inválido! ¡Mi Jory era un inválido! ¡Un parapléjico! Sacudí la cabeza, incapaz de resignarme a que el destino lo mantuviera de esa manera toda la vida. Mis lágrimas caían como lluvia sobre la camisa sucia y arrugada de Chris. ¿Cómo podría afrontar su existencia Jory cuando descubriera que estaba condenado a pasarse el resto de su vida confinado en una silla de ruedas?

DESTINO CRUEL

El sol había alcanzado su cenit y Jory no había abierto los ojos todavía. Chris decidió que ambos necesitábamos una buena comida, y la que se servía en el hospital siempre era una mezcla de serrín insípido y cuero de zapato.

—Procura dormir un poco mientras yo estoy fuera, y contrólate. Si Jory despierta, intenta no mostrar pánico, mantente tranquila y sonríe, sonríe y sonríe. Estará aturdido y no tendrá pleno conocimiento. Trataré de volver pronto...

No podía dormir. Estaba demasiado ocupada planteándome cómo actuaría cuando Jory se despertase y permaneciera lúcido el tiempo suficiente para comenzar a formular preguntas. Tan pronto como Chris hubo cerrado la puerta detrás de sí, Jory se movió, volvió la cabeza y esbozó una débil sonrisa.

—Eh, ¿has estado ahí toda la noche? ¿O han sido dos noches? ¿Cuándo ocurrió?

—La noche pasada —murmuré roncamente, tratando de disimular mi voz quebrada—. Has dormido durante horas y horas.

—Pareces agotada —dijo con voz apagada. Me conmovió que mostrara más preocupación por mí que por él mismo–. ¿Por qué no vuelves a Hall y duermes un poco? Me encuentro bien. He caído otras veces como antes y siempre he vuelto a bailar a los pocos días. ¿Dónde está mi mujer?

¿Por qué no notaba Jory el yeso que le abultaba el pecho? Advertí entonces que sus ojos no estaban bien enfocados y que seguía todavía bajo los efectos de los sedantes que le habían administrado para aliviar el dolor. Bien... mientras no comenzara a plantear cuestiones que yo prefería que respondiera Chris...

Cerró otra vez sus soñolientos ojos y dormitó, pero, diez minutos más tarde, estaba despierto de nuevo, preguntando.

–Mamá, me siento raro. Nunca me he sentido así anteriormente. No podría describir este estado. ¿Por qué este yeso? ¿Me he roto algo?

–Cayeron las columnas de cartón piedra del templo –expliqué–. Te dejaron inconsciente. ¡Qué manera tan impactante de acabar el ballet!

–¿Derribé la casa o el cielo? –bromeó, abriendo los ojos, que se iluminaron como si el sedante, que yo confiaba le mantuviera adormecido, hubiera perdido su efecto–. Cindy estuvo magnífica, ¿no es cierto? ¿Sabes?, cada vez que la veo, la encuentro más hermosa. Realmente es una buena bailarina. Es como tú, mamá, que mejora con la edad.

Me senté sobre mis manos para impedir que al retorcerlas descubriera él mi agitación. Sonreí, me levanté y llené un vaso de agua.

–Órdenes del médico. Has de beber mucho líquido.

Jory bebió a sorbos mientras yo le sostenía la cabeza. Eran tan extraño verle allí, inútil, él que nunca había estado enfermo en la cama. Sus resfriados los había superado en cuestión de pocos días, y ni una sola vez había faltado a sus clases en la escuela o en el ballet, excepto para visitar a Bart cuando convalecía en el hospital después de uno de sus muchos accidentes que nunca le habían causado un daño permanente. Jory se había torcido los tobillos, roto ligamentos, caído y alzado docenas de veces, pero nunca había sufrido heridas graves, hasta ese momento. Todos los bailarines pasaban algún tiempo atendiendo pequeñas lesiones y, algunas veces, incluso grandes; pero una espalda rota, una médula espinal dañada era la pesadilla más temida por todos ellos.

De nuevo Jory dormitó un poco, pero no tardó mucho en abrir los ojos para interrogarme otra vez sobre su estado. Sentado a un lado de su cama, yo hablaba sin cesar sobre cosas triviales, rogando que Chris regresara pronto. Una linda enfermera entró con la bandeja de la comida para Jory, compuesta únicamente por alimentos líquidos. Era como una tregua para mí. Me entretuve con el envase de cartón de leche, abrí el yogur, serví la leche y el jugo de naranja, coloqué una servilleta debajo de su barbilla y comencé a darle el yogur de fresa. Inmediatamente se atragantó e hizo una mueca. Me apartó las manos, diciendo que podía comer solo, pero que no tenía apetito.

Cuando hube retirado la bandeja, confié en que se durmiera. Sin embargo, permaneció despierto, mirándome fijamente, con lucidez en sus ojos.

—¿Podrías explicarme por qué me siento tan débil? ¿Por qué no puedo ni mover las piernas?

—Tu padre ha salido para traer bocadillos para él y para mí. Tú todavía no puedes comerlos. Sin duda serán más sabrosos que la bazofia que sirven en la cafetería de abajo. Espera a que él te lo cuente. Él conoce las palabras técnicas y podrá explicarlo mucho mejor que yo.

—Mamá, yo no entendería los términos técnicos. Dímelo con palabras de profano, ¿por qué no puedo sentir ni mover las piernas? —Su mirada oscura estaba clavada en mí—. Mamá, no soy un cobarde. Puedo afrontar lo que sea que tengas que decirme. Ahora cuéntalo todo, o acabaré suponiendo que tengo la espalda rota y las piernas paralizadas y nunca más podré caminar.

Mi corazón latió más aprisa. Bajé la cabeza. Jory lo había dicho con tono jocoso, como si hablase de algo imposible... y había precisado exactamente su estado.

Mis ojos se llenaron de desesperación. Vacilé, intentando dar con las palabras exactas, consciente de que, incluso las más acertadas, le romperían el corazón. En ese momento Chris entró, portando una bolsa de papel con bocadillos de queso.

–¿Vaya –dijo alegremente, dirigiendo a Jory una jovial sonrisa–, mira quién está despierto y hablando. –Me tendió un bocadillo–. Lo siento, Jory, pero no podrás comer nada sólido durante unos días debido a la operación. Cathy, cómetelo antes de que se enfríe –ordenó sentándose y desenvolviendo inmediatamente otro bocadillo. Vi que había comprado dos grandes para él. Comió con apetito hasta sacar las bebidas de cola–. No tenían lima como tú querías, Cathy. Es Pepsi.

–Está fría, con mucho hielo; es lo que necesito.

Jory nos observaba con atención mientras comíamos. A duras penas conseguí tragar la mitad del panecillo con queso, intuyendo que mi hijo sospechaba algo. Chris hizo un trabajo admirable comiéndose los dos bocadillos además de una ración de patatas fritas, que yo ni siquiera probé. Chris hizo una bola con la servilleta y la arrojó a una papelera, junto con el resto de los desperdicios.

A Jory le pesaban los párpados. Estaba luchando por mantenerse despierto.

–Padre... ¿me lo explicarás ahora?

–Sí, todo lo que quieras saber. –Chris se acercó para sentarse en la cama y puso su fuerte mano sobre la de Jory, que parpadeaba, ahuyentando el sueño.

–Padre, no siento nada de cintura para abajo. Mientras tú y mamá comíais, he estado intentando mover los dedos de los pies y no he podido. Si me han enyesado porque me he roto la espalda, quiero saber la verdad, toda la verdad.

–Tengo intención de decir toda la verdad –dijo Chris con absoluta firmeza.

—¿Tengo la columna rota?

—Sí.

—¿Tengo las piernas paralizadas?

—Sí.

Jory parpadeaba, estupefacto. Sacó fuerzas de flaqueza para formular la última pregunta.

—¿Volveré a bailar?

—No.

Mi hijo cerró los ojos, apretó los labios formando una línea delgada y permaneció totalmente inmóvil.

Avancé para inclinarme sobre él y eché hacia atrás con ternura los oscuros rizos que le cubrían la frente.

—Cariño mío, sé que estás desolado. No le ha resultado fácil a tu padre decirte la verdad, pero tenías que saberla. No estás solo en este trance. Todos estamos contigo. Estamos aquí para ayudarte a superarlo, para hacer cuanto podamos. Lo superarás. El tiempo sanará tu cuerpo de modo que no sentirás dolor, y llegarás a aceptar lo irremediable. Te amamos. Melodie te quiere, y el próximo enero serás padre. Has alcanzado la cumbre de tu profesión y has permanecido allí durante cinco años... Eso es más de lo que la mayoría de la gente logra en toda una vida.

Por un instante me miró a los ojos. Los suyos traslucían amargura, ira, frustración traslucían una rabia tan terrible que tuve que desviar la mirada. Le envolvía un feroz resentimiento por haberle sido arrebatado todo cuando aún no tenía lo suficiente.

Cuando lo miré otra vez, había cerrado los ojos, y Chris le estaba tomando el pulso.

—Jory, sé que estás despierto. Te administraré otro sedante para que puedas dormir. Cuando despiertes, quiero que valores lo importante que eres para muchísimas personas. No deber compadecerte a ti mismo ni hundirte en la amargura. Hay gente que está hoy caminando por las calles que nunca experimentará lo que tú ya has experimentado. Ellos no han viajado por el mundo una y otra vez ni han oído los atronadores aplausos ni los gritos de «¡bravo, bravo!». Ellos nunca conocerán el éxito que tú has alcanzado y que puede ser tuyo otra vez en algún otro campo de la creación artística. Tu mundo no se ha parado, hijo, solamente has tenido un traspiés. El camino del triunfo está todavía delante de ti, tendrás que recorrerlo sobre ruedas en lugar de correr o danzar. Otra vez llegarás a él, porque siempre has tenido voluntad de ganar. Encontrarás otro quehacer, otra carrera, y con tu familia hallarás la felicidad. ¿No consiste la esencia de la vida en eso? Todos necesitamos que alguien nos ame, nos necesite, comparta nuestras vidas... y tú tienes todo eso.

Mi hijo no abrió los ojos, no respondió. Tendido en la cama parecía como si la muerte ya lo hubiera reclamado.

En mi interior yo estaba gritando, pues Julián había reaccionado exactamente de la misma manera. Jory nos dejaba al margen, se encerraba en sí mismo, en la estrecha y compacta jaula de su mente que rechazaba una vida sin andar y bailar.

Chris clavó una aguja hipodérmica en el brazo de Jory.

–Duerme, hijo mío. Cuando despiertes tu esposa estará aquí. Tendrás que mostrarte valiente por el bien de ella.

Creí notar que Jory se estremecía.

Le dejamos profundamente dormido, al cuidado de una enfermera que recibió estrictas instrucciones de no abandonarle ni un momento. Regresamos a Foxworth Hall para que Chris pudiese ducharse, afeitarse y dormir un poco. Después regresaríamos de nuevo junto a Jory. Esperábamos que Melodie nos acompañara.

Sus ojos azules se llenaron de terror cuando Chris le explicó, con la mayor delicadeza posible, el estado de Jory. Ella profirió un pequeño grito y se apretó el abdomen.

–¿Quieres decir... que nunca bailará? ¿Nunca caminará? –murmuró, como si le fallase la voz–. Ha de haber algo que puedas hacer para ayudarle.

Chris truncó tal esperanza.

–No, Melodie. Cuando la médula espinal se ha dañado, las piernas no reciben los mensajes nerviosos del cerebro. Jory puede querer mover las piernas, pero ellas no recibirán el mensaje. Debes aceptarlo tal como es ahora y ayudarle a superar el acontecimiento más traumático con que tendrá que enfrentarse en toda su vida.

Ella se puso en pie de un salto y se quejó lastimeramente:

–¡Pero él ya no será el mismo! Tú acabas de decir que no quiere ni hablar... No puedo ir allí y fingir que no importa, ¡cuando importa mucho! ¿Qué va a ser de Jory? ¿Qué será de mí? ¿Adónde iremos y cómo sobrevivirá él sin caminar ni bailar? ¿Qué clase de padre será ahora Jory si tiene que pasarse el resto de su vida en una silla de ruedas?

De pie, Chris respondió con severidad:

–Melodie, éste no es el momento más adecuado para que te dejes invadir por el pánico y comiences con histerismos. Tienes que ser fuerte. Comprendo que también tú estás sufriendo, pero tendrás que mostrar a tu marido una cara radiante y sonriente que le confirme que no ha perdido a la mujer que ama. No te casaste con él sólo para disfrutar de los buenos momentos, sino también para apoyarle en los malos. Te asearás, te vestirás, te maquillarás, te peinarás con gusto e irás junto a él para abrazarle y besarle; hazle creer que tiene un futuro por el que vale la pena vivir.

–¡Pero no lo tiene! –protestó Melodie–. ¡Jory no lo tiene! –Entonces, derrumbándose, se echó a llorar amargamente–. Perdona, no he querido decir eso..., yo lo amo. Lo amo..., pero no me obliguéis a verle allí, tendido, inmóvil y silencioso. No puedo soportar verlo hasta que sonría y acepte su situación; quizá entonces pueda enfrentarme con el hombre en que se ha convertido... Tal vez entonces pueda...

Me disgustó que exteriorizara una histeria tan inútil y faltara a Jory cuando él más la necesitaba. Me acerqué a Chris y enlacé mi brazo con el de él.

—Melodie, ¿acaso crees que eres la primera esposa, futura madre, que de pronto se encuentra con que el mundo se le ha caído encima? ¡No lo eres! Yo estaba embarazada de Jory cuando su padre tuvo un fatal accidente de automóvil. Deberías agradecer que Jory esté vivo.

Ella se desplomó en una silla y bajó la cabeza. Lloró durante un rato, con el rostro oculto tras las manos, antes de levantar la mirada. Sus ojos estaban más oscuros y tristes:

—Quizá él preferiría la muerte... ¿No lo habéis pensado?

El pensamiento que había estado atormentándome durante horas era que Jory decidiera acabar con su vida como había hecho Julián. No podía permitir que eso sucediera. No otra vez.

—Si es eso lo que crees, quédate aquí, llorando —dije, con una dureza no intencionada—. Pero yo no pienso abandonar a mi hijo para que tenga que luchar sin nadie a su lado. Me quedaré junto a él noche y día, y procuraré que no pierda la esperanza. Pero, no olvides, Melodie, que llevas dentro de ti a su hijo, lo que te convierte en la persona más importante de su vida... y también de la mía. Él necesita tu apoyo. Lamento parecer dura, pero ante todo tengo que pensar en él... ¿Por qué no puedes tú?

Sin habla, Melodie, me miraba de hito en hito, con el rostro demudado; las lágrimas le resbalaban por las mejillas.

—Decidle que iré pronto..., decidle eso —murmuró roncamente.

Eso fue lo que dijimos, y Jory mantuvo los ojos cerrados los labios apretados. Sabíamos que no estaba dormido; simplemente nos ignoraba.

Jory se negaba a comer, de modo que tuvieron que ponerle tubos en los brazos para alimentarle por vía intravenosa. Pasaron los días del verano, largos y, en su mayor parte, tristes. Algunas horas me deparaban pequeños placeres, mientras estaba con Chris y Cindy, pero muy pocos me proporcionaban esperanza.

Si por lo menos... «Si por lo menos» eran las palabras con que me levantaba por las mañanas, que repetía durante todo el día y me acompañaban hasta la noche. Si por lo menos pudiera vivir otra vez toda mi vida, entonces, quizá podría salvar a Jory, Chris, Cindy, Melodie, a mí misma..., incluso a Bart. Si por lo menos él no hubiera bailado aquel papel...

Lo intenté todo, al igual que Chris y Cindy, para lograr que Jory regresara de aquel terrible y solitario lugar en que se había refugiado. Por primera vez en mi vida no podía llegar hasta él ni aliviar su aflicción.

Mi hijo había perdido lo que más le importaba: el movimiento de sus piernas. Y pronto su poderoso, hábil y maravilloso cuerpo se deterioraría. Yo no soportaba el vaivén de aquellas piernas, bellamente contorneadas, tan quietas bajo la sábana, tan condenadamente inútiles.

¿Había tenido razón la abuela cuando dijo que estábamos malditos, que habíamos nacido para el fracaso y el dolor? ¿Estábamos realmente condenados a que la tragedia robase el fruto de nuestros éxitos? ¿De qué servía lo que Chris y yo pudiéramos haber logrado si nuestro hijo estaba tendido allí, como muerto, y nuestro segundo hijo rehusaba visitarle nunca más?

Bart se había quedado de pie, mirando con fijeza a Jory, que yacía inmóvil, con los ojos todavía cerrados y los brazos estirados a los lados de su cuerpo.

–Oh, Dios mío –murmuró y luego salió apresuradamente del pequeño cuarto. No pude convencerle de que volviera allí de nuevo–. Madre, ni se ha dado cuenta de que estoy aquí, de modo que, ¿de qué sirve entrar? No soporto verlo de esa manera. Lo siento, lo siento de verdad..., pero no puedo evitarlo.

Lo miré fijamente, preguntándome si tal vez, impulsada por mi deseo de ayudar a Bart, había arriesgado la vida de mi amado Jory.

Entonces decidí que no podía resignarme a la idea de que Jory nunca caminaría, jamás bailaría otra vez. Aquello era una pesadilla que teníamos que soportar, pero de la que despertaríamos.

Le hablé a Chris de mi plan para convencer a Jory de que podría caminar, y algún día lo haría, aunque no pudiera danzar.

—Cathy, no puedes hacerle concebir falsas esperanzas —advirtió Chris, muy inquieto—. Lo que debes hacer es ayudarle a aceptar lo que no puede cambiarse. Comunícale tu fortaleza. Ayúdale... pero no lo conduzcas por falsos senderos que sólo le proporcionarán desengaños. Ya sé que resultará difícil. Yo me encuentro en el mismo infierno que tú, pero recuerda que nuestro infierno no es nada comparado con el suyo. Podemos amarlo y sentirnos terriblemente acongojados, pero no estamos en su piel. No sufrimos su pérdida; en eso él está completamente solo, enfrentándose a una agonía que ni tú ni yo podemos ni tan siquiera intentar comprender; lo único que podemos hacer es estar presentes cuando decida salir de esa coraza que él cree protectora e infundirle la confianza que necesita para seguir adelante... porque, ¡maldita sea!, Melodie no está sirviendo de gran ayuda.

El hecho de que su propia esposa lo apartara de sí como a un leproso era casi tan terrible como la lesión de Jory. Tanto Chris como yo le habíamos suplicado que nos acompañara al hospital, aunque no dijera nada más que «¡hola!, ¡te quiero!». Era preciso que Melodie le visitara.

—¿Qué podría yo decir que no haya dicho ya? —exclamó Melodie—. ¡Él no quiere que yo lo vea tal como está! Lo conozco mejor que cualquiera de vosotros. Si quisiera verme, lo diría. Además, tengo miedo de echarme a llorar y decir lo que no debo. Aunque me quedase quieta, en cuanto él abriera los ojos percibiría en mi rostro algo que le haría sentirse peor. No quiero ser responsable de lo que pudiera suceder. ¡No insistáis más! Esperad a que él pida que le visite. Quizá encuentre entonces el valor que necesito para hacerlo.

Huyó de Chris y de mí como si fuéramos unos apestados que pudiésemos contaminar el que esa pesadilla tuviera un final feliz.

En el pasillo, frente a nuestras habitaciones, se hallaba Bart, con semblante sombrío, contemplando a Melodie, que se alejaba. Se volvió hacia mí, con inusitada furia.

—¿Por qué no la dejáis tranquila? Yo he ido a ver a Jory y quedé destrozado. En su estado, Melodie necesita reencontrar alguna seguridad, aunque sólo sea en sus sueños. Duerme muchísimo, ¿sabéis? Mientras tú estás con él, ella llora, camina como una sonámbula, con mirada perdida. Apenas come. Tengo que suplicarle que coma, que beba. Entonces se queda mirándome fijamente y obedece como una niña. Algunas veces tengo que darle la comida a cucharadas, sostener el vaso para que beba. Madre, Melodie está en estado de choque... ¡Y a ti sólo se te ocurre pensar en tu precioso Jory sin preocuparte de cómo se encuentra ella!

Comprendí que Bart tenía razón. Me arrepentí de cómo me había comportado con ella. Corrí al lado de Melodie y la estreché entre mis brazos.

—Está bien. Ahora lo entiendo todo. Bart me ha explicado que te cuesta aceptar la situación, pero inténtalo, Melodie, por favor, inténtalo. Aunque él no abra los ojos ni hable, se da cuenta de cuanto sucede, y de quién le visita y quién no.

Melodie apoyó la cabeza en mi hombro.

—Cathy..., estoy intentándolo. Concédeme un poco más de tiempo.

A la mañana siguiente, Cindy entró en nuestro dormitorio sin llamar, lo que provocó un gesto de disgusto en Chris. Hubiera debido saber cómo proceder y reprenderla, pero tuve que perdonarla al ver la palidez de su rostro y su expresión asustada.

–Mamá, papá, he de deciros algo, aunque no sé si debería. O si realmente significa algo.

Casi no atendí a sus palabras porque me distrajo lo que llevaba puesto: un bikini blanco, tan escaso, que casi era una ausencia. La piscina que Bart había encargado ya estaba acabada, y aquél era el primer día que funcionaba. El trágico accidente de Jory no iba a quebrantar el estilo de vida de Bart.

–Cindy, me gustaría que llevaras el traje de baño sólo cuando estés en la piscina. Y ese bikini es demasiado atrevido.

Se quedó atónita, abatida y herida porque yo había criticado su bañador. Se miró y se encogió de hombros con indiferencia.

–¡Santo cielo, madre! Algunas de mis amigas llevan tangas... Deberías verlos si mi bikini te parece descarado. Otras no llevan nada en absoluto... –Sus grandes ojos azules estudiaron los míos.

Chris le arrojó una toalla, con la que ella se cubrió.

–Mamá, he de decir que no me gusta cómo me haces sentir; como sucia, igual que me hace sentir Bart. Precisamente he venido a contaros algo que le he oído decir.

–Vamos, habla, Cindy –dijo Chris.

–Bart estaba hablando por teléfono. Había dejado la puerta entreabierta, de modo que oí que estaba conversando con una compañía de seguros. –Hizo una pausa, se sentó en la cama deshecha y se quedó cabizbaja antes de proseguir–: Mamá, papá, parece que Bart contrató una especie de seguro de «fiesta» por si que alguno de sus invitados sufría algún daño.

–Bueno, no es muy extraño –repuso Chris–. La casa está cubierta por un seguro, pero con doscientos invitados Bart necesitaba mucha más seguridad aquella noche.

La cabeza de Cindy se alzó con rapidez. Miró a su padre primero y después a mí. De sus labios escapó un suspiro.

–Supongo que todo está bien en ese caso. Yo sólo había pensado que quizá..., quizá...

—¿Quizá, qué? —pregunté con severidad.

—Mamá, tú recogiste un poco de aquella arena que salió de las columnas cuando se rompieron. ¿No tenía que estar seca aquella arena? Bien, pues no lo estaba. Alguien la había humedecido, lo que la hizo más pesada, por lo que no cayó como se suponía debía hacer. A causa de la arena mojada aquellas columnas se derrumbaron sobre Jory como si fuesen de cemento. De otra manera, Jory no se hubiera lesionado tan gravemente.

—Yo estaba enterado de lo del seguro —dijo Chris tristemente, evitando mi mirada—. Desconocía lo de la arena húmeda.

Ni Chris ni yo encontramos palabras para defender a Bart. Sin embargo, lo más probable es que él no hubiera querido hacer daño a Jory..., ¿o matarle? En algún momento de nuestras vidas teníamos que creer en Bart, concederle el beneficio de la duda.

Chris caminaba de un lado a otro por nuestro habitación, con la frente llena de arrugas, mientras explicaba que cualquiera de los que se hallaban en el escenario pudo haber vertido agua sobre la arena, confiando en que las columnas se sostuviesen mejor y con más firmeza. No tenían por qué ser órdenes de Bart.

Los tres descendimos solemnes por la escalera, y encontramos a Bart fuera, en la terraza, junto a Melodie. Con las montañas a lo lejos, los bosques ante ellas, y los exuberantes jardines en plena floración, el escenario era hermoso y romántico. La luz del sol se filtraba por entre el follaje de los árboles frutales y se deslizaba por debajo de la sombrilla listada de colores que se suponía protegía a los ocupantes sentados a la mesa blanca de hierro forjado.

Melodie, para mi sorpresa, estaba sonriente, y su mirada se clavaba en las firmes líneas del rostro de Bart.

—Bart, tus padres no entienden por qué no me decido a visitar a Jory en el hospital. Tu madre me mira con resentimiento. La he defraudado y me he defraudado a mí misma. Soy una cobarde en cuanto a enfermedades se refiere. Siempre lo he sido. Pero sé qué está sucediendo. Sé que Jory está tendido en esa cama, mirando al techo, negándose a hablar. Y sé qué está pensando. Jory no sólo ha perdido el uso de sus piernas, sino también todos los objetivos que se había fijado. Está pensando en su padre y cómo murió. Está intentando sustraerse al mundo para convertirse en un ser nulo al que no echaremos de menos el día que se mate, igual que hizo su padre.

Bart la miró con desaprobación.

—Melodie, no conoces a mi hermano. Jory nunca se suicidaría. Quizá ahora se siente perdido, pero lo superará.

—¿Cómo? —se lamentó Melodie—. Ha perdido lo que era más importante en su vida. Nuestro matrimonio estaba basado en nuestro amor, pero también en nuestras carreras artísticas. Todos los días me convenzo de que puedo visitarle, sonreírle, darle lo que necesita. Pero entonces vacilo y me pregunto qué puedo decir. Carezco de la facilidad de palabra que tiene tu madre. Yo no puedo sonreír y mostrarme optimista como tu padre...

—Chris no es el padre de Jory —objetó secamente Bart.

—Oh, para Jory, Chris es su padre. Por lo menos, aquel que más cuenta. Jory quiere a Chris, Bart, lo respeta y lo admira, y le perdona lo que tú denominas «sus pecados».

Melodie prosiguió mientras nosotros tres permanecimos inmóviles, con la intención de enterarnos de por qué ella actuaba como lo estaba haciendo. Lo que oímos a continuación fue una declaración concluyente:

—Me avergüenza decirlo, pero no puedo verle tal como está.

—Entonces, ¿qué vas a hacer? —preguntó Bart, con cinismo. Bebía a sorbos el café mientras miraba a Melodie directamente a los ojos. Si hubiera vuelto la cabeza, aunque sólo fuese un poco, nos hubiera visto a los tres, observando y escuchando.

La respuesta que dio Melodie fue un lamento angustiado.

–¡No lo sé! ¡Estoy destrozada! Odio saber que Jory nunca volverá a ser un marido de verdad para mí. Si no te importa, deseo trasladarme a la habitación situada al otro lado del vestíbulo, que no contiene recuerdos tan dolorosos de lo que solíamos compartir. Tu madre no se da cuenta de que yo estoy tan perdida como él, ¡y de que voy a tener un hijo suyo!

Comenzó a sollozar. Inclinó la cabeza y la apoyó en sus brazos cruzados sobre la mesa.

–Alguien ha de pensar en mí, ayudarme... Alguien...

–Yo te ayudaré –afirmó tiernamente Bart, colocando su bronceada mano en el hombro de Melodie. Con la mano derecha apartó el café a un lado y acarició el cabello ondulado y esparcido de Melodie–. Siempre que me necesites, aunque sólo sea para llorar sobre mi hombro, estaré dispuesto, en cualquier momento.

Si en otras circunstancias hubiera oído hablar a Bart con la misma compasión a alguna otra persona que no fuese Melodie, mi corazón hubiera saltado de gozo. Pero, dada la situación, me sentí desfallecer. Era Jory quien necesitaba a su esposa..., ¡no Bart!

Avancé hacia la luz del sol y ocupé mi lugar en la mesa. Bart retiró sus manos de Melodie y me miró fijamente, como si acabara de interrumpir algo muy importante para él. Chris y Cindy se reunieron entonces con nosotros. Se produjo un silencio que tuve que romper.

–Melodie, deseo mantener una larga conversación contigo en cuanto terminemos de desayunar. Esta vez no vas a huir, ni hacer oídos sordos, ni acallar mi voz con tu mirada ausente.

–¡Madre! –estalló Bart–. ¿Acaso no puedes comprender su situación? Quizá algún día Jory podrá arrastrarse por ahí con unas muletas, si lleva una pesada abrazadera en la espalda y un arnés... ¿Puedes imaginar a Jory con todo eso? Pues yo no.

Melodie lanzó un chillido, y se puso en pie de un salto. Bart se levantó también para sostenerla de manera protectora entre sus brazos.

—No llores, Melodie —la calmaba con voz tierna y cariñosa.

Melodie profirió otro gritito de angustia y después se marchó. Chris, Cindy y yo nos quedamos silenciosos observándola en su huida. Cuando hubo desaparecido, nuestras miradas se clavaron en Bart, que se sentó para terminar su desayuno como si no estuviésemos allí.

—Bart —dijo Chris en el momento oportuno, antes de que Joel se uniera a nosotros—, ¿qué sabes tú de cierta arena húmeda dentro de las columnas de cartón piedra?

—No sé de qué me hablas —contestó Bart suavemente, con aire distraído, contemplando la puerta por donde Melodie había desaparecido.

—En ese caso me explicaré con mayor claridad —prosiguió Chris—. Se había acordado que la arena estuviera seca para que se vertiera fácilmente sin dañar a nadie. ¿Quién la humedeció?

Entornando los ojos, Bart dio una respuesta seca.

—De modo que ahora se me acusa de haber provocado el accidente de Jory, estropeando los mejores momentos de que he disfrutado hasta que él se hizo daño. Después de todo, es lo que solía ocurrir cuando yo tenía nueve y diez años. Culpa mía. Todo sucedía siempre por mi culpa. Cuando *Clover* murió, los dos pensasteis que había sido yo quien le había colocado el alambre en el cuello; nunca me concedisteis el beneficio de la duda. Cuando *Apple* apareció muerto, otra vez me echasteis la culpa, a pesar de que sabíais que yo quería tanto a *Clover* como a *Apple*. Nunca he matado a nadie. Incluso después, cuando os enterasteis de que había sido John Amos, me hicisteis pasar un infierno antes de disculparos. Bueno, pues ya podéis disculparos ahora mismo porque, ¡maldita sea si tengo yo algo que ver con la espalda rota de Jory!

Yo deseaba tanto creerle que las lágrimas acudieron a mis ojos.

—Pero, ¿quién mojó la arena, Bart? —pregunté, inclinándome y cogiéndole la mano—. Alguien lo hizo. —Sus oscuros ojos se tornaron sombríos.

—Algunos de los trabajadores no simpatizaban conmigo por ser demasiado autoritario..., pero dudo de que ellos hicieran algo para dañar a Jory. Después de todo, yo no estaba allá arriba.

Decidí creerle. Bart no sabía nada de la arena mojada. Cuando me encontré con la mirada de Chris, supe que él también estaba convencido. Pero al preguntarle, le habíamos ofendido... otra vez.

Bart permaneció silencioso, sin sonreír, mientras terminaba su desayuno. En el jardín, atisbé a Joel entre las sombras de la densa maleza, como si hubiera estado escuchando nuestra conversación mientras fingía estar admirando las plantas en floración.

—Perdónanos si te hemos herido, Bart. Por favor, haz lo que puedas para ayudarnos a descubrir quién mojó la arena. Si eso no hubiera sucedido, Jory no estaría paralítico.

Cindy, con gran sensatez, había permanecido callada durante todo el tiempo.

Bart iba a responder, pero en aquel momento Trevor salió de la casa y empezó a servirnos. Rápidamente engullí un ligero desayuno y me levanté para marcharme. Tenía que intentar algo para que Melodie recuperara el sentido de la responsabilidad.

—Perdonadme. Chris, Cindy, tomaos el tiempo necesario y acabad vuestro desayuno. Después me reuniré con vosotros.

Joel salió sin ser observado de entre las sombras de la densa maleza y se sentó junto a Bart. Cuando lancé una ojeada por encima de mi hombro vi que el viejo se inclinaba hacia mi hijo y le murmuraba algo.

Descorazonada, me encaminé hacia la habitación de Melodie.

Tendida boca abajo en la cama que ella y Jory habían compartido, Melodie estaba llorando. Me senté en el borde de la cama, buscando las palabras adecuadas. Pero, ¿cuáles eran las palabras adecuadas?

—Está vivo, Melodie, y eso es lo que cuenta, ¿no es cierto? Sigue entre nosotros. Está contigo. Puedes alargar la mano y tocarle, hablar con él, decirle todas las cosas que yo hubiera deseado poder decir a su padre. Ve al hospital. Cada día que tú permaneces alejada, él se muere un poco más. Si no le visitas, si te limitas a quedarte aquí, compadeciéndote de ti misma, más tarde lo lamentarás. Jory todavía puede oírte, Melodie. No le abandones ahora. Te necesita más de lo que te ha necesitado nunca.

Salvaje, histérica, Melodie se volvió para golpearme con los puños cerrados. Le cogí las muñecas para impedírselo.

—Pero, ¡no puedo mirarle a la cara, Cathy! Sé que él yace allí, silencioso, solo, inaccesible. No responde ni cuando tú le hablas, así pues, ¿por qué ha de responderme a mí? Si yo le besara y él no dijera ni hiciese nada, me moriría por dentro. Además, tú no lo conoces realmente; no como yo. Eres su madre, no su esposa. Ignoras lo importante que es para él su vida sexual, de la que ya no podrá disfrutar. ¿Acaso comprendes tú el dolor que eso está causándole? Por no mencionar la inmovilidad de sus piernas, debido a la cual tendrá que renunciar a su carrera artística. Él anhelaba tanto emular a su padre..., su padre verdadero. Y tú te consuelas pensando que Jory está vivo. Pues no lo está. Ya te ha dejado, Cathy. Déjame tú a mí también. Jory no tiene que morir. Ya ha muerto aunque esté con vida.

¡Cómo me hirieron sus fríos razonamientos! Quizá porque eran ciertos.

Me invadió un pánico interior al darme cuenta de que Jory podía muy bien hacer lo que Julián había hecho..., encontrar un medio para acabar con su vida. Intenté consolarme. Jory no era como su padre, era como Chris. Jory se recuperaría tarde o temprano aprovecharía lo que mejor pudiera lo que le quedaba.

Contemplé a mi nuera y pensé que no la conocía. No conocía a la chica que había visto de vez en cuando desde que ella tenía once años. Había visto la fachada de una chica bonita, graciosa, que parecía siempre estar adorando a Jory.

—¿Qué clase de mujer eres, Melodie? Dime, ¿qué clase?

Giró bruscamente y me miró furiosa.

—¡No de tu clase, Cathy! —exclamó—. Tú estás hecha de un material resistente. Yo no. A mí me mimaron como tú has mimado a tu querida pequeña Cindy. Era hija única y me dieron cuanto quise. Sin embargo, cuando era pequeña descubrí que la vida no es tan bonita como la pintan en los cuentos. En realidad, tampoco la quería de ese modo. Cuando fui lo bastante mayor, me refugié en el mundo del ballet, pues sólo en el mundo de la fantasía podría encontrar la felicidad. Al conocer a Jory me pareció que era el príncipe que yo necesitaba. Pero los príncipes no se caen y se dañan la médula espinal, Cathy. Jamás son unos inválidos. ¿Cómo puedo vivir con Jory cuando ya he dejado de verle como un príncipe, Cathy? Di, ¿cómo puedo cerrar los ojos, aturdir mis sentidos para no sentir repulsión cuando él me toque?

Me levanté.

Observé sus ojos enrojecidos, su rostro hinchado por el llanto, y me di cuenta de que se desvanecía la admiración que por ella había sentido. Débil, Melodie era débil. Qué necia había sido al creer que su marido no estaba hecho de carne y hueso como el resto de los hombres.

—Supongamos que fueses tú quien se hubiese lesionado, Melodie. ¿Te gustaría que Jory te abandonase?

Ella sostuvo mi mirada con firmeza.

—Sí, lo preferiría.

Salí de la habitación mientras Melodie lloraba todavía sobre la cama.

Chris estaba esperándome abajo.

–He pensado que si vas al hospital esta mañana, yo visitaré a Jory por la tarde, y Melodie puede ir esta noche con Cindy. Estoy seguro de que la has convencido de que vaya.

–Sí, irá, pero no hoy –dije sin mirarle–. Melodie quiere esperar hasta que Jory abra los ojos y hable. Así pues, sólo hay una solución; que alguien permanezca a su lado y consiga que se comunique, que responda.

–Si alguien puede lograr eso, eres tú –murmuró acariciando mi cabello.

Jory yacía boca arriba en la cama. La fractura de la espalda se había producido tan abajo que algún día, en un futuro lejano, quizá podría incluso recuperar la fuerza. Había una serie de ejercicios que más adelante podría realizar.

Yo había comprado dos grandes ramos de flores y los coloqué en unos jarrones altos.

–Buenos días, cariño –saludé con fingida alegría al entrar en la pequeña habitación.

Jory no volvió la cabeza para mirarme. Estaba tumbado tal como le había visto la última vez, con la mirada fija en el techo. Tras besarle ligeramente en la cara, comencé a arreglar las flores.

–Estarás contento de saber que Melodie ya no sufre los mareos matutinos. Pero aún se siente cansada la mayor parte del tiempo. Recuerdo que yo también me encontraba así cuando estaba embarazada de ti. –Me mordí la lengua, pues había perdido a Julián poco después de saber que estaba encinta–. Es un verano raro, Jory. No puedo decir que realmente me guste Joel. Ese viejo parece venerar a Bart, pero no cesa de criticar a Cindy, que, a los ojos de Joel, y Bart, nunca actúa correctamente. Estoy planteándome enviar a Cindy a un campamento de colonias de verano hasta que comience la escuela. Quizá sea una buena idea. Tú no crees que Cindy se porte mal, ¿verdad?

Ninguna respuesta.

Reprimí un suspiro y evité mirarle con impaciencia. Acerqué una silla a la cama y le cogí la mano inerte. Silencio. Era como sostener un pescado muerto entre los dedos.

–Jory, tendrán que seguir alimentándote por vía intravenosa –advertí–. Si continúas negándote a comer, te pondrán tubos en todas las venas. Utilizarán cualquier método para mantenerte con vida, aunque tengan que conectarte a todas las máquinas que te conserven vivo hasta que dejes de comportarte como un testarudo y vuelvas con nosotros. –No parpadeó, ni habló–. Muy bien, Jory. Hasta ahora he sido amable contigo..., ¡pero ya es suficiente! –Mi tono se endureció–. Te quiero demasiado para verte ahí tendido dejándote morir. De modo que ya no te interesa nada, ¿no es cierto?

»Eres un inválido y tendrás que estar sentado en una silla de ruedas hasta que sepas manejar las muletas, si es que alguna vez albergas tal aspiración. Por eso te compadeces de ti mismo y te preguntas cómo y para qué continuar viviendo. Otros lo han hecho, otros se han creado nuevas metas a pesar de haber estado en peores condiciones que tú. Pero claro, supongo que pensarás que los esfuerzos de otros no cuentan cuando el problema te afecta a ti, a tu cuerpo, tu vida...; quizá tengas razón.

»Puedes alegar que el futuro nada te ofrece ahora. Yo también lo pensé al principio. A mí no me gusta verte ahí tendido como estás, tan quieto, Jory. Me rompes el corazón, y destrozas el de tu padre, y el de Cindy, que no vive de angustia. Bart está tan preocupado que no puede soportar verte tan callado. ¿Y qué crees que estás haciendo a Melodie? Ella lleva tu hijo en sus entrañas, Jory, y se pasa el día llorando. Está cambiando, convirtiéndose en otra persona porque nos oye hablar de tu apatía y testaruda incapacidad para aceptar lo que ya es irreversible. Nosotros sentimos mucho, muchísimo, que hayas perdido la movilidad de tus piernas..., pero, ¿qué podemos hacer sino sacar todo el partido posible de una situación miserable? Jory, vuelve con nosotros. ¡Te necesitamos! No podemos permanecer impasibles y no nos importa que no puedas bailar ni caminar. Te queremos vivo, donde podamos verte y hablar contigo. Contesta, Jory. Di algo, cualquier cosa. Habla con Melodie cuando venga, responde cuando te toque... o la perderás a ella y a tu hijo. Tu esposa te ama, lo sabes, pero ninguna mujer puede vivir del amor cuando el objeto de ese sentimiento la rechaza. Melodie no te visita porque teme enfrentarse con tu rechazo.

Durante ese largo y mesurado discurso yo había mantenido la mirada fija en su rostro, esperando algún ligero cambio de expresión. Me recompensó ver que un músculo cercano a sus apretados labios se contraía.

Animada, proseguí:

—Los padres de Melodie han telefoneado para proponer que su hija vuelva junto a ellos para tener el bebé. ¿Quieres que Melodie se marche convencida de que no puede hacer nada más por ti? Jory, por favor, por favor, no nos hagas esto a todos nosotros, a ti mismo. Tienes mucho que dar todavía al mundo. Eres algo más que un bailarín, ¿lo sabes? Cuando alguien posee talento, sólo exhibe una parte de un árbol que tiene muchas ramificaciones, y tú ni siquiera has comenzado a explorar las otras ramas. ¿Quién sabe lo que podrías descubrir? Recuerda que yo también me dediqué a la danza durante mucho tiempo, y cuando me vi obligada a abandonarla no sabía qué hacer. Al oír la música mientras tú y Melodie bailabais en nuestro salón, me sentía morir por dentro y trataba de no oír aquellas melodías que incitaban a mis piernas a bailar. Mi alma se elevaba... y, de pronto, se estrellaba contra el suelo, y me echaba a llorar. Sin embargo, cuando comencé a escribir dejé de pensar en la danza. Jory, tú encontrarás algo de interés que reemplace tu pasión por el ballet; sé que sucederá así.

Por vez primera desde que supo que nunca volvería a caminar o bailar, Jory volvió la cabeza. Esa mínima reacción me llenó de un júbilo indescriptible. Fijó brevemente su mirada en la mía. Las lágrimas asomaban a sus ojos.

–¿Mel está pensando en ir a casa de sus padres? –preguntó con voz ronca.

La esperanza se debatía por sobrevivir en mí. Yo desconocía las intenciones de Melodie. Sin embargo, debía expresarlo todo de la manera más delicada, y era muy raro que yo supiera hacerlo. Había fallado con Julián, con Carrie. «Por favor, Dios mío no permitas que fracase con Jory.»

–Nunca te dejaría si tú volvieras a ella. Te necesita, te ama. Al alejarte de nosotros, le demuestras que también te apartas de su lado. Tu silencio prolongado y tu negativa a comer dicen tanto, Jory, tanto que atemorizan a Melodie. Ella no es como yo. No devuelve el golpe, no salta, patalea y grita. Llora todo el tiempo, apenas come..., y está embarazada, Jory. Embarazada de tu hijo. Piensa en lo que sentiste cuando te enteraste de lo que hizo tu padre y considera cómo afectaría tu muerte a tu hijo. Reflexiona sobre esto antes de continuar con lo que te has fijado en la mente. Piensa en ti mismo, y en cuánto deseaste haber conocido a tu padre. Jory, no seas como él y dejes un niño sin padre detrás de ti. ¡No nos destruyas a todos, al destruirte tú!

–¡Pero, mamá! –exclamó con gran aflicción–, ¿qué puedo hacer? ¡No quiero permanecer sentado en una silla de ruedas durante el resto de mi vida! ¡Estoy furioso! Hay tanta ira en mí que quisiera golpear y hacer daño a todo el mundo. ¿Qué he hecho yo para merecer este castigo? He sido un buen hijo y un esposo fiel, pero ahora ya no puedo ser un buen marido. Aquí abajo ya no hay excitación. No siento nada de mi cintura para abajo. ¡Sería mejor estar muerto que vivir en este estado!

Bajé la cabeza para apretar mi mejilla contra su mano inerte.

–Quizá tengas razón, Jory. Por tanto, adelante, muere de hambre; así nunca te sentarás en una silla de ruedas..., y no pienses en ninguno de nosotros. Olvida el dolor que invadirá nuestras vidas cuando hayas desaparecido. Olvídate de todas las personas que Chris y yo hemos perdido antes. Nosotros lo asimilaremos bien, pues estamos habituados a perder a quienes más amamos. Lo único que tendremos que hacer será añadir tu nombre a nuestra larga lista de personas de cuya muerte nos sentimos culpables..., porque nos sentiremos culpables. Hurgaremos y hurgaremos hasta encontrar aquello que no supimos hacer bien, aquello en que nos equivocamos y, entonces, lo engrandeceremos hasta que aleje toda felicidad, y nos iremos a nuestras tumbas culpándonos por otra vida marchita.

—¡Mamá! ¡Deténte! ¡No soporto oírte hablar de esa manera!

—¡Y yo no soporto lo que nos estás haciendo, Jory! No renuncies. No es propio de ti pensar en la rendición. ¡Lucha! Convéncete de que saldrás de ésta y te convertirás en una persona mejor y más fuerte porque te habrás enfrentado y sabido vencer adversidades que otras personas no pueden ni imaginar.

—No sé si quiero luchar. He estado aquí tendido desde aquella noche, pensando en qué podría hacer. No digas que no tengo necesidad de dedicarme a nada porque tú eres rica y yo también tengo dinero. La vida no es nada si no existe un objetivo, lo sabes bien.

—Tu hijo... Haz de tu hijo tu objetivo. Y trata también de hacer feliz a Melodie. Quédate, Jory, quédate... No puedo soportar perder a nadie más, no puedo, no puedo... —Y entonces, me eché a llorar. Había decidido no mostrar debilidad, pero fue superior a mí. Sollocé fuertemente sin mirarle—. Tras la muerte de tu padre, te convertí a ti, mi bebé, en lo más importante de mi vida. Si lo hice para aliviar un sentimiento de culpabilidad, no lo sé. Pero cuando tú naciste la noche de san Valentín y te colocaron sobre mi pecho para que pudiera verte, mi corazón casi reventó de orgullo. Tenías un aspecto tan fuerte, y tus ojos azules eran tan brillantes...

Agarraste mi dedo y no querías soltarlo. Paul estaba allí, y también Chris. Ambos te adoran desde el principio. Fuiste un bebé tan feliz, te portaste tan bien... Creo que todos te mimamos, y nunca tuviste que llorar para conseguir lo que deseabas y, sin embargo, Jory, nunca te has comportado como un consentido. Posees una fuerza interior que te hará superar tu desgracia. Llegará un día en que te sentirás feliz de haber vivido para ver a ese hijo tuyo. Sé que te alegrarás.

Durante todo ese tiempo, estuve sollozando. Creo que Jory sintió pena de mí. Movió su mano para enjugar mis lágrimas con el borde de su sábana blanca.

—¿Tienes alguna idea de a qué podría dedicarme en una silla de ruedas? —preguntó con una vocecita burlona.

—Tengo miles de ideas, Jory. Mira, un día entero no nos bastaría para ponerlas todas en una lista. Puedes aprender a tocar el piano, estudiar arte, aprender a escribir... O puedes convertirte en instructor de ballet. Para eso no necesitas andar contoneándote por ahí. Lo único que necesitas es un vocabulario adecuado y una lengua incansable. También puedes trabajar de contable o estudiar leyes y competir con Bart. De hecho, hay pocas cosas que no puedas hacer. Todos estamos incapacitados para hacer alguna cosa. Eso deberías saberlo bien tú. La incapacidad de Bart es invisible, pero peor que la que tú puedes tener en tu vida. Reflexiona un poco y acuérdate de su infancia y juventud cargadas de problemas mientras tú bailabas y te divertías. Él estaba atormentado por los psiquiatras que hurgaban dolorosamente en su intimidad más profunda.

Jory tenía los ojos más brillantes, llenos de una vaga esperanza que trataba de encontrar un cabo al que aferrarse.

—Y recuerda la piscina que Bart ha mandado instalar en el patio. Los médicos opinan que tú y tus brazos estáis muy fuertes y que después de alguna terapia física podrás nadar otra vez.

—¿Qué quieres tú que haga, mamá? —Hablaba con voz suave y gentil, mientras me acariciaba el cabello y su mirada rebosaba ternura.

—¡Vivir, Jory! Es lo único que deseo que hagas.

Había bondad en sus ojos, unos ojos llenos de lágrimas que no caían.

—¿Y qué hay de ti, papá y Cindy? ¿No estabais planeando partir hacia Hawai?

Durante semanas no me había acordado de Hawai. Miré distraídamente frente a mí. ¿Cómo podíamos marcharnos, estando Jory lesionado y Melodie tan desalentada? Era imposible.

Foxworth Hall nos había atrapado otra vez.

LIBRO SEGUNDO

LA ESPOSA RECALCITRANTE

Lamentablemente, Chris y yo desatendimos a Cindy, ya que pasábamos la mayor parte del tiempo en el hospital con Jory. Cindy se sentía cada vez más inquieta y aburrida en una casa hostil; con Joel, que lo único que sabía hacer era criticarla, mostrándole su desaprobación; con Bart, que la despreciaba, y con Melodie, que no tenía nada que ofrecer a nadie.

–Mamá –se quejaba–. ¡Estoy pasándolo muy mal! Ha sido un verano terrible, el peor. Lamento que Jory esté en el hospital y que nunca más vuelva a bailar, y quiero hacer cuanto pueda por él, pero, ¿qué hay de mí? Solamente permiten dos visitantes a la vez y tú y papá estáis siempre con él. Y cuando puedo verle, la mitad del tiempo no sé qué decir ni qué hacer. Tampoco sé en qué ocuparme cuando estoy aquí. Esta casa está aislada del resto del mundo que es como vivir en la Luna... Aburrida, aburrida. Tú me prohíbes ir al pueblo, citarme con personas a las que tú no conozcas, pero nunca estás aquí cuando alguien me invita. Tampoco me permites nadar cuando Bart y Joel están cerca de la piscina. Me prohíbes tantas cosas... ¿Qué puedo hacer?

—Explícame qué te gustaría hacer —respondí, complaciéndola. Cindy tenía dieciséis años y había esperado divertirse mucho en sus vacaciones. Sin embargo, la mansión que ella admiraba tanto al principio estaba convirtiéndose, en algunos aspectos, en una prisión para ella, como el antiguo Foxworth Hall había sido para nosotros.

Se sentó con las piernas cruzadas cerca de mis pies.

—No quiero herir los sentimientos de Jory marchándome de aquí, pero estoy volviéndome loca. Melodie se encierra en su habitación todo el día y no me deja entrar. Joel me diseca con sus viejos ojillos malignos. Bart me ignora. Hoy he recibido una carta de mi amigo Bary Boswell, que me cuenta que va a ir a ese maravilloso campamento de verano que está a pocos kilómetros del norte de Boston. Cerca de allí hay un teatro de verano y un lago donde se puede nadar y navegar a vela; organizan bailes todos los sábados y enseñan todo tipo de artesanía. Me apetece estar con chicas de mi edad, y creo que ese campamento me gustaría. Puedes pedir información y comprobar su buena reputación. Déjame ir, por favor, antes de que pierda el seso.

Yo había deseado tanto disfrutar de una especie de verano mágico, con toda la familia reunida y contentos por redescubrirnos y conocernos otra vez; ahí estaba Cindy, deseando marcharse sin que yo hubiese pasado el tiempo suficiente con ella. Sin embargo, me resultaba fácil comprenderla.

—Esta noche se lo comentaré a tu padre —le prometí—. Queremos que seas feliz, Cindy, tú ya lo sabes. Siento que te hayamos descuidado un poco al preocuparnos tanto por Jory. Ahora hablemos de ti. ¿Qué hay de los muchachos que conociste en la fiesta de Bart, Cindy? ¿Cómo van las cosas entre tú y ellos?

—Bart y Joel esconden las llaves de los automóviles, de modo que no puedo salir en coche. Y eso es exactamente lo que me gustaría hacer, con o sin permiso. A veces tengo ganas de deslizarme por una ventana, pero todas están tan altas que tengo miedo de saltar, caerme y hacerme daño. Pero pienso continuamente en los chicos. Añoro estar con ellos, tener citas y bailar. Ya sé qué estás pensando, porque Joel siempre está murmurando que carezco de moral... Me esfuerzo mucho por aferrarme a mis principios, de verdad. Pero no sé cuánto tiempo conseguiré conservarme virgen. A veces pienso que estoy chapada a la antigua y aguantaré hasta que me case, aunque no tengo intención de casarme hasta que tenga por lo menos treinta años. Pero a veces, cuando salgo con un chico que realmente me gusta, y él comienza a presionarme, estoy tentada de rendirme. Me agradan las sensaciones que siento y cómo mi corazón late más deprisa. Mi cuerpo desea que suceda así. Mamá, ¿por qué no tengo yo la fortaleza que tú tienes? ¿Cómo puedo encontrar mi yo auténtico? Estoy atrapada en un mundo que no sabe realmente qué quiere, tú lo dices siempre. Por lo tanto, si el mundo no lo sabe, ¿cómo voy a saberlo yo? Me gustaría lo que tú quieres que sea, dulce y pura, pero a la vez quiero ser seductora, atractiva. Ambas cosas se contradicen. Deseo que tú y papá me améis siempre, y por eso procuro ser tan dulce como vosotros creéis que soy; pero no soy tan inocente, mamá. Me encanta, que todos los chicos guapos se enamoren de mí... Creo que algún día seré incapaz de aguantarme.

Sonreía al ver su preocupada expresión, su mirada temerosa, escrutándome para comprobar si yo estaba escandalizada. Adiviné también que tenía miedo de haber arruinado sus posibilidades de escapar de esa casa. La abracé.

—Aférrate a la moralidad, Cindy. Tienes demasiado talento y eres demasiado hermosa para entregarte de cualquier manera, como un trasto sin valor. Ten buena opinión de ti misma, y los demás te respetarán.

—Pero, mamá..., ¿cómo voy a rechazarlos y conseguir que los chicos sigan sintiéndose atraídos, por mí?

—Hay muchos chicos que no esperarán que te entregues, Cindy, y ésa es la clase de muchacho que te interesa. Aquellos que exigen el sexo alegando una u otra razón, es más que probable que te abandonen enseguida, una vez obtenido lo que buscan. Hay algo en los hombres que les hace desear conquistar a todas las mujeres, especialmente a las que poseen una belleza tan excepcional como la tuya. Y nunca olvides que ellos hablan entre sí y airean los detalles más íntimos cuando no aman de corazón.

–¡Mamá! ¡Por lo que dices parece que ser mujer sea una trampa! No quiero que me hagan caer en una trampa... ¡Yo quiero que caigan ellos! Pero he de confesarte que no soy muy fuerte para resistir. Bart me hace sentir tan insegura de mí misma que ansío que los chicos me convenzan de lo contrario. Pero a partir de hoy, cada vez que algún tipo consiga meterme en el asiento trasero de su coche y diga que caerá enfermo si no satisfago su lujuria, creo que me acordaré de ti y de papá y le asestaré un golpe en la cabeza... o le propinaré un rodillazo allí donde más duele.

Cindy me hizo reír como no me había reído durante semanas.

–Bien, querida. Estoy segura de que harás lo que debes. Ahora, hablemos de ese campamento de verano para que pueda dar todos los detalles a tu padre.

–¿Quieres decir que no he perdido las posibilidades de ir? –preguntó alegremente.

–Naturalmente que no. Creo que Chris estará de acuerdo en que necesitas un descanso después de la tragedia que hemos sufrido.

Chris estuvo de acuerdo, considerando, como yo, que una chica de dieciséis años necesitaba de un verano especial para divertirse. Cuando Cindy se enteró, tuvo que visitar a Jory y contárselo todo.

–El hecho de que me marche no significa que no me preocupe. Lo que ocurre es que me aburro muchísimo aquí, Jory. Escribiré a menudo y te enviaré pequeños regalos. –Lo abrazó, lo besó y sus lágrimas mojaron el rostro bien afeitado de su hermano–. Nada puede quitarte lo que tienes, Jory, ese algo maravilloso que te hace tan especial y que nada tiene que ver con tus piernas. Si no fueses mi hermano querría que te convirtieras en mi pareja.

—Claro que querrías —respondió él con un poco de ironía—. Pero gracias de todos modos.

Chris y yo dejamos a Jory al cuidado de su enfermera el tiempo suficiente para conducir a Cindy hasta el aeropuerto más cercano, donde nos despedimos de ella con un beso y le entregamos una pequeña cantidad de dinero para posibles gastos. Se puso muy contenta por ello y besó una y otra vez a Chris antes de alejarse, saludándonos vigorosamente con la mano.

—Escribiré cartas de verdad —prometió—, no sólo postales, y os enviaré fotografías. Gracias por todo, y no os olvidéis de escribirme con frecuencia para explicarme lo que ocurra. En cierto modo, vivir en Foxworth Hall es como estar metido en una novela profunda, oscura y misteriosa, aunque eso asusta demasiado cuando es uno mismo quien está viviendo la historia.

Camino del hospital, Chris me contó sus planes. Ya no podríamos trasladarnos a Hawai, abandonando a Jory a la débil caridad de Bart y Joel. Además si Melodie no era capaz de cuidarse ni a sí misma, cuánto menos a un marido enyesado, aunque contratara a una enfermera. Ni Jory ni Melodie estaban en condiciones de emprender el largo viaje en avión hasta Hawai ni lo estarían durante muchos meses.

—No sabré a qué dedicarme cuando Jory regrese a Hall y tenga quien lo atienda. Me ocurrirá lo mismo que a Cindy, que no sabía cómo estar ocupada y contenta. Jory no me necesitará todas las horas. Me sentiré un inútil a menos que haga algo provechoso, Cathy. No soy un hombre viejo. Todavía me esperan años buenos. —Le miré con tristeza mientras él mantenía la mirada fija en el tráfico. Sin volverse, prosiguió—: La medicina siempre ha desempeñado un papel importante en mi vida. Eso no implica que rompa mi promesa de pasar más tiempo contigo y con mi familia que el que dedique a mi profesión. Sólo deseo que recuerdes lo que significa para Jory perder una carrera...

Deslizándome en el asiento, para estar más cerca de él, apoyé mi cabeza en su hombro, y le animé, con voz ahogada, a que siguiera adelante e hiciera lo que creyese justo.

–...pero no olvides que un médico ha de tener un historial intachable, y algún día puede haber murmuraciones sobre nosotros.

Asintió, diciendo que ya había considerado esa posibilidad. Su propósito era dedicarse a la investigación de la medicina, pues así no tendría que enfrentarse con el público, que podía reconocerle como un Foxworth. Ya había reflexionado bastante sobre el tema. Estaba aburrido de permanecer en casa ocioso. Tenía que realizar algo importante, pues de otro modo perdería su autoestima. Le dirigí una brillante sonrisa aunque sentía que mi corazón desfallecía, ya que su sueño de vivir en Hawai también había sido el mío.

Cogidos de la mano, entramos en la enorme mansión que nos esperaba con las fauces abiertas.

Melodie se había encerrado en su habitación; Joel estaba en aquella pequeña sala desamueblada, rezando arrodillado a la luz de una única vela.

–¿Dónde está Bart? –preguntó Chris, mirando alrededor como si le asombrara que a alguien le apeteciera pasar tantas horas en un lugar tan siniestro.

Joel frunció el entrecejo y después sonrió ligeramente como si acabara de recordar que debía mostrarse amistoso.

–Bart estará en algún bar por ahí, bebiendo hasta caer debajo de la mesa, según él mismo dijo.

Yo nunca había sabido que Bart hiciera una cosa así. ¿Sentimiento de culpabilidad por haber organizado la representación que arruinó las piernas de su hermano y le costó la carrera? ¿Arrepentimiento por haber hecho que Cindy se marchara? ¿Conocía Bart el arrepentimiento? Miré distraídamente a Joel, que paseaba de un lado a otro, muy preocupado al parecer, y me pregunté ¿qué importancia podía tener para él el comportamiento de mi hijo?

El viejo nos siguió como solía seguir a Bart.

–Bart debería saber comportarse como es debido –masculló Joel–. Las putas y las rameras están esperando en los bares, aunque yo ya le he advertido acerca de ellas.

Sus palabras me intrigaron.

–¿Cuál es la diferencia entre una puta y una ramera, Joel?

Sus ojillos húmedos gritaron hacia mí. Como si le cegara una luz se los cubrió con la mano.

–¿Estás burlándote de mí, sobrina? La Biblia cita los dos nombres; por tanto ha de haber alguna diferencia.

–¿Una puta es peor que una ramera, o viceversa? ¿Es algo así lo que quieres decir? –Me miró con rabia, indicándome con sus ardientes ojos marchitos que mis estúpidas preguntas le atormentaban. Proseguí–: También existe la meretriz, y hoy en día tenemos busconas, *call girls*[1] y prostitutas... ¿Se pueden incluir entre las rameras o las putas, o acaso no tienen la misma categoría?

Su mirada se endureció y se clavó en mí con la cortante indignación de una virgen santa.

–No simpatizas conmigo, Catherine. ¿Por qué esa aversión? ¿Qué te he hecho yo para que desconfíes de mí? Yo estoy aquí para salvar a Bart de lo peor de sí mismo; de lo contrario me iría a causa de tu actitud, ¡a pesar de que yo soy más Foxworth de lo que tú eres! –Su expresión cambió entonces, y sus labios temblaron–. ¡No!, me retracto. Tú eres en realidad doblemente Foxworth, más de lo que yo soy.

¡Cómo lo odié por recordármelo! Se las había ingeniado para avergonzarme, como si yo tergiversara los mensajes silenciosos que él enviaba. Chris no terció para impedir el enfrentamiento que presentía que había de surgir antes o después.

1. Prostituta que acude a la llamada telefónica del cliente. *(N. del T.)*

–No sé por qué desconfío de ti, Joel –aseguré con voz más amable de la que normalmente empleaba con él–. Criticas demasiado a tu padre, y yo me pregunto si tú eres algo mejor o diferente.

Sin decir nada más, pero con una mirada triste que me pareció fingida, Joel se volvió de espaldas y se alejó arrastrando los pies, metiendo otra vez las manos en una de aquellas invisibles mangas de monje.

Esa misma noche, cuando Melodie insistió nuevamente en cenar sola en su habitación, me decidí. Aunque ella no quisiera ir, aunque luchara contra mí, ¡yo iba a llevar a Melodie para que visitara a Jory!

Entré con paso decidido en su dormitorio y retiré la bandeja de la cena, que apenas había probado. No pronunció ni una palabra. Melodie vestía la misma ropa desaliñada que llevaba desde hacía muchos días. Busqué en el armario su mejor conjunto veraniego y lo arrojé sobre la cama.

–Dúchate, Melodie, y lávate el cabello. Después vístete. Esta noche visitarás a Jory, tanto si quieres como si no.

Se levantó bruscamente y protestó. Actuó de manera histérica, renegando que todavía no podía ir, que no estaba preparada y que yo no podía obligarla. No presté atención a sus palabras y vociferé a mi vez que daba la sensación de que nunca estaría preparada y que ya no me importaban sus excusas.

–¡Tú no puedes forzarme a hacer ni una maldita cosa! –rugió muy pálida, mientras retrocedía. Entonces, sollozando, me suplicó que le concediera más tiempo para que pudiera asimilar que Jory estaba inválido. Le respondí que había tenido tiempo suficiente para meditarlo. Yo ya lo había asumido, Chris también, y Cindy... Ella podía fingir. Después de todo, se suponía que era una profesional de la escena, acostumbrada a representar cualquier papel.

Tuve que arrastrarla literalmente hasta la ducha y empujarla dentro, mientras ella decía que prefería un baño, Pero yo sabía qué ocurriría si se bañaba. Permanecería dentro de la bañera hasta que su piel se reblandeciera, y las horas de visita hubieran terminado. Esperé fuera, junto a la puerta de la ducha y la insté a que se apresurara. Ella salió, se envolvió en una toalla, sollozando todavía mientras sus ojos azules suplicaban piedad.

–¡Deja de llorar! –ordené, empujándola para que se sentara en el taburete del cuarto de baño–. Te secaré el pelo mientras tú te maquillas..., y procura ocultar esa hinchazón rojiza alrededor de tus ojos, pues Jory se percata de todo. Has de convencerle de que tu amor por él no ha cambiado.

Y así continué, hablando sin cesar para persuadirla de que encontraría las palabras adecuadas y la expresión exacta que debía mostrar; mientras, secaba su bonito pelo color de miel.

Su cabello tenía un brillo maravilloso; era más oscuro que el mío. La textura de su pelo era más fuerte que la del mío fino y débil, de color rubio. Cuando hube vestido a Melodie, la rocié con el perfume que más gustaba a Jory; entretanto, ella permanecía como en trance, sin saber qué tenía que hacer después. La abracé antes de llevarla hacia la puerta.

–Vamos, Melodie, no te resultará tan difícil como crees. Jory te quiere y te necesita. Cuando estés allí y él te mire, olvidarás que tiene paralizadas las piernas. Instintivamente harás y dirás lo más adecuado. Estoy segura que así será porque lo quieres.

Pálida bajo su maquillaje, me miró con sus grandes ojos, como si albergara dudas pero supiera que era mejor no expresarlas de nuevo.

Bart había regresado a casa de un bar cualquiera donde le habían servido suficiente bebida para aflojarle las piernas y desenfocarle los ojos. Se dejó caer en una mullida butaca, con las piernas estiradas. Detrás de él, en la penumbra, Joel estaba con los hombros caídos, como una palmera moribunda.

–¿Dónde vais? –preguntó Bart con voz gangosa, mientras yo intentaba sacar a Melodie por el vestíbulo camino del garaje sin que él nos viese.

–Al hospital –respondí, tirando de Melodie–. Y creo que ya es hora de que visites otra vez a tu hermano, Bart. No esta noche, pero sí mañana. Cómprale algún regalo que lo entretenga. Se volverá loco allí sin hacer nada.

–Melodie, no tienes por qué ir si no quieres –dijo Bart, incorporándose vacilante y poniéndose en pie–. No permitas que mi dominante madre te vaya empujando por ahí.

Melodie, temblorosa, se quedó atrás para mirar suplicante a Bart. Sin dudarlo un momento, tiré de ella y la obligué a entrar en el automóvil.

Bart fue tambaleándose hasta el garaje, vociferando que salvaría a Melodie. De pronto, perdió su equilibrio de borracho y se desplomó. Pulsé el botón eléctrico para abrir una de las grandes puertas del garaje, puse la marcha atrás y salí de allí.

A lo largo del trayecto hacia Charlottesville, hasta que estacioné en el aparcamiento del hospital, Melodie tembló, sollozó e intentó convencerme de que ella causaría más daño a Jory, que no le ayudaría. Intenté infundirle confianza y persuadirla de que podría manejar la situación.

–Por favor, Melodie, entra en esa habitación con una sonrisa. Revístete de tu nobleza, de ese aire regio de princesa que solías exhibir en otro tiempo. Después, cuando estés cerca de su cama, lo abrazas y lo besas.

Ella asentía torpemente, como haría un niño aterrorizado.

Le puse en los brazos las rosas que había comprado, junto con otros regalos que había envuelto con delicadeza; había uno que ella escogió en su momento para ofrecérselo a Jory después de la fiesta de Bart.

–Ahora le dirás que no has venido antes porque te has sentido muy débil y enferma. Cuéntale todas tus otras preocupaciones si quieres, pero no te atrevas ni a insinuar que, como esposa, ya no sientes nada hacia él.

Como un robot ciego, asentía rígidamente, esforzándose por mantener el paso a mi lado.

Nos encontramos a Chris, que se acercaba por el pasillo cuando nosotras salimos del ascensor en el sexto piso. Sonrió feliz al ver a Melodie conmigo.

—Qué maravilla, Melodie —dijo, abrazándola ligeramente antes de volverse hacia mí—. He salido y he comprado la cena de Jory, y también la mía. Está de bastante buen humor. Ha bebido toda la leche y ha comido dos bocados de pastel de nueces. Adora el pastel de nueces, como siempre. Melodie, si puedes, intenta que coma un poco más de ese pastel. Está perdiendo peso muy deprisa, y me gustaría que recuperase un poco.

Silenciosa todavía, con los ojos muy abiertos y carentes de expresión, Melodie asintió, mirando hacia la puerta marcada con el número 606 como si se enfrentase a la silla eléctrica. Chris le dio una palmadita amistosa, comprensiva, en la espalda, me besó y se alejó a grandes pasos, diciendo:

—Voy a hablar con los médicos. Me reuniré después con vosotras y os seguiré a casa en mi coche.

Lo cierto es que yo no sentía confianza alguna mientras acompañaba a Melodie hacia la puerta cerrada de Jory. Él se empeñaba en mantenerla cerrada en todo momento para que nadie pudiera ver a un antiguo *premier danseur* yaciendo inválido en su cama. Di un ligero golpe en la puerta y dos después. Era nuestra señal.

—Jory, soy yo, tu madre.

—Entra, mamá —dijo con un tono más alegre que en otras ocasiones—. Papá me ha avisado que llegarías en cualquier momento. Espero que me hayas traído un buen libro para leer. He terminado...

Se interrumpió y se quedó atónito, cuando hice entrar a Melodie delante de mí en la habitación.

Como había telefoneado a Chris para contarle mis planes, Chris había ayudado a Jory a despojarse de la ropa del hospital y ponerse la chaqueta de un pijama azul de seda con el cabello bien cepillado y cortado por primera vez desde su accidente, y pulcramente afeitado, presentaba el mejor aspecto que había tenido desde aquella horrible noche.

Intentó sonreír. A sus ojos asomó la esperanza, contento por ver a su esposa otra vez.

Ella se había quedado inmóvil allí donde yo la había empujado y no avanzó hacia la cama. Eso provocó que la sonrisa esperanzada de Jory se helara en su rostro. Él trató de disimular su anhelo, su vacilante llamita de esperanza, mientras sus ojos procuraban encontrarse con los de ella; pero Melodie evitó mirarle. La sonrisa se desvaneció, al tiempo que el destello ilusionado se apagaba en sus ojos, ahora muertos. Jory volvió su cara hacia la pared.

Me acerqué a Melodie y la empujé hacia la cama, comprobando qué expresión mostraba ella en su rostro. Pero permanecía de pie, rígida, inmóvil, con los brazos llenos de rosas rojas y regalos, clavada en el suelo, temblorosa como un álamo azotado por el fuerte viento. Le propiné un fuerte codazo.

—Di algo —murmuré.

—Hola, Jory —saludó con su vocecita tímida y trémula, y con la desesperación escrita en los ojos. De un empellón la envié más cerca de él—. Te he traído rosas...

Jory continuaba con el rostro vuelto hacia la pared.

De nuevo le di un codazo a Melodie, preguntándome si no debería irme y dejarles solos; no obstante temía que ella se volviese y huyera corriendo.

—Siento no haberte visitado antes —se disculpó ella titubeando, acercándose pasito a pasito hacia la cama—. También te he traído unos regalos..., algunas cosas que tu madre ha dicho que necesitabas.

Jory volvió bruscamente la cabeza. Sus oscuros ojos azules estaban llenos de rabia y resentimiento.

—Y mi madre también te ha obligado a venir, ¿verdad? Bueno, pues no es necesario que te quedes. Ya has entregado tus rosas y tus regalos, ahora... ¡vete de aquí!

Melodie se derrumbó a su lado, y dejó caer las rosas en la cama de Jory y los regalos en el suelo. Lloraba mientras trataba de cogerle la mano, que él retiró rápidamente.

–Te amo, Jory... Y lo siento, lo siento tanto...

–¡Ni por un momento he dudado de que lo sentías! –exclamó él–. ¡Has sentido muchísimo ver que todo el hechizo desaparecía en un instante y que te encuentras atada a un marido inválido! Pues bien, ¡no estás atada, Melodie! ¡Mañana mismo puedes pedir el divorcio y largarte!

Retrocedí hacia la puerta, compadecida de él... y de ella. Salí en silencio, pero dejé la puerta entreabierta para poder oír y ver lo que ocurría dentro. Tenía miedo de que Melodie aprovechara la ocasión para marcharse o que hiciera algo que acabara con los deseos de vivir de Jory... Pero si estaba en mi mano, yo haría cualquier cosa para detener a Melodie.

Una por una, la muchacha recogió las rosas caídas. Arrojó unas flores viejas, medio marchitas, en la papelera, y llenó el jarrón con agua en el baño contiguo; después arregló las rosas rojas con sumo cuidado, empleando mucho tiempo, como si, al hacer algo, pudiera aplazar el instante en que destruiría a Jory. Cuando las hubo arreglado, volvió de nuevo junto a la cama y recogió los tres regalos.

–¿No quieres abrirlos? –preguntó débilmente.

–No necesito nada –respondió él bruscamente, mirando otra vez con fijeza hacia la pared de modo que ella solamente le veía la nuca.

–Creo que te gustará lo que hay dentro. Te he oído decir tantas veces que lo necesitabas...

–Lo único que yo necesitaba era danzar hasta tener cuarenta años –balbuceó él–. Ahora que eso ha terminado, y no necesito una esposa ni una pareja de baile, no necesito ni quiero nada.

Ella depositó los regalos encima de la cama y se quedó de pie, retorciendo sus delgadas y pálidas manos, virtiendo silenciosas lágrimas.

–Te quiero, Jory –dijo con voz ahogada–. Quiero actuar correctamente, pero no soy tan valiente como tu madre y tu padre. Por eso no he venido a verte antes. Tu madre quería que te mintiera, que te dijera que he estado enferma, pero no ha sido una enfermedad lo que me ha impedido venir. Me quedé en casa, llorando, esperando encontrar la fortaleza necesaria para sonreír cuando por fin me decidiera a verte. Me avergüenza ser débil, no haberte dado lo que debería cuando tú me necesitabas. Y cuanto más tiempo permanecía lejos de ti, tanto más duro se me hacía verte. Temía que te negases a hablar conmigo, que no desearas mirarme y que yo cometiera alguna estupidez que te hiciera odiarme. No quiero el divorcio, Jory. Sigo siendo tu esposa. Chris me acompañó ayer al ginecólogo que dice que nuestro bebé está desarrollándose con normalidad.

Hizo una pausa e intentó tocarle el brazo; alargó la mano, pero él se agitó espasmódicamente, como si el tacto de Melodie quemara, aunque no retiró el brazo... Ella apartó el suyo.

Desde el pasillo, podía ver lo suficiente del rostro de Jory para saber que estaba llorando y trataba desesperadamente de que Melodie no lo advirtiese. También había lágrimas en mis ojos mientras permanecía allí acobardada, sintiéndome como una intrusa fisgona sin ningún derecho a observar y escuchar. A pesar de ello, no podía alejarme, pues cuando me retiré del lado de Julián, en el hospital, al regresar junto a él lo encontré muerto. De tal padre tal hijo. El hijo, igual que el padre, hacía batir los tambores del miedo en mi cabeza.

Melodie tendió la mano de nuevo para tocarle, esta vez en el cabello.

–No vuelvas la cara, Jory, mírame. Demuéstrame que no me odias por haberte fallado cuando tú más me necesitabas. Grítame, golpéame, pero no dejes de comunicarte conmigo. Estoy confusa. No puedo dormir por las noches, reprochándome no haberte impedido que bailases en esa obra. Siempre odié ese ballet, pero no quise decírtelo ya que tú te encargabas de la coreografía y el trabajo te encantaba. —Melodie se enjugó las lágrimas y después cayó de rodillas junto a la cama, inclinando la cabeza para apoyarla en la mano de él, que al fin había conseguido retener.

Yo casi no podía oír su voz, tan baja era.

—Podemos disfrutar de la vida juntos. Tú puedes enseñarme cómo. Allí donde tú me conduzcas, Jory, yo iré... Sólo tienes que decirme que quieres que me quede.

Quizá porque de pronto ella estaba ocultando la cara, y sus lágrimas mojaban la mano e Jory, él volvió la cara y la miró con ojos atormentados, trágicos. Se aclaró la garganta antes de hablar y se secó las lágrimas con el borde de la sábana.

—No quiero que te quedes conmigo si eso supone una carga para ti. Puedes volver cuando lo desees a Nueva York y bailar con otra pareja. El hecho de que yo esté inválido no significa que tú tengas que paralizar tu vida. Tienes tu carrera, y muchos años por delante. De modo que ve, Mel, con mis mejores deseos..., yo no te necesito.

Mi corazón gritaba angustiado, sabiendo que no era cierto.

Ella alzó la cabeza. El maquillaje se había estropeado a causa de tantas lágrimas.

—¿Cómo podría entonces vivir con la conciencia tranquila, Jory? Me quedaré. Haré cuanto esté en mi mano para ser una buena esposa.

Pensé en ese momento que Melodie había tardado demasiado en verle. Le había dado tiempo para pensar que no necesitaba una esposa, sino sólo una enfermera y compañera, y una madre sustituta para su hijo.

Cerré los ojos y comencé a rezar. «Dios mío, inspira a Melodie las palabras acertadas.» ¿Por qué no le decía que el ballet nada significaba si él no era su pareja? ¿Por qué no le decía que la felicidad de él contaba más que cualquier otra cosa? «Melodie, di algo que le haga creer que su incapacidad no te importa, que él es y será siempre el hombre que tú amas.» Pero Melodie no dijo nada parecido. Se limitó a abrir los regalos y mostrárselos, mientras él estudiaba su semblante con expresión cada vez más sombría. Jory le dio las gracias por la novela que ella le había traído (escogida por mí) y un juego de afeitar compuesto por unas navajas de plata, una brocha con mango de plata, un espejo que podía sujetarse en cualquier lugar con una ventosa y un vaso de plata labrada con jabón, colonia y loción para después del afeitado. Por último, Melodie abrió el mejor regalo: una gran caja de caoba llena de acuarelas. Como la pintura era una afición con la que Chris disfrutaba sobremanera, había pensado enseñar a Jory la técnica en cuanto regresara a casa. Mi hijo se quedó mirando la caja de pinturas durante un largo rato sin ningún interés; después desvió la mirada.

—Tienes buen gusto, Mel.

Ella asintió con la cabeza y preguntó:

—¿Hay algo más que necesites?

—No. Nada más. Vete. Tengo sueño. Me he alegrado de verte otra vez, pero estoy cansado.

Ella retrocedió vacilante, mientras mi corazón lloraba por ambos. Todo el amor que se habían profesado antes del accidente y toda aquella pasión habían sido arrasados por el diluvio del trauma de Melodie y la humillación de él.

Entré en la habitación.

—Espero no interrumpir nada importante, pero creo que Jory necesita descansar, Melodie. —Les sonreí alegremente—. Ya verás lo que estamos preparando para cuando regreses a casa. Si la pintura no te interesa ahora, ya te interesará más adelante. En casa tenemos otros tesoros que te aguardan. Te entusiasmarás, pero no puedo contarte nada. Será una gran sorpresa de bienvenida. —Me apresuré a abrazarle, lo que no resultaba fácil, pues su cuerpo estaba muy abultado y duro con el yeso. Lo besé en la mejilla, le alboroté el cabello y le apreté los dedos—. Todo saldrá bien, cariño —susurré—.

Melodie ha de aprender a aceptar la situación, igual que tú. Lo está intentando de verdad, y si no dice las palabras que a ti te gustaría oír es porque está demasiado aturdida para pensar claramente.

Jory sonrió irónicamente.

—Claro, mamá, claro. Ella me ama tanto como me amaba cuando yo podía caminar y danzar. Nada ha cambiado. Nada importante...

Melodie ya había salido de la habitación y me esperaba en el pasillo, de modo que no oyó estás últimas palabras. Ya de vuelta a casa, mientras Chris nos seguía en su automóvil, repitió una y otra vez:

—Oh, Dios mío, Dios mío... Oh, Dios mío..., ¿qué vamos a hacer?

—Te has comportado muy bien, Melodie, muy bien. La próxima vez lo harás todavía mejor —dije, animándola.

Pasó una semana y Melodie lo hizo mejor en su segunda visita, e incluso mejor en la tercera. Ya no se resistía cuando yo le decía que debía ir. Sabía que de nada le serviría negarse.

Al cabo de unos días, cuando estaba sentada frente al tocador, delante del largo espejo, aplicándome cuidadosamente el rimel, Chris se acercó con una expresión de alegría en su rostro.

—Tengo algo maravilloso que contarte —anunció—. La semana pasada visité al jefe del personal científico de la universidad y cumplimenté una solicitud para colaborar con su equipo de investigación del cáncer. Ellos saben, por supuesto, que sólo he sido un bioquímico aficionado. Sin embargo, algunas de mis respuestas les han complacido y me han pedido que me una a su equipo de investigadores. Cathy, estoy entusiasmado por tener un trabajo. Bart está de acuerdo en que nos quedemos en la casa todo el tiempo que queramos, ¡o hasta que se case! He hablado con Jory, y quiere estar cerca de nosotros. Su apartamento de Nueva York es tan pequeño... Aquí disdpondrá de grandes salones y pasillos largos y espaciosos para su silla de ruedas. Aunque ahora se niega a usarla, cuando le quiten el yeso cambiará de opinión.

El entusiasmo de Chris por su nuevo trabajo era contagioso. Me encantaba verle feliz, con algo que le distrajera la mente de los problemas de Jory. Me levanté para acercarme al armario, pero él me cogió y me hizo sentar sobre sus rodillas para acabar de explicarme la historia. No pude comprender parte de lo que dijo, pues a menudo empleaba la jerga médica, que era como chino para mí.

—¿Serás feliz, Chris? Es importante que hagas lo que quieras con tu vida. La felicidad de Jory me preocupa mucho, pero no quiero obligarte a permanecer aquí si Bart te resulta inaguantable. Sé sincero, ¿puedes soportar a Bart solamente para proporcionar a Jory un lugar maravilloso donde vivir?

—Catherine, amor mío, mientras tú estés conmigo, seré feliz. En cuanto a Bart, lo he soportado durante todos estos años, y puedo seguir soportándolo tanto tiempo como sea necesario. Sé quién está sosteniendo a Jory durante ese traumático período. Yo ayudo un poco, pero eres tú quien le llevas más luz de sol con tu charla ligera, tus maneras alegres, tus continuos regalos y tus promesas de que Melodie cambiará. Jory recibe cada una de tus palabras como si procedieran directamente de Dios.

—A partir de ahora tú estarás yendo y viniendo, y no te veremos mucho —me lamenté.

—Eh, borra esa expresión de la cara. Yo vendré a casa todos los días y procuraré llegar antes de que anochezca. —Y continuó explicándome que el trabajo en el laboratorio de la universidad comenzaba a las diez, lo que nos permitiría desayunar juntos. No habría llamadas de emergencia que le alejaran por las noches, tendría libres los fines de semana y un mes de vacaciones pagadas, aunque para nada nos importaba el dinero. Viajaríamos para asistir a convenciones donde conoceríamos a personas con ideas innovadoras, la clase de gente creativa que a mí más me gustaba.

Y así prosiguió, presentando las delicias de ese nuevo trabajo para que yo aceptara algo que él parecía desear muchísimo. Sin embargo, aquella noche no pude dormir, angustiada, arrepentida de haber decidido vivir en aquella casa que guardaba tan terribles recuerdos y había causado tantas tragedias.

A media noche, incapaz de conciliar el sueño, me senté en la salita de estar privada, contigua a nuestro dormitorio, para tejer lo que se suponía sería un suave gorrito blanco para el bebé. Casi me sentí como mi madre mientras tejía furiosamente; yo, como ella, era incapaz de dejar de hacer algo hasta haberlo terminado.

Sonaron unos suaves golpecitos en la puerta, y Melodie pidió permiso para entrar. Encantada por recibir su visita, respondí:

—Naturalmente, entra. Estoy contenta de que vieses luz por debajo de mi puerta. En ese momento pensaba en ti y Jory mientras tejía, y ¡maldita sea si sé cómo detenerme cuando he comenzado algo!

Con paso vacilante se acercó y se sentó en el sofá junto a mí. Su misma inseguridad me puso en guardia de inmediato. Echó una ojeada a mi labor y desvió la mirada.

—Necesito hablar con alguien, Cathy, con alguien sensato como tú.

Qué joven y digna de compasión parecía. Dejé mi tarea para volverme y abrazarla.

—Llora, Melodie, vamos. Tienes mucho por qué llorar. Te he tratado con aspereza, y tú lo sabes.

Inclinó la cabeza y la apoyó sobre mi hombro mientras se relajaba y sollozaba sin contención.

—Ayúdame, Cathy, por favor, ayúdame. No sé qué hacer. Pienso continuamente en Jory y en lo terrible que ha de ser para él sentirse así. Pienso en mí y en lo incapaz que me siento de afrontar esta situación. Me alegro de que me obligases a ir al hospital; aunque te odié en aquel momento. Hoy, cuando he ido sola, me ha sonreído, como si así se demostrase algo a sí mismo. Ya sé que he sido infantil y débil. Sin embargo, cada vez me resulta más difícil entrar en su habitación. Me da rabia verlo allí tendido tan inmóvil en esa cama, moviendo solamente los brazos y la cabeza. Lo beso, le cojo la mano, pero cuando comienzo a hablar de cosas importantes, Jory vuelve la cabeza hacia la pared y se niega a responder. Cathy... Tú crees que Jory está aprendiendo a aceptar su incapacidad, pero a mí me parece que desea morir... y es por culpa mía, ¡por culpa mía!

Me quedé atónita, con los ojos muy abiertos.

—¿Culpa tuya? Fue un accidente. Tú no debes culparte.

Las palabras le brotaron atropelladamente de los labios.

—¡Tú no comprendes por qué me siento así! Hay algo que me ha estado inquietando tanto que me siento perseguida por la culpa. Todo ha ocurrido porque estamos aquí, ¡en esta maldita casa! Jory no quería que tuviéramos un hijo hasta dentro de algunos años. Me hizo jurar antes de casarnos que no nos plantearíamos crear una familia hasta que hubiéramos disfrutado del éxito durante diez años por lo menos. Pero yo, a propósito, rompí mi promesa y dejé de tomar la píldora. Deseaba tener mi primer hijo antes de llegar a los treinta años. Me dije que después de que el bebé fuera concebido, él no querría que yo abortase. ¡Cuando se lo anuncié estalló! Se enfureció conmigo... y exigió que abortara.

—Oh, no... —Me sorprendió la reacción de Jory, y me di cuenta de que no le conocía tan bien como creía.

—No lo culpes; a fin de cuentas, yo fui la responsable. El ballet era su mundo —prosiguió Melodie, como si hubiera estado corriendo durante semanas—. No debía haberle traicionado. Le dije sencillamente que me había olvidado. El día que nos casamos yo ya sabía que para él lo primero era la danza, y yo, algo secundario, aunque me amaba. Entonces a causa de mi embarazo, abandonamos la gira, vinimos aquí..., ¡y mira lo que ha sucedido! No es justo, Cathy, ¡no es justo! Hoy mismo podríamos estar en Londres de no ser por el bebé. Él estaría en el escenario, inclinándose, agradeciendo los aplausos, los ramilletes, haciendo aquello para lo que nació. Yo lo engañé e indirectamente he sido causa del accidente. ¿Qué será de él ahora? ¿Cómo puedo compensarle de lo que le he robado?

Melodie temblaba como una hoja mientras yo la abrazaba. ¿Qué podía decir yo? Me mordí el labio con tal fuerza que me hice daño por ella y por Jory. Éramos muy semejantes en algunos aspectos; yo había causado la muerte de Julián al abandonarlo en España..., y aquello le había arrastrado al fin. No fue un daño deliberado, pero yo lo había provocado al hacer lo que consideraba justo, del mismo modo que Melodie había actuado como había creído oportuno. ¿Quién cuenta alguna vez las flores que mueren cuando nosotros arrancamos los hierbajos? Sacudí la cabeza, saliendo del abismo del pasado y centré toda mi atención en el momento presente.

—Melodie, Jory está mucho más asustado que tú, y con buenas razones. No debes culparte de nada. Jory es feliz con la idea de vuestro hijo ahora que ya está en camino. Muchos hombres protestan cuando sus mujeres quieren un hijo, pero cuando ven la criatura que ellos ayudaron a crear, se alegran de haberlo tenido. Jory está tendido en su cama, preguntándose, como tú, cómo funcionará su matrimonio ahora que no puede bailar. Es él quien está inválido, quien tendrá que enfrentarse todos los días al hecho de que no puede moverse, ni sentarse en una silla normal, ni correr por la hierba, ni siquiera ir al baño de una manera normal.

»Las actividades cotidianas, que hasta ahora eran sencillas para él, le resultarán muy difíciles. Además, considera todo lo que llegó a ser. Es un terrible golpe para su orgullo. Ni tan siquiera estaba dispuesto a intentar afrontarlo, pues temía que la carga resultase demasiado para ti. Pero escucha esto; esta tarde, mientras estaba con él, Jory me ha dicho que se esforzaría en animarse y salir de su depresión. Y lo hará, lo hará, y tú eres en parte responsable de su cambio de actitud, porque le has ayudado con tus visitas. Cada vez que vas a verle, lo convences de que aún lo amas.

¿Por qué Melodie se alejó de mis brazos y desvió su mirada? Se enjugó con impaciencia las lágrimas, se sonó la nariz y procuró dejar de llorar. Con gran esfuerzo, habló:

—No sé por qué, pero sigo teniendo unas horribles pesadillas. Me despierto asustada, pensando que algo todavía más terrible va a suceder. Se respira algo raro en esta casa, algo extraño y terrorífico. Cuando Chris y tú habéis salido, Bart se encuentra en su despacho, y Joel está rezando en aquella habitación, vacía y fea, yo, tendida en la cama, creo oír que la casa murmura y pronuncia mi nombre. Oigo el viento que sopla como si intentara decirme algo. Noto que el suelo cruje junto a mi puerta, y me levanto de un salto, corro hasta allí, la abro... y no hay nadie, ¡nunca hay nadie! Sospecho que todo es fruto de mi imaginación, pero yo lo oigo. Tú también has dicho en ocasiones que oyes a veces muchas cosas que no son reales. ¿Estoy perdiendo la razón, Cathy? ¿Lo estoy?

—Oh, Melodie —susurré, tratando de atraerla a mí otra vez, pero ella me rechazó y se deslizó hasta el extremo más lejano del sofá.

—Cathy, ¿por qué es diferente esta casa?

—¿Diferente de qué? —pregunté, inquieta.

—De las demás casas. —Echó una mirada temerosa hacia la puerta que daba al vestíbulo—. ¿Tú no lo percibes? ¿No puedes oírlo? ¿No notas que esta casa respira, como si tuviera vida propia?

Mis ojos se agrandaron mientras un frío helado me robaba la tranquilidad. Oía la respiración regular, pesada, de Chris, que llegaba débilmente desde el dormitorio.

Melodie, por lo general demasiado reticente a hablar, prosiguió con precipitación.

—Esta casa utiliza a la gente que alberga como un medio de mantenerse para siempre con vida. Es como un vampiro que chupase la sangre de todos nosotros. Me gustaría que no se hubiera restaurado. No es una casa nueva. Ha permanecido aquí durante siglos. Sólo el papel de la pared, la pintura y el mobiliario son nuevos, pero esas escaleras del vestíbulo que nunca subo o bajo sin ver los fantasmas de otros...

Una especie de aturdimiento paralizante me atenazó. Cada palabra que Melodie pronunciaba era pavorosamente cierta. ¡Yo oía respirar a la casa! Intenté volver a la realidad.

—Escucha, Melodie. Bart solamente era un chico pequeño cuando mi madre ordenó que esta casa se reconstruyera sobre los cimientos de la vieja mansión familiar. Antes de que ella muriese ya estaba construida, aunque no terminada del todo en su interior. Cuando se leyó el testamento de mi madre, en que dejaba esta casa a Bart y se declaraba a Chris administrador hasta que él fuese mayor de edad, decidimos que era una pérdida inútil no completar el trabajo. Chris y nuestro abogado se pusieron en contacto con los arquitectos y contratistas, y la obra prosiguió hasta quedar terminada. Sólo faltaba amueblarla. Eso tuvo que esperar hasta que Bart vino aquí en su época de estudiante universitario y encargó a los decoradores que le dieran el estilo que había tenido en los viejos tiempos. Y tienes razón. Yo hubiera deseado también que esta casa permaneciera en cenizas.

—Quizá tu madre sabía que esta casa era lo que Bart más quería y se la dejó para infundirle confianza. Es muy imponente para él. ¿No has advertido cómo ha cambiado Bart? Ya no es el muchachito que solía esconderse en la penumbra y acechar desde detrás de los árboles. Aquí es el amo, parece un barón revisando sus dominios. O tal vez debería compararle con un rey, puesto que es tan rico, tan tremendamente rico...

«No todavía..., todavía no», pensaba yo. Sin embargo, su voz débil, susurrante, me inquietaba. Yo no quería pensar que Bart fuese tan poderoso como un señor feudal. Pero ella prosiguió:

—Bart es feliz, Cathy, extraordinariamente feliz. Dice sentir lo que le ha ocurrido a Jory. Después telefonea a esos abogados para preguntarles por qué siguen posponiendo la nueva lectura del testamento de su abuela. Alegan que no pueden hacerlo a menos que todas las personas mencionadas en él estén presentes durante la lectura, de modo que lo aplazan hasta el día que Jory salga del hospital. Lo leerán en el despacho de Bart.

—¿Cómo sabes tanto de los asuntos de Bart? —pregunté bruscamente, muy suspicaz de pronto, recordando que ella pasaba mucho tiempo en la casa con mi segundo hijo, acompañados por un hombre viejo que estaba la mayor parte del día en aquella habitación desamueblada que utilizaba como capilla. Joel vería con mucha satisfacción la destrucción de Jory si eso satisfacía a Bart. A los ojos de Joel, un bailarín masculino, que exhibía su cuerpo, saltando y contoneándose delante de las mujeres, cubierto sólo con un taparrabos no era mejor que el peor de los pecadores. Miré nuevamente a Melodie.

—¿Habéis pasado tú y Bart mucho tiempo juntos?

Se levantó decidida.

—Estoy cansada ahora, Cathy. He hablado demasiado, y debes de creer que estoy loca. ¿Todas las embarazadas tienen unos sueños tan terribles? ¿Los tuviste tú? También tengo miedo de que mi bebé no sea normal a causa de la angustia que he sentido tras el accidente de Jory.

Traté de consolarla como pude. Me sentía enferma en mi interior. Más tarde, ya en la cama junto a Chris, comencé a dar vueltas y moverme, entrando y saliendo de mis pesadillas, hasta que él se despertó y me suplicó que le dejara dormir un poco. Entonces lo abracé con fuerza, aferrándome a él como a una tabla salvadora; como siempre me había asido a la única brizna de paja que me impidió ahogarme en el cruel mar de Foxworth Hall.

REGRESO A CASA

Por fin los decoradores que yo había contratado para arreglar las habitaciones de Jory terminaron su trabajo. Todo estaba dispuesto para su entretenimiento, comodidad y conveniencia. Contemplé junto a Melodie cuanto se había hecho para que la estancia resultase brillante y alegre.

—A Jory le gusta mucho el color y la luz, a diferencia de otros, que prefieren la oscuridad porque tiene una apariencia más ostentosa —explicó Melodie, y en sus ojos se advertía un brillo extraño.

Naturalmente yo sabía que se refería a Bart. La miré con curiosidad, preguntándome de nuevo cuánto tiempo pasaba con Bart, de qué hablaban, y si él se había insinuado. Yo creía que toda aquella ansia que percibía en los ojos de Bart le impulsaría a propasarse. Y qué mejor momento que ése, cuando Jory se hallaba lejos, y Melodie estaba desesperadamente necesitada de cariño. Pero mi válvula de seguridad giró entonces... Melodie despreciaba a Bart. Podía necesitarle para hablar, pero para nada más.

—Di qué más puedo hacer para ayudar —dije con la intención de que ella asumiera la mayor parte de la responsabilidad para sentirse necesitada, útil. En respuesta, Melodie me sonrió por primera vez con cierta expresión de felicidad.

—Puedes ayudarme a hacer la cama con las bonitas sábanas que encargué. —Rasgó las envolturas de plástico, y el movimiento hizo bailar sus senos hinchados. Sus pantalones vaqueros comenzaron a abultarse un poco.

Yo me preocupaba tanto por ella como por Jory. En su estado de gestante necesitaba comer más, beber leche y tomar vitaminas. Por otro lado, se había operado en ella un cambio inesperado, opuesto a la gran depresión en que se hallaba sumida antes. Ahora aceptaba por completo la infeliz situación de Jory, que era lo que yo había deseado. Sin embargo, ese cambio se había producido demasiado deprisa, por lo que tenía la impresión de que era falso.

Surgió entonces una explicación a su recién encontrada seguridad.

—Cathy, Jory se curará y volverá a bailar. La noche pasada lo soñé, y mis sueños siempre se hacen realidad.

Comprendí que Melodie trataba de convencerse, como había hecho yo al principio de que Jory se recobraría algún día, y sobre esa fantasía reconstruiría su vida... y la de él.

Entonces Bart entró en el vestíbulo exterior, recorrió el largo pasillo en penumbra con pesados pasos y miró con el entrecejo fruncido el revestimiento de la pared, en otro tiempo oscuro, y ahora pintado de blanco para que los cuadros de marinas destacaran. Era fácil ver que le desagradaban nuestros cambios.

—Lo hemos hecho para complacer a Jory —dije antes de que él pudiera protestar. Melodie permanecía silenciosa y lo miraba fijamente con los ojos muy abiertos, con la mirada de una niña asustada atrapada en una situación comprometedora—. Ya sé que tú quieres que tu hermano sea feliz y por eso debes recordar que nadie ama el mar, el oleaje, la arena y las gaviotas más que Jory. De modo que estamos poniendo en su cuarto un poco de mar y de costa. Así le demostraremos que todas las cosas importantes de la vida siguen existiendo todavía para él; el cielo arriba, la tierra abajo y en medio el mar. No queremos que eche nada de menos, Bart. Jory disfrutará de cuanto le sea necesario para mantenerle vivo y feliz. Estoy segura de que querrás poner también algo de tu parte.

Bart miraba a Melodie con enorme descaro, su mirada se clavó en los pechos ya más llenos de Melodie y bajó para observar la curva que producía el bebé dentro de su vientre.

—Melodie, podías habérmelo consultado antes de hacer nada, ya que soy yo quien paga las facturas. —Fui completamente ignorada, como si no estuviera allí.

—¡Oh, no! —protestó Melodie—. Jory y yo tenemos dinero. Podemos costear las modificaciones que hemos introducido en la habitación. Además, no creí que te importara, pues pareces muy preocupado por él.

—Vosotros no tenéis que pagar nada —dijo Bart con una generosidad que me sorprendió—. El día que Jory vuelva a casa, esa misma tarde vendrán los abogados para leer de nuevo el testamento; esta vez sabré exactamente cuánto valgo. Estoy harto de que ese día se vaya posponiendo.

—Bart —dije yo, avanzando un paso para colocarme entre él y Melodie—, tú sabes por qué no han vuelto a leer el testamento. Quieren que Jory esté presente.

Bart caminó alrededor de mí para poder clavar su mirada en los grandes ojos tristes de Melodie. Le habló directamente a ella.

—Pídeme siempre lo que necesites, y lo tendrás al instante. Tú y Jory podéis quedaros aquí todo el tiempo que queráis.

Se quedaron ambos mirándose fijamente. Los ojos oscuros de Bart penetraron en los azules de Melodie antes de decirle con ternura, casi suplicando:

—No te preocupes tanto, Melodie. Tú y Jory tendréis un hogar aquí durante todo el tiempo que queráis.

No me importa que decoréis estas habitaciones a vuestro gusto. Deseo que Jory se sienta tan cómodo y feliz como sea posible.

¿Eran palabras de cumplido para satisfacerme a mí..., o palabras calculadas para seducir a Melodie? ¿Por qué ella se ruborizó y bajó la mirada al suelo?

Lo que Cindy había contado resonó como campanas distantes en mi memoria; un seguro para los invitados... en caso de accidentes; arena mojada que hubiera debido estar seca; arena que se aglutinó como cemento y no se vertió instantáneamente para que las columnas de cartón piedra fuesen seguras.

En mis pensamientos se filtraron recuerdos de Bart cuando tenía siete, ocho, nueve y diez años: «Me gustaría tener unas piernas tan bonitas como las de Jory. Me gustaría poder correr y bailar como Jory. Voy a crecer más alto, voy a crecer más robusto, voy a ser más poderoso que Jory. Algún día. Algún día...»

Los deseos murmurados por Bart en su infancia, repetidos tantas veces. Yo me había acostumbrado a ellos sin darles importancia. Entonces, cuando se había hecho mayor... «¿Quién me amará a mí como Melodie ama a Jory? ¡Nadie! ¡Nadie!»

Sacudí la cabeza para librarme de los recuerdos desagradables de un muchachito que quería igualarse en estatura a su hermano mayor y superarlo en talento.

Pero ¿por qué en esos momentos dirigía a Melodie una mirada de significado inequívoco? Los ojos azules de Melodie se alzaron para encontrarse breves instantes con los de él; ella desvió entonces la mirada, de nuevo ruborizada, y colocó las manos en la posición que todos los bailarines utilizaban para atraer la atención del público. En el escenario, Melodie estaba en el escenario, representando un papel.

Bart se alejó con pasos confiados y seguros. Yo sentí tristeza y lamenté que hubiera necesitado salir de la sombra de Jory para encontrar la capacidad de coordinar su propio cuerpo. Lancé un suspiro y decidí pensar en el presente y en todo lo que se había hecho para dar a la convalecencia de Jory el ambiente perfecto.

A los pies de la cama había un gran aparato de televisión en color, que disponía de mando a distancia. Un electricista había ideado un sistema para que Jory pudiera abrir y cerrar las cortinas cuando lo deseara. Había un equipo de música a su alcance, y los libros se alineaban detrás de su cama abatible, en la que podía incorporarse y colocarse en casi todas las posiciones que deseara. Melodie y yo, con la ayuda de Chris, nos habíamos devanado los sesos para encontrar todos los ingenios modernos que le permitieran hacer lo que pudiera por sí mismo... Lo único que nos faltaba era encontrar una ocupación que le resultara realmente interesante y que bastase para absorber su energía y estimular su talento innato.

Tiempo atrás, yo había comenzado a leer obras sobre psicología, en un pobre intento por ayudar a Bart. Ahora sí podía ayudar a Jory, espolear su personalidad de «caballo de carreras», que le incitaba a competir y ganar. No soportaba el aburrimiento, nunca podría estar ocioso. Había ya una barra junto a la pared, instalada allí hacía poco tiempo, para darle la confianza de que un día él se levantaría, aunque tuviera que llevar un soporte en la espalda. Suspiré al pensar en mi hijo tan bello, tan exquisito, avanzando como un caballo con sus arreos. Las lágrimas rodaron por mis mejillas, lágrimas que no tardé en enjugar para que mi nuera no las viese.

Melodie se cansó pronto y salió para tenderse un rato y descansar. Cuando hube comprobado que todo estaba en orden en la habitación, me apresuré a revisar las rampas que estaban construyéndose para que Jory pudiera acceder a las terrazas y los jardines. No se regateaba esfuerzo alguno para procurar que no quedase confinado en su habitación. También había un ascensor, recientemente instalado, donde antes se hallaba la despensa.

Llegó finalmente el maravilloso día que dieron de alta a Jory. Todavía llevaba la espalda enyesada, pero comía y bebía normalmente y había recuperado su color y algo del peso perdido. Se me encogía el corazón al verle tendido en una camilla, camino del ascensor, pensando en otros tiempos cuando subía los escalones de tres en tres. Vi que volvía la cabeza hacia la escalera como si estuviera dispuesto a vender su alma para utilizarla de nuevo.

Pero, sonriendo, observó la gran suite de habitaciones, todas restauradas, y sus ojos resplandecieron.

—Es estupendo lo que habéis hecho, realmente estupendo. Mi combinación favorita de colores, blanco y azul. Me habéis traído la costa... Vaya, si casi puedo oler el salitre, oír las gaviotas y el oleaje. Es maravilloso, maravilloso de verdad lo que la pintura, los cuadros y las plantas verdes pueden hacer.

Su esposa estaba a los pies de la estrecha cama que Jory tendría que usar hasta que le quitaran el yeso. Melodie evitó encontrarse con la mirada de él.

—Gracias por apreciar lo que hemos hecho. Tu madre, Chris y yo. Hemos intentado complacerte.

Los ojos azules de Jory se volvían intensos al mirarla, presintiendo algo que yo también presentía. Jory miró hacia las ventanas, con los labios apretados, antes de que se encerrara en su concha.

En ese mismo momento, avancé un paso para entregarle una gran caja, conservada para esa ocasión.

—Jory, toma, algo interesante que puedes hacer mientras estás confinado en la cama. No quiero que te pases todo el tiempo viendo las tonterías de ese aparato.

Aliviado en apariencia por no tener que molestar a su mujer con palabras que ella no quería escuchar, Jory fingió una ansiedad infantil sacudiendo la enorme caja.

—¿Un elefante encogido? ¿Una plancha de surf? —preguntaba, mirándome solamente a mí. Le alboroté el rizado cabello, inclinándome para abrazarle y besarle, y ordenándole que se apresurara a abrir aquella caja. Me moría por escuchar lo que opinaba de mi regalo, que había sido traído desde Nueva Inglaterra.

Muy pronto Jory le había quitado las cintas y la bonita envoltura y contemplaba la caja larga que contenía lo que parecían ser pulcros manojos de cerillas anormalmente largas, pequeñas botellas de pintura, botellas mayores de cola, ovillos de cordel fino y tela envuelta para que no se arrugase.

—Un juego para montar un barco clíper —dijo él maravillado y desanimado al mismo tiempo—. Mamá, ¡hay diez páginas de instrucciones! Eso es tan complicado que necesitaré la mayor parte de mi vida para acabarlo. Y cuando esté hecho..., si es que acabo, ¿qué tendré?

—¿Qué tendrás? Hijo mío, cuando lo hayas terminado poseerás una herencia inestimable, para dejar a tu hijo o hija. —Hablé con orgullo, segura de que él podría seguir las difíciles instrucciones—. Tienes manos firmes, buen ojo para los detalles, fácil comprensión de la palabra escrita y constancia suficiente. Además, echa una ojeada a esa repisa vacía que está pidiendo un bonito barco para adornada.

Riendo, Jory inclinó la cabeza hacia atrás y la recostó contra la almohada, agotado ya. Cerró los ojos.

—De acuerdo, me has convencido. Lo intentaré..., pero no tengo mucha experiencia en estas cosas. No he vuelto a hacer nada parecido desde que era muchacho y pegaba piezas de aeroplano.

Oh, sí, yo lo recordaba muy bien. Los aviones colgaban del techo de su habitación, lo que enfurecía a Bart, que en aquellos tiempos era incapaz de construir algo como era debido.

—Mamá..., estoy cansado. Dame la oportunidad de echar una cabezada antes de que vengan los abogados para leer ese testamento. No sé si estoy bien para aguantar toda esa excitación de la total independencia de Bart...

En ese momento Bart entró en la habitación. Jory lo presintió y abrió los ojos. Las miradas de uno y otro se encontraron y quedaron prendidas, en un desafío terriblemente largo. Creció el silencio. Siguió creciendo hasta que pude oír el palpitar de mi propio corazón. El reloj, detrás de mí, latía con un sonido demasiado alto, y Melodie respiraba con pesadez. Percibí que los pajarillos piaban fuera antes de que Melodie comenzara a arreglar otro jarrón de flores, sólo para tener algo que hacer.

Las miradas de mis hijos se mantuvieron enfrentadas durante un largo espacio de tiempo. Bart hubiera debido hablar y dar la bienvenida a su hermano, a quien sólo había visitado una vez. Sin embargo, continuaba allí, de pie, como si tuviera la mirada cautiva en Jory hasta que éste rompió el hechizo, derrotado en la silenciosa batalla de voluntades.

Yo había abierto los labios para detener esa confrontación, cuando Jory sonrió y sin bajar los ojos ni romper el enlace establecido con Bart, dijo afectuosamente:

—Hola, hermano. Ya sé cuánto odias los hospitales, de modo que fue doblemente amable por tu parte visitarme. Puesto que ahora estoy aquí, en tu casa... ¿no es más fácil decirme hola? Estoy contento de que mi accidente no estropeara tu fiesta de aniversario. Cindy me ha contado que mi caída solamente ensombreció un momento la diversión y que la fiesta prosiguió como si nada hubiera sucedido.

Sin embargo, Bart continuaba sin pronunciar palabra. Melodie colocó la última rosa en el jarrón y alzó la cabeza. Algunos mechones de su cabello habían escapado del apretado confinamiento de su gorrito, dándole el aspecto encantador e informal de antaño. Parecía cansada como si se hubiera rendido a la vida y sus vicisitudes. ¿Imaginaba yo que ella enviaba una silenciosa advertencia a Bart... y que él la comprendió? De pronto Bart esbozó una sonrisa, aunque forzada.

—Me alegro de que hayas vuelto. Bien venido a casa, Jory. —Avanzó para estrechar la mano de su hermano—.

Si hay algo que pueda hacer por ti, dímelo. –Dicho esto, salió de la habitación y yo me quedé mirándolo, preguntándome, si...

Exactamente a las cuatro de aquella misma tarde, poco después de que Jory se despertase y Chris y Bart lo levantaran y colocaran en una camilla, llegaron tres abogados, que invadieron el suntuoso despacho de Bart. Todos nos acomodamos en las elegantes butacas de cuero de color marrón claro, excepto Jory, que se hallaba tendido en una camilla con ruedas, inmóvil y silencioso. Tenía entornados sus cansados ojos, demostrando su poco interés. Cindy había venido en avión para estar presente, como era requerido, pues ella también era mencionada en el testamento. Sentada en el brazo de mi butaca, balanceaba su bien torneada pierna, sin dar demasiada importancia a todo el asunto, mientras Joel la miraba ferozmente al ver sus zapatos azules de tacón, que llamaban la atención en aquellas piernas tan hermosa. Todos permanecíamos en silencio como si asistiéramos a un funeral, mientras los abogados hojeaban documentos, se ponían gafas y murmuraban, lo que nos causaba gran inquietud.

Especialmente Bart estaba muy nervioso. Parecía exaltado y se mostraba suspicaz por la manera en que los abogados le miraron varias veces. El más anciano de los tres, que actuaba como portavoz, pronunció primorosamente las palabras de la parte principal del testamento de mi madre. Todos lo habíamos oído con anterioridad.

–...cuando mi nieto, Bartholomew Winslow Scott Sheffield, quien reclamará el apellido Foxworth al que tiene derecho, alcance la edad de veinticinco años –leía aquel hombre sesentón con las gafas posadas en la punta de la nariz–, recibirá anualmente la suma de quinientos mil dólares hasta que alcance la edad de treinta y cinco años. Al llegar a la mencionada edad, el resto de mis propiedades, llamado The Corrine Foxworth Winslow

Trust, será entregado a mi nieto, Bartholomew Winslow Scott Sheffield Foxworth, en su totalidad. Mi primer hijo, Christopher Garland Sheffield Foxworth, actuará como administrador hasta el momento mencionado. Si, como administrador, no sobreviviera hasta la fecha en que mi nieto Bartholomew Winslow Scott Sheffield Foxworth alcanzara la edad de treinta y cinco años, entonces, mi hija, Catherine Sheffield Foxworth, será nombrada administradora sustituta hasta que mi ya citado nieto cumpla los treinta y cinco años.

Hubo más, mucho más, pero no oí el resto. Consternada y sorprendida, miré a Chris, que parecía aturdido. Entonces mis ojos se detuvieron en Bart.

En su semblante pálido se registraba un caleidoscopio de expresiones cambiantes. Introdujo sus dedos fijos y largos entre su perfecto peinado y se alborotó el cabello. Con manifiesta inseguridad, miró a Joel como si buscara una guía, pero éste se limitó a encogerse de hombros y apretó los labios como expresando: «Ya te lo dije.»

A continuación, Bart miró con rabia a Cindy, como si su presencia hubiera cambiado mágicamente el testamento de su abuela. Su mirada se desvió hacia Jory, que, soñoliento en la camilla, se mostraba indiferente a cuanto ocurría, excepto a Melodie, que miraba fijamente a Bart con el rostro demudado como una llamita oscilante bajo el fuerte viento de la desilusión de Bart. Éste se giró con brusquedad cuando Melodie bajó la cabeza, la apoyó en el pecho de Jory y se echó a llorar en silencio.

Pareció que transcurría una eternidad antes de que el abogado más anciano plegase el testamento, lo introdujera en un sobre azul y lo depositara sobre el escritorio de Bart. Se levantó con los brazos cruzados, esperando las preguntas de Bart.

—¿Qué demonios sucede? —exclamó Bart.

Se puso en pie de un salto, se acercó a su escritorio y se apoderó del testamento, que hojeó rápidamente con la mirada de un experto. Cuando hubo terminado, lo arrojó de nuevo sobre la mesa.

—¡Ojalá sea condenada al infierno! Me lo prometió todo, ¡todo! Y ahora tengo que esperar diez años más... ¿Por qué no se leyó esa parte la primera vez? Yo estaba allí y, aunque tenía solamente diez años, recuerdo que en el testamento se declaraba que yo sería independiente cuando tuviera veinticinco. Tengo veinticinco años y un mes... ¿Dónde está mi premio?

Chris se levantó.

—Bart —dijo serenamente—, dispones de quinientos mil dólares al año, que no es una cantidad nada despreciable. Además, ¿no has oído que todos tus gastos y el costo de mantenimiento de esta casa irán a cargo del dinero todavía en fideicomiso? Todos tus impuestos se pagarán de antemano. Y quinientos mil dólares anuales durante diez años es más dinero que el que pueda obtener el 99,9 por ciento de las personas que conocerás en toda tu vida. ¿No es suficiente para afrontar tu ritmo de vida después que todos los otros gastos hayan sido cubiertos? Además, esos diez años volarán y entonces todo será tuyo para hacer con ello lo que te plazca.

—¿Cuánto hay en total? —preguntó Bart, con la rapacidad reflejada en sus ojos oscuros, tan intensos que parecían arder. Tenía el rostro encendido por la ira—. Se me pagarán cinco millones en un período de diez años; pero ¿cuánto quedará? ¿Diez millones más? ¿Veinte, cincuenta, mil millones... cuánto?

—No lo sé con certeza —explicó con frialdad Chris mientras los abogados miraban fijamente a Bart—. Pero diría, y no creo equivocarme, que el día que finalmente poseas todo, te convertirás sin duda, en uno de los hombres más ricos del mundo.

—Pero hasta entonces...., ¡lo eres tú! —exclamó Bart, colérico—. ¡Tú! Entre toda la gente del mundo, ¡tú! ¡La persona que más ha pecado! ¡No es justo, no es en absoluto justo! ¡Se me ha engañado, estafado!

Nos lanzó a todas una mirada furiosa antes de salir de su despacho dando un portazo. Pero un segundo después asomó de nuevo la cabeza.

—Lo lamentarás, Chris —voceó con fiereza—. Tú debiste convencerla de añadir esa cláusula y diste instrucciones a los abogados para que no lo emitieran en la primera lectura cuando tenía diez años. ¡Por tu culpa no he recibido todo lo que me corresponde!

Como siempre, había sido culpa de Chris... o mía.

AMOR FRATERNAL

La mayor parte del caluroso mes de agosto había transcurrido mientras Jory estaba en el hospital, y setiembre llegó, con sus noches más frescas, demasiado pronto, iniciando el colorido proceso otoñal. Chris y yo rastrillábamos hojas después de que los jardineros se hubieran marchado, considerando que habían dejado una gran cantidad de ellas. Las hojas no cesaban de caer, y era una actividad que a ambos nos gustaba.

Las amontonábamos en hoyos profundos, encendíamos una cerilla y nos agachábamos para observar el fuego que crepitaba y calentaba nuestras manos y caras frías. El fuego, ahí abajo, era tan seguro que podíamos disfrutar simplemente con su contemplación. Nos volvíamos a menudo para mirarnos mutuamente y ver cómo el resplandor nos encendía la mirada y ponía en nuestra piel un adorable tono rojizo. Chris me dedicaba una mirada de amante, me acariciaba con ternura la mejilla con el revés de su mano, y rozaba mi cabello con la punta de sus dedos, besándome el cuello, conmoviéndome profundamente con su constante amor.

Y entretanto, siempre encerrada en su habitación en aquella horrible casa, Melodie se hinchaba cada vez más.

El mes de octubre se presentó con un espectacular esplendor de colores que me quitaban la respiración y me llenaba de un asombro que sólo la naturaleza puede causar. Esos que ahora admiraba eran los mismos árboles cuyas copas habíamos vislumbrado desde el ático. Casi podía vernos a los cuatro si alzaba la mirada hacia las ventanas del ático; los gemelos, sólo cinco años, languideciendo, semejantes a duendes de grandes ojos, y nuestras caras, pequeñas y pálidas, pegadas tristemente al cristal sucio, mirando con ansia hacia fuera, anhelando ser libres para hacer lo que ahora aceptábamos como lógico y natural.

Nuestros fantasmas parecían estar allá arriba.

Gris era el color de nuestros días, así solía yo pensar en aquella época. Y gris era ahora el color de los días de Jory. No podía contemplar la belleza del otoño en las montañas, ni cruzar los senderos del bosque, ni danzar sobre el césped amarillento ni inclinarse para oler las flores caídas, ni corretear junto a Melodie.

Las pistas de tenis permanecían vacías desde que Bart las abandonó al no tener pareja con quien jugar. A Chris le hubiera encantado disputar un partido el sábado o el domingo con Bart, pero Bart seguía ignorándole.

La gran piscina, que había constituido la delicia especial de Cindy, fue desaguada, limpiada y cubierta. En la mansión se bajaron las persianas y se limpiaron los cristales antes de instalar las ventanas protectoras contra las tormentas. La leña quedó apilada detrás del garaje, en montones cada vez mayores. Los camiones trajeron carbón para utilizarlo si los calentadores de petróleo o la corriente eléctrica fallaban. Aunque disponíamos de una unidad auxiliar para iluminar nuestras habitaciones, yo temía ese invierno como no había temido ninguno otro, excepto aquéllos en el ático, donde nos congelábamos de frío, como si viviéramos en la zona ártica. Por fin tendríamos la oportunidad de experimentar cómo era Foxworth cuando mamá disfrutaba de la vida con sus padres, amigos y el amante que encontró, mientras cuatro niños no deseados sufrían arriba, helados y muertos de hambre.

Las mañanas de domingo eran las mejores. Chris y yo gozábamos de nuestro tiempo juntos. Desayunábamos en la habitación de Jory para que él no se sintiera tan separado de la familia. En muy raras ocasiones conseguí persuadir a Bart y a Melodie de que se reunieran con nosotros.

—Id a pasear —nos animaba Jory, cuando me veía mirar varias veces hacia la ventana—. No creáis que envidiaré vuestras piernas porque las mías están inmóviles. No soy un bebé, ni tan egoísta.

Obedecíamos a Jory para que no pensara que modificábamos nuestro estilo de vida debido a él. Y así proseguíamos, confiando en que Melodie se reuniera con él.

Un día nos despertamos tan temprano que la capa de hielo que cubría el suelo era todavía gruesa. El hielo parecía un dulce, azúcar en polvo, que pronto se derretiría cuando el sol acabara de salir.

Nos detuvimos en nuestro paseo para observar en el cielo a los gansos canadienses que volaban hacia el sur, indicando que el invierno llegaría ese año más temprano. Escuchamos el distante graznido melancólico de aquellas incansables aves hasta que se desvaneció cuando desaparecieron entre las nubes mañaneras. Volaban hacia Carolina del Sur...

A mediados de octubre se presentó el ortopedista y con unas grandes tijeras eléctricas partió a medias el yeso de Jory. Después utilizó unas tijeras manuales para cortar con sumo cuidado lo que quedaba de escayola. Jory dijo que se sentía como una tortuga sin su concha. Su cuerpo fuerte se había deteriorado dentro de aquel yeso.

—Tras unas semanas ejercitando los brazos, los músculos de tus hombros dejarán tu torso tan desarrollado como siempre —le animó Chris—. Necesitarás tener los brazos fuertes, de modo que continúa utilizando ese trapecio. Colocaremos además barras paralelas en tu salita para que de vez en cuando puedas alzarte y quedar en pie. No creas que la lucha ha terminado para ti, que todo ese desafío ha quedado atrás y que ahora nada importa. Te faltan muchos kilómetros por recorrer todavía, no lo olvides.

–Sí –murmuró Jory débilmente, mirando con ojos inexpresivos hacia la puerta que Melodie raramente cruzaba–. Kilómetros y kilómetros que recorrer antes de encontrar otro cuerpo que funcione como debe. Supongo que comenzaré a creer en la reencarnación.

Los días frescos se tornaron fríos en extremo, coronados por noches otoñales que nos llevaban con rapidez hacia las heladas. Los pájaros migratorios dejaron de volar por encima de nuestras cabezas ahora que el viento silbaba entre las copas de los árboles, aullando alrededor de la casa, filtrándose dentro de nuestras habitaciones. La luna era de nuevo una larga nave vikinga saqueadora, navegando a toda vela, inundando nuestro lecho con su luz, avivando el fuego para un nuevo romance. Chris y yo disfrutábamos de un amor brillante, frío y limpio que encendía nuestros espíritus y nos indicaba que no éramos realmente pecadores de la peor especie; no cuando nuestro amor perduraba a lo largo de los años, mientras otros matrimonios se rompían al cabo de unos meses o años. No podíamos estar pecando y sentir lo que sentíamos el uno hacia el otro. ¿A quién hacíamos daño? A nadie, en realidad. En nuestra opinión, Bart se hería a sí mismo.

Sin embargo, ¿por qué me atormentaban las pesadillas que decían otra cosa? Me había convertido en una experta en ahuyentar pensamientos turbadores y centrar mi atención en los detalles triviales de mi vida. Nada me evadía tanto de la realidad como la asombrosa belleza de la naturaleza. Yo confiaba en que ella cerraría mis heridas, y las de Jory... e incluso, quizá, las de Bart.

Con mirada escrutadora estudiaba todas las señales, como podría hacerlo un granjero, e informaba a Jory. Los conejos engordaron, las ardillas parecían almacenar más nueces, y las orugas parecían vagones velludos de tren avanzando lentamente hacia la seguridad..., allí donde se hallara.

No tardé en sacar los abrigos de invierno que había tenido intención de donar a la beneficencia; suéteres pesados y faldas de lana que jamás habría podido llevar en Hawai. En setiembre, Cindy había partido en avión hacia el instituto en Carolina del Sur. Ése sería su último año en una escuela privada muy costosa, que ella «adoraba absolutamente». Como una lluvia cálida fuera de temporada, recibíamos sus cartas, en las que siempre pedía más dinero para esto o aquello. La infantil e irregular letra de Cindy fluía, para comunicarnos que lo necesitaba todo, a pesar de los regalos con que yo constantemente la obsequiaba. Tenía docenas de amigos, uno nuevo cada vez que nos escribía. Necesitaba ropas informales para salir con el muchacho a quien gustaba la caza y la pesca; vestidos lujosos para lucir con el muchacho a quien entusiasmaba la ópera, y los conciertos; vaqueros y blusas para ella misma, y ropa interior y pijamas lujosos, pues no soportaba dormir envuelta en telas baratas.

Sus cartas mostraban cuán importante era para ella cuanto yo había echado de menos cuando tenía dieciséis años. Recordé Clairmont, mis días en la casa del doctor Paul, a Henny, enseñándome a cocinar con la práctica, no con teorías. Yo había comprado un libro de cocina titulado *Cómo ganar a tu hombre y conservarlo cocinándole los platos adecuados.* ¡Qué chiquilla había sido! Suspiré. Olfateé el papel perfumado de color rosa, el preferido de Cindy, antes de guardar su carta, y después dediqué mi atención al presente y todos los problemas que se cernían sobre ese Foxworth Hall, ya sin flores de papel en el ático.

Día tras día observaba detenidamente a Bart cuando estaba con Melodie y me iba convenciendo de que pasaban juntos buena parte del tiempo. Jory en cambio, apenas veía a su mujer. Intenté creer que Melodie trataba de consolar a Bart por no haber heredado tanto como había esperado, pero, a pesar de mí misma, supuse que en todo ello había algo más que piedad.

Como un fiel cachorro con un solo amigo, Joel seguía a Bart por todas partes, excepto a su despacho y su dormitorio. Rezaba en aquella pequeña habitación antes de cada comida. Rezaba antes de acostarse y mientras deambulaba por la casa, murmurando para sí las citas de la Biblia adecuadas a cada ocasión.

A su manera, Chris estaba en el cielo, disfrutando de los mejores años de su vida, o eso decía.

—Me encanta mi nuevo trabajo. Los hombres con que trabajo son brillantes, tienen sentido del humor y siempre están contando historias que rompen la monotonía de la labor. Vamos todos los días al laboratorio, nos ponemos las batas blancas, comprobamos las retortas esperando algún milagro, hacemos una mueca y nos aguantamos cuando descubrimos que los milagros no se producen.

Bart no era ni amigo ni enemigo de Jory; era simplemente alguien que asomaba la cabeza por la puerta y decía algunas palabras antes de apresurarse a dedicarse a algo que él consideraba más importante que perder el tiempo con un hermano inválido. A menudo me preguntaba en qué ocuparía su tiempo, aparte de estudiar los mercados financieros y comprar y vender acciones y bonos. Sospeché que Bart estaba arriesgando buena parte de sus quinientos mil dólares para demostrarnos a todos que era más listo que Chris y más hábil que el más astuto de todos los Foxworth: Malcolm.

Poco después de que Chris se marchara a trabajar un martes por la mañana a últimos de octubre, subí deprisa por la escalera para ver a Jory, y comprobar que estaba convenientemente atendido. Chris había contratado un enfermero para que cuidara de Jory, pero sólo acudía en días alternos.

Jory casi nunca se lamentaba de estar confinado en la casa, aunque a menudo volvía la cabeza hacia la ventana para contemplar el esplendoroso otoño.

—El verano ha pasado —declaró con indiferencia, mientras el viento arremolinaba las hojas secas— y se ha llevado mis piernas con él.

—El otoño te traerá motivos para ser feliz, Jory, y el invierno te convertirá en padre. La vida te depara todavía muchas sorpresas felices, quieras o no creerlo. Ahora... veamos qué podemos hacer para proporcionarte un sustituto para las piernas. Como ya estás lo bastante fuerte para sentarte, no hay razón para que no puedas trasladarte a esa silla de ruedas que tu padre trajo a casa. Jory, por favor. Me disgusta verte todo el tiempo en la cama. Prueba a estar un rato en la silla, quizá no será tan aborrecible como tú crees. —Jory, testarudo, negó con la cabeza. Ignoré su negativa y, empleando mi tono más persuasivo, proseguí—: Podemos llevarte fuera con facilidad. Pasearemos por los bosques en cuanto Bart haga limpiar los caminos que podrían obstaculizar el avance de las ruedas. En estos momentos, podrías estar sentado en la terraza, al sol, y recuperar un poco del color que tenías. Pronto hará demasiado frío para salir fuera. Y cuando llegue el momento, yo puedo empujarte por los jardines y los bosques.

Jory dirigió a la silla, colocada donde pudiera verla todos los días, una mirada dura, despectiva.

—Esa cosa volcaría.

—Te compraremos una de esas sillas eléctricas tan pesadas y bien equilibradas que no pueden volcar.

—Creo que no, madre. Siempre me ha gustado el otoño, pero éste me entristece tanto... Tengo la sensación de que he perdido lo que de verdad me importaba. Soy como una brújula rota, girando en todas direcciones sin conseguir marcar el norte. Nada parece valer la pena, y por ello me siento estafado y herido. Me molestan los días, pero las noches son peor. Quiero aferrarme al verano y a lo que solía poseer. Las hojas que caen son las lágrimas que guardo dentro de mí. El viento, silbando por las noches, no es más que mis aullidos de angustia. Los pájaros que vuelan hacia el sur anuncian que el verano de mi vida ha desaparecido y que jamás, nunca jamás, volveré a sentirme feliz. Ahora no soy nadie, madre, nadie.

Me rompía el corazón. Al volver la cabeza, advirtió mi congoja y el rostro se le llenó de vergüenza. El sentimiento de culpa le hizo desviar la mirada.

—Lo siento, madre. Eres la única a quien puedo hablar de esta manera. Con papá, que es maravilloso, debo actuar como un hombre. Ahora que te he explicado lo que siento, parece que ya no me está royendo tanto por dentro. Perdóname por descargar sobre ti todos mis amargados sentimientos.

—Está bien. Nunca dejes de contarme cómo te sientes. Sólo si me lo explicas, sabré cómo ayudarte. Para eso estoy aquí, Jory. Debes buscar el apoyo de tus padres. No creas que Chris no te comprendería, si le hablases como me has hablado a mí. Expresa sin ambages lo que necesites decir, no te lo guardes. Pide cualquier cosa razonable, y Chris y yo te daremos cuanto podamos..., pero no nos pidas imposibles.

Asintió en silencio, y después se esforzó por sonreír débilmente.

—De acuerdo. Quizá, después de todo, algún día pueda soportar sentarme en una silla de ruedas eléctrica.

Delante de él, esparcidas sobre la mesa con ruedas, había muchas piezas del barco clíper que estaba laboriosamente montado. Jory encendía en muy raras ocasiones el tocadiscos, como si la bella música fuera una abominación para sus oídos ahora que no podía bailar. Consideraba ver la televisión una pérdida de tiempo y leía cuando no se dedicaba a la construcción del barco. En ese momento sostenía una diminuta pieza con unas pinzas mientras aplicaba un poco de cola; entonces, entornando los ojos, revisó las instrucciones y completó el casco. Como por casualidad, eludiendo mi mirada, me preguntó:

—¿Dónde está mi mujer? Casi nunca me visita antes de las cinco. ¿Qué demonios hace durante todo el día?

En ese instante entró el enfermero para decirnos que tenía que marcharse a sus clases. Saludó alegremente con la mano y se fue. Durante su ausencia, habíamos acordado que Melodie o yo cuidaríamos de Jory, procurando que se sintiera a gusto y se mantuviera distraído. Lo más difícil era que estuviese ocupado. Su actividad había sido física, y ahora tenía que contentarse con actividades mentales. Lo más próximo a un ejercicio físico para él era pegar las piezas de ese barco.

Yo suponía que Melodie vendría, por lo menos, a entretenerle un rato.

Yo no la veía mucho. La casa era tan grande que resultaba muy fácil evitar a aquellos que no se deseaba ver. Últimamente, ella se había acostumbrado no sólo a desayunar, sino también a comer en su habitación, situada al otro lado de la suite de Jory.

Chris trajo a casa la silla de ruedas eléctrica que había encargado. Jory podría dirigirla a través de una palanca. El enfermero comenzó de inmediato a enseñarle cómo balancear el cuerpo para sacarlo del lecho y así sentarse en una butaca que había junto a la cama.

Hacía más de tres meses que Jory estaba inválido. Tres tristes y largos meses. Para él, habían sido más bien años. Se había visto obligado a convertirse en otra clase de persona, la clase de persona que a él no le gustaba.

Pasó otro día sin que Melodie lo visitara. Jory me preguntó de nuevo dónde estaba ella, y qué hacía.

—Mamá, ¿has oído mis preguntas? Por favor, explícame qué hace mi esposa durante todo el día. —Su voz, normalmente agradable, tenía un tono mordaz—. Desde luego, no estar conmigo, eso ya lo sé. —Había amargura en su mirada cuando la clavó en mí—. Quiero que ahora mismo busques a Melodie y le digas que deseo verla... ¡Ahora! No después, cuando a ella le apetezca..., ¡pues al parecer nunca le apetece!

—Iré a buscarla —dije firmemente—. Sin duda estará en su habitación escuchando música de ballet.

Me alejé temblorosa de Jory, que continuó trabajando en el modelo de barco. Al volverme para mirarle, vi a través de la ventana que el viento arremolinaba las hojas caídas y las empujaba hacia la casa; hojas doradas, escarlatas y rojizas que Jory no quería ver..., a pesar de que en otro tiempo había sentido la música de los colores.

«Mira ahora, Jory, mira ahora. Ésta es una belleza que quizá no volverás a ver. No la ignores, tómala y posee el día, como solías hacer.»

Pero, ¿había yo, antaño...? ¿Había yo...?

Mientras estaba allí en pie, mirando a Jory, tratando de que volviera a ser el mismo de antes, el cielo se oscureció de súbito y todas las hojas brillantes quedaron pegadas contra el cristal bajo la copiosa lluvia helada.

—Papá solía ocuparse de los quehaceres domésticos cuando vivíamos en Gladstone —recordé—. Mamá solía quejarse de que las ventanas de protección implicaban más trabajo para limpiar...

—Quiero a mi mujer, mamá, ¡ahora!

Me mostraba reacia a buscar a Melodie sin saber el motivo. En la penumbra, Jory se vio obligado a encender una lámpara a las diez de la mañana.

—¿Te gustaría que encendiera un alegre y crepitante fuego de leña?

—Sólo quiero a mi esposa. ¿He de repetirlo diez veces? Cuando esté aquí, ella prenderá el fuego.

Lo dejé solo al darme cuenta de que mi presencia le irritaba. Sólo quería a Melodie, la única que podía hacerle volver a ser el de antes.

Melodie no se encontraba en su habitación como yo esperaba.

Los pasillos que recorrí me parecían los mismos que había cruzado cuando era una jovencita. Las puertas cerradas delante de las cuales pasé me parecían las mismas puertas sólidas, pesadas, que yo había abierto sigilosamente cuando tenía catorce, quince años. A mi espalda presentía la presencia omnisciente de Malcolm y la maldad de la abuela hostil.

Me dirigí hacia el ala oeste, el ala de Bart. Casi automáticamente mis pies me condujeron allí. La intuición había gobernado la mayor parte de mi vida y, al parecer, también gobernaría mi futuro. ¿Por qué me dirigía allí? ¿Por qué no buscaba a Melodie en otra parte? ¿Qué instinto me guiaba hacia las habitaciones de mi segundo hijo, a las que él no me permitía entrar?

Ante las amplias puertas dobles de Bart, lujosamente recubiertas con cuero negro, marcadas con su monograma en oro y el escudo familiar, dije suavemente:

—Bart, ¿estás ahí?

No oí nada. Las puertas, fabricadas con roble sólido, cubierto por el ostentoso recubrimiento, impedían que pasase cualquier sonido y las paredes gruesas sabían guardar secretos. No era de extrañar que hubiese resultado tan fácil mantenernos ocultos a nosotros cuatro. Miré el pomo, esperando encontrarlo cerrado. No lo estaba.

Casi con sigilo entré en la salita de estar de Bart, de aspecto inmaculado, sin ni un libro ni una revista desordenados. De las paredes colgaban raquetas de tenis y cañas de pesar; un saco de golf en un rincón y una máquina de remos dentro de un armario con la puerta entornada. Vi las fotografías de sus deportistas favoritos. A menudo pensaba que Bart fingía admirar a los futbolistas y jugadores de béisbol sólo para tener algo en común con el resto de personas de su sexo. En mi opinión, hubiera sido más sincero si hubiera cubierto las paredes con fotografías de aquellos que habían ganado fortunas en el mercado de valores dirigiendo empresas.

Sus habitaciones estaban decoradas en negro y blanco, con algunos detalles rojos; espectacular, pero algo frío. Me senté en un sofá de cuero blanco, de unos tres metros de largo, con cojines de satén y terciopelo negro en el respaldo. En un rincón había un bar maravilloso, resplandeciente, con botellas de cristal, varias copas altas y toda clase de licores que Bart tenía allí para su disfrute personal, junto con pequeños aperitivos. También disponía de una pequeña nevera y un horno de microondas para fundir queso o preparar alguna comida ligera.

Todas las fotografías eran mates, en negro o rojo y enmarcadas en dorado. Tres paredes estaban recubiertas con tejido de muaré blanco, y la otra revestida con cuero negro acolchado; una pared engañosa. Uno de aquellos botones de cuero ocultaba la gran caja de caudales donde Bart guardaba sus certificados de acciones y bonos. Lo sabía porque una vez, poco después de haberlas decorado por completo, me enseñó sus habitaciones. Había pulsado los botones secretos, feliz por exhibir la complejidad que él controlaba. La caja fuerte de su despacho del piso inferior se utilizaba para guardar documentos menos importantes.

Volví la cabeza para contemplar la puerta que daba a su dormitorio: Hermosa puerta que conducía a un magnífico dormitorio decorado igual que la salita. Creí haber oído algo. El murmullo suave de una risa masculina... y la risita suave de una mujer... ¿Estaría equivocada? ¿Acaso Bart tenía la habilidad de hacer reír a Melodie cuando el resto no podíamos?

Mi imaginación trabajaba febril, representando qué podían estar haciendo, y al pensar en Jory, esperando con anhelo en su habitación a una esposa que nunca le visitaba, me sentía desfallecer de dolor ante la posibilidad de que Bart pudiera traicionar a Jory, su propio hermano, a quien había amado y admirado muchísimo durante un corto tiempo, un lamentable corto espacio de tiempo, mientras...

En aquel momento la puerta se abrió y Bart apareció completamente desnudo. Se movía con seguridad, y sus piernas largas eran como una mancha. Avergonzada ante su desnudez, me encogí en los blandos cojines, esperando que no me viera. Nunca me lo perdonaría. Yo no debía estar allí.

A causa de la repentina tormenta, la penumbra en su cuarto de estar era tan densa que albergaba la esperanza de que él no advirtiera mi presencia. Se dirigió directamente al bien equipado bar, y con manos rápidas y habilidosas mezcló algunas bebidas. Cortó unas rodajas de limón, llenó dos vasos de cóctel, los colocó en una bandeja de plata y se encaminó de nuevo hacia su dormitorio. Cerró la puerta detrás de él con el pie.

¿Cócteles por la mañana, antes de las doce...? ¿Qué pensaría Joel de eso?

Continué sentada, casi sin poder respirar. Rugía el trueno, y destellaba el relámpago, y la lluvia golpeaba los cristales de la ventana. Los rayos zigzagueaban iluminando la penumbra cada pocos segundos.

Me situé en el punto más oculto de su habitación para convertirme en parte de las sombras detrás de una enorme planta, y aguardé.

Parecía que había transcurrido una eternidad cuando la puerta se abrió otra vez. Yo sabía que Jory estaba esperando ansiosamente, quizá enfadado, a que Melodie apareciera. Dos vasos, dos. Melodie estaba allí. Tenía que estar allí.

Bajo la tenue luz vi que Melodie salía del dormitorio de Bart vestida con una bata transparente que revelaba que no llevaba nada debajo. La claridad de un relámpago la iluminó por un instante, mostrando el bulto del bebé que debía nacer a principios de enero.

«Oh, Melodie, ¿cómo puedes hacer eso a Jory?»

—Vuelve aquí —dijo Bart, con voz, satisfecha—. Está lloviendo. El fuego de aquí dentro es muy acogedor..., y no tenemos nada mejor que hacer...

—He de bañarme, vestirme y visitar a Jory —repuso ella, titubeando en el umbral, mirándole con aparente anhelo—. Quisiera quedarme, de verdad que me gustaría, pero Jory me necesita de vez en cuando.

—¿Acaso puede darte él lo que yo acabo de darte?

—Por favor, Bart. Me necesita. Tú no sabes qué significa que le necesiten a uno.

—No, no lo sé. Tan sólo los débiles dependen de los otros para su sustento.

—No has estado nunca enamorado, Bart —replicó Melodie roncamente—, de modo que no puedes comprenderlo. Tú me tomas, me usas, dices que soy maravillosa, pero no me amas, ni me necesitas realmente. Cualquier otra mujer te serviría exactamente igual que yo para tus propósitos. Es agradable sentir que a uno le necesitan, saber que alguien te quiere más que a ninguna otra persona.

—Vete, entonces —dijo Bart, y su tono feliz se tornó repentinamente helado—. Naturalmente que no te necesito. ¡Yo no necesito a nadie! No sé si lo que siento por ti es amor o deseo nada más. Incluso estando encinta, eres una mujer hermosa. De todos modos, nunca se sabe, y aunque tu cuerpo me proporciona placer ahora, quizá mañana ya no sea igual.

Por su expresión, adiviné que Melodie se sentía ofendida.

—¿Por qué quieres que venga todos los días, todas las noches? —preguntó, con tono lastimero—. ¿Por qué tus ojos me siguen donde quiera que vaya? ¡Tú me necesitas, Bart! ¡Tú me amas! Lo que ocurre es que te avergüenza admitirlo. Por favor, no me hables con tanta crueldad. Me hieres. Me sedujiste cuando Jory se hallaba aún en el hospital, aprovechando mi debilidad y mi miedo. ¡Me tomaste cuando yo le necesitaba a él, y me convenciste de que era a ti a quien necesitaba! Sabías que me aterrorizaba que Jory muriese, que estaba asustada y necesitaba de alguien.

—¿Y eso es lo único que soy yo? —rugió Bart—. ¿Una necesidad? ¡Creía que me amabas, que realmente me amabas!

—Sí, ¡te amo, te amo!

—¡No, no me amas! ¿Cómo puedes amarme y seguir hablando de él? Anda, ve con él. ¡Ve a ver qué puede darte él!

Melodie se alejó, su diáfana bata flotando tras ella, como un fantasma huyendo frenético en busca de la vida. Se oyó un portazo detrás de ella.

Me levanté con rigidez de mi butaca, sintiendo que la rodilla me palpitaba llena de dolor, como siempre que llovía. Me acerqué cojeando a la puerta cerrada del dormitorio de Bart. No vacilé en abrirla de par en par. Antes de que él pudiera protestar, alargué la mano para pulsar el interruptor de la luz y poner en su confortable habitación, iluminada por el fuego de la chimenea, un brillo eléctrico.

Bart se incorporó de un salto en su cama.

—¡Madre! ¿Qué demonios estás haciendo en mi dormitorio? ¡Vete, sal de aquí!

Avancé unos pasos, salvando el gran espacio que separaba la puerta de la cama en un segundo.

—¿Qué diablos estás haciendo tú acostándote con la mujer de tu hermano? ¿Con la esposa de tu hermano inválido?

—¡Sal de aquí! —bramó, cuidando de cubrir bien sus genitales mientras la mata de pelo oscuro de su pecho parecía erizarse de indignación—. ¿Cómo te atreves a espiarme?

—¡No me grites, Bart Foxworth! Soy tu madre, y tú no tienes todavía treinta y cinco años, de modo que no puedes echarme de esta casa. Me iré cuando me convenga, y ese momento no ha llegado todavía. Me debes tanto, Bart, tanto...

—¿Qué te debo, madre? —preguntó sarcástico, con amargura en la voz—. Te ruego que me digas por qué te debo yo algo. ¿Debería agradecerte que por tu causa mi padre muriese? ¿Debería darte las gracias por haber sido un niño torpe e inseguro de mí mismo? ¿Debería darte las gracias por haberme colocado en un terreno tan resbaladizo que siento que no soy un hombre normal, capaz de inspirar amor? —Su voz se rompió mientras inclinaba la cabeza—. No te quedes ahí acusándome con esos malditos ojos azules de los Foxworth.

No necesitas reprocharme nada para hacerme sentir culpable, porque yo nací sintiéndome de esa manera. Yo tomé a Melodie cuando ella estaba llorando y necesitaba de alguien que la apoyara y le diera confianza y amor. Por primera vez encontré la clase de amor del que he oído hablar durante toda mi vida, y por primera vez también he gozado de una mujer noble que solamente ha tenido a un hombre. ¿Te das cuenta de lo raro que es eso? Melodie es la primera mujer que me ha hecho sentir verdaderamente humano. Con ella puedo descansar y bajar la guardia porque ella no intenta herirme. Me ama, madre. Creo que nunca he sido más feliz.

—¿Cómo puedes decir eso cuando acabo de oír las palabras que habéis intercambiado?

Bart sollozó y se dejó caer hacia atrás, girando de lado, de espaldas a mí, apenas cubierto por la sábana.

—Yo estoy a la defensiva, y Melodie también. Ella considera que está traicionando a Jory al amarme a mí. Yo también me siento así. Algunas veces conseguimos librarnos del miedo y la vergüenza, y entonces vivimos algo maravilloso. Cuando Jory estaba en el hospital y tú y Chris permanecíais todo el tiempo junto a él, no me resultó difícil seducir a Melodie. Cayó en mis brazos sin oponer gran resistencia, contenta por tener a alguien que se preocupara lo suficiente de ella para comprender sus temores. Todas nuestras peleas han surgido por un sentimiento de culpabilidad que a ambos nos atenaza. Sin Jory en medio, ella hubiera venido a mí ansiosamente, sería mi mujer.

—¡Bart! No puedes quitar la mujer a Jory. ¡Él la necesita ahora como nunca la ha necesitado antes! Obraste mal al seducirla cuando se sentía débil, desesperada y sola. Renuncia a ella. Deja de hacerle el amor. Sé leal a Jory, como él lo ha sido a ti. Jory ha estado siempre contigo..., recuerda eso.

Bart saltó de la cama, envuelto púdicamente en la sábana. Algo frágil se quebró en lo profundo de su mirada y le hizo parecer vulnerable, de nuevo un chiquillo patético, un niño pequeño, herido, que no se aceptaba a sí mismo. Su voz sonó ronca al decir:

—Sí, amo a Melodie. La amo lo suficiente para casarme con ella. La amo con cada hueso, músculo y gramo de mi carne. Ella me ha despertado de un profundo sueño. ¿Sabes?, es la primera mujer a quien he amado. Nunca ninguna mujer me ha conmovido y emocionado como lo ha hecho Melodie. Entró en mi corazón y ahora no puedo expulsarla. Viene sigilosamente a mi dormitorio, con ropas delicadas, con su hermoso y lustroso cabello suelo, oliendo a frescor, recién salida de un baño, y se queda ahí de pie, rogándome con los ojos, y yo siento que mi corazón late más deprisa. Cuando sueño, sueño con ella. Melodie se ha convertido en lo más maravilloso de mi vida.

»¿No comprendes que no puedo renunciar a ella? Ella ha despertado en mí un deseo ardiente que yo ignoraba pudiera tener. Yo consideraba que el sexo era pecado, y nunca me había separado de una mujer sin sentirme sucio, incluso más sucio de lo que la dejaba a ella. Cuando hacía el amor con otras mujeres, siempre me invadía un sentimiento de culpa, como si dos cuerpos desnudos uniéndose en la pasión fuese algo pecaminoso... Mi opinión ha cambiado. Gracias a ella me doy cuenta de lo hermoso que puede ser el amor, y ahora no sé cómo podría vivir sin ella. Jory ya nunca más podrá ser un amante de verdad. Deja que yo sea el esposo que ella necesita y quiere. Ayúdame a construir una vida normal para ella y para mí... o si no..., no sé..., no sé realmente qué puede suceder... —Sus ojos oscuros se volvieron hacia mí, suplicándome que comprendiera.

Oh, oírle decir todo aquello, cuando durante toda su vida yo había anhelado obtener su confianza y ahora que la tenía, ¿qué podía hacer yo? Yo amaba a Bart tanto como a Jory. Seguí allí, inmóvil, retorciéndome las manos, retorciendo también mi conciencia y atormentándome con la culpa, pues de alguna manera yo había provocado esa situación al descuidar a Bart y favorecer a Jory, y Cindy... Y ahora, Jory y yo teníamos que pagar el precio..., otra vez.

Bart habló, con voz suave y balbuceante, lo que le hacía parecer aún más joven y vulnerable, intentando esconder su felicidad en un lugar seguro, fuera de mi alcance y, a su manera, escudarla para siempre protegiéndola de la destrucción.

—Madre, por una vez en tu vida, procura ver las cosas desde mi punto de vista. Yo no soy malo ni perverso, y tampoco la bestia que tú muchas veces me haces sentir. Soy sólo un hombre que jamás se ha sentido feliz con su manera de ser. Ayúdame, madre. Ayuda a Melodie a conseguir el marido que ahora necesita, porque Jory nunca más será un hombre de verdad.

La lluvia marcaba en el cristal de la ventana un repiqueteo frenético, acorde con el ritmo de mi corazón. El viento silbaba y aullaba alrededor de la casa, mientras alas enfurecidas de murciélagos batían dentro de mi cerebro. Yo no podía dividir a Melodie en dos mitades iguales y repartirlas entre Jory y Bart. Tenía que aferrarme a lo que yo sabía era justo, y el amor de Bart hacia Melodie no lo era. Jory la necesitaba más.

Sin embargo continuaba allí, enraizada a la alfombra, abrumada por la desesperada necesidad que sentía mi hijo Bart de ser amado. En el pasado, le había creído capaz de cometer cualquier maldad, pero él siempre había demostrado su inocencia... ¿Era mi propia culpa por haberlo traído al mundo la que vendaba mis ojos y me impedía ver la bondad que tal vez hubiera en Bart?

—¿Estás seguro, Bart? ¿Amas de verdad a Melodie..., o la deseas sólo porque le pertenece a Jory?

Se dio la vuelta, y su mirada se encontró con la mía de forma sincera. ¡Cómo suplicaban comprensión aquellos ojos oscuros!

—Al principio era así, lo admito de todo corazón. Quería robarle aquello que él más quería porque él me había arrebatado lo que yo más necesitaba: ¡tú! —Me encogí de hombros, y prosiguió—: Melodie rechazó mis insinuaciones tantas veces que comencé a respetarla, a considerarla distinta de las otras mujeres, tan fáciles de conseguir. Cuando más me rechazaba ella tanto más ardía mi deseo hasta convencerme de que debía conquistarla o morir. ¡La amo, sí! Me ha hecho vulnerable..., ¡y ahora no sé cómo vivir sin ella!

Abrí las manos antes de sentarme a un lado de su enorme cama.

—Oh, Bart, qué pena que no hubiera sido otra mujer, cualquier mujer excepto Melodie. Me alegro de que hayas conocido el amor y sepas que no es sucio ni pecaminoso. ¿Por qué habría creado Dios a los hombres y las mujeres como lo hizo si no hubiese pretendido que se uniesen? Él lo proyectó así. Nosotros nos procreamos por medio del amor. Bart, has de prometerme que no volverás a verla a solas. Espera a que Melodie tenga su bebé antes de que los dos decidáis nada.

Sus ojos se llenaron de esperanza y gratitud.

—¿Me ayudarás entonces? —La incredulidad inundó sus ojos—. Nunca creí que tú quisieras...

—Espera, por favor, espera. Cuando Melodie haya dado a luz, habla con ella, y después con Jory, y enfréntate a él, Bart. Explícale qué sientes por ella, pero no le robes la mujer sin brindarle la oportunidad de decir lo que siente.

—¿Y qué puede decir él, madre, que pueda establecer alguna diferencia? Jory ha perdido ya. No puede bailar. Ni tan siquiera caminar. Además, está físicamente acabado.

Los segundos transcurrían, y yo no encontraba las palabras adecuadas para responder.

—Pero ¿estás seguro del amor de Melodie? Yo estaba en tu sala de estar, la he oído. No ha aclarado nada al respecto. Por lo que deduzco, se debate entre el amor de Jory y su necesidad de ti. No te aproveches de su debilidad ni de la incapacidad de Jory. Concede a tu hermano tiempo para recuperarse..., y entonces haz lo que creas oportuno. No es justo robar a Jory cuando él no puede luchar por evitarlo. Da también tiempo a

Melodie para que encaje las condiciones físicas de Jory. Entonces, si ella todavía te quiere, tómala. Pero, ¿qué harías tú con el bebé de Jory? ¿Le quitarías ese hijo, además de arrebatarle a su mujer? ¿Estás pensando en no dejarle nada?

Me miró con atención y sus ojos brillaron suspicaces. Bart desvió la vista de pronto hacia el techo.

—Todavía no me he planteado qué ocurrirá con el bebé. Intento olvidar que el bebé nacerá. Y tú no tienes por qué ir corriendo a buscar a Chris o Jory para contarles todo esto. Por una vez en tu vida, dame la oportunidad de tener algo que sea solamente mío.

—Bart...

—Ahora vete, por favor. Déjame solo para poder pensar. Estoy cansado. Debilitas a cualquier hombre, madre, con tus exigencias y tus juicios. Esta vez sólo te pido una oportunidad justa para demostrarte que no soy tan malo como tú crees, ni tan loco como yo mismo creí en otros tiempos.

No me repitió que no explicara nada a Jory, o a Chris, como si supiera que yo no lo haría. Di la vuelta y salí de su habitación.

De regreso hacia mis habitaciones, pensé en enfrentarme a Melodie, pero estaba demasiado alterada para encararme con ella sin considerarlo antes con más calma. Ella ya estaba bastante nerviosa, y yo debía tener en cuenta la salud de su futuro hijo.

A solas en mi habitación, me senté delante del fuego del hogar preguntándome qué podía hacer. Las necesidades de Jory eran lo primero. En tres meses, sus fuertes piernas habían comenzado a marchitarse hasta convertirse en delgados palos, que me recordaban las piernas de Bart cuando era muy joven; bajito, con sus delgadas piernas siempre cubiertas de arañazos, cortes y cardenales, debido a sus continuas caídas. Bart, siempre castigándose a sí mismo por haber nacido y no estar a la altura de la pauta que Jory había establecido. Ese recuerdo lejano me impulsó a dirigirme hacia el dormitorio de Jory.

Me quedé en el umbral de su puerta, sin rastro de lágrimas en la cara y los ojos refrescados con parches de hielo que me había aplicado para quitarles el enrojecimiento, y sonreí con fingida alegría a mi primogénito.

–Melodie está durmiendo una siesta, Jory, pero vendrá antes de la cena. Creo que os resultaría agradable cenar solos delante del hogar. La lluvia en el exterior creará un ambiente romántico. He pedido a Trevor y Henry que suban unos leños y una mesita especial para la cena. He planeado un menú con todos los platos que más os gustan. Ahora di, ¿te ayudo a vestirte para que tengas el mejor aspecto?

Jory hizo un gesto de indiferencia y se encogió de hombros. Antes del accidente se interesaba por la ropa; siempre se había vestido a la perfección.

–¿Qué diferencia hay, madre, qué diferencia? No la has traído contigo, y ¿por qué has tardado tanto en volver para decirme que está durmiendo?

–El teléfono sonó y..., Jory, a veces tengo que resolver algunos asuntos. Bien, ¿qué traje prefieres?

–Bastará con el pijama y cualquier bata –respondió, distante.

–Escucha, Jory. Esta noche te pondrás uno de los trajes de tu padre, ya que no trajiste ropa de invierno, y te sentarás en esa silla de ruedas eléctrica.

Protestó de inmediato, pero insistí.

Ya habíamos enviado a recoger toda la ropa de Jory a Nueva York, pero Melodie se había empeñado en que la de ella se quedara donde estaba. Eso encendía la ira en mi interior, aunque nada dije.

–Uno se siente bien cuando tiene buen aspecto, y eso es media batalla ganada. Has dejado de preocuparte por tu apariencia. Te afeitaré aunque quieras dejarte barba. Eres demasiado guapo para ocultarte tras ese pelo erizado. Tienes una boca preciosa y una barbilla firme. Son los hombres con barbillas débiles quienes deberían esconderse detrás de una barba.

Al fin cedió, sonriendo burlón. Accedió a cuanto quise hacerle para que se pareciese más a lo que había sido.

—Mamá, eres formidable. Te preocupas de tal manera por mí..., pero no quiero preguntarte por qué. Agradezco que alguien cuide tanto de mí.

En ese momento, Chris regresó de Charlottesville, ansioso por colaborar. Afeitó la atractiva cara de Jory con una navaja muy afilada, declarando que no había nada como un afeitado para mejorar el aspecto de un hombre. Sentada en la cama, observé cómo Chris rociaba el rostro de Jory con loción y colonia. Durante todo el rato, Jory esperó con paciencia. Yo no podía dejar de preguntarme qué estaría haciendo Bart y cómo diría a Melodie que sabía lo que estaba ocurriendo entre ella y mi segundo hijo.

Los brazos de Jory ya eran lo bastante fuertes para balancear la parte superior de su cuerpo y sentarse en la silla. Chris y yo retrocedimos sin intervenir, contemplándolo, sin ofrecerle ayuda, sabiendo que Jory tenía que hacerlo por sí mismo. Parecía algo humillado y al mismo tiempo orgulloso por haberlo conseguido sin demasiada dificultad la primera vez. Cuando ya estaba en la silla, Jory pareció satisfecho a su pesar.

—No está tan mal —dijo mientras se examinaba la cara en el espejo que yo sostenía delante de él. Activó la silla y dio una vuelta por la habitación. –Hizo una mueca–. Es mejor que la cama. Debéis creer que soy un bobo. Ahora me resultará más fácil terminar el barco antes de Navidad. Quizá, con tantos mimos, lo logre.

—Nosotros nunca lo hemos dudado —aseguró Chris, jovial.

—Ahora conténte, Jory. Voy a buscar a Melodie —dije encantada con su aspecto, el brillo de felicidad que destellaba en sus ojos y su excitación por poderse mover otra vez, aunque tuviera ruedas en lugar de piernas–. Melodie ya estará vestida y preparada para bajar a cenar. Como sabes, nuestro en otros tiempos descuidado Bart, exige ahora que se cumplan escrupulosamente las normas de la vida elegante...

–Di a Melodie que se apresure –exclamó Jory mientras salía, pareciéndose más a su antiguo modo de ser–. Estoy hambriento, y ver ese fuego ardiendo me hace desearla muchísimo.

Me encaminé muy azorada hacia la habitación de Melodie, consciente de que acabaría por enfrentarme con ella por lo que había descubierto y que, aunque yo no lo pretendiera, mis palabras la arrojarían a los brazos anhelantes de Bart. Ése era el riesgo que corría.

Un hermano ganaría; el otro perdería. Y yo quería que ambos ganasen.

LA TRAICIÓN DE MELODIE

Di unos golpecitos suaves en la puerta de Melodie. A través de la pesada madera se oía el sonido débil de la música de *El lago de los cisnes*. Debía tener el volumen muy alto, pues, de otro modo, yo no hubiera podido escucharlo. Llamé de nuevo. Al no obtener respuesta, abrí la puerta, entré y la cerré con mucha suavidad. Su habitación estaba desordenada, con ropas esparcidas por el suelo; los cosméticos invadían el tocador.

—Melodie, ¿dónde estás?

El cuarto de baño estaba vacío. ¡Maldición! Se había ido junto a Bart. En un instante salí de allí y corrí hacia las habitaciones de Bart. Di furiosos golpes en la puerta de su dormitorio.

—Bart, Melodie...; no podéis hacer esto a Jory.

No se hallaban allí. Bajé volando por la escalera posterior y me encaminé hacia el comedor, con la esperanza de que hubieran comenzado a cenar sin esperarnos a Chris y a mí. Trevor estaba preparando la mesa para dos, midiendo con la vista la distancia del plato hasta el borde de la mesa con tanta precisión que era como si utilizara una regla. Hice más lento mi paso para entrar caminando en el comedor.

—Trevor, ¿ha visto usted a mi hijo Bart?

—Oh, sí, señora —respondió con su cortés estilo británico, sin dejar de colocar los cubiertos de plata—. El señor Foxworth y la señora Marquet acaban de salir para cenar en un restaurante. El señor Foxworth me pidió que le dijera que él regresaría... pronto.

—¿Qué dijo realmente, Trevor? —pregunté.

—Señora, el señor Foxworth estaba algo ebrio. No demasiado, de modo que no se preocupe por la lluvia ni los accidentes. Estoy seguro de que podrá controlar el automóvil y que la señora Marquet estará bien. Es una noche adorable para conducir, si a uno le gusta la lluvia.

Corrí hacia el garaje, esperando llegar a tiempo para detenerles. Demasiado tarde, como había temido. Bart se había llevado a Melodie en su pequeño y veloz deportivo, el Jaguar rojo.

Mis pasos eran de tortuga al subir las escaleras. Jory estaba más animado debido al champán que había bebido mientras esperaba. Chris había ido a nuestra habitación para cambiarse para la cena.

—¿Dónde está mi mujer? —preguntó Jory, sentado junto a la mesita que Henry y Trevor habían subido a la habitación.

Las flores frescas de nuestro invernadero dispuestas en el centro de la mesa y el champán enfriándose en un cubo de plata con hielo creaban un ambiente festivo y seductor, acentuado sobre todo por los troncos de leña que ardían en la chimenea para disipar el frío húmedo de la habitación. Con las piernas ocultas y sin que se viese aquella silla de ruedas que él odiaba, el aspecto de Jory era muy parecido al de antaño.

¿Debía inventar alguna mentira esta vez, como había hecho antes? El brillo de sus ojos desapareció.

—De modo que no vendrá —dijo, abatido—. Ahora nunca aparece por aquí. Por lo menos, nunca entra en la habitación. Se entretiene en la entrada y me habla a distancia. —Su voz ronca se quebró un poco y después se rompió en un sollozo—. Resulta difícil de soportar, madre, de verdad que resulta muy difícil aceptar esta situación y no estar amargado. Cuando veo lo que está sucediendo entre mi mujer y yo, quedo destrozado por dentro. Sé lo que ella está pensando aunque no diga nada. Ya no soy un verdadero hombre, y ella no sabe cómo actuar ante eso.

Me hinqué de rodillas al lado de Jory y lo abracé.

—Ella aprenderá, Jory, aprenderá. Todos debemos aprender a enfrentarnos con lo irremediable. Concédele tiempo. Espera hasta que el bebé nazca. Ella cambiará. Te prometo que cambiara. Tú le habrás dado ese hijo. No hay nada como un hijo propio; sostener un bebé en los brazos hace que el corazón se llene de gozo. No hay nada como la dulzura de un niño, la emoción de tener un trocito pequeño, diminuto de humanidad que depende por completo de ti. Jory, espera y verás cómo Melodie cambia.

Jory había dejado de llorar, pero la angustia permaneció en su mirada.

—No sé si podré esperar —murmuró roncamente—. Cuando hay gente alrededor, sonrío y me comporto como si estuviese contento. Pero no paro de pensar en cómo acabar con todo esto y liberar a Melodie de toda obligación. No es honrado esperar que se quede conmigo. Esta noche le diré que puede marcharse si quiere, o quedarse hasta que el bebé nazca e irse después y tramitar el divorcio. No se lo negaré.

—¡No, Jory! —repliqué—. No digas nada que pueda inquietarla más... Dale tiempo para que se amolde. El bebé la ayudará.

—Pero, mamá, no sé si aguantaré seguir viviendo así. Pienso continuamente en el suicidio. Recuerdo a mi padre y desearía tener valor para hacer lo que él hizo.

—No, querido, resiste. Tú nunca estarás solo.

Chris y yo nos sentamos junto a la mesita para hacerle compañía. Jory no pronunció ni una docena de palabras durante toda la cena.

Antes de acostarnos a dormir, oculté con disimulo las navajas de afeitar y aquello con que Jory pudiera hacerse daño. Aquella noche, dormí en el sofá de su habitación, temerosa de que, en su desesperación, Jory pudiera intentar acabar con su vida con el único propósito de dar la libertad a Melodie y permitir que ella se marchara sin sentirse culpable. Sus quejidos llegaban a mí como si yo estuviera soñando...

—Mel..., ¡me duelen las piernas! —exclamaba Jory en sueños. Me levanté para consolarle. Él se despertó y me miró algo confuso—. Todas las noches me duelen la espalda y las piernas —respondió soñoliento a mis preguntas—. No necesito comprensión para mis dolores fantasmas. Lo único que quiero es una noche entera de descanso.

Durante toda la noche se retorció de agonía. Las piernas, que durante el día no sentía, le atormentaban por la noche con un dolor constante. La parte baja de su espalda le dolía como si recibiera constantes cuchilladas.

—¿Por qué me duelen por las noches, si no siento nada durante el día? —se quejaba mientras el sudor le bajaba por el rostro y le pegaba la chaqueta del pijama al pecho—. Me gustaría tener el mismo valor que tuvo mi padre... ¡Eso resolvería nuestros problemas!

No, no, no. Lo abracé y le cubrí la cara de besos, prometiéndole todo, cualquier cosa, para infundirle confianza.

—Dará resultado, Jory, ¡lo dará! Aguanta un poco. No te desanimes y te rindas al mayor reto de tu vida. Me tienes a mí y a Chris y, tarde o temprano, Melodie recapacitará y volverá a ser tu esposa.

Jory fijó su triste mirada en mí, como si yo le hablara de visiones de fumadores de opio hechas de humo.

—Duerme en tu habitación, madre. Me haces sentir como un chiquillo si te quedas aquí. Te prometo no hacer nada que te haga llorar otra vez.

—Cariño, prométeme que llamarás a tu padre o a mí si necesitas alguna cosa. A ninguno de los dos nos importa levantarnos. No llames a Melodie, pues podría tropezar y caer en la oscuridad. Yo siempre he tenido un sueño ligero, y no me cuesta volver a conciliarlo. ¿Estás escuchándome, Jory?

—Claro, estoy escuchando —contestó con sus ojos inexpresivos y remotos—. Si hay alguna cosa en la que ahora soy bueno, es escuchando.

—Pronto el terapeuta te ayudará a recuperarte.

—¿Recuperarme, madre? —Sus ojos parecían cansados y sombríos—. ¿Te refieres a ese soporte para la espalda que me pondrán? Sí, claro, espero con impaciencia poder utilizar esa cosa. Disfrutaré llevando unas abrazaderas de las piernas. ¿No es una suerte que no las sienta? Por no mencionar ese ingenioso arnés de compresión que me hará pensar que me he convertido en caballo. Al menos impedirá que me caiga. —Hizo una pausa y se cubrió la cara con las manos un momento; después, echó la cabeza hacia atrás y suspiró—. Dios mío, dame fortaleza para soportarlo; ¿estás castigándome por haber sentido demasiado orgullo de mis piernas y mi cuerpo? Has hecho un maldito buen trabajo al humillarme.

Sus manos cayeron. En sus ojos brillaban las lágrimas, que resbalaban por sus mejillas. Se disculpó:

—Lo siento, madre. Las lágrimas de autocompasión no son prueba de hombría, ¿verdad? Pero no puedo mostrarme valiente y fuerte siempre. Tengo mis momentos de debilidad, como cualquier otra persona. Vuelve a tu habitación. No haré nada que os cause a ti y a papá más dolor. Buenas noches. Da las buenas noches a Melodie por mí cuando regrese.

Lloré en los brazos de Chris, lo que suscitó en él mil preguntas que no quise responder. Frustrado y bastante ofendido, dijo:

—No puedes engañarme, Catherine. Me ocultas algo para no añadir una nueva carga a mis preocupaciones, pero precisamente cuando no saber lo que ocurre es la más pesada de las cargas.

Esperó mi respuesta. Al no obtenerla, se durmió. Chris tenía la irritante costumbre de poder dormir cuando a mí me resultaba imposible. Yo deseaba que estuviera despierto, que me obligara a contestar a las preguntas que yo acababa de esquivar. Pero él dormía y dormía, volviéndose para abrazarme en su sueño, enterrando su rostro en mi cabello.

Me desperté a cada hora para comprobar si Bart y Melodie habían vuelto a casa y si Jory se encontraba bien. Jory estaba tendido en la cama, con los ojos muy abiertos, al parecer esperando como yo, a que Melodie regresara a casa.

–¿Se ha aliviado ese dolor fantasma?

–Sí, vuelve a la cama. Estoy bien.

Me encontré a Joel en el pasillo, junto a la habitación de Bart. Se ruborizó al verme en *negligé* blanca de encaje.

–Joel, creía que habías cambiado de opinión respecto a vivir bajo este techo y te habías instalado de nuevo en esa pequeña celda sobre el garaje...

–Lo hice, Catherine, lo hice –murmuró–. Pero Bart me ordenó que regresara a la casa, pues, según él, un Foxworth no debe ser tratado como un sirviente. –Sus ojos lacrimosos me dirigían reproches por no haber protestado cuando él nos informó que prefería la celda del garaje a la bonita habitación situada en el ala de la casa donde habitaba Bart–. Tú no sabes lo que significa ser viejo y estar solo, sobrina. He sufrido de insomnio durante años y años, atormentado por pesadillas, atacado por dolores y aflicciones que me han impedido conseguir jamás el sueño profundo que anhelo. Por eso me levanto para cansarme y ando por ahí...

¿Andar por ahí? ¡Espiar es lo que él hacía! Sin embargo, al mirarle más de cerca, me avergoncé de tal pensamiento. Allí de pie, en la penumbra del pasillo, parecía tan frágil, tan enfermo y flaco... ¿Estaría siendo injusta con Joel? ¿Sentía antipatía hacia su detestable costumbre de murmurar para sí pasajes de la Biblia sin cesar que me hacían retroceder en el tiempo hasta la época en que vivía nuestra abuela, recordar cómo insistía ella en que aprendiésemos cada día una frase del libro sagrado.

—Buenas noches, Joel —dije con más amabilidad que de costumbre.

Sin embargo, mientras él continuaba de pie allí, pensé en Bart, que me había dicho cosas dolorosas cuando era un muchacho, pero no desde que había madurado. Ahora él también leía la Biblia y utilizaba las palabras escritas en ella para demostrarme su razón en un punto discutible. ¿Había Joel colaborado en hacer revivir lo que yo creía adormecido? Miré fijamente al viejo hombrecillo, que se apartaba de mí casi con temor.

—¿Por qué me miras así? —pregunté, incisiva.

—¿Cómo, Catherine?

—Como si me tuvieras miedo.

Su sonrisa era leve, lastimosa.

—Eres una mujer temible, Catherine. A pesar de tu belleza rubia, algunas veces puedes actuar con tanta dureza como mi madre.

Yo me sobresalté, asombrada de que creyera eso. No era posible que yo fuese como aquella anciana malévola.

—También me recuerdas a tu madre —susurró con su fina y quebradiza voz, envolviendo más estrechamente su cuerpo esquelético en el albornoz—. Y pareces demasiado joven para tener más de cincuenta años. Mi padre solía decir que los malvados siempre se las arreglaban para permanecer jóvenes y sanos mucho más tiempo que aquellos que tenían un lugar reservado en el cielo.

—Si tu padre se halla en el cielo, Joel, te aseguro que iré en la dirección opuesta con enorme placer.

Antes de alejarse a paso lento, Joel me miró como si fuese un objeto digno de lástima.

Cuando estuve de nuevo al lado de Chris, éste se despertó el tiempo suficiente para que yo pudiera referirle la conversación que habíamos mantenido Joel y yo. Chris me lanzó una mirada penetrante en la oscuridad.

—Catherine, te has comportado de forma muy grosera al hablar de manera tan ruda a un hombre viejo como él. Es lógico que no puedas expulsarlo de aquí. En cierto modo, tiene más derechos que ninguno de nosotros sobre este lugar, que, según la ley, es la casa de Bart, aunque nosotros tengamos privilegios de residencia para toda la vida.

Me llené de ira.

—¿No puedes reconocer que Joel se ha convertido en la figura de padre que Bart ha estado buscando toda su vida?

Mis palabras le hirieron. Chris se irguió y se dio la vuelta.

—Buenas noches, Catherine. Creo que deberías quedarte en la cama y ocuparte de tus asuntos para variar. Joel es un viejo solitario que se siente agradecido por tener un defensor como Bart y un lugar donde vivir el resto de su vida. Deja de imaginar a Malcolm en cada anciano que encuentras, ya que, si vivo el tiempo suficiente, también seré viejo algún día.

—Si tienes el aspecto de Joel y actúas como él, también estaré contenta de perderte de vista.

Oh, ¿cómo podía decir eso al hombre a quien amaba? Él se apartó de mí un poco más, y después rehusó responder al contacto de mi mano en su brazo.

—Chris, lo lamento. No quería decir eso. —Le acaricié el brazo, y después deslicé la mano dentro de la chaqueta de su pijama.

—Creo que es mejor que te guardes las manos para ti misma. Ahora no estoy de humor. Buenas noches, Catherine. Y recuerda que cuando uno busca problemas suele encontrarlos.

Oí que se cerraba una puerta distante. Mi reloj de pulsera con luz indicaba las 3.30. Envuelta en una bata, me dirigí a la habitación de Melodie y me senté a esperarla.

Habían pasado ya treinta minutos desde que llegaron al garaje. ¿Se habrían detenido ella y Bart para abrazarse y besarse? ¿Estarían susurrándose palabras amorosas que no podían esperar hasta el día siguiente? ¿Qué otra cosa podía entretenerla tanto rato? La aurora ya se insinuaba señalando el perfil de las montañas. Yo recorría la habitación de Melodie de un lado a otro, a medida que crecía mi impaciencia. Por fin la oí llegar. Melodie apareció en la puerta de su habitación, tambaleándose, con sus zapatos plateados de tacón alto en una mano y en la otra un pequeño objeto de plata.

Estaba en su sexto mes de embarazo, pero con el ancho traje negro apenas se notaba. Se irguió cuando me vio levantarme de una butaca y a continuación retrocedió, sofocada.

—Bueno, Melodie —dije con mi mayor cinismo—, qué linda estás.

—Cathy, ¿está bien Jory?

—¿Te preocupa realmente?

—Pareces muy enfadada conmigo. Me miras con tanta dureza... ¿Qué he hecho, Cathy?

—Como si no lo supieras —respondí, dando rienda suelta a mi irritación, olvidando el tacto con que había previsto actuar—. Escapas a hurtadillas una noche lluviosa con mi hijo y vuelves a casa horas después con marcas rojas en el cuello, el cabello alborotado y todavía me preguntas qué has hecho. ¿Por qué no me dices tú... qué has hecho?

Melodie me miró incrédula, con ojos que expresaban culpa y vergüenza, pero también un atisbo de esperanza.

—Has sido como una madre para mí, Cathy —exclamó, con voz desgarrada, como si me suplicase comprensión—. Por favor, no me falles ahora, ahora que necesito más que nunca una madre.

—Pero tú olvidas que, ante todo, soy la madre de Jory, y también la de Bart. Traicionando a Jory, me traicionas a mí.

Melodie lloró de nuevo y me rogó que la escuchara.

—No me des ahora la espalda, Cathy, no tengo a nadie excepto a ti, que me comprenda. ¡De verdad! De todo el mundo, tú eres la única que puede comprenderme. Amo a Jory, siempre le amaré...

–¿Y por eso te acuestas con Bart? Qué manera tan elegante de demostrar tu amor –atajé. Mi voz sonaba fría y dura.

Su rostro se apoyó en mi regazo mientras sus brazos me rodeaban la cintura.

–Cathy, por favor. Espera hasta que me hayas oído. –Alzó la cara, manchada por las lágrimas, negras a causa del rímel, lo que le confería un aspecto lastimosamente vulnerable–. Yo formo parte del mundo del ballet, Cathy, y tú sabes lo que eso significa. Los bailarines sentimos la música dentro de nuestros cuerpos y almas y la transmitimos a los demás para que puedan verla, y por eso tenemos que pagar un precio, un alto precio. Tú conoces el precio. Bailamos con nuestras almas desnudas para que todos las contemplen y las critiquen si lo desean y, cuando la danza ha finalizado, oímos los aplausos, aceptamos las rosas, saludamos, cae el telón y oímos los vítores de «¡bravo! ¡bravo!». Entonces vamos a nuestros camerinos para quitarnos el maquillaje y ponernos los vestidos que todos llevan y comprendemos que lo mejor de nosotros no es real, sino pura fantasía. Flotando en unas alas de sensualidad tan poderosa que nadie, salvo nosotros, se da cuenta del dolor que causa cuanto es insensible, cruel y brutal en la realidad.

Se interrumpió para recuperar la fortaleza y proseguir, mientras yo permanecía sentada, asombrada por su percepción, pues sabía reconocer la verdad cuando la oía.

–Allí fuera, el público cree que la mayoría de nosotros somos alegres. No se dan cuenta de que nos dejamos arrastrar por la música, que ella nos sostiene. Pero los escenarios, los aplausos y las adulaciones resultan insuficientes para sobrevivir. La gente ignora que hacer el amor es lo que de verdad nos sustenta. Jory y yo solíamos caer apasionadamente uno en brazos del otro en cuanto nos quedábamos solos, y era entonces cuando hallábamos el alivio necesario para relajarnos lo suficiente y así poder dormir. Ahora no tengo alivio, ni tampoco él. Jory no quiere escuchar la música y yo no puedo desconectarla.

—Pero tú tienes un amante —dije débilmente, comprendiendo cada una de sus palabras. También yo, en otro tiempo, había volado en las gozosas alas de la música y había descendido, abatida, porque no había nadie que me amara e hiciera realidad el mundo de fantasía que yo amaba más que a nada.

—Escucha, Cathy, por favor. Dame una oportunidad para explicarme. Tú sabes lo aburrida que es esta casa. Nunca recibimos una visita, y cuando el teléfono suena siempre preguntan por Bart. Tú, Chris y Cindy estabais siempre en el hospital con Jory. Yo, en cambio, me quedé en casa como una cobarde, asustada, tan asustada que él advirtió mi temor. Intenté leer, entretenerme tejiendo, como tú, pero era incapaz. Renuncié a ello y esperé a que el teléfono sonase. Nadie me llama nunca desde Nueva York. Paseé, arranqué cizaña del jardín, lloré en los bosques, contemplé el cielo, observé las mariposas y lloré un poco más.

»Una noche, después de que nos comunicaran que Jory jamás bailaría, Bart vino a mi habitación. Cerró la puerta y se quedó allí, mirándome. Yo estaba en la cama, llorando como solía hacer. Había estado tocando la música de ballet con la que intentaba recrear los sentimientos que había experimentado a lo largo de mi vida junto a Jory. Bart estaba allí, mirándome fijamente con esos ojos oscuros magnéticos. Permaneció inmóvil, sin parar de mirarme, hasta que yo dejé de llorar y él se acercó para enjugarme las lágrimas de la cara. Sus ojos se enternecieron con amor, y yo me senté y me quedé mirándole. Nunca había percibido tanto afecto, ternura y compasión en su mirada. Me conmovió. Me acarició la mejilla, el pelo, los labios. Un escalofrío recorrió mi espalda. Bart puso sus manos en mi cabello, clavó su mirada en mis ojos y lenta, muy lentamente, inclinó la cabeza hasta que sus labios rozaron los míos. Yo nunca hubiera supuesto que pudiera ser tan gentil. Siempre

239

había creído que Bart tomaría a una mujer por la fuerza. Quizá si me hubiera tocado con manos rudas, agresivas, le hubiera rechazado. Pero su delicadeza me venció. Me recordó a Jory.

Oh, yo no quería oír nada más. Tenía que hacerla callar antes de sentir piedad y compasión por ella y por Bart.

—No quiero oír nada más, Melodie —dije fríamente, alzando la cabeza para no contemplar aquellos signos de amor que Jory podría observar si la viese—. De modo que ahora, cuando Jory te necesita más, le fallas y te entregas a Bart —reproché con amargura—. Qué esposa tan maravillosa eres, Melodie. —Ella sollozó más fuerte, cubriéndose la cara con las manos—. Recuerdo el día de tu boda, cuando te encontrabas ante el altar y pronunciaste tus votos de fidelidad, para lo mejor y para lo peor... Y ahora, cuando por primera vez tienes que enfrentarte a un momento difícil en tu matrimonio, buscas un amante.

Mientras Melodie gimoteaba e intentaba encontrar mejores palabras con que ganarse mi voluntad, yo pensaba en lo solitaria y aislada que se hallaba esa casa de la montaña. Nosotros habíamos dejado a Melodie ahí, suponiendo que estaba demasiado alterada para desear ir a ninguna parte, descuidando lo que ella y Bart hacían, sin sospechar nunca que ella podía refugiarse en él, en la misma persona que parecía disgustarla tanto.

Gimoteando y sollozando todavía, Melodie jugueteaba con su tirante. Sus ojos llorosos parecían cansados.

—¿Cómo puedes condenarme, Cathy, cuando lo que tú has hecho ha sido peor?

Me levanté, ofendida, para marcharme, sintiendo que mis piernas y mi corazón se habían vuelto de plomo. Melodie tenía razón. Yo no era mejor que ella. Yo, como ella, tampoco había actuado como debía en más de una ocasión.

—¿Olvidarás a Bart, te alejarás de él y convencerás a Jory de que todavía le amas?

–Yo todavía quiero a Jory, Cathy, aunque resulte increíble. Pero amo a Bart de un modo diferente, de una forma extraña que nada tiene que ver con el sentimiento que me inspira Jory. Jory fue el amor de mi infancia y mi mejor amigo. Nunca me gustó su hermano menor, pero ha cambiado, Cathy. De verdad, ha cambiado. Ningún hombre que no ame realmente a las mujeres puede hacer el amor como él lo hace...

Apreté los labios. Me quedé inmóvil en el umbral de la puerta, condenando a Melodie, como antaño mi abuela me había condenado con sus implacables ojos al considerarme una pecadora de la peor ralea.

–¡No te vayas! ¡Déjame que intente hacerte comprender! –exclamó Melodie, tendiendo los brazos en gesto suplicante. Cerré la puerta, pensando en Joel, y me apoyé contra ella.

–Bien, me quedaré, pero no voy a comprenderte.

–Bart me ama, Cathy, me ama realmente. Cuando él lo dice, no puedo evitar creerle. Desea que me divorcie de Jory. Asegura que se casará conmigo. –Su voz disminuyó hasta convertirse en un ronco susurro–. Yo no sé con certeza si podría vivir con un marido confinado a una silla de ruedas. –Sollozando con más fuerza que antes, se derrumbó y se dejó caer desmayadamente al suelo–. Yo no soy fuerte como tú, Cathy. Soy incapaz de brindar a Jory el apoyo que necesita. No sé qué decir ni qué hacer por él. Quisiera poder retroceder en el tiempo y hacer regresar al Jory que yo solía tener, pues no conozco al de ahora. Ni tan siquiera creo que quiera conocerle..., y eso me avergüenza. Lo único que deseo ahora es desaparecer.

Mi voz se volvió cortante como el filo acerado de una navaja.

–No eludirás tan fácilmente tus responsabilidades, Melodie. Estoy aquí para procurar que cumplas las promesas que formulaste el día de tu boda. En primer lugar, romperás tu relación con Bart, lo alejarás de tu vida. Nunca más le permitirás que te toque. Cada vez que él intente algo, le rechazarás. Hablaré con él otra vez. Sí, ya lo he hecho antes, pero en esta ocasión me mostraré más serena y, si lo considero oportuno, contaré a Chris lo que está sucediendo. Como sabes, Chris es un hombre muy paciente, y comprensivo, pero no disculpará lo que estás haciendo con Bart.

—¡Por favor! —exclamó—. ¡Amo a Chris como un padre! ¡Quiero que me siga respetando!

—Entonces, ¡abandona a Bart! Piensa en tu hijo, que debería ser lo más importante para ti. Ahora no deberías hacer el amor, a veces no es seguro.

Melodie cerró sus grandes ojos, reteniendo las lágrimas; después asintió y prometió que jamás volvería a hacer el amor con Bart. Incluso mientras estaba jurándolo, no la creí. Tampoco creí a Bart cuando hablé con él antes de acostarme.

Llegó la mañana y yo no había dormido nada. Me levanté, cansada e inquieta, poniendo en mi cara una sonrisa falsa antes de llamar a la puerta de Jory. Me invitó a entrar. Parecía más feliz que durante la pasada noche, como si los pensamientos nocturnos lo hubieran calmado.

—Me alegro de que Melodie te tenga a ti para apoyarse en alguien —dijo mientras yo le ayudaba a volverse.

Todos los días, Chris, el enfermero y yo nos turnábamos para moverle las piernas y darles masaje cuando el terapeuta no acudía para hacerlo. De esa manera los músculos no se atrofiarían. Sus piernas, debido al masaje, habían recuperado algo de su antigua forma, lo que consideraba un gran avance. Esperanza..., en esa casa de tristeza sombría siempre nos aferrábamos a la esperanza, que pintábamos de amarillo, como el sol que pocas veces habíamos visto.

—Esperaba que Melodie viniese esta mañana —dijo Jory apesadumbrado—, ya que ni tan siquiera entró anoche para darme las buenas noches.

Los días transcurrían. Melodie desaparecía con frecuencia, al igual que Bart. Mi fe en Melodie se había desvanecido. Ya no podía encontrarme con su mirada y sonreír. Cejé en mi empeño de hablar con Bart, y me refugié en Jory en busca de compañía. Veíamos la televisión, jugábamos a diversos juegos de mesa, competíamos haciendo rompecabezas para ver quién encontraba antes las piezas adecuadas; por la tarde, bebíamos vino. Hacia las nueve nos vencía el sueño, y fingíamos, fingíamos que todo acabaría bien con un poco de esfuerzo.

Le cansaba cada vez más tener que estar en la cama la mayor parte del tiempo.

—Se debe a la falta de ejercicio adecuado —explicaba, tirando del trapecio sujeto a la cabecera de su cama—. Por lo menos mantengo los brazos fuertes... ¿Dónde has dicho que está Melodie?

Dejé el patuco que acababa de tejer y cogí la lana para empezar otro. Entre nuestras partidas, yo hacía punto y veía la televisión. Cuando no acompañaba Jory, me encerraba en mi habitación para escribir a máquina el diario que estaba redactando sobre nuestras vidas. «Mi último libro», me decía. ¿Qué más tenía que decir? ¿Qué más podía sucedernos todavía?

—¡Mamá! ¿Es que nunca me escuchas? Te he preguntado si sabías dónde está Melodie y qué está haciendo.

—Está en la cocina, Jory —me apresuré a responder—, preparando tus platos favoritos.

Una expresión de alivio iluminó su cara.

—Estoy preocupado por mi mujer, mamá. Viene e intenta ayudarme, pero su corazón no parece estar conmigo. —Por sus ojos pasó una sombra que pronto se disipó al observar mi atenta mirada—. Te digo a ti lo que necesito expresarle a ella. Me duele observar cómo va distanciándose de mí poco a poco. Quisiera hablarle y explicarle que sigo siendo el mismo hombre por dentro, pero no creo que le interese saberlo. Tengo la impresión de que ella necesita pensar que soy diferente porque no puedo andar ni bailar, y así le resultará más fácil romper todos los lazos que nos unen y alejarse de mí. Nunca me habla del futuro. Ni tan siquiera hemos pensado cómo llamaremos a nuestro hijo. He estado mirando en libros para encontrar el nombre adecuado para nuestro hijo o hija. Como tú sugeriste, he estado también leyendo libros sobre el embarazo, sólo para compensar mi antigua falta de interés...

Y así hablaba y hablaba Jory, convenciéndose con sus propias palabras de que era el embarazo el responsable de los cambios que se habían producido en su esposa.

Me aclaré la garganta y aproveché mi oportunidad.

—Jory, he reflexionado mucho sobre lo que voy a decir. Tu doctor dijo una vez que estarías mejor en el hospital que aquí, pues así alguien te ayudaría con la rehabilitación. Tú y Melodie podríais alquilar un pequeño apartamento cerca del hospital, y ella podría llevarte a Rebach todos los días en el coche. Estamos casi en invierno, Jory. Tú no sabes cómo son los inviernos en esta parte montañosa de Virginia. Aquí hiela, y el viento nunca cesa de soplar. Nieva a menudo. Con frecuencia se bloquean los caminos que conducen hacia el pueblo. El estado mantiene abiertas las pistas y las carreteras, pero los caminos privados hasta esta propiedad quedan cerrados a menudo. Por lo tanto, muchos días el enfermero o el terapeuta no podrán venir, y tú necesitas ejercicio diario. Si vives cerca del hospital, podrás atender todas tus necesidades físicas.

Me miró con dolida sorpresa.

—¿Eso significa que deseas librarte de mí?

—Por supuesto que no. Has de admitir que no te gusta esta casa.

Sus ojos se dirigieron hacia las ventanas a las que la lluvia azotaba con fuerza. Hojas muertas y pétalos de rosas de floración tardía cubrían el suelo. Todos los pájaros del verano se habían marchado. El viento asediaba la casa, y se abría camino por pequeñas rendijas, aullando y ululando como lo había hecho en el viejo, viejo Foxworth.

Mientras yo contemplaba el jardín a través de la ventana, Jory dijo:

—Me gusta cómo tú y Mel decorasteis estas habitaciones. Me habéis proporcionado un refugio seguro contra el desprecio del mundo, y ahora no deseo marcharme de aquí para embarcarme con aquellos que solían admirar mi gracia y habilidad. No quiero tener que separarme de ti y papá. Siento que estamos mucho más cerca de lo que jamás habíamos estado; además, se aproximan las fiestas.

»Y si las carreteras pueden estar cerradas para el enfermero y el terapeuta, también lo estarán para ti y papá. No me alejes, mamá. Deseo más que nunca quedarme aquí. Te necesito. Necesito a papá. Incluso necesito esta oportunidad para acercarme más a mi hermano. Hace poco he estado pensando en Bart. Algunas veces viene y se sienta cerca de mí, y hablamos. Creo que, por fin, empezamos a ser la clase de amigos que éramos antes de que tu madre fuera a vivir a aquella casa contigua a la nuestra, hace mucho tiempo, cuando él tenía nueve años...

Yo me removía inquieta, pensando en la doblez de Bart, que, por un lado, visitaba a su hermano para ser su amigo, y por otro seducía a su mujer a sus espaldas.

—Si es eso lo que deseas, Jory, quédate. Pero piénsalo un poco. Chris y yo podríamos trasladarnos a la ciudad para estar contigo y Melodie, y procuraríamos que las cosas fuesen para ti tan cómodas como lo son aquí.

—Pero tú no puedes darme otro hermano a estas alturas, ¿verdad, mamá? Bart es el único hermano que tengo. Antes de que yo muera, o muera él, deseo que sepa que a mí me importa lo que le sucede. Quiero verle feliz. Mi mayor ilusión es que él disfrute de un matrimonio tan feliz como el mío. Algún día Bart se dará cuenta de que el dinero no puede comprarlo todo, y menos el amor; no la clase de amor que Melodie y yo nos profesamos.

Parecía pensativo, mientras yo lloraba en mi interior por él y por su «amor»; entonces se ruborizó.

—Por lo menos, debería añadir, el matrimonio que solíamos tener. En la actualidad, no se parece mucho a un matrimonio, siento admitirlo. Pero no cabe echar la culpa a Melodie.

Una semana más tarde, cuando me encontraba sola en mi habitación escribiendo el diario, oí el ruido de las fuertes pisadas de Chris acercarse corriendo por el pasillo. De pronto entró.

—Cathy —dijo muy excitado, quitándose el abrigo que arrojó a una silla—. ¡Tengo maravillosas noticias! ¿Te acuerdas de aquel experimento que estábamos realizando? Ha habido resultados. —Me alzó de mi escritorio y me condujo hacia una silla situada delante de la lumbre del hogar. Me explicó con todo detalle lo que él y otros científicos estaban intentando conseguir—. Significa que estaré fuera de casa cinco noches a la semana, ahora que ha llegado el invierno. La nieve no se derrite hasta mediodía, y si tuviera que esperar hasta entonces para salir de casa, me quedarían muy pocas horas para trabajar en el laboratorio. Pero no te entristezcas, estaré aquí todos los fines de semana. No obstante, si te parece mal, dímelo con franqueza. Mi primera obligación es hacia ti y nuestra familia.

Su entusiasmo por ese nuevo proyecto era tan evidente que no me atreví a enturbiarlo con mis temores. Chris nos había dado mucho a mí, Jory y Bart, y había recibido muy poco reconocimiento a cambio. Mis brazos rodearon su cuello. Escudriñé su cara, familiar y querida. Alrededor de sus ojos azules aprecié señales que no había notado con anterioridad. Mis dedos entre sus cabellos encontraron plata que era más áspera que el oro. En sus cejas había algunos cabellos grises.

—Si esto te hace infeliz, siempre puedo dejarlo, olvidarme de la investigación y dedicar todo mi tiempo a mi familia. Pero te agradecería que me dieras esta oportunidad. Cuando renuncié al ejercicio de la medicina en California creía que nunca encontraría nada que volviera a interesarme, pero estaba equivocado. Quizá así debía ser... Pero si es necesario puedo renunciar y quedarme aquí con mi familia.

¿Renunciar a la medicina por completo? Chris había centrado la mayor parte de su vida en su estudio. Retenerle en la casa, sólo para complacerme, sin hacer nada que contribuyera a la humanidad, le destruiría.

—Cathy —dijo Chris, interrumpiendo mis pensamientos, mientras volvía a ponerse su pesado abrigo de lana—, ¿estás bien? ¿Por qué tienes ese aspecto tan extraño, tan triste? Regresaré todos los viernes por la noche y no volveré a partir hasta el lunes por la mañana. Explícaselo a Jory. No, pensándolo bien, pasaré por su cuarto y yo mismo se lo contaré.

—Si es eso lo que deseas, eso es lo que has de hacer. Pero te echaremos de menos. No sé cómo podré dormir sin tenerte a mi lado. ¿Sabes?, he hablado con Jory, y no quiere ir a Charlottesville. Creo que ha acabado por sentirse a gusto en sus habitaciones. Casi ha terminado ese clíper. Y sería una lástima privarle de todas las comodidades de que disfruta aquí. Además, la Navidad está muy lejos. Cindy vendrá a casa el Día de Acción de Gracias para quedarse hasta Año Nuevo. Chris, prométeme que harás todo lo posible para volver a casa todos los viernes. Jory necesita de tu fortaleza tanto como de la mía ahora que Melodie le ha defraudado.

¡Oh! Había hablado demasiado. Sus ojos se entornaron.

—¿Qué está sucediendo que no me has contado?

Se quitó el pesado abrigo y lo colgó con sumo cuidado. Tragando saliva primero, comencé a hablar, intenté desviar mis ojos del hechizo de los suyos... Pero aquellos ojos azules me obligaron a decir:

—Chris, ¿considerarías algo terrible que Bart se enamorara de Melodie?

Apretó los labios.

—Oh, eso. Ya sé que Bart se ha sentido atraído hacia ella desde el día que Melodie llegó. Le he sorprendido observándola. Un día los encontré a los dos en el salón posterior, sentados en el sofá. Él le había abierto el vestido y le besaba los pechos. Me alejé. Cathy, si Melodie no le quisiera, lo hubiera abofeteado y lo habría detenido. Puedes suponer que su relación está robando a Jory la esposa cuando más la necesita, pero Jory no necesita a una mujer que ya no le quiere. Deja que Bart se quede con ella si la ama. ¿Qué bien puede hacerle Melodie a Jory ahora?

–¿Estás defendiendo a Bart? ¿Crees que es justo lo que ha hecho?

–No, no creo que sea justo. ¿Cuándo ha sido justa la vida, Cathy? ¿Fue justa cuando Jory se rompió la espalda, y ahora que no puede caminar? No, no es justa. He estado demasiado tiempo ejerciendo la medicina para no saber que la justicia no está distribuida con equidad. Los buenos suelen fallecer antes que los malos; los niños mueren antes que sus abuelos y ¿quién va a decir que eso es justo? Pero ¿qué podemos hacer al respecto? La vida es un don, y quizá la muerte es otra clase de don. ¿Y quiénes somos tú y yo para opinar? Acepta lo que ha sucedido entre Bart y Melodie, y permanece cerca de Jory. Haz que sea feliz hasta que llegue el día que encuentre otra mujer.

Aturdida por sus palabras, me sentía vaga e irreal.

–¿Y el bebé, qué pasa con el bebé?

Ahora la voz de Chris se tornó severa.

–El bebé es otra cuestión. Él o ella pertenecerán a Jory, sin importar a cuál de los dos hermanos elija Melodie. Ese niño ayudará a Jory a superar el trance..., porque es probable que él nunca pueda engendrar otro.

–Chris, por favor. Habla con Bart y convéncele de que deje a Melodie. Yo no puedo soportar ver a Jory perder a su esposa en este momento de su vida.

Chris sacudió la cabeza, y dijo que Bart nunca le escuchaba y que, sin yo saberlo, ya había hablado con Melodie.

—Cariño, enfréntate a los hechos. Melodie no necesita a Jory. No se atreverá a admitirlo, pero detrás de cada palabra que no pronuncia, detrás de todas sus excusas, se esconde la realidad: no quiere seguir casada con un hombre que no puede caminar. En mi opinión, sería cruel obligarla a quedarse con él, y a la larga, perjudicial para Jory. Si la forzamos a quedarse, tarde o temprano lo herirá por no ser el hombre que era, y yo quiero ahorrarle a Jory ese sufrimiento. Es mejor que la dejemos marchar antes de que Melodie lo hiera mucho más que teniendo una aventura amorosa con Bart.

—¡Chris! —exclamé, perpleja ante sus argumentos—. ¡No podemos permitirle que traicione a Jory!

—Cathy, ¿quiénes somos nosotros para juzgar su comportamiento? Bueno o malo, ¿deberíamos nosotros, a quienes Bart considera unos pecadores, sentarnos a juzgarle?

Por la mañana, Chris partió en su coche después de repetirme que regresaría el viernes alrededor de las seis. Le observé desde mi habitación hasta que el automóvil se perdió de vista.

Qué vacíos aquellos días sin Chris, qué tristes las noches sin que sus brazos me estrecharan y sus murmullos me asegurasen que todo saldría bien. Yo sonreía y reía por Jory, deseando que él no advirtiese que añoraba a Chris en mi lecho todas las noches. Sabía que Melodie y Bart seguían siendo amantes; sin embargo, eran lo bastante discretos para intentar ocultármelo. Pero yo lo sabía por la forma en que Joel miraba a la esposa de Jory, a la que consideraba una zorra. Resultaba extraño que no mirase a Bart del mismo modo, ya que era tan culpable como ella. Pero los hombres, incluso los más poderosos, como Joel, tenían una manera de pensar según la cual lo que era justo para el ganso, era pecado para la gansa.

Habían transcurrido ya dos semanas de noviembre, y nuestros planes para el Día de Acción de Gracias estaban trazados. El tiempo empeoró; los fuertes vientos llegaron, la nieve se fue acumulando ante nuestras puertas y helaba por las noches, de modo que no podíamos salir de casa. Uno tras otro, los sirvientes se fueron marchando hasta que sólo quedó Trevor para cocinar, con mi ayuda esporádica.

Cindy llegó en avión y alegró nuestras horas con su risa fácil y sus maneras seductoras que encantaban a todos excepto a Bart y Joel. Incluso Melodie parecía un poco más feliz. Después se metió en su cama para permanecer en ella todo el día, intentando evitar el frío ahora que la electricidad fallaba tan a menudo. Cuando así ocurría, teníamos que recurrir a la estufa de carbón.

Bart entraba la leña que necesitaba para la chimenea de su despacho, y se olvidaba de que a los demás también nos apetecía disfrutar del calor de una buena lumbre.

Bart y Joel estaban reunidos, hablando en voz baja del baile de Navidad que Bart planeaba, de modo que tuve que acarrear los leños suficientes para encender un fuego en la habitación de Jory, donde él y Cindy jugaban una partida. Jory estaba sentado en su silla, envuelto en una manta de estambre y con los hombros cubiertos con una chaqueta. Sonreía al comprobar mis vanos intentos por prender la llama.

—Abre el tiro de la chimenea, mamá. Eso siempre ayuda un poco.

¿Cómo había podido olvidarlo?

Pronto el fuego ardía en la chimenea. El resplandor alegraba la habitación, que parecía tan adecuada en verano, como lo era en invierno, tal como Bart había previsto. Ahora un recubrimiento oscuro hubiera hecho sentirse a Jory más confortable.

—Mamá —exclamó Jory, que se mostraba de pronto muy animado—, hace días que estoy pensando en algo. Soy un bobo por actuar como lo hago. Tú tienes razón, siempre la has tenido. No volveré a compadecerme de mí mismo cuando me quede solo y nadie pueda verme, como lo he estado haciendo desde el accidente. Aceptaré lo irremediable y sacaré el mayor provecho de esta difícil situación. Tal como tú y papá hicisteis cuando estabais encerrados, convertiré mis momentos de ocio en momentos de creatividad. Tendré tiempo sobrado para leer todos los libros que nunca he podido leer antes, la próxima vez que papá se ofrezca a enseñarme a pintar con las acuarelas, aceptaré. Saldré al jardín e intentaré pintar paisajes. Quizá hasta me atreva con el óleo, con otros materiales. Quiero agradeceros a ambos los ánimos que me infundís para proseguir. Soy un tipo afortunado por tener unos padres como vosotros.

Me sentí orgullosa y emocionada. Me eché a llorar, lo abracé, felicitándolo por volver a ser el de siempre.

Cindy había preparado una mesa de bridge para dos, pero Jory pronto volvió a trabajar en el clíper que estaba decidido a terminar antes de Navidad. Estaba atando los bramantes, finos como hilos, a las jarcias. Éste era el último detalle. Lo único que le faltaban eran pequeños retoques de pintura aquí y allá.

—Se lo regalaré a alguien muy especial, mamá —afirmó—. El día de Navidad, una persona de esta casa tendrá mi primera obra de artesanía.

—Yo lo compré para ti, Jory, para que fuese un legado que pasara a tus hijos. —Palidecí al oírme decir «hijos».

—Está bien, mamá, pues con este regalo recuperaré al hermano más joven que me amó antes de que ese viejo viniera y lo cambiase. Bart lo desea mucho; lo veo en sus ojos cada vez que entra y viene a ver mis progresos. Además, siempre puedo montar otro para mi hijo. En este momento deseo hacer algo para Bart. Él cree que ninguno de nosotros lo necesitamos o lo apreciamos. Nunca he conocido a ningún hombre tan inseguro de sí mismo, ¡y eso es tan triste!

FIESTAS ALEGRES

El Día de Acción de Gracias, Chris llegó a primera hora de la mañana. El enfermero de Jory compartió con nosotros la comida de Acción de Gracias, sin apartar su mirada amorosa de Cindy, como si la muchacha lo hubiera hechizado. Cindy se comportó como una dama y me hizo sentir muy orgullosa de ella. Al día siguiente, aceptó gustosa nuestra propuesta de pasar unos días en Richmond. Melodie sacudió la cabeza.

—Lo siento, no me apetece ir.

Chris, Cindy y yo nos fuimos en el coche, con la conciencia tranquila, sabiendo que Bart se había ido en avión a Nueva York y no estaría con Melodie. El enfermero de Jory había prometido que se quedaría con él hasta que regresáramos.

Nuestras vacaciones de tres días en Richmond refrescaron nuestras mentes y nuestras almas, y me hicieron sentir joven, bella y muy enamorada. Cindy disfrutó muchísimo gastando, gastando y gastando aún un poco más.

—¿Sabes? —dijo con orgullo—, yo no despilfarro todo ese dinero que me mandáis. Ahorro para comprar hermosos regalos para mi familia. Ya veréis lo que he comprado para vosotros dos. Y me hace ilusión pensar que a Jory le entusiasmará su obsequio. En cuanto a Bart, no me importa si le gustará lo que he elegido para él.

—¿Y qué hay de tu tío Joel? —pregunté con curiosidad.

Me abrazó riendo:

—Espera hasta que lo veas.

Horas después, Chris conducía por el sinuoso camino privado que llevaba a Foxworth Hall. En una de las cajas que llenaban el maletero y el asiento posterior del coche, había un traje caro que yo había comprado para lucirlo en el baile de Navidad del que había oído hablar a Bart con los proveedores que habían preparado su fiesta de aniversario. Otra caja semejante a la mía contenía el vestido que Cindy había escogido, espectacular pero al mismo tiempo maravillosamente adecuado.

—Gracias, mamá, por no protestar —había susurrado antes de besarme.

Durante nuestra ausencia no había ocurrido nada especial, excepto que Jory había completado por fin el clíper que alzaba altivo, terminado hasta el último detalle con muchas delicadeza, con un pequeño timón de cobre reluciente y velas hinchadas por los fuertes vientos invisibles.

—Las endurecí con azúcar —reveló Jory con una sonrisa—, y resultó. Cogí las velas y las dispuse alrededor de una botella, tal como indican las instrucciones, y ahora nuestro primer viaje está en plena marcha. —Estaba orgulloso de su trabajo y sonreía mientras Chris admiraba su meticulosa habilidad. Tuvimos que ayudarle a levantar la nave para colocarla en un molde de espuma sintética que lo mantendría seguro hasta que llegase a manos de su nuevo propietario.

Sus bellos ojos me dedicaron una mirada.

—Gracias por darme algo que hacer durante todas estas largas y aburridas horas, mamá. Cuando lo vi por primera vez me sentí abrumado, pensando que jamás sería capaz de hacer algo que parecía tan difícil. Pero di el primer paso y así, poco a poco, fui entendiendo esas instrucciones tan complicadas.

—Así es como se ganan las batallas, Jory —dijo Chris, mientras yo abrazaba a mi hijo con fuerza—. No se contemplan las cosas en su verdadera perspectiva. Se avanza un paso, otro, otro... hasta que llegas a tu destino. Debo reconocer que has realizado un magnífico trabajo con este barco. Está construido igual que lo hubiera hecho un profesional; parece que hubieses montado otros antes. Si Bart no aprecia el esfuerzo que esto supone, me llevaré una desilusión. —Chris sonrió a Jory—. Tienes un aspecto más sano, más fuerte. No te des por vencido con las acuarelas. Es una técnica difícil, pero creo que disfrutarás más que con los óleos. Estoy convencido que algún día llegarás a ser un excelente artista.

En el piso inferior, Bart hablaba por teléfono, dando instrucciones a un empleado de un banco para que se ocupara de un negocio fallido. Después habló con alguien más sobre la fiesta de Navidad que estaba planeando, un baile que compensara la tragedia de su fiesta de cumpleaños. Me quedé de pie ante la puerta abierta, pensando que afortunadamente no tendría que pagar todo lo que estaba encargando de sus fondos personales, sino de la Corrine Foxworth Winslow Trust, que concedía a Bart quinientos mil dólares al año como dinero «de bolsillo», para cubrir tan sólo gastos personales. Irritaba mucho a Bart verse obligado a consultar con Chris cada vez que sobrepasaba la cifra de los diez mil dólares.

Bart colgó el auricular dando un buen golpe y me miró enojado.

—Madre, ¿tienes que quedarte ahí, de pie en el umbral, espiando? ¿No te he dicho que permanezcas alejada de mí cuando estoy ocupado?

—¿Cuándo puedo verte entonces?

—¿Y por qué quieres verme?

—Por la misma razón que cualquier madre quiere ver a su hijo.

Sus ojos oscuros se ablandaron.

—Tienes a Jory, y él siempre parece ser más que suficiente para ti.

—No, te equivocas. Si no te hubiera tenido a ti, Jory hubiera sido suficiente. Pero te tuve a ti, y eso te convierte en una parte vital de mi vida.

Inseguro, Bart se levantó y se acercó a una ventana, dándome la espalda. Su voz llegó hasta mí profunda y gruñona, envuelta en una melancólica tristeza.

—¿Te acuerdas de cuando yo solía guardar el diario de Malcolm dentro de mi camisa? Malcolm escribió tanto sobre su madre, sobre cuánto la amaba hasta que ella se escapó con su amante y lo abandonó con un padre a quien él no quería... Me temo que parte del odio de Malcolm hacia ella se me contagió. Cada vez que os veo a ti y Chris subiendo por estas escaleras, me acomete la necesidad de purificarme de la vergüenza que siento y que vosotros dos no sentís. Por tanto, no empieces a sermonearme sobre Melodie, pues mi relación con ella es mucho menos pecaminosa que la que tú mantienes con Chris.

Sin duda, Bart tenía razón, y eso era lo que más me dolía.

Me acostumbré a ver a Chris sólo los fines de semana, aunque me entristecía su ausencia, y la cama me parecía enorme y solitaria sin él. Mis mañanas en soledad eran tristes. Deseaba oírle silbar mientras se afeitaba y se duchaba, su alegría, su optimismo. Cuando el tiempo lo retuvo lejos incluso los fines de semana también fui capaz de acostumbrarme. Cuán fácilmente nos adaptamos los humanos a las situaciones, qué bien dispuestos estamos a soportar cualquier horror, cualquier cambio, cualquier privación sólo para alcanzar unos pocos minutos de gozo inapreciable.

Contemplar desde la ventana cómo Chris se apeaba de su coche me llenaba de una excitación casi juvenil, tan abrumadora que era como si esperase al padre de Bart, que salía a escondidas de Foxworth Hall para encontrarse conmigo en la casita. Lo cierto era que yo no actuaba con tanta placidez al aceptarle ahora como cuando lo veía cada noche, cada mañana al despertarme. Los fines de semana se habían convertido en algo que esperaba con ansia y en lo que soñaba. Sin embargo, Chris era al mismo tiempo más y menos para mí; más un amante y menos un esposo. Yo echaba de menos al hermano que había sido, y al mismo tiempo deseaba al esposo amante que me hacía olvidar al hermano que conocí en su día.

No había modo ni palabras que pudieran separarnos ya, después de que yo lo hubiera aceptado y tomado como esposo, desafiando el desprecio y las normas morales de la sociedad.

Sin embargo, mi inconsciente utilizaba unos trucos peculiares para restar importancia a las posibles contrariedades de mi conciencia. Decididamente yo separaba al Chris hombre del Chris muchacho que había sido mi hermano. Se trataba de un juego no planeado, inconsciente, que ambos habíamos comenzado a llevar con delicadeza. No hablábamos de ello, no había por qué: Chris ya no me llamaba «mi dama Catherine», ni decía: «No dejes que las chinches te muerdan.» Todos los encantos y las fantasías del pasado, que habíamos creado cuando estábamos encerrados en el ático con el propósito de mantener alejados los espíritus malignos, ya no los necesitábamos, en los años de nuestra felicidad.

Una noche de viernes, en diciembre, Chris llegó tarde a casa, frotó los pies en el felpudo mientras yo le observaba desde las sombras en la rotonda, se quitó el abrigo, que colgó pulcramente en el armario de los invitados y subió de dos en dos los escalones, llamándome. Salí de las sombras y me arrojé a sus anhelantes brazos.

—¡Has llegado tarde otra vez! —reproché—. ¿A quién encuentras en tu laboratorio que te arrebata tanto tiempo?

¡Nadie! ¡Nadie!, me aseguraban sus apasionados besos.

Los fines de semana resultaban cortos, tremendamente cortos. Yo le contaba cuanto me inquietaba, le hablaba de Joel y su extraño modo de vagabundear por la casa, mostrando su desaprobación por todo lo que yo hacía. Le refería mis impresiones sobre Bart y Melodie, y mi preocupación por Jory, que estaba deprimido, suspirando por Melodie, odiando la indiferencia de su esposa, y amándola a pesar de ello, mientras yo intentaba recordarle a Melodie sus responsabilidades a cada momento. El desapego de Melodie dolía a Jory incluso más que su invalidez.

Chris, tendido a mi lado, soñoliento, escuchaba mi larga plática con silenciosa impaciencia antes de decir:

—Catherine, algunas veces me haces temer el regreso a casa. —Y se ponía de lado, apartándose de mí–. Estropeas todo lo maravilloso y dulce que existe entre los dos con tus historias suspicaces y desagradables. Y la mayor parte de todo lo que te molesta está en tu mente. ¿No crees que siempre has tenido demasiada imaginación? Crece ya, Catherine. Estás transmitiendo a Jory tus sospechas. Cuando aprendas a esperar sólo lo bueno de las personas, entonces quizá será eso lo que obtengas de ellas.

—Ya he escuchado antes tu filosofía, Christopher —repuse con un matiz de amargura que cruzó por mi cerebro como un rayo al recordar la fe que Chris tenía en nuestra madre, y la bondad que, en su devoción, esperaba de ella. «Chris, Chris, ¿es que nunca aprenderás?», pensé. Pero no me atreví a decirlo.

Allí estaba Chris, un hombre de mediana edad, aunque no lo pareciese, regalándome su eterno optimismo juvenil de esplendor rosado. Aunque hubiera podido ridiculizarle por ello, yo ansiaba esa clase de fe redentora que a él le proporcionaba paz, mientras que yo vivía entre anhelos, inquieta, apoyándome ora en un pie, ora en el otro, como si estuviera sobre un hierro ardiente.

Bart estaba sentado delante de un buen fuego, intentando concentrarse en *The Wall Street Journal* mientras Jory y yo envolvíamos los regalos de Navidad sobre una larga mesa de la que habíamos quitado todos los adornos. De pronto recordé; mientras confeccionaba lazos de fantasía y recortaba papel de estaño, que Cindy había llegado. Vagaba como en sueños por la casa, perdida en su propio mundo de tal modo que parecía como si no estuviese allí. A causa de la tranquilidad que su actitud aportaba, yo había descuidado sus necesidades mientras atendía a las de Jory. No me sorprendí cuando ella quiso ir con Chris a Charlottesville para terminar sus compras y ver una película antes de regresar con él el viernes. Chris disponía de un apartamento con un dormitorio y pensaba que Cindy podía dormir en su sofá-cama.

—De verdad, mamá, mi sorpresa especial de Navidad te complacerá.

Sólo cuando Cindy estuvo fuera, me pregunté qué provocaría aquella secreta sonrisa de placer en su lindo rostro.

Mientras Jory y yo adornábamos con los grandes lazos de satén los regalos y colocábamos las etiquetas con los nombres, oí el ruido de las puertas de un automóvil, unas pisadas fuertes en el pórtico y después la voz de Chris, que me llamaba. Eran las dos de la tarde cuando entró en nuestro salón preferido, acompañado por Cindy a su lado y, para mi asombro, un muchacho extraordinariamente atractivo de unos dieciocho años. Yo ya sabía que Cindy consideraba a cualquier chico que no la aventajase en dos años por lo menos demasiado joven para ella. Cuanto más viejos y más experimentados, tanto mejor, solía bromear ella.

—Mamá —exclamó Cindy, feliz, con el rostro radiante—. Aquí está la sorpresa que tú dijiste que podía traer a casa.

Pese a mi perplejidad conseguí sonreír. Cindy no había mencionado que su sorpresa secreta era un huésped a quien había invitado sin pedir permiso. Me quedé de pie para que Chris pudiera presentarnos al amigo que Cindy había conocido en Carolina del Sur. Lance Spalding, así se llamaba, demostró un aplomo considerable mientras nos estrechaba la mano a mí, a Jory y Bart, que estaba enfurecido.

Chris me besó en la mejilla y abrazó ligeramente a Jory antes de dirigirse con rapidez hacia la puerta.

—Cathy, perdóname por marcharme tan pronto, pero volveré mañana temprano. Cindy no podía esperar hasta entonces para traer a casa a su invitado. Debo acabar algunas cosas en la universidad. Además no he terminado mis compras. —Me dedicó una brillante sonrisa llena de encanto—. Querida, me quedan dos semanas para las vacaciones, de modo que tómalo con calma y guarda tu imaginación bajo llave. —Se volvió hacia Lance—. Disfruta de tus vacaciones, Lance.

Cindy, muy orgullosa de sí misma, condujo a su amigo hacia la persona que, con seguridad, se mostraría menos hospitalaria con su invitado.

—Bart, sabía que no te importaría que invitara a Lance. Su padre es el presidente de la cadena Chemical Banks, de Virginia.

Palabras mágicas. Sonreí ante la astucia de Cindy. La actitud hostil de Bart se transformó al instante en interés. Resultaba molesto presenciar cómo Bart intentaba extraer toda la información posible, por pequeña que fuese, del joven que, obviamente, se sentía muy atraído por Cindy.

Cindy estaba más adorable que nunca, resplandeciente en su ceñido suéter blanco con rayas de color rosa a juego con sus estrechos pantalones de punto. Tenía una figura maravillosa y sabía exhibirla con decisión.

Riendo, exultante, cogió la mano de Lance y lo apartó de Bart.

–Lance, ya verás cuando te enseñe la casa. Tenemos dos armaduras auténticas, pero son demasiado pequeñas para mi talla; para mamá, quizá, pero no para mí. Imagínate, se creía que los caballeros eran hombres fuertes, grandes y no lo eran. El salón de música es mayor que éste, y mi habitación es la más bonita de todas. La suite que mis padres comparten es increíble. No he sido invitada a las habitaciones de Bart, pero estoy segura que deben ser fabulosas. –Al decir esto se volvió un poco para dirigir a Bart una sonrisa maliciosa, insinuante. La expresión despectiva de Bart aumentó.

–¡No te acerques a mis habitaciones! –ordenó con aspereza–. No te acerques a mi despacho. Y tú, Lance, mientras estés aquí, recuerda que estás bajo mi techo y espero que trates a Cindy con decoro.

El muchacho se ruborizó y respondió con timidez:

–Naturalmente. Comprendo.

En el mismo instante en que la pareja se perdió de vista, aunque todavía se oía a Cindy cantando elogios de Foxworth Hall, Bart me arrojó su opinión sobre el amigo de Cindy.

–No me gusta. Es demasiado viejo para ella y excesivamente meloso. Cindy o yo hubiéramos debido censurarle que se tomase ciertas confianzas con ella. Además sabes que no me gustan los invitados caídos del cielo sin ser esperados.

–Bart, estoy de acuerdo contigo. Cindy hubiera debido avisarnos, pero quizá temía que tú te negases. Por otro lado, me parece un joven agradable. Recuerda lo dulce que Cindy ha sido desde el día de Acción de Gracias. No te ha causado ni un solo problema. Está creciendo.

–Esperemos que continúe portándose bien –gruñó Bart antes de forzar una sonrisa de compromiso–. ¿Has visto cómo la miraba? Tiene a ese pobre chico encandilado.

Aliviada, me acomodé sonriendo a Bart, y después a Jory, que estaba manoseando las luces navideñas antes de comenzar a disponer los regalos bajo el árbol.

—Los Foxworth tenían la tradición de ofrecer siempre un baile la noche de Navidad —explicó Bart—, y el tío Joel mandó por correo mis invitaciones hace dos semanas. Espero por lo menos doscientos invitados, si el tiempo se mantiene un poco decente. Aunque haya niebla, creo que la mitad de la gente sabrá arreglárselas para llegar aquí. Después de todo, no pueden permitirse disgustarme mientras yo les proporcione tantos negocios. Vendrán banqueros, abogados, corredores de Bolsa, médicos, empresarios, todos ellos acompañados por sus esposas y las amigas de los amigos, así como lo mejorcito de la sociedad local. También he invitado a algunos de mis hermanos de la fraternidad. Así pues, por una vez, madre, no podrás quejarte de que nuestras vidas resultan solitarias en esta zona aislada.

Jory reanudó la lectura de su libro, decidido al parecer a no permitir que nada de lo que Bart dijera o hiciera lo turbara. A la luz del fuego su perfil clásico era perfecto. El cabello oscuro y rizado enmarcaba su rostro y cubría el cuello de su camisa. Bart vestía un traje de hombre de negocios, como si en cualquier momento hubiera de levantarse para presidir una reunión corporativa.

Melodie entró llevando un vestido gris, sin forma, que colgaba de sus hombros y se abultaba en el vientre como si debajo hubiera un melón. Su mirada se posó en Bart, que se levantó de un salto, volvió la cabeza y salió presuroso de la habitación, dejando tras de sí un pesado silencio.

—Me he encontrado con Cindy arriba —dijo Melodie evitando que su mirada triste se cruzara con la de Jory. Se sentó cerca del fuego y estiró las manos hacia adelante para calentarlas—. Su amigo parece un chico agradable y bien educado. Además es muy guapo. —No apartaba la vista del fuego mientras Jory intentaba insistentemente obligarla a que lo mirase. El dolor de su corazón se reflejó en sus ojos cuando renunció apesadumbrado y volvió a su libro—. Me parece que a Cindy le gustan los hombres de cabello oscuro que se parecen a sus hermanos –prosiguió de un modo vago, distante, como si nada importase.

Jory alzó la mirada, airado.

–Mel, ¿ni siquiera puedes saludarme? –preguntó con voz ronca–. Estoy aquí, estoy vivo, haciendo todo lo que puedo por sobrevivir. ¿No puedes decir o hacer cualquier cosa para indicarme que recuerdas que soy tu marido?

De mala gana, Melodie volvió la cabeza hacia él y le dedicó una desvaída sonrisa. Algo en sus ojos expresaba que ya no le veía como el marido a quien tan apasionadamente había amado y admirado. Sólo veía a un hombre inválido en una silla de ruedas. Jory la hacia sentir molesta y avergonzada.

–Hola, Jory –dijo.

¿Por qué no se levantaba y lo besaba? ¿Acaso no percibía la súplica en los ojos de Jory? ¿Por qué no podía hacer un esfuerzo, aunque ya no lo amase? Poco a poco, el rostro macilento de Jory fue enrojeciendo. Bajó la cabeza y contempló los regalos que había envuelto con amor.

Yo estaba a punto de decir algo cruel a Melodie, cuando Cindy y Lance entraron. Ambos tenían los ojos brillantes y el rostro ruborizado. Bart no tardó en aparecer detrás de ellos. Recorrió la habitación con la mirada y, al comprobar que Melodie seguía allí, volvió a salir. Al instante, Melodie se levantó enseguida y desapareció. Bart debió verla marchar, pues poco después regresó se sentó cruzando las piernas; parecía aliviado ahora que Melodie no estaba.

El amigo de Cindy habló, mirando a Bart y sonriendo ampliamente.

–Tengo entendido que todo esto le pertenece, señor Foxworth.

–Llámale Bart –ordenó Cindy.

Bart frunció el entrecejo.

–Bart... –comenzó Lance balbuceante–, realmente es una casa notable. Gracias por invitarme. –Yo eché una ojeada a Cindy, que se mantenía en su lugar con firmeza, soportando la mirada de enfado que Bart le dirigía mientras Lance proseguía inocentemente–: Cindy no me enseñó tu suite de habitaciones ni tu despacho, pero espero que lo hagas tú. Algún día pienso poseer algo como esto... y me apasionan los ingenios electrónicos; Cindy me ha contado que tú tienes.

Al instante, Bart se puso en pie, orgulloso de poder mostrar su equipo electrónico.

–Por supuesto, si quieres ver mis habitaciones y mi despacho me encantará mostrártelos. Pero preferiría que Cindy no nos acompañara.

Después de una cena suntuosa, que Trevor sirvió, charlamos en el salón de música con Jory y Bart. Melodie estaba en su habitación, acostada ya. Pronto Bart dijo que se iba a la cama porque tenía que levantarse temprano al día siguiente. Al instante, la conversación se interrumpió, todos nos levantamos y nos encaminamos hacia la escalera. Acompañé a Lance a una bonita habitación que tenía baño propio. Se hallaba en el ala oriental, no muy lejos de las habitaciones de Bart, mientras que la de Cindy estaba cerca de las nuestras. Cindy sonrió con dulzura y besó en la mejilla a Lance Spalding.

–Buenas noches, dulce príncipe –murmuró–. El adiós es una aflicción muy dulce...

Con los brazos cruzados sobre el pecho, como Joel cruzaba los suyos, Bart contemplaba a nuestras espaldas la tierna escena con sorna.

–Dejemos que sea una separación de verdad –dijo, mirando a Lance, y después a Cindy, antes de dirigirse a su habitación.

Primero acompañé a Cindy a su dormitorio e intercambiamos algunas palabras y nuestros acostumbrados besos de buenas noches. Después me detuve ante la puerta de Melodie, preguntándome si debería llamar, entrar e intentar razonar con ella. Suspiré, reconociendo que así nada arreglaría, pues ya lo había intentado antes muchas veces. Me encaminé entonces hacia la habitación de Jory.

Estaba tumbado en la cama, mirando al techo. Sus oscuros ojos azules se dirigieron hacia mí, brillantes por las lágrimas no derramadas.

—Hace ya mucho tiempo que Melodie no viene, a darme el beso de buenas noches. Tú y Cindy siempre encontráis el momento para hacerlo, pero mi esposa me ignora como si yo no existiera para ella. No hay ninguna razón para que yo no pueda disponer de una cama más ancha donde ella duerma a mi lado, pero no lo haría aunque se lo pidiera. Ahora que he terminado el clíper no sé en qué ocupar mi tiempo. En realidad no tengo ganas de comenzar otro barco para nuestro hijo. Me siento tan insatisfecho, tan en desigualdad con la vida, conmigo mismo y, sobre todo, con mi esposa... Yo quiero volverme hacia ella, pero me da la espalda. Mamá, sin ti, sin papá y Cindy no sabría cómo vivir cada día.

Lo sostuve en mis brazos, e introduje mis dedos entre sus cabellos como solía hacerle cuando era un niño. Le dije todas las cosas que debía decirle Melodie. Sentí pena por ella, pero también me causaba desagrado su debilidad y la odié por no amar lo suficiente, por no saber cómo dar aunque doliese.

—Buenas noches, mi dulce príncipe —dije desde la puerta de la habitación—. Aférrate a tus sueños, no los abandones ahora, pues la vida ofrece muchas oportunidades de felicidad, Jory. No todo ha terminado para ti.

Jory sonrió y me dio las buenas noches.

Cuando me dirigí a la suite del ala sur que compartía con Chris, Joel apareció de pronto delante de mí, bloqueándome el paso. Llevaba un viejo albornoz andrajoso y descolorido. Su cabello cano y fino se arremolinaba en pequeños picos como cuernecillos, y el largo extremo de un cordón arrastraba detrás de él como una cola caída.

—Catherine —dijo con aspereza—, ¿te das cuenta de lo que esa chica está haciendo en este mismo instante?

—¿Esa chica? ¿Qué chica? —pregunté con idéntica brusquedad.

—Sabes que me refiero a esa hija tuya. En este preciso momento, justo ahora mismo, está divirtiéndose con ese joven que ha traído a casa con ella.

—¿Divirtiéndose? ¿Qué quieres decir?

Su sonrisa se volvió torcida y maligna.

—Vaya, si alguien sabe del asunto, ésa eres tú, o deberías serlo. Ha metido a ese muchacho en su cama.

—¡No te creo!

—Entonces ve y compruébalo tú misma —respondió con fruición—. Nunca crees nada de lo que digo. Yo estaba en el vestíbulo de atrás cuando vi por casualidad a ese muchacho andando a hurtadillas por los pasillos, y lo seguí. Antes de que él llegase a la puerta de Cindy, ella ya la había abierto y le permitió entrar.

—No te creo —repetí yo, esta vez sin tanta convicción.

—¿Tienes miedo de comprobarlo y descubrir que no miento? ¿Te convencería eso de que yo no soy el enemigo que tú supones?

Yo no sabía qué decir ni qué pensar. Cindy había prometido comportarse bien. Ella era inocente, sabía que lo era. Se había portado de forma correcta, ayudando a Jory, reprimiendo su tendencia natural a discutir con Bart. Joel tenía que estar mintiendo. Me di la vuelta y me encaminé hacia la habitación de Cindy con Joel siguiéndome los pasos.

—Estás mintiendo, Joel y voy a demostrártelo —dije mientras casi corría.

Al llegar ante puerta de Cindy, me detuve y escuché; no oí nada. Levanté la mano para llamar.

—¡No! —susurró Joel—. No les pongas sobre aviso si quieres saber toda la verdad. Limítate a abrir de golpe la puerta, entra en el dormitorio y compruébalo tú misma.

Me detuve. No quería ni tan siquiera pensar que Joel pudiese tener razón. Además, no me gustaba que Joel me dijese qué tenía que hacer. Le miré furiosa antes de llamar una sola vez. Esperé unos segundos, y entonces abrí de par en par la puerta del dormitorio de Cindy y entré en su habitación, iluminada tan sólo por la luz de la luna que entraba a raudales por las ventanas.

¡Dos cuerpos desnudos estaban enlazados en la virginal cama de Cindy!

Me quedé mirando de hito en hito, perpleja, sintiendo que un grito moría en mi garganta. Ante mis asombrados ojos, Lance Spalding estaba tendido sobre mi hija de dieciséis años, moviéndose de manera espasmódica. Las manos de Cindy se aferraban a sus nalgas de él, clavándole sus uñas rojas. La cabeza de ella se movía de un lado a otro mientras gemía de placer, evidenciando que ésta no era su primera vez.

¿Qué debía hacer yo? ¿Cerrar la puerta sin decir nada? ¿Dejarme arrastrar por un torrente de ira y arrojar a Lance de nuestra casa? Atrapada en una telaraña de indecisión, permanecí allí, inmóvil, durante unos segundos, hasta que oí un débil ruido detrás de mí.

Di un respingo. Me volví y vi a Bart, que también estaba mirando a Cindy; ésta se había puesto encima de Lance y lo cabalgaba con fuerza, exclamando palabras vulgares entre gemidos de éxtasis, ajena por completo a todo lo que no fuese lo que estaba haciendo con su pareja.

Bart no titubeó. Se dirigió directamente a la cama y, cogiendo a Cindy por la cintura, la arrancó con un poderoso impulso de encima del muchacho, que parecía indefenso en su desnudez y el arrobamiento. Bart arrojó al suelo con rudeza a Cindy, que gritó al caer boca abajo sobra la alfombra.

Bart no oía. Estaba demasiado ocupado golpeando al joven. Una y otra vez sus puños cayeron sobre el atractivo rostro de Lance. Oí el chasquido de su nariz al romperse, y la sangre lo salpicó todo.

–¡No bajo mi techo! –rugía Bart, golpeando sin descanso la cara de Lance–. ¡No quiero pecado bajo mi techo!

Un momento antes yo hubiera actuado igual, pero enseguida reaccioné y corrí para salvar al muchacho.

—Bart, ¡detente! ¡Lo vas a matar!

Cindy no cesaba de chillar, histérica, mientras intentaba cubrir su desnudez con sus ropas, que estaban tiradas en el suelo, mezcladas con las de Lance. Joel, que había entrado en la habitación, paseaba su mirada con desprecio por el cuerpo de Cindy; después se volvió para mirarme con una evidente satisfacción que me reprochaba: «¿Lo ves? Te lo dije. De tal madre, tal hija.»

—¿Ves lo que has criado con tantos mimos? —Joel entonó como si estuviera en un púlpito—. Desde la primera vez que la vi me di cuenta de que no era más que una ramera bajo el techo de la casa de mi padre.

—¡Imbécil! —exclamé furiosa—. ¿Y quién eres tú para condenar a nadie?

—Tú eres la imbécil, Catherine. Igual que tu madre, en muchas cosas. También ella deseaba a todos los hombres que conocía, incluso a su propio medio tío. Era como esta muchacha desnuda que se arrastra con lujuria por el suelo, dispuesta a acostarse con cualquier cosa que llevara pantalones.

De pronto, Bart dejó caer a Lance en la cama y se lanzó contra Joel.

—¡Cállate! ¡No te atrevas a comparar a mi madre con la tuya! ¡Ella no es igual que tu madre, no lo es!

—Ya me darás la razón en su momento, Bart —repuso Joel con su tono más suave y ceremonioso—. Corrine recibió lo que merecía. Tal como tu madre tendrá algún día lo que se merece. Y si la justicia y el derecho todavía gobiernan este mundo y Dios está en el cielo, esta indecente chica, que intenta cubrir su desnudez, encontrará su fin en las furiosas llamas, como se merece también.

—¡No vuelvas a decir nada parecido nunca más! —aulló Bart, tan furioso con Joel que se olvidó de Cindy y de Lance, quienes estaban poniéndose con rapidez y apresuramiento las ropas de dormir que habían abandonado. Bart vaciló, como si le sorprendiera encontrarse defendiendo a la chica que siempre había negado fuese su hermana–. Ésta es mi vida, tío –dijo con sequedad–, y mi familia. Yo impartiré la justicia que corresponda, no tú.

Muy afligido y turbado en apariencia, inseguro como un viejo, Joel se alejó arrastrando los pies por el pasillo, más que encorvado, doblado sobre sí mismo. Cuando se perdió de vista, Bart dirigió su furia hacia mí.

–¡Lo ves! –me increpó–. ¡Cindy acaba de demostrar lo que yo he sospechado durante tanto tiempo! ¡No es buena, madre! ¡No es buena! Ha fingido ser dulce a la vez que planeaba cómo disfrutar cuando Lance viniese. ¡Quiero que se marche de esta casa y de mi vida para siempre!

–Bart, no puedes echar a Cindy... ¡Es mi hija! Si tienes que castigar a alguien, más de lo que has hecho, expulsa a Lance. Tienes razón, por supuesto, Cindy no debía haberse comportado de esta manera, ni Lance tenía que aprovecharse de tu hospitalidad.

Consiguió calmarse un poco.

–De acuerdo, Cindy puede quedarse ya que insistes en quererla a pesar de todo. ¡Pero este muchacho se irá esta noche! –Voceó a Lance–. Date prisa en hacer tu maleta... porque dentro de cinco minutos te conduciré al aeropuerto. ¡Y si alguna otra vez te atreves a tocar a Cindy, te romperé todos los huesos! Y no creas que no me voy a enterar. ¡También tengo amigos en Carolina del Sur!

Lance Spalding estaba muy pálido mientras se apresuraba a guardar sus ropas en las maletas que acababa de vaciar. No osaba ni mirarme mientras se movía deprisa de un lado a otro, murmurando roncamente:

–Lo siento y estoy tan avergonzado, señora Sheffield... –Y enseguida se fue, apremiado por Bart, que le empujaba de vez en cuando para que avivara el paso.

Entonces me volví hacia Cindy, que se había cubierto con una bata muy recatada y metido en la cama. Me miraba con los ojos muy abiertos y aspecto asustado.

–Estarás satisfecha, Cindy –dije con frialdad–. Me has desilusionado de verdad. Esperaba más de ti. Me lo prometiste. ¿Acaso tus promesas no significan nada para ti?

—Mamá, por favor —sollozó—. Lo amo, y creo que he esperado bastante tiempo. Era mi regalo de Navidad para él... y para mí.

—¡No mientas, Cynthia! Esta noche no ha sido la primera vez que has estado con él. No soy tan estúpida como tú te crees. Ya habéis sido amantes.

Gimió.

—Mamá, ¿nunca más me querrás? ¡No puedes dejar de quererme, porque si lo haces desearé morir! No tengo más padres que tú y papá... y juro que no volverá a suceder. Por favor, perdóname, ¡por favor!

—Pensaré en ello —dije con sequedad mientras cerraba la puerta.

A la mañana siguiente, mientras me vestía, Cindy entró corriendo en mi habitación, presa de un llanto histérico.

—Mamá, por favor, no permitas que Bart me obligue a marchar también. Nunca he disfrutado de una Navidad feliz cuando Bart ha estado cerca. ¡Lo odio! ¡Lo odio con toda mi alma! Ha destrozado la cara de Lance.

Era más que posible que Cindy tuviera razón. Me costó mucho enseñar a Bart a contener su ira. Sería terrible para un muchacho tan bien parecido tener rota la nariz, por no mencionar sus ojos amoratados y los cortes y golpes.

Sin embargo, después de la marcha de Lance, algo peculiar asentó su mano fantasmal sobre Bart y lo volvió muy silencioso. Arrugas que nunca antes yo había visto, surcaron su rostro desde la nariz hasta sus labios bien formados, a pesar de que era demasiado joven. Se negaba a hablar o mirar a Cindy. También a mí me ignoraba. Permanecía sentado, callado y triste, observándome, y después posaba su mirada de ojos oscuros en Cindy, que siempre estaba llorando; yo no podía recordar ninguna otra vez en que Cindy nos hubiera permitido presenciar su llanto.

Por mi mente desfilaron toda clase de siniestros pensamientos. ¿Dónde podría encontrarse la armonía? Había una época para plantar, una para madurar, y otra para recolectar, ¿dónde estaba nuestra época de felicidad? ¿No habíamos esperado el tiempo suficiente?

Aquella mañana, más tarde, tuve una charla con Cindy.

—Cindy, me sorprende tu comportamiento. Fue lógico que Bart se mostrara tan furioso, aunque yo desapruebe el modo brutal en que trató a ese chico. Puedo comprender la furia de Bart, pero no tu comportamiento. Cualquier hombre joven entrará en tu dormitorio si tú abres gustosamente la puerta y le invitas a entrar, como hiciste con Lance. Cindy, has de prometerme que no volverás a hacer una cosa semejante otra vez. Cuando cumplas los dieciocho años, te convertirás en tu propia dueña..., pero hasta entonces, y mientras estés bajo este techo, no te dedicarás a juegos sexuales con nadie, ni aquí ni en ningún otro lugar. ¿Lo has entendido?

Sus ojos azules se agrandaron, brillantes a causa de las lágrimas a punto de derramarse.

—Mamá, ¡no vivo en el siglo XVIII! ¡Todas las chicas lo hacen! Yo he aguantado mucho más tiempo que la mayoría, y por lo que he oído decir de ti..., tú también te ibas detrás de los hombres.

—¡Cindy! —repliqué con dureza—. ¡No te atrevas nunca a arrojarme mi pasado o mi presente a la cara! Tú no sabes lo que tuve que soportar. En cambio, tú sólo has disfrutado de días felices repletos de todo aquello que a mí se me negó.

—¿Días felices? —preguntó con amargura—. ¿Has olvidado todas las cosas desagradables, maliciosas que Bart me hacía? Es cierto, yo no he estado encerrada con llave, ni hambrienta, ni he sido maltratada, pero he tenido mis problemas, no creas que no los he tenido. Bart me hace sentir tan insegura de mi femineidad que tengo que probarme ante todos los muchachos que conozco. No puedo evitarlo.

En aquel momento nos hallábamos en la habitación de Cindy, mientras Bart permanecía abajo.

Avancé un paso para abrazar a mi hija.

–No llores, cariño. Comprendo como debes estar sufriendo, pero has de intentar comprender cómo se sienten los padres con respecto a sus hijas. Tu padre y yo sólo deseamos lo mejor para ti. No queremos que salgas perjudicada. Deja que esta experiencia con Lance te enseñe una lección y reprime tus impulsos hasta que tengas dieciocho años y puedas razonar con madurez. Espera aún más tiempo, si te es posible. Cuando uno se aferra al sexo demasiado joven, éste tiene una cruel manera de morderte y devolverte todo aquello que tú ya no quieres. Así me ocurrió a mí. Por otro lado, te he oído decir un millar de veces que tú quieres un escenario y una carrera cinematográfica, y los maridos y los bebés han de esperar. Más de una chica ha visto frustradas sus esperanzas por el nacimiento de un bebé, fruto de una pasión incontrolada. Ten cuidado antes de entregarte y comprometerte con nadie. No te enamores demasiado pronto, pues cuando lo haces te vuelves vulnerable a muchos acontecimientos imprevisibles. Da una oportunidad al romance sin sexo, ahórrate todo el dolor de haberte entregado demasiado, y demasiado pronto.

Cindy me abrazó con fuerza. La ternura que traslucían sus ojos expresaban que éramos de nuevo madre e hija.

Después ambas bajamos al piso inferior y contemplamos el paisaje, cubierto por la blanca nieve, vagamente nebuloso en la distancia, aislándonos, con más crueldad que nunca, del resto del mundo.

–Ahora todos los caminos que parten de Charlottesville estarán bloqueados –dije con voz monótona–. Lo peor de todo es que Melodie se porta de una forma tan extraña que temo por la salud de su bebé. Jory permanece en su habitación como si no quisiera encontrarse con ella ni con ninguno de nosotros. Por su parte, Bart ronda por ahí, como si fuese nuestro amo, como lo es de esta casa. Oh, quisiera que Chris estuviera aquí. Odio que esté lejos.

Cindy me miraba casi con asombro. Se ruborizó al encontrarse con mi mirada. Cuando le pregunté por la causa de su reacción, murmuró:

—A veces me pregunto cómo es posible que vosotros dos os aferréis el uno al otro, cuando yo me enamoro y me desenamoro con tanta facilidad. Mamá, algún día tendrás que contarme cómo conseguir que un hombre me ame de verdad a mí, no sólo a mi cuerpo. Quisiera que los chicos me miraran primero a los ojos, como papá mira a los tuyos; me gustaría que se fijaran en mi cara, por lo menos de vez en cuando, ya que no soy fea; pero lo que con más atención miran son mis pechos. Desearía que sus miradas me siguieran, como la de Jory sigue a Melodie... —Cindy me rodeó con el brazo y apoyó su rostro en mi hombro—. Lo siento tanto, mamá. Lamento muchísimo haber causado todo ese alboroto la noche pasada. Gracias por no reñirme más de lo que hiciste. He estado pensando en lo que dijiste y tienes razón. Lance ha pagado un precio muy alto, y yo hubiera debido saber hacer mejor las cosas. —Me miró con ojos suplicantes—. Mamá, no mentí cuando expliqué que todas las chicas de la escuela comenzaron hace mucho tiempo, cuando tenían once, doce o trece años. Y yo amo a Lance. Me contuve, aunque los chicos me perseguían más que a las demás. Ellas creían que yo me acostaba con ellos, pero no era verdad. Simplemente lo fingía.

»Un día oí a los chicos intercambiar opiniones y todos estaban de acuerdo que no había nada que hacer conmigo. Hablaban de mí como si yo fuese una especie de cosa rara, una lesbiana quizá. Entonces decidí que permitiría que Lance me poseyera esta Navidad. Era el regalo especial que guardaba para él.

La miré con severidad, cuestionándome si lo que contaba era verdad. Entretanto, ella insistía en afirmar que había sido la única muchacha de todo el grupo que había aguantado hasta los dieciséis años sin hacerlo, y que eso era muy tarde para una chica en el mundo de hoy.

—Por favor, no te avergüences de mí, pues si tú lo estás, entonces yo me sentiré así también. He deseado hacer el amor desde que cumplí los doce años, pero me he resistido por no desobedecerte. Has de comprender que lo que he hecho con Lance no era casual. Lo amo. Y durante un rato, antes de que tú y Bart entraseis..., era..., era..., bueno.

¿Qué podía decir yo?

Había escondido mi propia juventud rebelde en un rincón de la memoria, dispuesta a saltar fuera y poner ante mí la imagen de Paul, la manera en que había deseado que él me enseñara todas las formas del amor, sobre todo porque mi primera experiencia sexual había sido tan devastadora, me había llenado de un sentimiento de culpabilidad tal que, incluso ahora, al cabo de tantos años, podría llorar al alzar la mirada hacia la luna que había sido testigo del pecado de Chris y el mío.

Alrededor de las seis, Chris telefoneó para decirnos que había estado intentando hablar conmigo durante todo el día, pero las líneas·habían estado cortadas.

—Me verás la víspera de Navidad —dijo con voz jovial—. He alquilado un quitanieves que abrirá camino a mi automóvil hasta el Hall. ¿Cómo van las cosas?

—Bien, muy bien —mentí. Conté que el padre de Lance había caído por las escaleras y el chico había tenido que regresar a casa en avión inmediatamente. Luego expliqué que todo estaba preparado para Navidad, los regalos envueltos, el árbol adornado, pero que Melodie, como de costumbre, se negaba a salir de sus habitaciones como si ellas fuesen el único santuario del mundo.

—Cathy —dijo Chris con voz tensa—. Te agradecería que por una vez fueses franca conmigo. Lance no ha podido viajar en avión porque todos los aviones están inmovilizados en tierra. Lance se encuentra en este momento a menos de diez pasos de este teléfono. Ha acudido a mí y me lo ha confesado todo. Le he curado la nariz rota y las otras heridas y he estado maldiciendo a Bart durante todo el rato. Ha destrozado a este muchacho.

A la mañana siguiente, a primera hora, oímos por la radio que todos los caminos hasta el pueblo y la próxima ciudad estaban cortados por la nieve. Se advertía a quienes tuviesen previsto emprender un viaje que permanecieran en casa. Tuvimos la radio conectada todo el día, escuchando a los meteorólogos como si ellos controlaran nuestras vidas.

«Jamás en el pasado se ha vivido un invierno tan dramático como éste –decía la monótona voz, exaltando las extremas condiciones del tiempo–. Se han batido todos los récords...»

Cindy y yo permanecimos cada una de esas tristes horas ante las ventanas. Con frecuencia Jory se unía a nosotras para contemplar la nieve que caía con implacable determinación.

Por mi mente desfiló el pasado. Nos veía a nosotros cuatro, encerrados en aquella misma habitación, susurrando sobre Santa Claus y contando a los gemelos que seguramente él nos encontraría. Chris le había escrito una carta. Oh, qué lástima inspiraban aquellos dos pequeños hermanos gemelos, despertándose la mañana de Navidad.

Al oír toser a Jory, volví al presente. Mi hijo sufría accesos de tos fuerte cada pocos minutos. Lo miré con temor. Enseguida se dirigió en la silla de ruedas a su habitación, diciendo que él mismo se metería en la cama. Hubiera deseado acompañarle, pero sabía que Jory deseaba hacer todo lo que pudiera por sí mismo.

–Ahora Jory se ha resfriado. Empiezo a odiar este lugar –gruñó Cindy–. Por esta razón traje a Lance conmigo, sabiendo que las cosas serían así. Confiaba en que todas las noches celebraríamos una fiesta, y estando un poco bebida acabaría por olvidarme del sinsabor que supone vivir bajo la sombra de Bart y ese viejo escurridizo de Joel. Esperaba que Lance alimentase mi felicidad mientras estuviésemos juntos. Ahora no tengo a nadie sino a ti, mamá. Jory parece ausente; además, cree que soy demasiado joven para comprender sus problemas. Melodie nunca cuenta nada, ni a mí ni a nadie. Bart vaga por ahí como la muerte siniestra.., igual que ese viejo, que me produce escalofríos. No tenemos amigos, nadie nos visita. Estamos completamente solos, crispándonos los nervios unos a otros. Y es Navidad. Espero ansiosa ese baile que Bart está organizando. Por lo menos, me dará la oportunidad de conocer gente joven y de sacudirme el musgo que siento que me sube por las piernas.

De repente Bart estaba allí, increpando a Cindy:

—No tienes por qué quedarte. No eres más que la bastarda que mi madre merecía tener.

Cindy enrojeció.

—¿Estás intentando ofenderme otra vez, imbécil? ¡Ahora no puedes herirme! ¡Eso se ha acabado!

—¡No te atrevas a llamarme imbécil nunca más, bastarda!

—¡Rata, imbécil, rata, imbécil! —vociferaba ella, retrocediendo y refugiándose detrás de sillas y mesas, incitándole con premeditación a que la persiguiera y, así dar cierta excitación a su día sombrío.

—¡Cindy! —exclamé, furiosa—. ¿Cómo te atreves a hablar de esa manera a Bart? Vamos, di que lo sientes..., ¡dilo!

—No, no lo diré, porque no lo siento. —No se dirigía a mí, sino a Bart—. ¡Es un bruto, un maníaco, un loco y está intentando volvernos a todos tan chiflados como él!

—¡Calla! —ordené, viendo que el rostro de Bart empalidecía. De pronto se abalanzó y cogió a Cindy por el cuello. Ella intentó defenderse, pero él la tenía agarrada con fuerza. Corrí para impedir que la golpeara con su brazo libre. Dominándola, Bart la amenazó:

—Si alguna vez te atreves ni tan siquiera a dirigirme

la palabra, pequeñaja, lamentarás ese día. Estás muy orgullosa de tu cuerpo, tu cabello y tu cara. Un insulto más y tendrás que esconderte en los armarios y romper todos los espejos.

Su tono grave indicaba que hablaba en serio. Ayudé a Cindy a levantarse.

—Bart, no hablas en serio. Durante toda tu vida has estado atormentado a Cindy. ¿Puedes culparla ahora por desear vengarse?

—De modo que, después de todo lo que ha dicho, ¿te pones de su lado?

—Di que lo lamentas, Cindy —rogué, volviéndome hacia ella. Lancé después una mirada suplicante a Bart—. Y tú también, por favor.

En los feroces ojos oscuros de Bart vislumbré un destello de indecisión cuando se dio cuenta de lo alterada que estaba yo, pero se desvaneció en el momento en que Cindy exclamó:

—¡No! ¡Yo no lo lamento! ¡Y no le tengo miedo! Bart, eres tan escurridizo y senil como ese viejo imbécil que vaga por ahí murmurando todo el día para sí. ¡Chico, parece que sientes debilidad por los viejos! ¡Quizá ése sea tu punto flaco, hermano!

—¡Cindy! —susurré abrumada—, discúlpate con Bart.

—¡Nunca, nunca, nunca! No, después de lo que hizo a Lance.

La ira que encendía el rostro de Bart me asustó.

Precisamente en ese momento, Joel entró despacio en la habitación. Con los brazos cruzados sobre el pecho, se enfrentó a los fieros ojos de Bart.

—Hijo..., déjalo correr. El señor ve y oye todo y, cuando llega la hora, imparte Su propia justicia. Esta niña es como un pájaro piando en los árboles, guiada por instintos que nada saben de moralidad. Actúa, habla y se mueve, sin pensar. No es nada comparada contigo, Bart. Tú has nacido para mandar.

Como si se transfigurase, la ira de Bart se desvaneció. Siguiendo a Joel, abandonó la habitación sin dirigirnos ni una mirada. Al ver a mi hijo caminar tras aquel viejo de forma tan obediente, sin ninguna objeción, mi mente se llenó de nuevos temores. ¿Cómo había podido Joel conseguir semejante control?

Cindy se echó en mis brazos y lloró.

—Mamá, ¿qué ocurre? ¿Qué hay de malo en mí y en Bart? ¿Por qué digo cosas tan odiosas para ofenderle? ¿Por qué me las dice él? Quiero hacer daño a Bart, que pague por cada una de las cosas feas que ha hecho para herirme.

Sollozó en mis brazos todas sus ansiedades hasta quedar calmada.

En muchos aspectos, Cindy me recordaba a mí; tan ansiosa por amar y ser amada, por vivir una vida plena, excitante, incluso antes de ser lo bastante madura para aceptar las responsabilidades emocionales.

Suspiré y la abracé con fuerza. Algún día, de alguna manera, todos los problemas familiares se resolverían. Me aferré a esa creencia, rogando que Chris regresara pronto a casa.

NAVIDAD

Como en el pasado, la Navidad llegó con su encanto y paz festivos para reinar sobre los espíritus turbados y confirió, incluso a Foxworth Hall, su propia belleza. La nieve seguía cayendo, pero no era tan copiosa. En nuestra habitación de reunión favorita, Bart y Cindy, bajo la dirección de Jory, adornaban el gigantesco árbol de Navidad. Cindy estaba subida en un lado de la escalera, Bart en el segundo peldaño, mientras Jory permanecía en su silla de ruedas, formando con tiras de luces coronas para ornar las puertas. Los decoradores trabajaban en otras habitaciones para crear en ellas un ambiente festivo para los centenares de invitados que Bart esperaba acoger en el baile. Estaba muy excitado, y verle feliz y risueño, añadía alegría a mi corazón, que se colmó cuando Chris llegó a la puerta cargado con sus compras de última hora, como tenía por costumbre hacer.

Corrí a saludarle con mis ansiosos brazos abiertos y mis besos ardientes, que Bart no podía ver desde donde estaba, detrás del árbol.

−¿Qué te ha retrasado tanto? −pregunté, y él se echó a reír, señalándome los regalos con sus bellas envolturas.

–Fuera, en el coche, tengo más –dijo con una sonrisa feliz–. Ya sé que estás pensando que hubiera debido hacer mis compras antes, pero parece que nunca encuentro el momento. Cuando quiero darme cuenta, ya estamos en víspera de Navidad, y acabo pagando el doble por todo, pero vas a estar muy contenta... Y si no lo estás, no me lo digas.

Melodie, sentada en un taburete bajo cerca del hogar en el salón, ofrecía un aspecto lamentable. De hecho, cuando la observé más de cerca, parecía estar sufriendo.

–¿Te encuentras bien, Melodie? –pregunté. Ella asintió, y yo, sin más, creí en su palabra.

Luego Chris también le preguntó, y ella se levantó y negó que algo fuese mal. Dirigió a Bart una mirada suplicante que éste no vio y después se encaminó hacia la escalera posterior. Con su vestido sin forma, de color apagado, Melodie parecía una mujeruca que hubiera envejecido diez años desde el mes de julio. Jory, que siempre observaba a su esposa con atención, se volvió para mirarla mientras ella se alejaba con paso vacilante, y en sus ojos apareció una terrible tristeza que le robó el placer de la grata ocupación con que se entretenía. La ristra de lamparillas se deslizó desde su regazo para enredarse en las ruedas de su silla, sin que Jory lo advirtiera. Estuvo un rato con los puños cerrados como si quisiera golpear al destino en la cara por haberle privado del uso de su maravilloso cuerpo y, con ello, del cariño de la mujer que amaba.

Camino de la escalera, Chris se detuvo para dar unas palmadas cariñosas en la espalda de Jory.

–Tienes un aspecto sano y fuerte. No te preocupes por Melodie. Es normal que una mujer en su trimestre final de embarazo esté irritable y de mal humor. También tú estarías así si tuvieras que acarrear por ahí todo ese peso extra.

–Por lo menos podría hablarme de vez en cuando –se lamentó Jory– o mirarme. Ni tan siquiera se arrima a Bart ahora.

Yo lo miré alarmada. ¿Sabría acaso que no hacía mucho que Bart y Melodie eran amantes? Yo dudaba de que todavía lo fuesen, lo que explicaría la tristeza de Melodie. Intenté encontrar algo en los ojos de Jory, pero él bajó la mirada y fingió interesarse de nuevo en el adorno del árbol.

Hacía mucho tiempo que Chris y yo habíamos establecido la tradición de abrir un regalo por lo menos en la Nochebuena. Cuando llegó la noche, Chris y yo, sentados en el mejor de nuestros salones de la planta baja, brindamos con champán el uno por el otro. Alzamos nuestras copas.

—Por todas nuestras mañanas juntos —dijo Chris, cuyos cálidos ojos estaban llenos de amor y felicidad. Repetí la mismas palabras antes de que Chris me entregara mi regalo «especial». Cuando abrí el pequeño estuche de joyería, encontré un diamante de dos quilates, en forma de pera, que colgaba de una cadenita de oro.

—Ahora no protestes y digas que no te gustan las joyas —dijo Chris con presteza cuando me quedé contemplando el objeto que resplandecía y reflejaba los colores del arco iris—. Nuestra madre nunca llevó nada parecido. En realidad, hubiera preferido comprarte un largo collar de perlas como los que ella solía llevar porque creo que son·a un mismo tiempo elegantes y armoniosos. Pero, conociéndote, me he olvidado de las perlas y me he decidido por este hermoso diamante. Tiene forma de lágrima, Cathy, por todas las lágrimas que yo hubiera vertido interiormente si no me hubieras permitido amarte jamás.

El modo en que lo dijo hizo que mis ojos se humedecieran e hinchó mi corazón con la culpable tristeza de ser nosotros, el gozo de ser nosotros; las complicaciones de ser nosotros algunas veces resultaban demasiado abrumadoras. En silencio, le entregué mi regalo «especial»: un bonito anillo, con un zafiro en forma de estrella, para su dedo índice. Chris echó a reír, diciendo que era ostentoso pero muy bello.

Acababan de salir esas palabras de su boca cuando Melodie, Bart y Jory se reunieron con nosotros. Éste sonrió al ver el brillo de nuestros ojos. Bart frunció el entrecejo, y Melodie se dejó caer en una butaca muy mullida y pareció desaparecer en las profundidades. Cindy también se acercó corriendo con campanillas que agitó con alegría, vestida con pantalones y suéter de color rojo. Por último, Joel se deslizó dentro de la habitación para permanecer en un rincón con los brazos cruzados encima del pecho, esparciendo su propia lobreguez, como un sombrío juez observando a unos niños malos y peligrosos.

Fue Jory el que primero respondió al encanto de Cindy alzando su copa en alto y brindando.

–¡Saludemos los gozos de la Nochebuena! Que mi madre y mi padre se miren siempre como esta noche, con amor y ternura, con compasión y comprensión. Que yo pueda encontrar esta clase de amor en los ojos de mi esposa... pronto.

Estaba desafiando directamente a Melodie, delante de todos nosotros, pero, por desgracia, tales momentos no eran los más adecuados para esa clase de enfrentamientos. Ella se acurrucó más todavía y evitó encontrarse con la mirada de Jory inclinándose para mirar el fuego fijamente. La esperanza se desvaneció en los ojos de Jory, que hundió los hombros y dio media vuelta a su silla para no ver a su esposa. Dejó la copa de champán y clavó también su mirada en el fuego; parecía querer desvelar qué simbolismo estaba viendo ella. En la penumbra de su distante rincón, Joel sonrió.

Aunque Cindy intentó imponer la alegría, Bart acabó cediendo también al abatimiento corrosivo que Melodie emitía como una neblina gris. En verdad, la reunión familiar en una habitación con una decoración tan festiva estaba resultando un fracaso. Bart no miraba a Melodie ahora que ella estaba tan deformada por el embarazo.

Pronto Bart paseaba inquieto de un lado a otro de la habitación, echando ojeadas a todos los regalos colocados debajo del árbol. Sus ojos se encontraron fortuitamente con los de Melodie, que lo miraba esperanzada, pero se apresuró a desviar, la mirada, como si se avergonzara de la súplica demasiado evidente de ella. Al cabo de unos minutos, la propia Melodie se excusó alegando en voz baja que no se encontraba bien.

–¿Puedo hacer algo? –preguntó Chris de inmediato, levantándose de un salto para ayudarla a subir por la escalera. Ella avanzaba pesadamente.

–Estoy bien –replicó con aspereza Melodie cerca de una de las columnas–. No necesito tu ayuda, ¡ni la de nadie!

–Y todos gozaron de unas felices Navidades –entonó Bart, imitando a Joel, que continuaba de pie entre las sombras, vigilando, siempre vigilando.

En el momento en que Melodie salió de la habitación, Jory maniobró bruscamente con su silla antes de declarar, él también, que estaba cansado y no se sentía muy bien. El prolongado acceso de tos que siguió a sus palabras reveló que era cierto lo que decía.

–Tengo la medicina que necesitas –dijo Chris, poniéndose de pie y encaminándose hacia la escalera–. No puedes irte a la cama todavía, Jory. Quédate un poco más. Hemos de celebrarlo. Antes de recetarte algo que tal vez no sea apropiado, necesito escuchar tus pulmones.

Bart se apoyó con indiferencia contra la repisa de la chimenea, observando la amable escena que protagonizaban Jory y Chris, como si estuviera celoso de su relación. Chris vino hacia mí.

–Quizá sea mejor que nos retiremos ahora, para que podamos levantarnos de madrugada, desayunar, abrir los regalos, y echar después un sueñecito antes de prepararnos para el baile de mañana por la noche.

–¡Oh, gloria, aleluya! –celebró Cindy, dando vueltas por la habitación en una pequeña danza–. Gente, mucha gente, ataviada con sus mejores galas... ¡No podré esperar a mañana por la noche! Risas, cuánto anhelo oír risas. Bromas y charlas inconsecuentes; cómo desean mis oídos escucharlas. Estoy tan harta de estar seria, contemplando caras malhumoradas incapaces de sonreír, y escuchando conversaciones tristes. Espero que todos esos viejos elegantones traigan con ellos a sus hijos universitarios, o a cualquier hijo, siempre que pase de los doce años. ¡Así estoy de desesperada!

Bart no era el único de nosotros que lanzaba miradas de desaprobación, que eran ignoradas por Cindy.

—Bailaré toda la noche, bailaré toda la noche —canturreaba ella, dando vueltas, fingiendo abrazar a su pareja, sin permitir que sus ilusiones se vieran mermadas ante cualquier comentario que nosotros pudiéramos hacer—. Y después bailaré un poco más...

A pesar de sí mismos, Jory y Chris estaban hechizados por los movimientos de Cindy y su canción feliz y alegre. Chris sonrió antes de decir:

—Tendrían que venir por lo menos veinte jóvenes aquí mañana por la noche. Pero trata de contenerte. Ahora, ya que Jory parece tan cansado, vayamos a la cama; mañana será un largo día.

Parecía la mejor idea.

De pronto, Cindy se dejó caer en un sillón y se hundió en él como Melodie había hecho, adoptando un aspecto triste.

—Me gustaría que Lance hubiera podido quedarse. Preferiría tenerle a él a cualquier otro.

Bart le dirigió una mirada furiosa.

—Ese joven nunca volverá a entrar en esta casa. —Después se volvió hacia mí—. No es preciso que Melodie participe en la fiesta —prosiguió con firmeza en la voz y manteniendo su actitud airada—, no si ha de parecer tan desgraciada y enferma. Dejemos que mañana por la mañana se quede lamentándose en su habitación para que nosotros podamos disfrutar abriendo los regalos. Creo que hacer la siesta es una buena idea. Así, mañana por la noche todos tendremos un aspecto fresco por haber descansado y estaremos bien dispuestos y felices para mi fiesta.

Jory se había adelantado y entraba en el ascensor por sí mismo, como queriendo afirmar su independencia. Los demás nos mostrábamos renuentes a irnos. Mientras permanecí allí sentada, escuchando los villancicos que Bart había puesto en el tocadiscos, estuve pensando en todas las fastidiosas costumbres que había adquirido mi hijo menor.

Cuando era un niño, le había encantado estar no sólo sucio, sino asqueroso. Ahora, en cambio, se duchaba varias veces al día y se mantenía inmaculadamene atildado. No se retiraba a su habitación hasta haber supervisado «su casa» de arriba abajo, comprobando que las puertas estaban cerradas con llave, así como las ventanas, y que el nuevo gatito que Trevor tenía como animal de compañía no hubiera ensuciado la alfombra. Bart había despedido una docena de veces a Trevor, pero ése se resistía a marcharse y Bart no había insistido.

Bart se levantó para ahuecar los almohadones, alisar las arrugas de los blandos cojines del sofá, recoger revistas y apilarlas ordenadamente. Todas aquellas cosas que los sirvientes descuidaban las hacía él. Al día siguiente por la mañana, se abalanzaría sobre Trevor y le ordenaría que las doncellas cumplieran mejor o serían despedidas. No era de extrañar que no pudiéramos conservar a los sirvientes. Únicamente Trevor permanecía fiel, ignorando las rudezas de Bart, al que contemplaba con piedad, aunque él no se daba cuenta de ello.

Todo eso estaba en mi mente mientras tomaba nota del creciente entusiasmo de Bart ante la fiesta del día siguiente por la noche. Eché una mirada por la ventana y vi que la nieve seguía cayendo y que alcanzaba en algunos lugares más de medio metro de espesor.

—Bart, mañana por la noche las carreteras estarán cubiertas de hielo, quizá las cierren y muchos de tus invitados no podrán llegar aquí para el tradicional baile de Foxworth.

—¡Tonterías! Los traeré en avión si llaman para cancelar su cita. Un helicóptero podría aterrizar en el césped.

Suspiré. Por alguna razón me inquietó la extraña mirada maliciosa de Joel, que escogió aquel momento para salir de la habitación.

—Tu madre tiene razón, Bart —dijo Chris bondadoso—, de modo que no te desilusiones si sólo pueden venir algunos. Me ha resultado muy difícil llegar hasta aquí hace unas horas, y en estos momentos está nevando todavía con más intensidad.

Como si Chris no hubiera pronunciado ni una palabra, Bart me dio las buenas noches y se encaminó hacia la escalera. Poco después, Chris, Cindy y yo subíamos a nuestras habitaciones.

Mientras Chris permanecía en el dormitorio de Jory para decirle algunas palabras, yo esperé que Cindy saliera del baño. Tras una ducha —dos por lo menos al día—, salió del cuarto de baño, fresca y resplandeciente ataviada con una camisola de dormir roja muy escasa de tela.

—Mamá, no me vengas otra vez con sermones. No puedo aguantar más. Cuando llegué a esta casa, me pareció que era un palacio de cuento de hadas, pero ahora se ha convertido para mí en una fortaleza sombría que nos tiene a todos prisioneros. En cuanto finalice el baile, me iré... ¡Y al infierno con Bart! Os quiero a ti, papá y Jory. En cambio, Melodie me resulta aburrida y Bart nunca cambiará. Siempre me odiará, de modo que dejaré de intentar ser amable con él.

Se metió entre las sábanas, se arropó con las mantas y se puso de lado, dándome la espalda.

—Buenas noches, mamá. Apaga la luz cuando te vayas, por favor. No es necesario que me pidas que me porte bien mañana por la noche, pues pienso ser un modelo de dama decorosa. Despiértame tres horas antes de que empiece el baile.

—Pero, Cindy, ¿ni tan siquiera quieres compartir con nosotros la mañana de Navidad?

—¡Bah! —dijo con indiferencia—, supongo que podré despertarme el tiempo suficiente para abrir mis regalos y contemplar cómo los demás abrís los vuestros. Después volveré a la cama para poder ser la bella del baile mañana por la noche.

—Te quiero, Cindy —dije mientras apagaba su lámpara, y me inclinaba para alzarle el cabello y besarla en su cálida nuca.

Volviéndose con ligereza y rapidez, me rodeó el cuello con sus esbeltos brazos jóvenes y comenzó a sollozar.

—Oh, mamá, ¡eres la mejor de las madres! Te prometo portarme bien a partir de ahora. No permitiré que ningún muchacho me coja ni tan siquiera la mano. Pero déjame escapar de esta casa para ir a Nueva York y poder estar en la fiesta de Año Nuevo que mi mejor amiga ha organizado en la sala de baile de un gran hotel.

Asentí con la cabeza.

—De acuerdo, si quieres divertirte en la fiesta de tu amiga, lo encuentro bien; pero, por favor, procura no enfurecer a Bart mañana. Ya conoces su problema, y ha trabajado muy duro para sobreponerse a todas esas ideas turbadoras implantadas en su cerebro cuando era muy pequeño. Ayúdale, Cindy, haz que se dé cuenta de que tiene una familia que lo apoya.

—Lo haré, mamá. Prometo que lo haré.

Cerré la puerta y fui a dar las buenas noches a Jory, que se mostraba extrañamente silencioso.

—Todo saldrá bien, cariño. Tan pronto como el bebé haya nacido. Melodie volverá a ti.

—¿Lo hará? —preguntó Jory con amargura—. Lo dudo. Para entonces ella tendrá al bebé que absorberá todo su tiempo y sus pensamientos. Me necesitará todavía menos que ahora.

Media hora después, Chris me acogía en sus brazos y, ansiosamente, me rendí al único amor de mi vida que había durado el tiempo suficiente para dejarme saber que tenía bien agarrada la felicidad, a pesar de todo lo que podía haber arruinado aquello que nosotros habíamos cultivado y hecho crecer en la sombra.

La primera luz del alba entró en mi habitación y me sacó de mi sueño antes de que sonara el despertador. Me levanté deprisa y miré por las ventanas; la nieve había dejado de caer. Gracias a Dios; Bart estaría contento. Volví con presteza a la cama para despertar a Chris con un beso.

—Feliz Navidad, querido doctor Christopher Sheffield —susurré en su oído.

—Preferiría que me llamaras querido y nada más —murmuró mientras se espabilaba y miraba alrededor desorientado.

Decidida a que el día fuera un éxito, lo hice saltar de la cama y, muy pronto, los dos estábamos vestidos y nos dirigíamos al comedor para desayunar.

Durante dos días, habían acudido a la casa hombres y mujeres para repetir los preparativos del verano, aunque en esta ocasión toda la planta quedó transformada en una fantasía navideña.

Contemplé con cierta indiferencia a los trabajadores que Bart había contratado y que estaban acabando de dar a nuestra casa el aspecto del palacio de las maravillas. Cindy estaba a mi lado observando todo lo que se hacía para convertir las habitaciones en lugares extraordinariamente festivos, rebosantes de color, velas, coronas y guirnaldas. También se instaló un árbol de Navidad muy alto que sobrepasaba nuestro abeto familiar.

Todo aquello convencía a Cindy de que no debía perderse la mejor parte del día estando en la cama. Se olvidó de Lance y la soledad, pues el día de Navidad resultaba más mágico que la Nochebuena.

—¡Fíjate en esa tarta, mamá! Es enorme. *Four and twenty blackbirds baked in a pie*[1] —cantó, súbitamente resplandeciente de vida—. Siento haberme portado mal. Lo he estado pensando. Esta noche habrá muchachos y montones de hombres guapos y ricos, de modo que

---

1. Juego de palabras. *Blackbird* significa mirlo, y *pie*, urraca. *Pie* significa también tarta o pastel. La canción dice: *Cuatrocientos veinte mirlos prepararon un pastel. (N. del T.)*

quizá esta casa pueda desprender algo más que melancolía.

—Por supuesto —intervino Bart, acercándose a nosotras para situarse entre ambas, con los ojos brillantes al comprobar cuanto se había hecho. Parecía ilusionado—. Debes asegurarte de llevar un vestido decente y no cometer ningún acto escandaloso. —Después fue detrás de los trabajadores, dándoles instrucciones, riendo a menudo, incluso a Jory, Cindy, Melodie y a mí, como si nos hubiera perdonado por ser Navidad.

Día tras día, como una oscura y siniestra sombra, Joel había estado pegado a los talones de Bart, mientras con su vieja voz quejumbrosa entonaba frases de la Biblia. Esa mañana, totalmente vestido ya a las seis y media, declaraba:

—Porque es más fácil que un camello pase por el ojo de la aguja que un hombre rico entre en el reino de Dios...

—¿Qué demonios estás insinuando, viejo? —preguntó Bart con acritud.

Por un instante, los lacrimosos ojos de Joel brillaron furiosos, como una chispa a punto de prender azuzada por un viento brusco e inesperado.

—Estás despilfarrando miles de dólares con la intención de impresionar a alguien, y nadie se impresionará, pues los demás también tienen dinero. Incluso algunos viven en mejores casas. Foxworth Hall fue la mejor en su época, pero su momento ha pasado.

Bart se volvió hacia él, airado.

—¡Cállate! Siempre te empeñas en estropearme la felicidad que trato de alcanzar. ¡Todas mis acciones son pecaminosas, según tú! Eres un viejo y has consumido ya tu parte de la vida; ahora intentas estropear la mía. Éste es mi momento; soy joven y quiero disfrutar con plenitud. ¡Guarda para ti tus citas religiosas!

—El orgullo desaparece antes de la caída.

—El orgullo desaparece antes de la destrucción —corrigió Bart, mirando con furia a su tío abuelo, proporcionándome así una deliciosa satisfacción.

Al fin Bart estaba viendo en Joel una amenaza y no el padre respetable que él había buscado toda su vida.

—El orgullo es el pecado de los imbéciles —declaró Joel, mirando con desagrado todo lo que se había hecho—. Has desperdiciado un dinero que estaría mejor empleado en actos de caridad.

—¡Vete! ¡Vete a tu habitación y pule tu orgullo, tío! ¡Es obvio que en tu corazón no hay sino celos!

Joel salió tambaleándose de la habitación, murmurando:

—Ya le llegará. Nada queda olvidado ni perdonado aquí en las colinas. Lo sé. ¿Quién podría saberlo mejor que yo? Amargos, amargos son los días de los Foxworth a pesar de su riqueza.

Avancé un paso para abrazar a Bart.

—No lo escuches, Bart. Tendrás una fiesta maravillosa. Todos podrán venir ahora que el sol brilla, y la nieve se está derritiendo. Dios está a tu lado en este día, de modo que alégrate y disfruta como nunca en tu vida.

Qué mirada en sus ojos cuando le hablé así, ¡oh!, qué mirada de gratitud. Me miró de hito en hito, intentando decir algo, pero sus palabras no conseguían tomar forma. Por fin, no pudo sino abrazarme para alejarse después muy deprisa, como si se sintiera avergonzado. Tenía que existir algún lugar donde Bart, un hombre tan maravilloso, encajase.

Habitaciones que habían permanecido cerradas desde que comenzó el invierno fueron abiertas, se sacaron las cubiertas protectoras del polvo y finalmente fueron renovadas para que nadie supiera si alguna vez habíamos hecho un esfuerzo para conservar el calor o el dinero. Se dedicó especial atención a los cuartos de baño y lavabos para hacerlos atractivos y dejarlos inmaculados. Se dispusieron jabones caros y lujosas toallas para los huéspedes. Se ofrecía cualquier artículo de tocador que cualquier invitado pudiera necesitar. De los armarios donde se guardaban los objetos de valor se sacaron la porcelana y el cristal especiales para tales fiestas, junto con los adornos navideños, demasiado caros para que el proveedor los trajese.

Nos reunimos alrededor del árbol de Navidad hacia las once. Bart acababa de afeitarse, y lucía un espléndido aspecto, al igual que Jory. Sólo Melodie parecía ajada, con el raído vestido de embarazada que llevaba todos los días. Intentando, como siempre, aliviar tensiones, cogí al Niño Jesús del pesebre que parecía muy real y lo sostuve en mis brazos.

–Bart, no había visto antes nada como esto. ¿Lo has comprado? Sea como fuere, nunca en mi vida había contemplado un juego tan magníficamente tallado de figuras navideñas.

–Llegó ayer y hoy lo he desempaquetado –respondió Bart–. Lo compré en Italia el pasado invierno y he mandado que me lo enviaran por barco.

Continué efusiva, feliz por verle tan animado.

–Este Niño Jesús parece un bebé de verdad, lo que no se puede decir de la mayoría, y la Virgen María es bellísima. Y José parece tan bondadoso y tan comprensivo...

–¿Tendría que serlo, no es cierto? –comentó Jory, que estaba inclinándose para colocar algunos más de sus regalos bajo nuestro árbol familiar–. Después de todo, debió resultarle increíble que una virgen pudiera quedar embarazada de un Dios abstracto e invisible.

–No hay que dudar –respondió Bart, acariciando con la mirada las figuras de tamaño casi natural que había comprado–. Lo único que debe hacerse es aceptar ciegamente lo que está escrito.

–Entonces, ¿por qué discutiste con Joel?

–Jory..., no me lleves demasiado lejos. Joel está ayudándome a encontrarme a mí mismo. Es un hombre viejo que vivió en el pecado cuando era joven y procura redimirse a su avanzada edad realizando buenas acciones. Y yo soy un hombre joven que desea pecar, sintiendo que mi traumática infancia ya me ha redimido.

–Sugiero que disfrutes de algunas orgías en una gran ciudad; eso hará que vuelvas aquí, tan viejo y con un comportamiento tan hipócrita como nuestro tío abuelo Joel –replicó Jory con temeridad–. A mí no me gusta, y tú deberías tener el suficiente sentido común para obligarle a marchar, Bart. Dale algunos cientos de miles y dile adiós.

Algo anhelante luchaba en el interior de Bart y se reflejaba en sus ojos, como si fuese eso lo que en verdad deseara hacer. Se inclinó para mirar fijamente a los ojos de Jory.

–¿Por qué no te gusta Joel?

–No podría precisar con exactitud la razón, Bart –respondió Jory, que siempre había tenido facilidad para perdonar–. Pero anda por ahí observando tu casa como si tuviera que ser suya. En ocasiones le he sorprendido mirándote indignado cuando tú no le prestas atención. No creo que Joel sea tu amigo, sino más bien tu enemigo.

Turbado y confuso, Bart salió de la sala, profiriendo esta cínica observación:

–¿Y cuándo he tenido yo sino enemigos?

Al cabo de pocos minutos, Bart regresó portando su propia pila de regalos. Necesitó tres viajes desde su despacho para colocar cuanto había comprado bajo el árbol.

Después le tocó el turno a Chris, que colocó con cuidado todos sus obsequios, lo que requirió algún tiempo. Los presentes alcanzaban una altura considerable, llenando la mayor parte de un rincón.

Melodie entró, deslizándose por la alegre sala como una sombra siniestra para acomodarse cerca del hogar. Sentada en actitud displicente, encontraba más fascinación en las danzantes llamas que en cualquier otra cosa. Parecía desanimada, malhumorada, reservada y sólo dispuesta a estar allí con su cuerpo, dejando que su espíritu vagase en libertad. Tenía el vientre muy abultado, aunque le faltaban todavía algunas semanas, y presentaba marcadas ojeras.

Pronto todos nosotros nos esforzábamos por parecer una amorosa familia mientras Cindy hacía de Santa Claus. La Navidad, según yo había sabido desde hacía mucho tiempo, ofrecía sus propios regalos. Podían olvidarse agravios, perdonar enemistades como hacíamos nosotros, reunidos alrededor del árbol, acompañados incluso de Joel, sacudiendo uno por uno nuestros paquetes, intentando adivinar para romper al fin los envoltorios, sofocando con nuestras risas los villancicos que yo había puesto en el tocadiscos. Enseguida los papeles relucientes y las brillantes cintas cubrieron el suelo.

Cindy entregó a Joel el regalo que había elegido para él. Éste lo aceptó como una tentación, de igual manera que había tomado todos nuestros regalos, como si fuésemos herejes estúpidos ignorantes del auténtico significado de una Navidad que no requería regalos. Sus ojos se abrieron mucho cuando vio el camisón blanco de dormir y el gorrito puntiagudo que Cindy debió encontrar después de ardua búsqueda. No cabía duda de que se parecía a Scrooge ataviado con aquellas ropas. Se incluía también un bastón de paseo de ébano, que Joel arrojó al suelo junto con el camisón y el gorro.

—¿Estás burlándote de mí, muchacha?

—Sólo pretendía proporcionarte ropas cálidas para dormir, tío —respondió Cindy muy seria, que había bajado sus resplandecientes ojos—, y el bastón de paseo te ayudaría a caminar más deprisa.

—¿Para alejarme de ti? ¿Eso quieres decir? —Joel se inclinó trabajosamente para coger el bastón y lo blandió en el aire—. Mira, quizá guardaré esto a fin de cuentas; es una buena arma en caso de que alguien me ataque por la noche mientras paseo por los jardines... o por los largos pasillos.

Permanecimos silenciosos durante unos segundos, incapaces de hablar. Entonces Cindy echó a reír.

—Tío, ya ves que pensé en eso. Sabía que un día te sentirías amenazado.

Joel salió entonces de la habitación.

Cuando acabamos de desenvolver los primeros regalos del día, Jory se quedó mirando con preocupación los papeles esparcidos por el suelo para revisar después toda la habitación.

—No te he olvidado, Bart —dijo inquieto—. Cindy y papá me ayudaron a envolverlo, pero después lo desenvolví, lo repasé otra vez y lo volví a empaquetarlo yo mismo después de que Cindy me hubo ayudado a meterlo en la caja. —Siguió mirando el desorden de papeles y cintas—. Esta mañana, antes de que vosotros os levantaseis, bajé y lo coloqué debajo del árbol. ¿Dónde demonios habrá ido a parar? Es una caja grande, envuelta en papel rojo, atado con citas plateadas, y con mucho, la caja más grande que había bajo el árbol.

Bart no pronunció ni una palabra, como si acostumbrado a las desilusiones, la falta del regalo de Jory careciera de importancia.

Por supuesto que yo sabía lo que Jory había trabajado durante meses y meses para terminar el barco de vela clíper de más de un metro de longitud e igual altura, con todos los frágiles aparejos colocados en su lugar exacto. Incluso había pedido que le enviasen piezas especiales de cobre y un timón de latón. Jory miraba con desesperación alrededor.

—¿Ha visto alguien una caja grande, envuelta en papel rojo, con el nombre de Bart en la etiqueta? —preguntó.

Me puse en pie y busqué entre el montón de paquetes vacíos, papeles, cintas, tejidos, tarea en que Chris también colaboró. Por su parte, Cindy comenzó su propia búsqueda en el otro extremo de la habitación.

—Oh —gritó—, aquí, detrás de este sofá. —Llevó el regalo a Bart, colocándolo junto a los pies de éste y haciéndole una burlona reverencia—. Para nuestro amo y señor —dijo dulcemente, retrocediendo—. Creo que Jory es un bobo por regalártelo después de los esfuerzos que dedicó a esta cosa, pero quizá por una vez sabrás apreciarlo.

De pronto, observé que Joel había regresado subrepticiamente a la habitación para observar a Bart. Tenía una expresión extraña, muy extraña...

Bart se despojó de su afectada sofisticación como de un ropa indeseable y se volvió, con ansia infantil, para abrir el regalo. Mientras rompía el paquete que Jory había envuelto con tanto primor, Bart dirigía a su hermano una sonrisa cálida, amplia y feliz, con sus oscuros ojos encendidos con una ilusión juvenil.

−Apuesto a que es ese barco clíper que montaste, Jory. Realmente debías haberlo guardado para ti... Pero, gracias, muchas gracias. −Hizo una pausa y entonces dio un respingo.

Con la mirada fija dentro de la caja, empalideciendo antes de alzarla, su felicidad desvanecida. Sus ojos se llenaron de amargura.

−Está destrozado, deshecho −dijo con tono sombrío−, en pequeños pedazos. En esta caja no hay nada más que astillas y cordeles enredados.

Su voz se quebró mientras se levantaba y dejaba caer la caja al suelo. Le propinó un violento puntapié antes de lanzar una mirada severa a Melodie, quien no había hablado en todo el rato, ni tan siquiera mientras abría sus regalos, que sólo agradeció con inclinaciones de cabeza y débiles sonrisas.

−Debí haber supuesto que encontrarías la manera de hacerme pagar el haberme acostado con tu mujer.

Un silencio estupefacto resonó con más fuerza que el trueno. Melodie se sentó, con la mirada fija, fría, como una concha vacía, mientras murmuraba una y otra vez cuánto odiaba aquella casa. Los ojos de Jory quedaron vacíos de expresión. ¿Lo había sabido todo el tiempo? Con el rostro demudado, posó su mirada en Melodie.

−No te creo, Bart. Siempre has tenido un modo malvado, odioso, de golpear allí donde más duele.

−No estoy mintiendo −replicó Bart, sin importarle el dolor que estaba causando a Jory, a mí y a Chris−. Mientras tú yacías en tu cama del hospital, enyesado, tu mujer y yo compartíamos mi lecho, y ella abría con gran ansiedad sus piernas para mí.

Chris se levantó de un saldo, más furibundo que nunca.

—Bart, ¿cómo te atreves a decir semejantes cosas a tu hermano? ¡Discúlpate con Jory y con Melodie de inmediato! ¿Cómo puedes herirle de tal modo? ¿No ha sufrido ya bastante? ¿Me oyes? ¡Di que todas las palabras que has pronunciado son mentira! ¡Una maldita mentira!

—No son mentiras —insistió Bart—. Aunque nunca más hagáis caso de nada de lo que diga, podéis creerme cuando aseguro que Melodie fue una compañera de cama con muchas ganas de cooperar.

Cindy lanzó un chillido y después se puso en pie con brusquedad para abofetear la pálida cara de Melodie.

—¿Cómo te has atrevido a hacerle eso a Jory? —increpó—. ¿No sabes cuánto te ama él?

Bart se echó a reír histéricamente. Con voz atronadora, Chris ordenó:

—¡Cállate! Encárate con esta situación, Bart. La pérdida del barco de vela no es excusa suficiente para intentar destruir el matrimonio de tu hermano. ¿Dónde están tu honor y tu integridad?

En décimas de segundo, la risa de Bart se desvaneció. Sus ojos se tornaron duros y fríos como el cristal mientras examinaba a Chris de pies a cabeza.

—¿Y tú me hablas a mí de honor e integridad? ¿Dónde está el tuyo cuando fuiste al lecho de tu hermana? ¿Dónde está ahora que sigues acostándote con ella? ¿No te das cuenta de que vuestras relaciones me han desequilibrado de tal forma que ahora lo único que me preocupa es veros separados? Quiero que mi madre acabe su vida como una mujer decente y respetable. ¡Y eres tú quien se lo impide! Tú, Christopher, ¡tú!

Mostrando en su semblante un completo desprecio y ningún remordimiento, Bart giró sobre sus talones y salió de la habitación, dejándonos entre las ruinas de nuestra alegría navideña. Ansiosa por imitarle, Melodie, se levantó con torpeza, pero se quedó de pie, temblorosa, con la cabeza inclinada. Iracunda, Cindy preguntó:

—¿Te has acostado con Bart? ¿Lo has hecho? No puedes mantener la duda mientras el corazón de Jory se está destrozando.

Los ojos ensombrecidos de Melodie parecieron hundirse más en su rostro a medida que se agrandaban, como si el miedo dilatara sus pupilas.

—¿Por qué no me dejáis tranquila? —suplicó lastimosamente—. No estoy hecha del mismo acero que todos vosotros. No puedo aceptar una tragedia después de otra. Jory convalecía en el hospital, incapaz de volver a caminar o a bailar, y Bart estaba aquí cuando yo necesitaba a alguien. Él me apoyó, me consoló. Cerré los ojos e imaginé que Bart era Jory.

Jory cayó hacia adelante. Corrí para sostenerle, y lo encontré respirando entrecortadamente, tan afligido que no podía controlar el temblor de sus manos. Lo sujeté mientras Chris trataba de impedir que Melodie subiera por la escalera corriendo.

—¡Ten cuidado! —advirtió—. ¡Podrías caer y perder a tu bebé!

—No me importa. —La réplica sonó como un triste lamento antes de que Melodie desapareciera de nuestra vista.

Para entonces, Jory había recuperado la entereza suficiente para enjugarse las lágrimas y forzar una débil sonrisa.

—Bueno, ahora lo sé —dijo con voz quebrada—. Hace mucho tiempo que sospeché que ella y Bart se traían algo entre manos, pero confié en que sólo fueran temores infundados. Hubiera debido estar más atento. Mel no sabe vivir sin un hombre a su lado, en especial en la cama..., y no puedo culparla, ¿no creéis?

Profundamente alterada, comencé a recoger los papeles que habían servido para envolver con primor los regalos y habían acabado tan insensiblemente rasgados, como en la vida, y del mismo modo en que nosotros tratábamos de mantener nuestras ilusiones cuando las cosas raramente eran lo que parecía ser

Jory se excusó diciendo que necesitaba estar solo.

–¿Quién ha podido destrozar ese maravilloso barco? –murmuré yo–. Cindy ayudó a Jory a envolverlo la última vez que él retocó la pintura, yo estaba allí, observándoles. El barco fue colocado cuidadosamente en un molde especial de espuma para sostenerlo derecho. No debería tener ni una grieta, nada roto.

–¿Cómo podría yo explicar lo que sucede en esta casa? –respondió Chris con tono angustiado. Alzó la mirada y vio a Bart de pie en el umbral, con sus largas piernas separadas y los puños en las caderas, observándome furiosamente. Chris se dirigió a él–: Lo que está hecho, hecho está, pero estoy seguro de que Jory no tiene la culpa de que el clíper esté roto. Sus intenciones eran buenas. Mientras lo estaba construyendo, nos decía que ese barco ocuparía la repisa de tu despacho.

–No dudo de las buenas intenciones de Jory –dijo Bart con indiferencia, recuperado ya su control–. Pero ahí está mi querida hermanita que me odia y quiere vengarse de mí por haber dado a su amiguito lo que se merecía. La próxima vez será a ella a quién castigaré.

–Quizá Jory dejó caer la caja –intervino Joel con aire de santurrón. Clavé la mirada en el viejo y esperé mi oportunidad para decir lo que debía cuando nadie estuviera presente.

–No –negó Bart–. Ha tenido que ser Cindy. He de admitir que mi hermano siempre me ha tratado con justicia, incluso cuando yo no la merecía.

Mientras Bart hablaba, yo observaba la sonrisa afectada y los ojos relucientes y satisfechos de Joel. Antes de retirarme a mi habitación, se me presentó la ocasión de enfrentarme a él. Estábamos en un pasillo posterior del segundo piso.

–Joel, Cindy no hubiera destruido el trabajo de Jory destrozando el regalo de Bart. Sin embargo a ti te gusta sembrar la cizaña entre los miembros de nuestra familia. Creo que fuiste tú quien destrozó el barco, y después lo envolviste de nuevo.

Joel no respondió; sólo vertió más odio en su mirada inexorablemente fija:

—¿Por qué volviste, Joel? —pregunté—. Declaras que odiabas a tu padre y eras feliz en el monasterio italiano. ¿Por qué no te quedaste allí? Seguramente durante esos años harías algunos amigos. Debías haber supuesto que aquí no encontrarías ninguno. Mi madre me dijo que siempre odiaste esta casa por la que ahora paseas como si fueses el amo.

Joel continuó sin hablar. Lo seguí hasta el interior de su habitación y miré alrededor por primera vez; ilustraciones bíblicas en las paredes y citas de la Biblia en unos marcos baratos.

Joel se colocó detrás de mí. Noté en la nuca su cálido aliento asmático, que olía a vejez y enfermedad. Cuando movió los brazos, quería ahogarme. Sorprendida, di la vuelta y le encontré a pocos pasos de mí.

Cuán silenciosa y rápidamente podía moverse...

—La madre de mi padre se llamaba Corrine —dijo con la voz más dulce que supo emplear—. Mi hermana tenía el mismo nombre, que recibió como una especie de castigo, un recuerdo constante para mi padre de su pérfida madre, que habría de servir para demostrarle continuamente que no podía confiarse en ninguna mujer hermosa..., y cuánta razón tenía.

Era un hombre viejo, octogenario, pero le propiné una fuerte bofetada. Retrocedió tambaleándose, perdió el equilibrio y cayó.

—Lamentarás este bofetón, Catherine —amenazó mucho más airado de lo que hasta entonces lo había visto—. Del mismo modo que Corrine lamentó todos sus pecados, ¡tú también vivirás el tiempo suficiente para penar por los tuyos!

Salí corriendo de su habitación, temiendo que lo que decía fuese demasiado cierto.

EL BAILE TRADICIONAL DE FOXWORTH

La cena del día de Navidad fue servida aproximadamente a las cinco con el fin de proporcionar a la familia tiempo sobrado para prepararse para el gran acontecimiento que comenzaría a las nueve y media. A Bart lo rodeaba un aura de felicidad. Cuando su cálida mano se acercó para cubrir la mía, me estremecí de placer, pues rara vez demostraba afecto por contacto físico.

—Ya que no puedo disponer de toda mi riqueza enseguida, debería al menos ostentar todo el prestigio que merece al propietario de esta casa.

Sonreí y le acaricié la mano que sostenía la mía.

—Sí, lo entiendo, y nosotros haremos todo lo posible para que tu fiesta sea un gran éxito.

Joel estaba sentado cerca, emitiendo vibraciones invisibles. Sonreía con cinismo.

—Dios ayuda a los bobos que se engañan —murmuró.

Bart fingió no haberle escuchado, pero yo estaba preocupada. Alguien había destrozado el barco de vela de Jory, cuya única intención había sido entregar a su hermano un regalo de reconciliación. Tenía que haber sido Joel el que tan despiadadamente había destruido ese barco en que Jory se había afanado durante meses y meses. ¿Qué más sería capaz de hacer?

Mis ojos se encontraron con los del viejo. No había más que un adjetivo para describir con exactitud su aspecto en ese momento: mojigato. Tomaba su comida con delicadeza, cortando el pastel de frutas en pequeños pedazos que pinzaba con sus largos dedos. Masticaba cada uno de esos trocitos con intensa concentración, utilizando solamente los incisivos, de la misma manera que un conejo comería una zanahoria.

—Me acostaré ahora —anunció Joel—. No apruebo la fiesta de esta noche, Bart, creo que deberías saberlo. Recuerda lo sucedido en tu fiesta de cumpleaños. Deberías ser más sensato. Insisto en que es un derroche de dinero invitar a personas que no conoces bastante bien. También censuro a quienes beben, bailan y se comportan de forma salvaje en un día sagrado. El día de hoy pertenece al Señor y a su Hijo. Todos deberíamos hincarnos de rodillas y permanecer así desde la aurora hasta la medianoche, como hacíamos en el monasterio, mientras, en silencio, agradecíamos el hecho de estar vivos. —Puesto que nadie de nosotros respondió, Joel prosiguió—: Yo sé que los hombres y las mujeres embriagados intentarán fornicar con alguna persona distinta a su pareja. Recuerdo tu fiesta de aniversario y lo que ocurrió. La pecaminosa vida moderna contrasta claramente con la pureza del mundo cuando yo era joven. Nada es como solía ser entonces. En aquella época la gente sabía comportarse decentemente en público, sin importar lo que se hiciera detrás de las puertas cerradas. Ahora a nadie le importa que le vean cometiendo cualquier pecado. Cuando yo era un muchacho, las mujeres no exhibían los senos, ni se levantaban las faldas ante el primer hombre que se lo pidiera. —Fijó sus fríos ojos azules en mí, y después en Cindy—. Aquellos que pecan una y otra vez, siempre lo pagan muy caro, como algunas personas que están aquí debieran saber. —Entonces se quedó mirando significativamente a Jory.

–Viejo bastardo –murmuró Cindy observándolo mientras Joel salía de la habitación con el mismo sigilo con que había entrado.

–Cindy, ¡que nunca más te oiga decir nada parecido! –exclamó Bart–. Nadie profiere obscenidades bajo mi techo.

–Ya está bien, maldita sea –replicó Cindy–. El otro día te oí calificar a Joel así. Y aún más, Bart Foxworth, yo llamaré al pan, pan, ¡incluso bajo tu techo!

–¡Ve a tu habitación y permanece allí! –aulló Bart.

–Que todo el mundo continúe divirtiéndose –terció, Jory, conduciendo su silla hacia el ascensor–. En cuanto a mí, ¡por todos los diablos!, tengo ganas de romper en mil pedazos mi tarjeta de socio cristiano.

–Para comenzar, tú nunca has sido cristiano –dijo Bart–. Nadie de esta casa va nunca a la iglesia. Pero un día no muy lejano todos los que están aquí irán a la iglesia.

Chris se levantó, dejó con mucha calma su servilleta sobre la mesa, y fijó su mirada firme en Bart y Cindy.

–Ya estoy harto de esta dialéctica infantil. Me sorprende que todos vosotros, que os creéis adultos, os convirtáis en niños en un abrir y cerrar de ojos.

Pero a Jory no podía contenérsele esta vez. Giró bruscamente su silla de ruedas, con la ira reflejada en el rostro, casi siempre sosegado, y con las aletas de la nariz levantadas.

–Papá, lo siento, pero tengo algo que decir. –Se volvió hacia Bart que se había puesto en pie–. Ahora, escúchame, hermanito. –Sus fuertes manos soltaron la palanca de la silla para cerrarse convulsivamente y convertirse en puños–. Yo creo en Dios..., pero no en la religión, que sólo se utiliza para manipular y castigar. Es aprovechada de mil maneras para conseguir beneficios, pues incluso en la Iglesia, el Dios real es todavía el dinero.

–Bart –supliqué, temerosa de que volviera a herir a Jory–, ya es hora de que vayamos arriba.

Bart había palidecido.

—No es de extrañar que te veas condenado a estar en esa silla si crees lo que acabas de decir. Dios te está castigando, tal como dice Joel.

—Joel —repitió Jory; el tono de su voz evidenciaba desprecio—. ¿Y a quién le importa lo que dice un viejo estúpido como Joel? ¡Sufro este castigo porque algún idiota humedeció la arena! Dios no hizo llover para que eso ocurriera. Fue una manguera del jardín que usurpó el lugar de Dios, y por eso estoy en una silla de ruedas y no en el lugar que me corresponde. Tan pronto como me sea posible me iré de aquí, Bart. Estás provocando que olvide que eres mi hermano, al que siempre he intentado amar y ayudar. Nunca más lo intentaré.

—¡Hurra por ti, Jory! —exclamó Cindy, poniéndose en pie de un salto y aplaudiendo.

—¡Basta! —ordené, cogiendo a Cindy por un brazo mientas Chris la cogía por el otro y la alejaba de Bart. No obstante, ella se retorcía, luchando por liberarse.

—¡Maldito monstruo hipócrita! —increpó a Bart—. Ya oí comentar en tu fiesta de aniversario que eres un buen cliente del burdel local...

Afortunadamente, la puerta del ascensor se cerró detrás de nosotros y pudimos subir antes de que Bart alcanzara a Cindy.

—Aprende a mantener la boca cerrada —aconsejó Jory—. Sólo consigues empeorar las cosas, Cindy. Por mi parte, lamento lo que acabo de decir. ¿Has visto su expresión? No creo que Bart finja en cuanto a la religión. Habla muy en serio y parece creer de verdad. Aunque Joel sea un hipócrita, Bart no.

—Jory, Cindy, escuchadme con atención —dijo Chris antes de salir del ascensor—. Quiero que esta noche los dos hagáis todo lo posible para que la fiesta de Bart sea un éxito. Olvidad vuestras diferencias, por lo menos por unas horas. Bart fue un muchacho con muchos problemas y, al crecer, se ha convertido en un hombre con muchos más. Necesita ayuda urgente, pero no con sesiones de psiquiatras, sino con el apoyo de aquellos que más lo quieren. A pesar de todo, yo sé que los dos lo amáis, tanto como vuestra madre y yo, que además nos preocupamos por lo que pueda sucederle. En cuanto a Melodie, he ido a verla antes de la cena y no se siente lo bastante bien para asistir a la fiesta. No me permitió que la examinara, aunque insistí. Dice que se siente demasiado gorda y torpe y prefiere que los invitados no la vean. Creo que será la mejor solución para ella. Pero si queréis, podréis hablar con ella un momento y transmitirle unas palabras amables de ánimo, pues la inquietud está destrozando a esa pobre chica...

Jory avanzó por el pasillo y entró directamente en su habitación, ignorando la puerta cerrada de Melodie. Tanto Chris como yo lanzamos un suspiro.

Cindy, obediente, intentó expresar algunas palabras de consuelo a Melodie desde la parte exterior de la puerta cerrada con llave. Después, dando saltos, se acercó a nosotros.

—No permitiré que Melodie me estropee la diversión. Creo que está actuando como una condenada boba egoísta. Pienso divertirme esta noche como nunca —dijo Cindy, cuando nosotros nos dirigíamos a nuestra habitación—. Me importan un bledo Bart y su fiesta, pero no voy a desdeñar la diversión que a mí me proporcione.

—Estoy preocupado por Cindy —dijo Chris cuando estábamos echados en nuestra amplia cama, intentando dormir un poco—. Tengo la impresión de que no es demasiado comedida a la hora de conceder sus favores.

—Chris, ¡no digas eso! El hecho de que la pillásemos con ese chico, Lance, no significa que sea una muchacha ligera. Lo que hace es buscar tratando de encontrar en todo joven que conoce su pareja anhelada. Si uno le dice que la ama, ella lo cree porque necesita creer. ¿No te das cuenta de que Bart le ha robado la confianza? Cindy teme ser lo que Bart cree que ella es. En su interior se debate entre ser tan perversa como él cree y ser tan buena como nosotros pretendemos que sea. Cindy es una joven hermosa, y Bart la trata como si fuera basura.

Había sido un día muy largo para Chris. Cerró los ojos y se puso de lado para abrazarme.

—Bart acabará por corregirse —murmuró—. Por primera vez veo en sus ojos la necesidad de encontrar una salida. Desea desesperadamente encontrar alguien o algo en quien creer. Algún día hallará lo que necesita y entonces se liberará para convertirse en el magnífico hombre que existe debajo de esa odiosa máscara.

Dormir, soñar en cosas imposibles, como la armonía familiar, en hermanos y una hermana encontrando el mutuo amor. Sueña, soñador...

Oí que el antiguo reloj del vestíbulo daba las siete, hora en que debíamos levantarnos de la siesta para bañarnos y vestirnos. Desperté a Chris y lo apremié para que se vistiera. Él se estiró, bostezó y se levantó perezosamente para ducharse mientras yo tomaba un rápido baño; después se afeitó antes de ponerse un frac confeccionado a la medida y se contempló en el espejo.

—Cathy, ¿estoy engordando? —preguntó, inquieto.

—No, cariño, tienes un aspecto «tremendo», como diría Cindy.

—¿Qué has dicho?

—Eres más atractivo cada año que pasa. —Le rodeé la cintura con los brazos a la vez que apoyaba la mejilla contra su espalda—. Te amo más a medida que pasa el tiempo... y, aunque fueras tan viejo como Joel, yo te vería como ahora eres, tan apuesto con tu brillante armadura, presto a cabalgar un unicornio blanco. En la mano llevarás entonces una lanza de tres metros con la cabeza del dragón verde clavada en su punta.

Vi su imagen en el espejo; en sus ojos brillaban unas lágrimas.

—Después de tanto tiempo lo recuerdas todavía —dijo con voz ronca—. Después de tantos años...

—Como si fuese posible olvidar...

—Pero ha pasado ya mucho, mucho tiempo...

—Y hoy la luna resplandeció al medio día —susurré, colocándome delante de él y deslizando mis brazos alrededor de su cuello—, y una niebla envolvió tu unicornio... y yo comprobé encantada que siempre habías gozado de mi respeto. No necesitabas ganártelo.

Dos lágrimas resbalaron lentamente por sus mejillas. Las enjugué con un beso.

—¿De modo que me perdonas, Catherine? Dilo ahora, mientras aún tenemos vida por delante, di que me perdonas por haberte hecho pasar este infierno. Ya que Bart habría podido resultar diferente si yo hubiera sido su tío y encontrado otra esposa.

Tuve cuidado de no mancharle la chaqueta con mi maquillaje mientras permanecía con la mejilla apoyada contra su pecho, escuchando los latidos de su corazón tal como lo había oído por primera vez cuando nuestro amor cambió para convertirse en algo más grande de lo que hubiera debido ser.

—Si cierro los ojos, vuelvo a tener doce años, y tú, catorce. Puedo verte tal como eras entonces, pero no puedo verme a mí Chris, ¿por qué no puedo verme?

Su sonrisa era agridulce.

—Porque he acaparado todos los recuerdos de lo que tú eras y los he depositado en mi corazón. Pero aún no has dicho que me perdonas.

—¿Estaría yo aquí, donde estoy, si no fuera por mi propia voluntad?

—Confío y ruego que no. —Y me abrazó, me abrazó con tanta fuerza que me dolieron las costillas.

Fuera, la nieve comenzó a caer de nuevo. Dentro, mi Christopher Doll había hecho retroceder el reloj, y si la partida de Lance había robado el romance a Cindy y para Melodie no había magia en aquella casa, la había más que suficiente para mí si Chris estaba allí para ejercer su hechizo.

A las nueve y media nos sentamos listos para levantarnos cuando Trevor se apresurara a abrir la puerta. Trevor se hallaba de pie, consultando a menudo su reloj, echándonos miradas con gran orgullo. Bart, Chris, Jory y yo, con nuestros elegantes trajes de noche, nos encontrábamos delante de las ventanas del frente, con sus espléndidos cortinajes. El formidable árbol de Navidad del vestíbulo resplandecía cubierto con un millar de lucecitas blancas. Cinco personas habían pasado unas horas adornando aquel árbol.

Mientras permanecía allí sentada, como una Cenicienta de mediana edad que ya había encontrado a su príncipe y se había casado con él, y atrapada todavía por el hechizo del «y fueron felices», algo me hizo alzar la mirada. En la penumbra de la rotonda donde había dos armaduras de caballeros con toda su indumentaria sobre dos pedestales, uno frente al otro, percibí el movimiento de una sombra. Creí identificar a Joel, quien se suponía dormía en su cama, o rezaba arrodillado por el perdón de nuestras almas no cristianas y pecadoras.

—Bart —dije con voz queda a mi hijo, que se levantó para acercarse a mi silla—, esta fiesta, ¿no se celebraba con la intención de que Joel reencontrara a sus viejas amistades?

—Sí —respondió con un susurro, colocando su brazo sobre mis hombros—, pero eso era sólo la excusa. Yo ya sabía que él no querría asistir. La verdad es que pocos de sus amigos viven todavía, aunque sí muchas de las compañeras de colegio de mi abuela. —Sus fuertes dedos se hincaron en la delicada carne de mi hombro—. Estás adorable..., como un ángel.

¿Era un cumplido o una sugerencia?

Esbozó una sonrisa cínica, y después apartó con aspereza el brazo, como si éste lo hubiera traicionado. Me eché a reír, nerviosa.

—Bueno, algún día, seré tan vieja como Joel, y supongo que me cargaré de espaldas y arrastraré los pies, y cuando acabe de pecar recuperaré el aura que perdí hace tanto tiempo cuando todavía era una adolescente...

Tanto Bart como Chris, hicieron un gesto de desagrado al oírme hablar de aquella manera. Me sentí mejor al ver que la sombra de Joel se alejaba.

Mientras unos sirvientes con librea preparaban las mesas del bufé, Bart se levantó y caminó de un lado a otro, con un aspecto en extremo atractivo, luciendo un frac negro y la camisa plisada.

Cogí la mano de Jory y la apreté.

—Estás tan atractivo como Bart —susurré.

—Mamá, ¿le has dedicado algún cumplido? Tiene un magnífico aspecto, magnífico de verdad, exactamente el hombre que debió ser su padre.

Sentí vergüenza y me ruboricé.

—No, no le he dicho ni una palabra porque él parece tan endiabladamente pagado de sí mismo que creo que reventaría al recibir el menor cumplido.

—Te equivocas, mamá. Vamos, alábale a él igual que me alabas a mí. Quizá creas que yo lo necesito más, pero creo que es a él a quien hacen falta tus palabras.

Me levanté y me acerqué a Bart, quien estaba escudriñando la avenida, que se alargaba en curva descendente.

—No veo ni un solo faro —se lamentó, gruñón—. Ya no nieva, y los caminos se han aclarado. Además, el nuestro tiene grava por encima; ¿dónde demonios están?

—Nunca te había visto tan atractivo como esta noche, Bart.

Se volvió para fijar su mirada en mis ojos y después echó una ojeada hacia su hermano.

—¿Más atractivo que Jory?

—Igualmente atractivo.

Frunciendo el entrecejo se volvió hacia la ventana. Vio algo en el exterior que le distrajo.

—Eh..., ¡mira! ¡Ya vienen!

Contemplé la cadena de faros en la distancia, subiendo por la colina.

–Preparaos, todos –apremió Bart, indicando a Trevor con un excitado gesto que estuviera preparado para abrir las puertas de par en par.

Chris se acercó a la silla de ruedas de Jory, que guió hábilmente, mientras yo cogía el brazo de Bart, y todos juntos nos dispusimos a formar la fila de recepción. Trevor se apresuró a dedicarnos una gozosa sonrisa.

–Me gustan las fiestas. Siempre me han gustado, siempre me gustarán. Hacen latir el corazón más deprisa. Y consiguen que mis viejos huesos se sientan jóvenes otra vez. Puedo predecir que la de esta noche será una fiesta de máximo esplendor.

Trevor lo repitió dos o tres veces, en cada ocasión con menos convicción, ya que ni un par de aquellos faros ascendió lo bastante para llegar hasta nuestra entrada. Nadie pulsó el timbre ni golpeó la puerta con la aldaba.

Los músicos estaban en sus puestos debajo de la rotonda, sobre un estrado construido especialmente para ellos situado en el centro de la curva de la doble escalera. Afinaban una y otra vez sus instrumentos mientras mis pies, calzados con zapatos de fantasía de tacón alto, comenzaban a dolerme. Me senté de nuevo en una elegante butaca y me descalcé por debajo de los pliegues de mi traje, que se volvía más pesado e incómodo a medida que transcurrían los minutos. De momento, Chris se sentó junto a mí, y Bart ocupó una butaca a nuestra derecha; todos estábamos muy silenciosos, casi conteniendo la respiración. Jory, cuya silla le permitía girar cuanto quisiera, iba de una ventana a otra, mirando afuera e informándonos.

Yo sabía que Cindy se hallaba en el piso superior, vestida y a punto, esperando llegar tarde, como estaba de moda, para impresionar a todo el mundo cuando descendiera por la escalera. Sin duda estaría impaciente.

–Pronto llegarán... –vaticinó Jory cuando el reloj marcaba las diez y media–. Hay mucha nieve amontonada en las carreteras laterales que puede confundirles...

Bart tenía los labios apretados. En sus ojos imperaba una frialdad pétrea.

Nadie decía nada. Yo no me atrevía ni a especular por qué nadie había llegado. Trevor manifestaba su ansiedad cuando creía que nosotros no lo observábamos.

Con el deseo de pensar en algo placentero, fijé mi mirada en las mesas de bufé que tanto me recordaban el primer baile que yo había presenciado en el Foxworth Hall original. Realmente se parecía mucho a lo que ahora estaba viendo. Manteles de lino rojos, bandejas y cuencos de plata; un surtidor que esparcía champán; enormes fuentes, relucientes, humeantes, que despedían deliciosos olores; montañas y montañas de comida en lujosos platos de cristal, porcelana, oro y plata. Finalmente no pude resistir más y me levanté para probar de aquí y de allá mientras Bart, con el entrecejo fruncido, se quejaba de que estaba arruinando los delicados adornos. Le dediqué un gesto cariñoso y burlón al tiempo que entregaba a Chris un plato lleno de todos sus manjares favoritos. Jory no tardó en servirse también.

Las velas de cera de color rojo se acortaban más y más. Las altas obras maestras preparadas con gelatina comenzaba a hundirse. Los quesos fundidos se endurecían, y las salsas calientes se espesaban. La masa batida esperaba ser extendida en las finas sartenes, mientras los cocineros se miraban extrañados. Tuve que desviar la mirada. En las chimeneas, los fuegos alegraban los salones principales, haciéndolos acogedores, excepcionalmente agradables. Los sirvientes interinos, inquietos, parecían ansiosos mientras se agitaban y deambulaban, murmurando entre ellos sin saber qué hacer.

Cindy descendió por la escalera con un vestido carmesí de falda amplia con aros. El traje, que le ceñía el cuerpo, tenía un volante fruncido que le cubría ligeramente la parte superior de los brazos, dejando al descubierto los hombros y creando un magnífico marco para sus opulentos y suaves senos, realzados por un escote muy bajo. La falda era una obra maestra de frunces, sujetos con flores blancas de seda perladas de gotas de lluvia hechas de cristales iridiscentes. Otros capullos blancos anidaban en su cabello, recogido en la parte superior de la cabeza, con tal gracia que hasta Scarlett O'Hara hubiera envidiado ese peinado.

–¿Dónde están todos? –preguntó, mirando alrededor a la vez que desaparecía su expresión radiante–. He estado esperando oír la música, y después me he quedado como dormida, pensando al despertarme que estaría perdiéndome toda la diversión. –Hizo una pausa y en su rostro se reflejó una expresión de desengaño–. ¡No me digáis que no va a venir nadie! ¡No soportaré otra desilusión! –Extendió los brazos en un gesto dramático.

–No ha llegado nadie todavía, señorita –dijo Trevor con tacto–. Tal vez se hayan perdido. Debo decir que parece usted surgida de un sueño adorable, como su mamá.

–Gracias –dijo ella, acercándose delicadamente a él y rozando la mejilla de Trevor con un beso filial–. Usted mismo tiene un aspecto muy distinguido. –Pasó ligera ante la mirada asombrada de Bart y corrió hacia el piano–. Por favor, ¿puedo? –preguntó al joven y atractivo músico que parecía encantado de que al fin sucediera alguna cosa.

Cindy se sentó junto al pianista, posó sus manos sobre las teclas, echó la cabeza hacia atrás y comenzó a cantar: «Oh, holy, night. Oh, night when stars are shining...»

Yo observaba, como todos los demás, a aquella muchacha que creíamos conocer tan bien. No era una pieza fácil de cantar, pero ella lo hizo tan bien, imprimió tal emoción que incluso Bart dejó de pasear para contemplarla con perplejidad.

En mis ojos había lágrimas. «Oh, Cindy, ¿cómo has podido conservar esa voz como un secreto?» No tocaba el piano muy bien, pero su voz, el sentimiento que ponía en las frases... Todos los músicos se unieron entonces para acallar el sonido del piano y acompañar el de su voz.

Me senté, atónita, incapaz de creer que mi Cindy pudiera cantar tan maravillosamente. Cuando terminó, todos aplaudimos entusiasmados. Jory exclamó:

–¡Sensacional! ¡Fantástico! ¡Absolutamente maravilloso, Cindy! Pilluela... no habías dicho que habías continuado con tus lecciones de canto.

–No continué. Canto sólo lo que siento.

Cindy bajó la mirada, y después lanzó una disimulada y maliciosa mirada al asombrado rostro de Bart, que mostraba, además de sorpresa, agrado. Por primera vez había encontrado qué admirar en Cindy. La sonrisilla de satisfacción de Cindy pronto desapareció, cediendo su lugar a una sonrisa triste, como si deseara que Bart la apreciara también por otros motivos.

–Me gustan las canciones navideñas y las religiosas, me causan un efecto especial. Una vez, en la escuela, canté *Swing Low, Sweet Chariot,* y el profesor dijo que yo poseía el sentimiento emocional necesario para convertirme en una gran cantante. Pero lo que yo más deseo es ser actriz.

Riéndose, feliz de nuevo, nos pidió que nos uniéramos a ella y convirtiéramos aquello en una fiesta de verdad, aunque no se presentaran los invitados. Comenzó a aporrear una tonada parecida a *Joy to the World,* seguida por *Jingle Bells.*

Pero en esta ocasión Bart no se conmovió. Regresó otra vez a las ventanas para mirar fuera, muy envarado y erguido.

–No pueden ignorar mis invitaciones, no pueden si han respondido –murmuraba para sí.

Yo no podía comprender cómo sus amigos de negocios se atrevían a ofenderle cuando Bart debía de ser su cliente más importante. Por otro lado, a todo el mundo atraía una fiesta, en especial la que Bart había organizado, que prometía ser sensacional.

De un modo u otro, Bart estaba haciendo milagros con sus quinientos mil dólares anuales, acrecentándolos por medios que Chris hubiera juzgado arriesgados. Bart lo exponía todo en apuestas calculadas que daban magníficos resultados. Pensé que quizá mi madre había querido que así fuese. Si hubiera entregado a Bart toda la herencia de una sola vez, él no habría trabajado con tanto empeño para ganarse su propia fortuna, que llegaría, si continuaba aumentándola, a exceder en mucho lo que Malcolm le había legado; así Bart mediría su propia valía.

Sin embargo, ¿qué importaba el dinero si estaba tan desanimado que no podía comer nada de aquellos manjares tan espléndidamente dispuestos? En cambio, la desilusión le condujo al licor y, en poco rato, había vaciado media docena de copas fuertes mientras iba de un lado a otro del salón, cada vez más enfurecido.

Me resultaba casi insoportable contemplar su decepción y muy pronto, a pesar de mí misma, las lágrimas corrieron silenciosamente por mi rostro.

—No podemos irnos a la cama y dejarle aquí solo, Cathy —susurró Chris—. Bart está sufriendo. Mira cómo pasea de un lado a otro; con cada paso, su furia va creciendo. Alguien acabará pagando esta afrenta.

Las once y media. La única que estaba divirtiéndose era Cindy. Los músicos y los sirvientes parecían adorarla. Ellos tocaban con gusto, y ella cantaba o bailaba con todos los hombres presentes, incluidos Trevor y otros sirvientes varones. Animó con gestos a las doncellas, invitándolas a bailar, y ellas, contentas, se unieron a la fiesta que Cindy acababa de levantar mientras los hombres se turnaban para que ella, por lo menos, se divirtiera.

—¡Bebamos todos, comamos y estemos alegres! —exclamaba Cindy, sonriendo a Bart—. No es el fin del mundo, hermano Bart. ¿De qué te preocupas? Tenemos demasiado dinero para que la gente simpatice con nosotros, pero también somos demasiado ricos para compadecernos de nosotros mismos. Y mira, por lo menos tenemos veinte invitados... Bailemos, bebamos, comamos, ¡divirtámonos!

Bart detuvo sus pasos para mirarla fijamente. Cindy alzó su copa de champán.

—Brindo por ti, hermano Bart. Por cada una de las cosas feas que me has dicho, yo te devuelvo mis deseos de buena voluntad, buena salud, larga vida y mucho amor. —Chocó la copa de licor de Bart con su copa de champán y después bebió a sorbos, sonriendo alegremente a su hermano antes de ofrecerle otro brindis—. Creo que tienes un aspecto tremendo y las chicas que no han aparecido esta noche han perdido la mejor oportunidad de sus vidas. De modo que aquí está, otro brindis por el soltero más atractivo del mundo. Te deseo alegría, felicidad y amor. Te desearía éxito, pero no lo necesitas.

Bart no podía apartar su mirada de ella.

—¿Por qué no necesito éxito? —preguntó.

—Porque, ¿qué más podrías desear? Se alcanza el éxito cuando se tienen millones, y muy pronto tú tendrás tanto dinero que no sabrás qué hacer con él.

Bart inclinó la cabeza.

—No me siento triunfador. No puedo cuando nadie ha venido a mi fiesta. —Su voz se quebró mientras volvía la espalda.

Me levanté para acercarme a él.

—¿Quieres bailar conmigo, Bart?

—¡No! —exclamó, corriendo hacia otra ventana distante desde donde podía observar todo el camino.

Cindy se había divertido mucho con los músicos y los hombres y las mujeres contratados para servir a los invitados de Bart. Sin embargo, yo estaba muy triste, sintiendo lástima de Bart, que tanto había esperado de aquella fiesta. Por solidaridad, todos nosotros, excepto Cindy y los sirvientes, fuimos al salón de enfrente, donde nos sentamos ataviados con nuestros trajes fabulosamente caros y esperamos a los invitados que, como parecía obvio, habían aceptado sólo para después defraudar a Bart..., y de esa manera expresar lo que opinaban de los Foxworth de la colina.

En el viejo reloj de pared comenzaron a sonar las doce. Bart se alejó de la ventana y se dejó caer en el sofá ante los leños medio consumidos de la chimenea.

—Debí haber supuesto que esto ocurriría. —Lanzó una amarga mirada a Jory—. Quizá vinieron a mi fiesta de cumpleaños sólo para verte bailar, y ahora, cuando ya no puedes ¡me mandan al infierno! Me han despreciado... y pagarán por ello —dijo con una voz fría, dura, más alta y fuerte que la de Joel, pero con la misma clase de furia celosa—. Cuando haya acabado con ellos, no habrá ninguna casa en un radio de treinta kilómetros que no me pertenezca. Los arruinaré. A todos ellos. Con el respaldo de la Fundación Foxworth, puedo pedir prestado millones, comprar después los bancos y exigir el pago de sus hipotecas. Me apropiaré de los almacenes del pueblo y los cerraré. Contrataré otros abogados, despediré a los que tengo ahora y me aseguraré de que pierdan su colegiación. Encontraré nuevos corredores de Bolsa, buscaré nuevos agentes inmobiliarios, procuraré que los valores de la propiedad inmobiliaria sean minados, y cuando vendan barato los compraré. Cuando haya terminado, no sobrevivirá ni una sola de las viejas familias aristocráticas de Virginia en este lado de Charlottesville ¡Y mis colegas de negocios sólo tendrán deudas que saldar!

—¿Quedarás entonces satisfecho? —preguntó Chris.

—¡No! —respondió Bart, con ojos severos y relucientes—. ¡No estaré satisfecho hasta que se haga justicia! ¡Yo no merezco lo que ha sucedido esta noche! Sólo me he esforzado por actuar como nuestros antepasados, ¡y he sido rechazado! Pagarán, pagarán y seguirán pagando un poco más.

—Lo siento, Bart —dije, tratando de disimular mi inquietud—, pero no ha sido una gran pérdida, ¿no crees? Estamos todos juntos, bajo un mismo techo; la familia reunida después de tanto tiempo. Y la música y los cantos de Cindy han hecho festiva esta ocasión después de todo.

Bart ni siquiera me escuchaba. Contemplaba la comida sin consumir, el champán por descorchar, el vino y el licor que hubieran aflojado más de una lengua para comunicarle la información que él sabría utilizar. Miró con rabia a las doncellas con sus lindos uniformes, que, ebrias, se tambaleaban por el salón; algunas bailaban todavía mientras la música seguía incesante. Clavó su mirada en los pocos camareros que aún sostenían bandejas con bebidas que ya se habían calentado. Algunos permanecieron de pie, mirándole y esperando que Bart les indicara que la noche había terminado. La impresionante pieza central que dominaba todas las mesas y representaba un pesebre de hielo, con tres pastorcillos, los Reyes Magos y todos los animales, se había derretido formando un charco que se había derramado oscureciendo el mantel rojo.

–Qué afortunado eras al bailar *Cascanueces*, Jory –dijo Bart mientras se encaminaba presuroso hacia la escalera–. Eras el cascanueces feo que se convirtió en un bello príncipe. Destacabas por encima del resto de los papeles masculinos..., y cada vez conquistabas a la *ballerine* más hermosa. En *Cenicienta*, en *Romeo y Julieta*, en *La Bella durmiente*, *Gisela*, *El lago de los cisnes*... siempre, excepto en la última. Y la última es la que cuenta, ¿no es cierto?

¡Qué cruel! Jory se estremeció y por una vez manifestó su sufrimiento, añadiendo así dolor a mi corazón.

–Feliz Navidad –dijo Bart mientras desaparecía en lo alto de la escalera–. Nunca más celebraremos esta fiesta, ni cualquier otra mientras yo gobierne esta casa. Joel tenía razón. Él me advirtió que no intentase ser como los demás. Dijo que no debía intentar que la gente simpatizara conmigo o me respetase. De ahora en adelante, seré como Malcolm. Me ganaré el respeto imponiendo mi voluntad sobre los otros, con mano de hierro y decisión implacable. Todos los que esta noche me han defraudado, padecerán mi poder.

Me volví hacia Chris cuando Bart hubo desaparecido de nuestra vista.

—¡Parece loco!

—No, cariño, no está loco. Sencillamente es Bart,
vulnerable otra vez, y muy, muy ofendido. Solía romperse los huesos cuando era niño para castigarse por haber
fallado ante la sociedad y en la escuela. A partir de ahora,
dañará las vidas de los demás. ¿No es una lástima, Cathy,
que nunca obtenga los resultados que desea?

Permanecí de pie junto a la columna de la escalera,
mirando hacia arriba, donde un viejo, que se ocultaba
en la penumbra, parecía sacudirse en una risa silenciosa.

—Chris, sube a la habitación. Yo iré dentro de unos
segundos. —Chris quería saber qué planeaba yo, de
modo que mentí y le dije que deseaba hablar un momento con el ama de llaves sobre un asunto doméstico.
Pero tenía en mente algo muy distinto.

En cuanto todos se hubieron marchado, entré en el
gran despacho de Bart, cerré la puerta y empecé a
buscar en su escritorio las tarjetas de respuestas que
habían llegado hacía algunas semanas.

A juzgar por las manchas de tinta de los sobres,
habían sido manoseadas muchas veces. Doscientas cincuenta tarjetas de aceptación. Me mordí el labio inferior.
Ni un solo rechazo, ni uno sólo. La gente no actuaba de
esa manera, ni siquiera con personas con quienes no
simpatizan. Si hubiesen decidido no asistir a la fiesta,
habrían arrojado las invitaciones a la papelera junto con
la tarjeta de confirmación, o habrían enviado la tarjeta
alegando cualquier excusa.

Deposité las tarjetas en su sitio con cuidado y me
encaminé por la escalera posterior hacia la habitación
de Joel.

Abrí la puerta sin llamar y lo encontré sentado al
borde de su estrecha cama, doblado a causa de lo que
parecía ser un terrible dolor de estómago o aquella
repugnante risa silenciosa. En silencio, se convulsiona-
ba, se estremecía, abrazándose con sus flacos brazos.

Esperé hasta que hubo pasado aquel ataque histérico. Entonces Joel advirtió la sombra larga que yo proyectaba. Sin aliento, con la boca hundida, pues su dentadura se hallaba en un vaso junto a la cama, se quedó mirándome de hito en hito.

–¿Por qué estás aquí, sobrina? –preguntó con aquella voz chillona pero rasposa. Su escaso cabello alborotado formaba dos cuernos diabólicos.

–Abajo, hace un rato, alcé la mirada y te vi entre las sombras de la rotonda, riendo. ¿Por qué reías, Joel? Debes haber visto que Bart estaba sufriendo.

–No lo sé –refunfuñó, volviéndose un poco para colocarse la dentadura. Luego se atusó su cabello revuelto, aunque un cuerno siguió tieso. Ya podía mirarme a los ojos.

–Tu hija ha armado tanto barullo ahí abajo que no podía dormir. Supongo que veros a todos con vuestros trajes de fiesta esperando a unos invitados que no llegaban, habrá avivado mi sentido del humor.

–Tienes un sentido del humor muy cruel, Joel. Yo creía que te preocupabas por Bart.

–Quiero a ese muchacho.

–¿De verdad? –pregunté con acritud–. No puedo creerlo. –Eché una ojeada a la habitación prácticamente desamueblada, reflexionando–. ¿No fuiste tú quien mandó al correo las invitaciones para la fiesta?

–No lo recuerdo –respondió con calma–. El tiempo no significa mucho para un viejo como yo. Lo que sucedió años atrás parece más claro en mi memoria que lo que sucedió hace un mes.

–Mi memoria es mucho mejor que la tuya, Joel.

Me senté en la única silla que había en la habitación.

–Bart tenía una cita importante y, según recuerdo, te entregó a ti las invitaciones. ¿Las enviaste, Joel?

–¡Claro que las envié! –replicó con furia.

–Pero acabas de decir que no lo recuerdas muy bien.

–Bueno, sí, recuerdo ese día. Tardé mucho tiempo en introducirlas en el buzón una por una.

Mientras hablaba, yo no había dejado de escrutar sus ojos.

—Estás mintiendo, Joel —dije, dando un palo de ciego—. No enviaste esas invitaciones. Las trajiste aquí y, en la soledad de esta habitación, las abriste una tras otra, rellenaste los espacios blancos allí donde rezaba «Sí, nos complacerá asistir», y sólo después las enviaste en los sobres que Bart había proporcionado. ¿Sabes?, las he encontrado en la oficina de Bart. Nunca había visto tan extraño surtido de letra torcida, en varios tonos de tinta violeta, verde, negra y marrón. Joel, cambiaste las plumas para que pareciese que aquellas tarjetas estaban firmadas por los diferentes invitados y ¡fuiste tú quien las firmó todas!

Joel se levantó muy despacio. Recogió el invisible hábito pardo tejido por un piadoso monje y metió sus manos retorcidas por las mangas imaginarias.

—Creo que has perdido el juicio, mujer —dijo fríamente—. Si así lo deseas, ve a tu hijo y cuéntale tus sospechas, a ver si él te cree.

Irguiéndome, me encaminé hacia la puerta.

—¡Eso es precisamente lo que me propongo hacer! —Di un fuerte portazo detrás de mí y me alejé deprisa.

Bart se hallaba en su estudio, sentado detrás del escritorio, con su pijama cubierto por una bata de lana negra con motas rojas. Estaba borracho y arrojaba las tarjetas de respuesta al fragoroso fuego. Vi, con gran tristeza, cómo ardía el último montón mientras Bart se servía otro trago.

—¿Qué quieres? —preguntó arrastrando las palabras, con los ojos entornados.

—Bart, he de decirte algo, y tú me has de escuchar con atención. Creo que Joel no echó al correo tus invitaciones, y por esa razón tus invitados no han venido.

Intentó fijar la mirada y su mente, que debía estar confusa bajo los efectos de todo lo que había bebido.

—Claro que lo hizo. Joel siempre cumple con lo que le ordeno. —Recostó la espalda contra el respaldo del sillón que se inclinó por la presión que Bart aplicó, y cerró los ojos–. Ahora estoy cansado. Vete. Además, ellos contestaron... ¿No acabo de quemar sus respuestas?

–Bart, escucha. No te duermas antes de que explique todo. ¿No te has dado cuenta de qué raras eran las firmas, todas con tintas de diferente color? ¿No te ha llamado la atención esa letra torcida, torpe? Joel no mandó tus invitaciones por correo, sino que las llevó a su habitación, las abrió, sacó las tarjetas de respuesta de conformidad y los sobres correspondientes y, puesto que tú ya habías puesto los sellos en todos ellos, lo único que le quedaba por hacer era dirigirse a la oficina de correos y enviarte algunas todos los días.

Sus ojos cerrados se entreabrieron.

–Madre, creo que deberías irte a la cama. Mi tío abuelo es el mejor amigo que he tenido en mi vida. Jamás haría nada que me perjudicara.

–Bart, por favor, no deposites demasiada fe en Joel.

–¡Sal de aquí! –rugió–. ¡No han venido por tu culpa! ¡Por tu culpa y la de ese hombre con quien te acuestas!

Me marché, sintiéndome derrotada y temerosa de que eso fuese verdad..., y que Joel fuera precisamente lo que Bart y Chris creían que era: un viejo inofensivo que quería acabar sus días en aquella casa, cerca de la única persona que le respetaba y amaba.

HA NACIDO UN NIÑO...

Acabó el día de Navidad. Estaba acostada, acurruca-
da junto a Chris, que solía dormir profundamente, en
tanto yo daba vueltas en la cama, desolada por el ansia
y el desasosiego. Detrás de mí, el gran cisne mantenía
alerta su único ojo de rubí, haciéndome mirar a menudo
alrededor en busca de lo que él estuviera viendo. Oí los
toques profundos, y suaves del viejo reloj situado al
fondo del pasillo. Eran las tres de la madrugada. Unos
minutos antes, me había levantado para observar al
coche rojo de Bart bajar por las curvas de la carretera,
en dirección a la taberna local donde, sin duda, ahogaría
sus penas con más alcohol y terminaría en la cama de
cualquier mujerzuela. Más de una vez había regresado a
casa oliendo a alcohol y perfume barato.

Las horas transcurrieron lentamente mientras yo
esperaba a que Bart regresara a casa. Temí toda clase de
calamidades. En una noche como aquélla los borrachos
que estaban en la calle podían resultar más mortíferos
que el arsénico.

¿Por qué estar tendida, sin hacer nada? Me deslicé
fuera de la cama, arreglé con cuidado las mantas por
encima de Chris, lo besé en la mejilla y coloqué sus

brazos alrededor de una almohada para que él pensara que era yo; así debió ser por la manera en que se acomodó más cerca de ella. Yo tenía la intención de aguardar el regreso de Bart en su dormitorio.

Eran casi las cinco de una cruda y fría madrugada invernal, cuando por fin oí su coche acercarse. Yo estaba arrebujada con una gruesa bata de color rojo, encogida en uno de los sofás blancos de Bart, con la espalda apoyada en los cojines negros y rojos.

Adormilada, lo oí subir por la escalera y moverse de una habitación a otra, chocando contra los muebles como le ocurría cuando era un niño. Solía entrar en todas las habitaciones para comprobar que los sirvientes habían ordenado todo antes de acostarse. Consternada ante su tardanza en comparecer en su propia habitación, supuse que eso debía estar haciendo ahora. No podían quedar periódicos a la vista; las revistas debían estar pulcramente apiladas en su sitio; no podía haber prendas de vestir en el suelo, ni abrigos colgados en los picaportes o abandonados sobre los respaldos de las sillas.

Pocos minutos después, Bart entró en su habitación, y pulsó el interruptor para encender las lámparas. Se balanceó de un lado a otro y se quedó mirándome. Me hallaba en la penumbra de la habitación, donde había encendido un fuego que crepitaba alegre en la oscuridad. Las sombras danzaban en las blancas paredes, tiñéndolas de naranja y de rosa, mientras el cuero negro de la otra pared atrapaba reflejos rojos, creando una especie de falso infierno.

—Madre, ¿qué demonios sucede? ¿No te dije que permanecieras alejada de mis habitaciones? —Sin embargo, en su estado de embriaguez, parecía contento de verme.

Se acercó con paso vacilante a una butaca, se detuvo buscando el punto exacto, se dejó caer y cerró los ojos, llenos de oscuras sombras. Me levanté para darle un masaje en la nuca mientras él inclinaba la cabeza para sostenerla entre las manos como si le doliera muchísimo. Luego, se cubrió el rostro con las manos, en tanto yo procuraba aliviar su dolor. Después, suspiró, se recostó en su asiento y me miró a los ojos.

—Debería tener más sentido común y no beber —murmuró arrastrando las palabras. Yo me senté frente a él—. Me impulsa a cometer estupideces y después me siento mal. Es una idiotez seguir bebiendo cuando el alcohol no ha hecho nada por mí salvo añadirme problemas. Madre, ¿qué me ocurre? Ni siquiera puedo emborracharme para aturdirme. Soy demasiado sensible. Un día oí por casualidad que Jory te decía que estaba construyendo ese maravilloso clíper para regálamelo, y eso me mantuvo secretamente entusiasmado. Nunca nadie ha dedicado meses y meses para hacerme un regalo..., pero, ya ves, está roto. Jory hizo un buen trabajo, se preocupó mucho de que todo fuese exacto. Y ahora todo está en la basura.

Parecía infantil, vulnerable y accesible, y yo iba a intentar llegar a él, iba a intentar darle hasta el último gramo de amor que yo tenía. Cuando estaba borracho no era mezquino, ni bobo, sino adorable y conmovedor en su humanidad.

—Cariño, Jory te construirá otro con mucho gusto —aseguré sin estar segura de que a Jory le gustara repetir aquella laboriosa tarea.

—No, madre. Ahora ya no lo quiero. Algo sucedería también al otro. Así es como me trata la vida. Tiene una forma cruel de arrebatarme lo que más quiero. Para mí no hay felicidad ni amor esperándome a la vuelta de la esquina del mañana. Nunca consigo lo que realmente quiero, el «deseo de mi corazón», como yo solía llamar a los sueños imposibles de mi juventud. ¿No era eso infantil y tonto? No es de extrañar que sintieras lástima de mí... Yo quería mucho, demasiado. Jamás estaba satisfecho. Tú y ese hombre al que amas me disteis cuanto yo decía que deseaba y muchas cosas que ni tan siquiera había mencionado; sin embargo, nunca me brindasteis felicidad. De modo que he decidido no preocuparme por nada nunca más. El baile de Navidad no me hubiera proporcionado alegría aunque los invitados hubiesen comparecido porque yo hubiera seguido sin impresionarles. En mi interior, durante todo el tiempo, sabía que mi fiesta resultaría ser un fracaso más, como todas las otras fiestas que tú solías ofrecerme. A pesar de ello, seguí adelante y me estimulé pensando que si esta noche tenía éxito, sentaría un precedente, por así decirlo, y mi vida mejoraría. –Mi hijo me estaba hablando como nunca había hecho con anterioridad. El alcohol le desinhibía–. Qué idiota, ¿no crees? –prosiguió–. Cindy tiene razón cuando me llama rata e imbécil. Me miro en los espejos y veo un hombre atractivo, muy parecido a mi padre, a quien aseguras que amaste más que a cualquier otro hombre. Pero siento que por dentro no soy bello; por dentro soy más feo que el pecado.

»Cuando me despierto por las mañanas, siento el aire fresco de la montaña, admiro el rocío centelleante en las rosas, contemplo el sol de invierno brillando en la nieve y todo ello me transmite que quizá la vida me ofrezca una oportunidad a pesar de todo. Tengo la esperanza de que algún día encontraré mi auténtico yo, el yo que puede agradarme. Por eso hace algunos meses decidí hacer de esta Navidad la más feliz de nuestras vidas, no sólo por Jory, que se lo merece, sino por ti y por mí mismo. Crees que no quiero a Jory, pero yo lo quiero mucho. –Apoyó la cabeza en sus manos ansiosas y lanzó un pesado suspiro–. Es la hora de las confesiones, madre. También siento odio hacia Cindy. No lo negaré. No siento afecto alguno por ella. Ella no ha hecho más que robarme... Ni tan siquiera es uno de nosotros. Jory siempre se ha llevado la parte más importante de tu cariño, la parte que a ti te sobra después de entregar lo mejor a tu hermano. Yo nunca he tenido la mejor parte del cariño de nadie. Pensaba que Melodie me concedía tal privilegio. Ahora sé que ella hubiera tomado a cualquier hombre para sustituir a Jory, a cualquier hombre que estuviera disponible y deseoso. Ahora la odio por eso, tanto como desprecio a Cindy.

Apartó las manos para mostrar cómo sus ojos brillaban de amargura; los reflejos de las llamas los convertían en carbones encendidos. Las bebidas habían vuelto hediondo su aliento. Mi corazón casi dejó de latir. ¿Qué deseaba Bart? Me levanté y me situé detrás de su butaca para deslizar mis brazos alrededor de su cuello antes de que mi cabeza bajase para descansar en la cima de su cabello alborotado.

–Bart, esta noche te has ido en el coche y me has dejado desvelada, esperando tu regreso. Di qué puedo hacer para ayudarte. Nadie te odia aquí como tú crees, ni tan siquiera Cindy. Con frecuencia nos enojas, no porque te rechacemos, sino porque nos desilusionas.

–Envía lejos a Chris. –No había ninguna expresión en su rostro, como si lo dijera sin esperanza de que jamás se alejase de mi vida–. Eso me indicará que me quieres. Sólo cuando rompas con él yo podré sentirme bien conmigo mismo, y contigo.

El dolor me laceraba.

–Sin mí, se moriría, Bart –murmuré–. Ya sé que no puedes comprender lo que existe entre nosotros dos, y yo misma sería incapaz de explicar por qué ambos nos necesitamos tanto. Tal vez se debe a que cuando éramos muy jóvenes y estábamos solos en una situación aterradora, no nos teníamos más que el uno al otro. Cuando estábamos encerrados y aislados creamos un mundo fantástico, como de sueños, y al hacerlo nosotros mismos caímos en una trampa; ahora al cabo de tanto tiempo, todavía vivimos en aquella fantasía. No podríamos sobrevivir sin ello. Si ahora lo abandonara, acabaría no sólo con él, sino también conmigo misma.

–¡Pero, madre! –exclamó Bart con apasionamiento, volviéndose para abrazarme, para presionar su cara contra mi pecho–, ¡todavía me tienes a mí! –Alzó los ojos para mirarme a la cara, rodeándome la cintura con sus brazos–. Quiero que purifiques tu alma antes de que sea demasiado tarde. Lo que estás haciendo con Chris va contra las normas de Dios y la sociedad. Deja que se vaya, madre. Por favor, deja que se vaya, antes de que alguien cometa alguna atrocidad. Sepárate del amor de tu hermano.

Me aparté de Bart, echando hacia atrás un mechón suelto de mi cabello. Me sentía derrotada y desesperanzada ante la imposibilidad de hacer lo que Bart me pedía.

–¿Me harías daño, Bart?

Se mordió el labio, una costumbre infantil que retornaba a él cuando estaba turbado.

–No lo sé. Algunas veces me gustaría. Más de lo que quiero dañarle a él. Me sonríes con tanta dulzura que deseo que nunca cambies. Pero después cuando estoy en la cama, oigo murmullos dentro de mi cabeza que me dicen que eres mala y mereces la muerte. Cuando pienso en ti muerta, bajo tierra, las lágrimas anegan mis ojos y mi corazón se siente vacío y roto, y estoy perdido. Me siento frío, solo y asustado. Madre, ¿estoy loco? ¿Por qué no puedo enamorarme en la confianza de que mi amor dure? ¿Por qué no puedo olvidar lo que tú haces?

»Medité durante un tiempo sobre lo que Melodie y yo habíamos hecho. Melodie me parecía perfecta, y de repente comenzó a engordar y volverse fea. Gemía, se quejaba y estaba a disgusto en mi casa. Incluso Cindy apreciaba más esta mansión. La llevé a los mejores restaurantes, el teatro y el cine, y traté de sacarle a Jory de la mente, pero ella no lo olvidaba. Seguía hablando del ballet, de lo mucho que significaba para ella y finalmente tuve que aceptar que sólo era un sustituto de Jory y ella nunca me había amado. Me utilizaba como un medio para olvidar su pérdida durante un tiempo. Ahora, ni siquiera parece la chica de quien me enamoré. Busca compasión, no amor. Tomó mi amor y lo zarandeó una y otra vez, de modo que ahora no puedo soportar su presencia.

Suspirando, bajó los ojos y dijo con voz muy baja, apenas audible:

—Veo a esa chiquilla, Cindy, y me doy cuenta de que debe de tener el mismo aspecto que tú a su edad. Una pequeña parte de mí comprende por qué Chris se enamoró de ti, lo que me hace odiar a Cindy más todavía. Ella me provoca, tú lo sabes. A Cindy le gustaría meterse debajo de mi piel, obligarme a realizar algo tan pecaminoso como lo que Chris hace contigo. Se pasea por su habitación sin llevar nada más que un sostén y bragas, sabiendo que yo compruebo sus habitaciones antes de retirarme. Esta noche llevaba una camisa tan transparente que pude verla entera. Y ella se quedó allí de pie, permitiendo que yo la contemplara. Joel me ha dicho que Cindy es una puta.

—En ese caso, no vayas a su habitación —dije con gran control—. Dios sabe que no tenemos por qué ver a nadie que viva en esta casa si no queremos y Joel es un estúpido de mente estrecha, lleno de prejuicios. La generación de Cindy usa ropa interior que casi no cubre. Pero tienes razón, no debería exhibirse. Hablaré con ella al respecto por la mañana. ¿Estás seguro de que ella se exhibió con premeditación?

—Sospecho que tú hacías lo mismo —dijo Bart, lanzándome una triste acusación—. Todos aquellos años encerrada arriba con Chris. ¿Le mostraste tu cuerpo... deliberadamente?

¿De qué forma podía explicarle cómo había sucedido y hacérselo comprender? Bart nunca comprendería.

—Intentamos ser decentes, Bart. Hace ya tanto tiempo... No tengo ganas de recordar. Intento olvidar. Quiero pensar que Chris es mi esposo y no mi hermano. No podemos tener hijos, nunca pudimos. ¿No nos hace eso mejores, algo mejores?

Sacudió la cabeza. Sus ojos se nublaron de repente.

—Vete. Sólo me das excusas y haces que retornen las náuseas que sentí cuando descubrí lo que ocurría entre vosotros dos. Yo no era más que un niño que quería estar limpio y sano. Y todavía quiero sentirme de esa manera. Por eso me ducho con tanta frecuencia, me afeito, me aseo y ordeno a los criados que frieguen y limpien el polvo todos los días. Estoy tratando de eliminar la suciedad que tú y Chris habéis puesto en mi vida y ¡no puedo conseguirlo!

No hallé consuelo en los brazos de Chris cuando intenté dormir. Entré en un sueño inquieto, que se quebró cuando oí gritos distantes. Abandonando la cama por segunda vez en una misma noche, corrí hacia el lugar de donde procedían las voces.

En el suelo del largo pasillo encontré a Melodie, que parecía llevar un camisón blanco con rayas rojas desiguales. Se arrastraba, gimiendo, lo que me hizo pensar que yo seguía soñando. Su largo cabello estaba húmedo y alborotado, por la frente le corría el sudor ¡y dejaba detrás de ella un rastro de sangre!

Mirándome con fijeza casi sin verme, como ida, dijo:

—Cathy, mi bebé está llegando... —Gritó y, lenta, muy lentamente, sus ojos suplicantes quedaron en blanco y se desmayó.

Corrí a la habitación a buscar a Chris y lo agité para que despertase.

—¡Es Melodie! —exclamé cuando se sentó frotándose los ojos cansados—. Ha comenzado el parto. En este momento está desmayada, boca abajo en el pasillo; ha dejado un rastro de sangre detrás de su cuerpo.

—Tranquilízate —me apaciguó Chris, saltando de la cama y poniéndose una bata—. En primer lugar, es que, cuando la madre es primeriza, el bebé tarda en llegar. —Sin embargo, en sus ojos había un destello de ansiedad, como si estuviera calculando mentalmente cuánto tiempo llevaba. Melodie de parto—. Tengo todo lo necesario en mi maletín —dijo mientras se afanaba recogiendo mantas, sábanas limpias, toallas. Todavía utilizaba el mismo maletín negro de médico que le había regalado cuando se graduó en la Facultad de Medicina, como si aquel maletín fuese sagrado para él–. No hay tiempo para llevarla al hospital si sufre una hemorragia como dices. Ahora, lo que debes hacer es correr abajo, a la cocina, y preparar el agua caliente que los médicos de las películas parecen necesitar siempre.

Sospechando que Chris quería quitarme de en medio, vociferé con impaciencia:

–¡No estamos en una película, Chris!

Ya en el pasillo, él se agachó junto a Melodie.

–Lo sé..., pero sería una gran ayuda que hicieras algo en lugar de correr a mi lado histérica. Échate a un lado, Catherine –ordenó mientras se inclinaba para coger a Melodie. En los brazos de Chris, Melodie parecía no pesar más que una pluma, a pesar de su vientre, semejante a una alta montaña.

Trasladamos a Melodie a su habitación. Chris colocó almohadones debajo de sus caderas y me pidió más toallas blancas, sábanas y periódicos mientras me miraba con furor.

–¡Muévete, Catherine, muévete! La posición del bebé es perfecta. Tiene la cabeza hacia abajo y está bien encajado. ¡Corre! He de esterilizar algunos instrumentos. Maldita sea Melodie por no haber dicho que habían comenzado ya las contracciones. Mientras abríamos los regalos, se quedó allí sentada, sin hablar. ¿Qué demonios le pasa a todo el mundo en esta casa? ¡Lo único que ella tenía que hacer era hablar, decir algo!

Casi antes de que Chris acabase de pronunciar estas palabras, que parecía dirigir a sí mismo, corrí por los pasillos en penumbras y me precipité escalera abajo por la parte posterior cercana a la cocina. Abrí el grifo de agua caliente y puse a hervir la tetera. Esperé ansiosamente, pensando que Melodie quería castigarnos. Quizá quería incluso que su bebé muriese para poder volver libre a Nueva York sin un marido inválido y un niño sin padre.

Cuando se necesita, un cazo tarda tanto en hervir... Mil pensamientos cruzaron por mi mente, malos pensamientos, mientras observaba el agua esperando ver burbujas. ¿Qué estaba haciendo Chris? ¿Debería yo despertar a Jory para avisarle? ¿Por qué había actuado Melodie así? ¿Sería ella como Bart en algunos aspectos..., autocastigándose por sus pecados? Al fin, después de lo que me pareció una hora, el agua comenzó a bullir. Con el vapor humeando por el pico de la tetera, subí corriendo por la escalera y recorrí los interminables pasillos hasta llegar al dormitorio de Melodie.

Chris la había sentado, apoyándola en muchos cojines. Tenía las rodillas en alto y las piernas abiertas, sostenidas por almohadones. Estaba desnuda de cintura para abajo y pude apreciar que la sangre seguía manando de su cuerpo. Sintiéndome extraña al ver algo semejante, desvié la mirada hacia los montones de toallas y sábanas que Chris había esparcido sobre los periódicos para recoger la sangre.

—No puedo contener la hemorragia —dijo Chris preocupado—. Temo que el bebé pueda tragar algo de sangre. —Me echó una ojeada—. Cathy, ponte este par de guantes de caucho y usa las pinzas que hay en mi maletín para sumergir esos instrumentos en el agua hirviendo. Me los darás a medida que los vaya necesitando y te los pida.

Asentí, aterrada por si no recordaba los nombres de los instrumentos.

—Despierta, Melodie —repetía Chris—. Necesito tu ayuda. —La abofeteó ligeramente—. Cathy, empapa un paño en agua fría y pásaselo por la cara para reanimarla, a ver si puede ayudar al bebé a empujar hacia fuera.

El paño frío sobre la frente despertó a la muchacha a una realidad llena de dolor. Enseguida empezó a gritar, y trató de alejar a Chris con un empujón y a cubrirse con las ropas de la cama.

—No luches conmigo —dijo Chris—. Tú bebé casi está aquí ya, Melodie, pero tú tienes que empujarle y respirar a fondo, y yo no puedo ver lo que hago si tú te tapas.

Gritando todavía de un modo espasmódico y convulsivo, Melodie intentó obedecer a Chris. El sudor le corría por el rostro y le humedecía el cabello y el pecho. Su camisón, levantado hasta la cintura, pronto estuvo empapado.

–Ayúdala, Cathy –apremió Chris, manejando lo que yo creía eran fórceps. Puse las manos donde él me indicó y apreté.

–Por favor, querida –susurré cuando Melodie dejó de aullar lo bastante para poder oírme–, debes colaborar. En este momento tu bebé está luchando por sobrevivir y salir fuera.

Sus ojos, enloquecidos por el dolor y el miedo, lucharon por enfocar la realidad.

–¡Estoy muriendo! –exclamó antes de cerrar con fuerza los ojos; respiró profundamente y después apretó con más firmeza.

–Lo estás haciendo muy bien, Melodie –animó Chris–. Ahora otro empujón fuerte y podré ver la cabeza de tu bebé.

Sudando, agarrándose a mis manos y cerrando los ojos con más fuerza todavía, Melodie hizo un último esfuerzo.

–Bien, ¡lo estás haciendo muy bien! Ya veo la cabeza del bebé –dijo Chris con tono feliz, lanzándome una mirada de orgullo.

En aquel momento, la cabeza de Melodie cayó a un lado y sus ojos se cerraron. Se había desmayado de nuevo.

–No importa –dijo Chris, echando una mirada a su cara–. Ha realizado un buen trabajo, y ahora me toca a mí actuar. Ella ya ha pasado lo peor y puede descansar. Creí que tendría que utilizar los fórceps, pero no será necesario.

Con movimientos seguros, Chris deslizó con infinito cuidado la mano dentro del canal de nacimiento y, de alguna manera, extrajo un pequeño bebé, que me entregó. Sostuve el diminuto, resbaladizo y enrojecido bebé, contemplando con asombro al hijo de Jory. Oh, qué perfecta era aquella miniatura de muchachito que agitaba sus puñitos en el aire y pataleaba con sus increíbles piececitos. Contraía su rostro, del tamaño de una manzana, preparándose para lanzar un aullido mientras Chris ataba y cortaba el cordón umbilical. Me embargó una emoción que me produjo escalofríos y me estremecí de pies a cabeza. De la unión de mi hijo con su esposa había nacido ese nietecito perfecto que ya se había apoderado de mi corazón, incluso antes de llorar. Con lágrimas en los ojos y mi corazón latiendo feliz por Jory, que se sentiría tan contento, alcé la mirada y vi a Chris, que estaba extrayendo a Melodie lo que debía de ser la placenta.

De nuevo contemplé el bebé llorón, del tamaño de una muñeca, que parecía pesar menos de dos kilos; una criatura nacida de la pasión y la belleza del mundo del ballet, nacida de la música que debía de haber sonado en el momento de su concepción. Apreté el chiquillo contra mi corazón, pensado que era el mejor milagro de Dios, más hermoso que un árbol, más duradero que una rosa; un ser humano nacido a Su semejanza. Por mis mejillas resbalaron las lágrimas, pues, al igual que el Hijo de Dios, el bebé había nacido casi el día de Navidad. ¡Mi nieto!

—Chris, es tan pequeño. ¿Vivirá?

—Por supuesto —respondió, absorto, mientras continuaba atendiendo a Melodie, frunciendo el entrecejo con perplejidad—. ¿Por qué no utilizas la balanza y le pesas? Y después, si te parece, le bañas en agua tibia. Comenzará a sentirse mucho mejor. Utiliza la solución que he preparado y colocado en un cuenco azul para limpiarle los ojos y la solución del cuenco rosa para lavarle la boca y las orejas. Por aquí debe de haber pañales y mantas para envolverle. Necesita estar calentito.

—En su maleta —exclamé. Corrí hasta el cuarto de baño contiguo con el pequeño sobre mi brazo doblado y empecé a llenar un recipiente de plástico rosa—. Hace semanas que Melodie tiene preparadas y a punto las cosas del bebé.

Yo estaba excitada, exultante, y algo arrepentida por no haber ido junto a Jory para darle la oportunidad de ver nacer a su hijo. Suspiré entonces, pensando que seguramente sería su único hijo. Había muy pocas posibilidades de que pudiera procrear otro. Qué afortunado era por haber sido bendecido con aquel pequeño niño.

El bebé era muy frágil. Una vellosidad rubia daba a la parte superior de su cabecita un suave halo. Sus manos y pies diminutos se agitaban en el aire frío. Su boca era como un capullo de rosa que se movía con gestos de succión en tanto el pequeño intentaba abrir unos ojos que parecían estar pegados. A pesar de toda la suciedad del parto esparcida por su piel enrojecida, mi corazón estaba rebosante de aquella criatura. Era un hermoso bebé, un querido y dulce muchachito que haría feliz a mi hijo Jory. Yo ansiaba ver el color de sus ojos, pero los tenía herméticamente cerrados.

Estaba tan nerviosa que daba la impresión de que nunca hubiera tenido un recién nacido propio. En cierto modo, así era, porque en cuanto nacieron mis dos hijos, cumplidos ya los nueve meses de embarazo, unas enfermeras experimentadas se hicieron cargo de ellos.

—Arrópalo bien —me recordó Chris desde la otra habitación—. Asegúrate de pasar el dedo por el interior de su boca para sacar cualquier coágulo de sangre o mucosa que pudiese haber. Los recién nacidos corren el peligro de ahogarse con lo que haya dentro de sus bocas.

El bebé lloraba con fuerza por la pérdida del cálido fluido familiar del seno donde había estado hasta ese momento, pero, tan pronto como lo sumergí con suavidad en el agua tibia, dejó de llorar y pareció dormirse. Aquel pequeño era tan nuevo, parecía tan bisoño que daba pena molestarle como yo lo hacía. Incluso dormido, sus diminutas manos, como de muñeco, se alargaban buscando a su madre y sus pechos. Su diminuto pene estaba tenso mientras yo vertía agua tibia sobre sus genitales. Entonces, para mi asombro, ¡oí otro llanto infantil!

Envolví rápidamente a mi nietecito ya limpio en una gruesa toalla blanca y entré deprisa en el dormitorio para encontrar un segundo bebé.

Chris alzó la mirada con una expresión extraña.

—Una niña —dijo gentil—. Cabello rubio, ojos azules. Yo mismo hablé con el ginecólogo y no comentó haber escuchado dos latidos. Algunas veces eso sucede porque un bebé está situado detrás del otro..., pero es muy raro que ni una sola vez... —Se interrumpió y después continuó—. Los gemelos suelen ser más pequeños que los demás bebés, y su menor tamaño sumado al peso del segundo que empuja, colabora a que el primero salga más rápidamente que en un parto normal. Melodie ha tenido suerte esta vez.

—Oh... —susurré tomando la niñita en mi brazo libre para contemplarla. Inmediatamente supe quiénes eran. ¡Carrie y Cory nacidos otra vez!—. ¡Chris, qué maravilla! —dije, dichosa. Después me entristecí pensando en mis amados gemelos, muertos hacía tanto tiempo. Sin embargo, seguía viéndoles con la mente, corriendo por el jardín trasero de Gladstone o jugando por el lastimoso jardín del ático, con flores y fauna de papel—. Los mismos gemelos, renacidos a la vida.

Chris alzó la mirada, con los guantes que cubrían sus manos ensangrentadas.

—No, Cathy —declaró firme—, no son renacidos. Éstos no son los mismos gemelos que han nacido de nuevo. Recuerda que entonces Carrie nació la primera; esta vez el chico ha salido antes. Éstos no son un par de niños desafortunados porque ambos tendrán sólo lo mejor. Ahora, por favor, ¿querrás dejar de hacer el tonto y dedicarte a tus quehaceres? La pequeña también necesita un baño. Y ponle pañales al chico antes de que esparza porquería por todas partes.

Manejar aquellos escurridizos bebés no resultaba fácil. Sin embargo, supe arreglármelas, abrumada por la felicidad. A pesar de lo que Chris había dicho, yo sabía bien quiénes eran esos dos gemelos: Cory y Carrie, renacidos para gozar de la vida maravillosa que les correspondía, la vida feliz que les había sido negada por la avaricia y el egoísmo.

–Nos os preocupéis –musité mientras besaba sus pequeñas mejillas rojas y sus manos y pies diminutos–. Vuestra abuela se encargará de que seáis felices. No importa lo que tenga que hacer, vosotros dos disfrutaréis de todo lo que Cory y Carrie no tuvieron.

Miré hacia el dormitorio, donde Melodie yacía agotada, reanimándose ya de su desmayo.

Chris entró en el cuarto de baño para coger los dos bebés y me dijo que creía que Melodie agradecería una agradable limpieza con la esponja. Me envió a atender a la nueva madre mientras él realizaba un nuevo examen más completo a los niños.

Cuando lavaba a Melodie y le ponía un camisón limpio de color rosa, se despertó y me miró con ojos indiferentes, desinteresados.

–¿Ya ha terminado? –preguntó con un tono malhumorado. Cogí el cepillo del pelo y comencé a desenredar su cabello húmedo.

–Sí, cariño, ha terminado. Ya has dado a luz.

–¿Qué es? ¿Un chico? –En sus ojos brillaba de pronto un destello de esperanza, por primera vez desde hacía mucho tiempo.

–Sí, cariño, un chico... y una chica. Acabas de tener dos hermosos y perfectos gemelos.

Sus ojos se agrandaron, oscuros, llenos de tantas ansiedades que parecía a punto de desmayarse otra vez.

–Son perfectos –dije–, con todo lo que se supone han de poseer.

Se quedó mirándome sin pestañear hasta que corrí para mostrarle los gemelos. Los miró con el mayor asombro y sonrió débilmente.

–Oh, son graciosos..., pero yo creía que serían morenos, como Jory.

Puse los dos bebés en sus brazos, y los contempló como si todo fuese irreal.

–Dos –murmuraba una y otra vez–, ¡dos! –Fijó la mirada en un punto indefinido del espacio–. Dos. Yo solía decir a Jory que sólo quería tener dos hijos. Yo quería un chico y una chica... pero no gemelos. ¡Gemelos! ¡No es justo, no es justo!

Con ternura, le alisé el pelo hacia atrás.

–Querida, ésta es la manera en que Dios os bendice a ti y a Jory. Os ha dado la familia completa que queríais, y ya no tendrás que pasar más por este trance. Y recuerda que no estás sola; nosotros haremos todo lo posible por ayudarte. Contrataremos nodrizas, enfermeras, lo mejor. Ni tú ni ellos careceréis de nada.

La esperanza se reflejó en sus ojos antes de cerrarlos.

–Estoy cansada, Cathy, tan cansada... Supongo que es mejor tener a los dos, un chico y una chica, ahora que Jory no puede procrear más. Confío en que esto compensará lo que él ha perdido..., y se sentirá feliz.

Tras estas palabras, Melodie se sumió en un profundo sueño mientras yo seguía cepillándole el cabello. Su pelo, siempre adorable, estaba áspero, sin vida. Tendría que lavárselo con champú antes de que Jory la viera. Cuando se encontrase ante su mujer, vería de nuevo a la encantadora muchacha con quien se había casado. Porque yo conseguiría reunir a esa pareja, aunque fuese lo último que hiciera.

Chris se acercó a mí y tomó los gemelos de los brazos de Melodie.

–Ahora vete, Cathy. Melodie está agotada y necesita un largo descanso. Mañana tendrás tiempo para lavarle el cabello.

–¿Acaso lo he dicho en voz alta? Sólo estaba pensando en ello.

Chris echó a reír.

–Sólo lo habías pensado, pero estabas pasando los dedos entre sus cabellos, y en tus ojos los pensamientos resplandecían con claridad. Ya sé que, según tú, el pelo limpio es el remedio para todas las depresiones.

Después de besarle y abrazarle con fuerza lo dejé con Melodie y fui a despertar a mi hijo. Jory volvió de sus sueños, se frotó los ojos y me miró con el rabillo del ojo.

–¿Qué ocurre ahora? ¿Más problemas?

–Esta vez no se trata de ningún problema, cariño. –Me levanté y le dirigí una sonrisa maliciosa. Debió de pensar que yo había perdido la razón, porque parecía perplejo cuando se incorporó apoyándose en los codos–. Tengo unos regalos de Navidad para ti, Jory, aunque vengan con retraso, querido mío.

Sacudió la cabeza, extrañado.

–Mamá, ¿ese regalo no hubiera podido esperar hasta mañana?

–No, precisamente éste no. ¡Eres padre, Jory! –Eché a reír y lo abracé–. Oh, Jory, Dios es bondadoso. ¿Recuerdas que cuando tú y Melodie planeabais una familia dijiste que querías dos hijos, primero un chico y después una chica? Bueno, pues como un regalo especial, llegado directamente del cielo, ¡eres padre de gemelos! ¡Un chico y una chica!

Las lágrimas inundaron sus ojos. Balbuceó su primera preocupación.

–¿Cómo está Mel?

–Chris está con ella ahora, cuidándola. ¿Sabes?, Melodie se puso de parto a primeras horas de ayer y no dijo ni una palabra.

–¿Por qué? –se lamentó, cubriéndose la cara con las manos–. ¿Por qué, si papá estuvo aquí todo el tiempo y hubiera podido ayudarla?

–No lo sé, hijo, pero no pensemos más en ello. Melodie se pondrá bien, muy bien. Chris dice que ni tan siquiera necesitará ir al hospital, aunque quiere llevar allí a los bebés para un chequeo, por si acaso. Esos bebés tan pequeños requieren más cuidados que los que nacen con el tiempo cumplido. También ha dicho que sería conveniente que Melodie fuese examinada por un ginecólogo. Tuvo que practicar un corte, «episiotomía», lo llamó Chris. Sin la cirugía, Melodie se hubiera desgarrado. La cosió bien, pero le dolerá hasta que caigan los puntos. Sin duda, Chris llevará al hospital a los bebés y a Melodie el mismo día.

—Dios es bondadoso, mamá —murmuró Jory con voz ronca, enjugándose las lágrimas mientras intentaba sonreír—. No puedo esperar a verles. Pero tardaré demasiado en levantarme e ir para allá, ¿no podrías traérmelos aquí?

Primero tuvo que sentarse antes de estar a punto para recibir a los gemelos en sus brazos. Cuando salía para ir a buscar a los pequeños, me volví para mirarle desde el umbral, y pensé que nunca había visto a un hombre más feliz.

Durante mi ausencia, Chris había dispuesto unas cunas con dos cajones abiertos y forrados con mantas suaves. De inmediato se interesó por cómo había reaccionado Jory ante la noticia y sonrió al oír lo encantado que estaba. Dejó los dos bebés en mis brazos con ternura.

—Camina con mucho cuidado, amor mío —susurró antes de besarme. Me apresuré a volver junto a mi hijo mayor con sus primogénitos. Jory los recibió como tiernos presentes de los que siempre debía cuidar, mirando con orgullo y amor a los niños que él había procreado.

—Se parecen a Cory y Carrie —dije con suavidad, en la cálida penumbra de su habitación—. Son tan hermosos, aunque sean tan pequeños. ¿Has pensado en algún nombre?

Jory se ruborizó y continuó admirando a los bebés que tenía en los brazos.

—Claro, ya tengo algunos nombres a punto, aunque Mel nunca mencionó la posibilidad de que fuesen gemelos. Esto compensa tantas cosas... —Alzó la mirada, con los ojos resplandecientes de esperanza—. Mamá, tú decías que Mel cambiaría cuando naciese el bebé. No tengo paciencia para esperar el momento de verla, el momento de tenerla otra vez entre mis brazos. –Hizo una pausa. Se ruborizó–. Bueno, por lo menos podríamos dormir juntos, aunque no haya nada más.

–Jory, encontrarás medios...

Él prosiguió como si no me hubiese oído.

–Construimos nuestras vidas alrededor de un único plan, pensando que bailaríamos hasta que yo tuviera cuarenta años. Entonces ambos nos dedicaríamos a la enseñanza o la coreografía. No contamos con la posibilidad de un accidente o una desgracia repentina, como tampoco lo hicieron tus padres. Lo cierto es que creo que mi mujer lo ha soportado bastante bien.

Jory se estaba mostrando bondadoso, ¡más que bondadoso! Melodie había sido la amante de su hermano, algo que quizá Jory se negaba a creer. O, tal vez, había comprendido la debilidad de ella y ya había perdonado no sólo a Melodie, sino también a Bart. Ligeramente contrariado, Jory dejó que me llevase a los gemelos.

Ya en la habitación de Melodie, Chris dijo:

–Voy a llevar a Melodie y los gemelos al hospital. Volveré tan pronto como me sea posible. Me gustaría que otro médico examinara a Melodie y, por supuesto, los gemelos han de quedar instalados en incubadoras hasta que pesen dos kilos doscientos sesenta y ocho gramos. El chico pesa un kilo setecientos veintiocho gamos y la chica un kilo quinientos cincuenta y cinco gramos; pero son unos bebés muy sanos, a pesar de su poco peso.

»En tu corazón aceptarás a estos nuevos gemelos y los amarás tanto como amaste a Cory y a Carrie.

¿Cómo sabía Chris que cada vez que yo miraba a aquellos pequeños acudían visiones de «nuestros» gemelos para atormentarme?

Jory estaba en la mesa del desayuno, exultante, sentado junto a Bart, cuando entré en nuestra soleada sala reservada para mañanas especiales. Los platos, de un rojo brillante, estaban dispuestos sobre un mantel blanco y, como pieza central, había un cuenco con acebo recién cortado. En todas partes había flores rojas y blancas.

–Buenos días, mamá –me saludó Jory, mirándome a los ojos–. Hoy soy un hombre muy feliz. He esperado para comunicar mis noticias a Bart hasta que tú y Cindy llegaseis.

En la boca de Jory jugueteaban felices sonrisillas. Sus ojos brillantes me rogaban que no me enfadara y cuando Cindy entró, vacilante, soñolienta y con aspecto desaliñado, Jory anunció orgulloso que era padre de gemelos, un niño y una niña a los que él y Melodie habían decidido llamar Darren y Deirdre.

–En otro tiempo hubo unos gemelos cuyos nombres comenzaban por la letra «C». Seguimos un poco el precedente, pero hemos avanzado en el alfabeto.

La expresión del rostro de Bart era de envidia, y de desprecio también.

–Gemelos; un problema duplicado. Pobre Melodie, no es de extrañar que se pusiera tan enorme. Es una pena... Como si no tuviera suficientes problemas.

En cambio, Cindy lanzó un gritito de alegría.

–¿Gemelos? ¿De verdad? ¡Qué maravilla! ¿Puedo verlos ahora? ¿Puedo cogerlos?

Jory estaba todavía enojado por la cruel observación de Bart.

–No me desprecies, Bart, sólo porque estoy en mala situación. Mel y yo no tenemos ningún problema que no pueda resolverse..., cuando nos hayamos marchado de este lugar.

Bart se levantó y dejó su desayuno en la mesa.

¿Iban a marcharse Jory y Melodie llevándose a los gemelos consigo? Me sentí desfallecer. Mis manos se retorcían nerviosas en mi regazo.

No vi la mano que cogía las mías y me apretaba los dedos.

–Mamá, no te entristezcas. Nosotros nunca os alejaremos ni a ti ni a papá de nuestras vidas. Allá adonde vayáis, allí iremos. Pero no podemos continuar aquí si Bart no comienza a comportarse de otra manera. Cuando necesites ver a tus nietos, sólo tendrás que gritar o susurrar.

Poco antes de las diez Chris regresó a casa con Melodie, que fue llevada a la cama de inmediato.

—Ahora está bien, Jory. Hubiera preferido que hubiera permanecido ingresada en el hospital durante unos días, pero ha armado tanto jaleo que la he traído de vuelta. He dejado a los gemelos instalados en incubadoras diferentes hasta que ganen peso.

Chris se inclinó para besarme en la mejilla y después sonrió ampliamente.

—¿Ves?, Cathy, ya te dije que todo saldría bien. Y me gustan los nombres que Melodie y tú escogisteis, Jory. Son unos nombres realmente bonitos.

Enseguida subí a llevarle una bandeja a Melodie, que se había levantado y se hallaba ante la ventana, mirando la nieve. Comenzó a hablar enseguida.

—Estaba pensando en cuando era niña y cuánto deseaba ver la nieve —dijo con languidez, como si los bebés fuera de su vista estuvieran también fuera de su mente—. Siempre anhelé una Navidad blanca lejos de Nueva York y, ahora que la tengo, no puede satisfacerme. No hay magia alguna capaz de devolver a Jory el uso de sus piernas.

Melodie hablaba de una manera extraña, soñolienta, que me asustaba.

—¿Cómo me las arreglaré con dos bebés? Uno cada vez es lo que yo esperaba. Y Jory no va a ayudarme en nada...

—¿No te dije que nosotros te ayudaríamos? —interrumpí algo irritada, pues parecía que Melodie estaba empeñada en compadecerse de sí misma. Entonces lo comprendí: Bart estaba en el umbral de la puerta abierta.

Su cara seria no mostraba expresión alguna.

—Felicidades, Melodie —dijo con calma—. Cindy me ha hecho llevarla al hospital para ver a tus gemelos. Son muy..., muy.. –vaciló y concluyó–: Pequeños. –Y se alejó.

Melodie se quedó mirando vagamente el lugar donde Bart había estado.

Más tarde, Chris llevó a Jory, a Cindy y a mí al hospital para ver nuevamente a los gemelos. Melodie se quedó en la cama, profundamente dormida y con aspecto agotado. Cindy echó otra ojeada a los pequeños bebés metidos en urnitas de cristal.

–Oh, ¿verdad que son adorables, Jory? ¡Qué orgulloso debes estar! Voy a ser la mejor tía, espera y verás. Me muero de impaciencia por tenerlos en mis brazos. –Cindy estaba detrás de la silla de ruedas de Jory, inclinándose para abrazarle–. Has sido siempre un hermano tan especial... Muchas gracias por ello.

Cuando regresamos a casa, Melodie preguntó débilmente por sus hijos, para dormirse otra vez en cuanto supo que estaban bien. El día prosiguió sin invitados inesperados, amigos que felicitaran a Jory por ser padre. ¡Qué solos estábamos en la montaña!

LAS SOMBRAS SE DESVANECEN

Los días tristes del invierno pasaron, cargados de miles de detalles triviales. La noche de fin de año habíamos asistido a una fiesta, acompañados por Cindy y Jory. Cindy, al fin, tuvo oportunidad de conocer a jóvenes de la zona, entre los cuales obtuvo un gran éxito. Bart declinó la invitación, pensando que se divertiría más en un club exclusivo para hombres del que era socio.

—No es un club exclusivo para hombres —susurró Cindy, que creía tener todas las respuestas—. Irá a alguna casa alegre.

—¡Jamás vuelvas a decir nada semejante! —la reñí—. Lo que Bart haga es cosa suya. ¿Dónde oyes esas murmuraciones?

En aquella fiesta de nochevieja se encontraban algunas de las personas a las que Bart había convidado a su fiesta y no tardé en dedicarme a indagar, con tacto, si ellos habían recibido la invitación de Bart. «No» respondían todos, aunque nos miraban atentamente a Chris y a mí, y después a Jory en su silla de ruedas, como si silenciaran pensamientos secretos que nunca declararían.

—Madre, no te creo —replicó Bart con extrema frialdad cuando le expliqué que los invitados a quienes encontré no habían recibido su tarjeta—. Tú odias a Joel; sólo ves en él a Malcolm, y por tanto quieres minar mi fe en ese anciano, bueno y piadoso. Joel ha jurado que envió las invitaciones, y yo le creo.

—Y a mí, ¿no me crees?

Se encogió de hombros.

—La gente es a veces engañosa. Quizá aquellos con los que hablaste ayer lo único que hicieron fue mostrarse corteses.

Cindy nos dejó para ir a la universidad el 2 de enero, ansiosa por escapar del aburrimiento, que ella consideraba infierno en la tierra. Terminaría el curso universitario aquella primavera y no tenía intenciones de proseguir sus estudios a pesar de que Chris había intentado convencerla.

—Incluso una actriz necesita cultura.

Pero no había resultado. Nuestra Cindy era tan testaruda como lo había sido Carrie.

Melodie estaba silenciosa, melancólica, variable y tan aburrida que todos evitaban tenerla cerca. Se resentía por tener que cuidar a los bebés que yo había supuesto le proporcionarían tanto placer y ocuparían su tiempo. Pronto tuvimos que contratar a una nodriza. Melodie, además, apenas ayudaba a Jory, de modo que yo realizaba por él lo que él no podía hacer por sí mismo.

Chris continuaba con su trabajo, que lo mantenía feliz y apartado de mí hasta los viernes a las cuatro, cuando llegaba a la puerta, igual que papá, que regresaba con nosotros los viernes. El ciclo se repetía. Chris vivía su propio mundo afanoso; nosotros, en la montaña, el nuestro. Chris iba y venía. Parecía fresco, alegre, confiado y muy contento por pasar con nosotros los fines de semana. Dejaba los problemas a un lado como si fuesen desechos no merecedores de atención.

Nosotros, en Foxworth Hall, nunca íbamos a ninguna parte desde que Jory había optado por no salir de la seguridad de sus maravillosas habitaciones.

Pronto llegaría el trigésimo aniversario del nacimiento de Jory. Habría que preparar algo especial. Entonces se me ocurrió invitar a todos los miembros de su compañía de ballet de Nueva York para que asistiesen a su fiesta. Pero, lógicamente, primero tendría que discutirlo con Bart.

Bart hizo girar su butaca apartándose del ordenador.

–¡No! ¡No quiero a un grupo de bailarines en mi casa! Nunca más celebraré una fiesta, ni derrocharé mi dinero en gente a que ni tan siquiera deseo conocer. Organiza otra cosa para él, pero no invites a esa gente.

–Pero, Bart, una vez te oí decir que te gustaría que una compañía de ballet actuara en tus fiestas.

–Ahora no. He cambiado de opinión. Además, nunca he aprobado realmente a los bailarines. Nunca los he aprobado y nunca los aprobaré. Ésta es la casa del Señor..., y la primavera próxima edificaremos un templo de adoración para celebrar su dominio sobre todos nosotros.

–¿Qué quieres decir? ¿Que se edificará un templo?

Hizo una mueca antes de volver a dedicar su atención al ordenador.

–Una capilla; tan cerca, que no podrás evitarla, madre. ¿No será agradable? Cada domingo nos levantaremos temprano para asistir a los servicios. Todos nosotros.

–¿Y quién estará en el púlpito para pronunciar los sermones? ¿Tú?

–No, madre, yo no. Todavía no estoy limpio de pecados. Mi tío será el ministro. Es un hombre santo, justo.

–A Chris y a mí nos gusta levantarnos tarde los domingos por la mañana –dije, a pesar de mi buena voluntad por mantenerlo siempre aplacado–. Nos agrada tomar el desayuno en la cama, y en verano, la terraza del dormitorio es el lugar ideal para iniciar un día feliz. En cuanto a Jory y Melodie, deberías discutir con ellos este tema.

—Ya lo he hecho. Harán lo que yo diga.

—Bart, el cumpleaños de Jory será el día catorce. Recuerda, nació el día de San Valentín.

Bart me miró de nuevo.

—No es raro, pero sí significativo que los bebés de nuestra familia nazcan a menudo en fechas señaladas o muy cerca de ellas. El tío Joel considera que significa algo, algo especial, ofensivo.

—¡Sin duda! —repliqué con calor—. El querido Joel cree que todo es significativo y ofensivo a los ojos de su Dios. Es como si no sólo poseyera a Dios, sino también lo controlara. —Me volví para enfrentarme a Joel que nunca estaba a más de tres metros de distancia de Bart. Me alteré porque por alguna razón Joel me asustó—. ¡Deja de imbuir a mi hijo esas ideas demenciales, Joel!

—No tengo por qué imbuirle ese tipo de ideas, querida sobrina. Tú modelaste su cerebro mucho antes de que naciera. Aquel bebé nació como fruto del odio, necesariamente llega el ángel de la salvación. Reflexiona sobre esto antes de condenarme.

Una mañana, los titulares del periódico local referían que una familia notable a la que mi madre solía mencionar con frecuencia se había arruinado. Leí los detalles, plegué el periódico y me quedé pensativa. ¿Tendría Bart algo que ver con la súbita desaparición de la fortuna de aquel hombre? Era uno de los invitados que no acudió a la fiesta.

Otro día, se publicó que un hombre había asesinado a su esposa y sus dos hijos porque había invertido la mayor parte de sus ahorros en ciertas mercancías comerciales y el trigo había bajado drásticamente de precio. Así desaparecía otro de los enemigos de Bart, invitado en su día a aquel desafortunado baile de Navidad. Pero si mis sospechas eran ciertas, ¿cómo podía Bart manipular los mercados, las quiebras?

–¡Nada sé de eso! –respondió furioso cuando le pregunté–. Esas gentes cavaron sus propias tumbas con su avaricia. ¿Quién te crees que soy yo? ¿Dios? Dije un montón de tonterías la noche de Navidad, pero no estoy tan loco como tú crees. No tengo ninguna intención de poner en peligro mi alma. Los tontos siempre consiguen dar sus propios tropiezos.

Celebramos el aniversario de Jory con una fiesta familiar; Cindy viajó en avión para pasar con nosotros dos días, feliz por festejar con Jory. En las maletas traía un montón de regalos que debían mantenerle ocupado.

–Cuando encuentre un hombre como tú, Jory, ¡voy a agarrarlo a toda prisa! Aún estoy esperando comprobar si algún otro hombre es la mitad de maravilloso que tú. Hasta el momento, Lance Spalding no ha demostrado ser ni la mitad de hombre de lo que tú eres.

–¿Y cómo puedes tú saber eso? –dijo Jory bromeando, ya que ignoraba los detalles de la repentina partida de Lance.

Dirigió a su esposa una severa mirada mientras ella sostenía a Darren, y yo, a Deirdre. Ambas estábamos dándoles el biberón sentadas ante el agradable fuego del hogar. Los bebés nos proporcionaban todos los motivos para esperar un futuro prometedor. Creo que Bart estaba fascinado por la rapidez con que crecían y lo dulces y cálidos que parecían en las pocas ocasiones en que los tuvo entre sus brazos durante unos molestos segundos. Incluso me había mirado con cierto orgullo.

Melodie dejó a Darren en una gran cuna que Chris había comprado en una tienda de antigüedades y había restaurado de modo que casi parecía nueva. Con un pie mecí al bebé lanzando una mirada airada hacia Bart antes de que se quedase contemplando el fuego. Melodie hablaba en muy raras ocasiones y no mostraba un auténtico interés por sus hijos. Tampoco manifestaba interés por ninguno de nosotros, ni por nada de lo que hacíamos.

Jory compraba por correo regalos que llegaban casi a diario para sorprenderla. Ella abría cada caja, sonreía levemente y profería un débil «gracias». Algunas veces ni siquiera abría el paquete y agradecía el detalle a Jory sin mirarle. Me dolía ver a Jory fruncir el entrecejo o bajar la cabeza para ocultar su expresión. Mi hijo lo estaba intentando... ¿Por qué no podía intentarlo ella?

A medida que transcurrían los días, Melodie se retraía cada vez más, no sólo de su marido sino también, con gran asombro por mi parte, de sus hijos. El amor de Melodie era indeciso, incapaz de asumir un compromiso fuerte era como el aleteo débil de una polilla sobre la llama maternal de una vela. Era yo quien se levantaba en mitad de la noche para alimentarlos; era yo quien iba de un lado a otro para cambiar dos pañales al mismo tiempo, quien bajaba corriendo a la cocina para preparar los biberones y quien los sostenía en el hombro para que eructaran. Me tomaba el tiempo y la molestia de mecerlos hasta que se dormían y les cantaba dulces nanas mientras sus grandes ojos azules me miraban fijamente, fascinados, hasta que el sueño los enturbiaba y con gran contrariedad cerraban los ojos. Con frecuencia parecían seguir escuchando, a juzgar por sus pequeñas sonrisas de complacencia. Me llenaba de gozo verlos crecer y advertir que cada día se parecían más a Cory y Carrie.

Aunque vivíamos aislados de la sociedad, no éramos ajenos a los maliciosos rumores que los sirvientes traían a casa de las tiendas locales. A menudo, les oí murmurar mientras picaban cebollas y pimientos o preparaban las tartas, los pasteles y otros postres que a todos nos gustaban. Sabía que nuestras doncellas se entretenían demasiado en los pasillos de atrás y hacían nuestras camas mientras nosotros estábamos todavía arriba, porque, al creer que estábamos solos, hablábamos de muchos secretos con los que ellos alimentaban su cotilleo.

Algunas de las cosas sobre las que ellos especulaban, conjeturaba yo también. Bart estaba en casa en muy raras ocasiones, y a veces me sentía agradecida por ello. Con Bart ausente, no había nadie que propiciara discusiones; Joel permanecía en su habitación y rezaba, o así lo creía yo por lo menos.

Una mañana, decidí que quizá yo también debía utilizar los mismos trucos que los sirvientes y entretenerme en la cocina... Cuando lo hice, oí a la cocinera y las doncellas comentar los rumores que corrían por el pueblo. Bart, según ellos, mantenía relaciones amorosas con las damas más bonitas y ricas de la sociedad, sin importarle que algunas estuviesen casadas. Bart había destrozado ya un matrimonio, precisamente el de una de las parejas que estaba en la lista de invitados de Navidad. También, según lo que oí, Bart visitaba con frecuencia un burdel que se hallaba a dieciséis kilómetros de distancia, fuera de los límites de cualquier ciudad.

Yo tenía pruebas de que algunas de aquellas historias podían ser ciertas. Lo había visto con frecuencia regresar a casa borracho, con modales más suaves, que me hacían desear, por desgracia, que siguiera borracho. Era en esas ocasiones cuando Bart podía sonreír y reír con facilidad.

Un día le pregunté:

—¿Qué haces todas esas noches que estás fuera hasta tan tarde?

Reía con malicia cuando bebía demasiado; en esta ocasión también soltó una risita.

—El tío Joel dice que los mejores evangelistas han sido los peores pecadores, dice que has de rodar en la suciedad de la cloaca para saber lo que es estar limpio y salvarte.

—¿Y es eso lo que haces todas esas noches, revolcarte en la suciedad de la cloaca?

—Sí, mi querida madre, pues maldita sea si conozco lo que es sentirme limpio o salvado.

La primavera se acercaba con precaución, como un tímido pajarillo. Los fríos vientos tempestuosos se suavizaron dando paso a las cálidas brisas del sur. El cielo adquirió aquel tono de azul que me hacía sentir joven y llena de esperanza. Salía con frecuencia a los jardines para rastrillar hojas y arrancar las malas hierbas que los jardineros habían descuidado.

Deseaba ver brotar el azafrán en el suelo de los bosques, no tenía paciencia para esperar el nacimiento de los tulipanes y las margaritas y ver florecer el cornejo. Apenas podía esperar para admirar las azaleas por doquier, haciendo de mi vida una tierra espléndida llena de encantos para los gemelos, para todos . nosotros. Alzaba la vista y contemplaba la maravilla de los árboles que nunca parecían tristes ni solitarios. La naturaleza..., ¡cuánto podríamos aprender de ella si quisiéramos!

Acompañaba a Jory tan lejos como él pudiera conducir su silla, cuyas enormes ruedas subían la mayoría de las pendientes suaves.

—Hemos de encontrar un medio mejor para que puedas internarte en los ·bosques —dije, pensativa—. Si colocásemos losas por todas partes, sería muy bonito, pero tras las heladas del invierno podrían sobresalir y hacer volcar la silla. Aunque yo deteste el cemento, tendremos que usarlo; eso o alquitrán. Me parece que prefiero el alquitrán, ¿tú qué opinas?

Jory reía ante mi simplicidad.

—Ladrillos rojos, mamá. Los paseos con ladrillos rojos son pintorescos. Además, esta silla mía es una auténtica maravilla. —Miró alrededor, sonriendo complacido, y después echó la cabeza hacia atrás para que el sol le diera en el rostro y lo calentara—. Lo único que deseo es que Mel acepte lo que me ha sucedido y muestre más interés por los gemelos.

Nada podía decir yo pues ya había hablado con Melodie sobre el tema más de una docena de veces, y cuanto más lo decía tanto más resentimiento mostraba ella.

–¡Ésta es mi vida, Cathy! –se lamentaba ella–. Mi vida... ¡No la tuya! –Su rostro era como una máscara de furia.

El terapeuta de Jory le enseñó cómo bajar al suelo sin tanto esfuerzo y cómo volver a sentarse en su silla. De ese modo Jory podía ayudarme a plantar más rosales. Sus manos fuertes manejaban la azadilla mucho mejor que yo.

Los jardineros enseñaron a Jory a podar los arbustos, fertilizar, colocar el estiércol y el mantillo alrededor de los árboles para conservar la humedad y abrigar las raíces. Jory y yo convertimos la jardinería, no tan sólo en un pasatiempo, sino en un estilo de vida que nos salvaba de la locura. Ampliamos el invernadero para poder cultivar flores exóticas y, allí dentro, disfrutábamos de un mundo propio que podíamos controlar, rebosante de su propia y silenciosa vitalidad. Pero no bastaba para Jory, quien decidió dedicarse al arte de una u otra manera.

–Papá no es el único de esta familia que puede pintar un cielo nublado y hacerte sentir la humedad, o colocar una gota de rocío en una rosa pintada con tanto realismo que la puedes oler –dijo Jory con una amplia sonrisa–. Voy a convertirme en un artista, madre.

A pesar de que Melodie vivía en la misma casa, Jory estaba creándose una vida sin ella. Instaló unos tirantes en su silla de tal modo que se acomodaran a sus hombros para poder llevar con él a los gemelos. Su deleite ante las sonrisas de los pequeños cuando le veían acercarse conmovía mi corazón; en cambio hacía que Melodie abandonara bruscamente la habitación de los niños.

–¡Ahora me quieren, mamá! ¡Se ve en sus ojos!

Ellos conocían a Jory mejor que a su madre. A ella le dedicaban unas sonrisas vacías, quizá porque la expresión de Melodie era vacía y ausente cuando les contemplaba con fijeza.

Sí, los gemelos no solamente amaban y sabían quién era su padre, sino que también confiaban por completo en él. Cuando Jory alargaba las manos para cogerles, ellos no pestañeaban temerosos de que les dejara caer. Reían como si supieran que nunca, nunca, permitiría que se cayesen.

Encontré a Melodie enfurruñada en su habitación. Estaba realmente flaca, su cabello, tan hermoso en otro tiempo, desvaído y lacio.

–Se necesita tiempo, Melodie, para desarrollar los instintos maternales –dije mientras me sentaba sin haber sido invitada y, por lo tanto, importuna en apariencia–. Permites que las criadas y yo cuidemos demasiado de ellos. No te reconocerán como madre si te separas de ellos. El día que veas cómo se encienden de alegría sus caritas al entrar tú, y te sonrían felices al verte, al ver a su madre, encontrarás el amor que estás buscando. Tu corazón se derretirá. Sus necesidades te proporcionarán una dicha que nada ni nadie más puede darte y jamás sentirás hacia tus hijos nada más que amor.

Su débil sonrisa era amarga y pronto se desvaneció.

–¿Y cuándo me has dado la oportunidad de ser madre para mis hijos, Cathy? Cuando me levanto por la noche, tú ya estas ahí. Cuando me presento por las mañanas tú ya les has bañado y vestido. Esos niños no necesitan una madre si ya disponen de una abuela como tú.

Me quedé asombrada por su injusto ataque. Con frecuencia yo había oído, en mi cama, el llanto de los gemelos, que lloraban y lloraban hasta que tenía que levantarme para atender sus necesidades, atormentada después de haber esperado en vano a que Melodie se acercarse a ellos. ¿Qué quería que hiciese? ¿Debía hacer caso omiso a su llanto? Le había dado tiempo suficiente. Su habitación estaba al otro lado del pasillo, frente a la de sus hijos, mientras que la mía se hallaba en otra ala de la casa.

Pareció que Melodie hubiese adivinado mis pensamientos, pues su voz sonó casi como el silbido de una serpiente venenosa.

–Siempre has de salirte con la tuya, ¿verdad, suegra? Siempre te las arreglas para conseguir lo que quieres.

Pero hay algo que nunca conseguirás, y es el amor y el respeto de Bart. Cuando él me amaba, y no dudes de que me amó en otro tiempo, me dijo que te odiaba, que te despreciaba de verdad. Sentí lástima de él entonces, y más lástima todavía de ti. Pero ahora entiendo por qué Bart te detesta. Con una madre como tú, Jory no necesita a una esposa como yo.

El día siguiente era jueves. Me embargaba una gran pena al pensar en todas las palabras desagradables que Melodie había proferido el día anterior. Suspiré, me incorporé y me senté en el borde de la cama para deslizar mis pies en las zapatillas de satén. Nos esperaba una jornada muy ajetreada, ya que era el día en que todos los sirvientes, excepto Trevor, libraban. Los jueves yo era como mamá, preparándome para el viernes, cuando me sentiría llena de vida al ver al hombre a quien amaba cruzar la puerta.

Jory estaba sollozando cuando entré en su habitación llevando a los gemelos recién lavados y cambiados, en mis brazos. Jory sostenía en las manos una carta larga de color crema.

—Lee esto –balbuceó, dejando el papel junto a su silla antes de tender las manos para coger a sus hijos. Cuando tuvo a ambos, inclinó la cara para apoyarla primero en el suave cabello de su hijo y después en el de su hija.

Cogí el papel; siempre portaban malas noticias las cartas de color crema procedentes de Foxworth Hall.

«Mi querido Jory:

»Soy una cobarde. Siempre lo he sabido, pero esperaba que nunca lo descubrieras. Tú eras siempre el que poseía la fuerza. Te amo y, sin duda, te amaré siempre, pero soy incapaz de vivir con un hombre que nunca más podrá hacerme el amor.

»Te contemplo en esa horrible silla que has acabado por aceptar, cuando yo nunca podré aceptarla, ni resignarme a aceptar tu invalidez. Tus padres han venido a mi habitación y se han enfrentado conmigo, me han presionado para que hable contigo y te diga todo lo que siento. No me atrevo a hacerlo pues si lo hiciera podrías decir o hacer algo que me hiciera cambiar de opinión, y yo tengo que marchar o enloqueceré.

»Amor mío, me siento triste en esta casa, esta horrible y odiosa casa, con toda su engañosa belleza. Cuando estoy tendida en mi cama solitaria, sueño con el ballet y oigo la música aunque no esté sonando. He de volver allí donde pueda oírla, y si está mal y es egoísta, y sé que lo es, perdóname, si puedes.

»Cuéntales cosas amables de mí a nuestros hijos cuando tengan edad suficiente para formular preguntas sobre su madre. Di palabras bonitas aunque no sean ciertas, pues sé que te he fallado a ti tanto como a ellos. Te he dado suficientes motivos para que me odies pero, por favor, no me recuerdes así. Recuérdame como solía ser cuando, más jóvenes, llevábamos el control de nuestras vidas.

»No te culpes ni culpes a nadie por mi marcha. Yo soy la responsable. ¿Sabes? No soy realista, nunca lo he sido y nunca lo seré. No puedo enfrentarme a una realidad cruel que destruye vidas y deja atrás sueños rotos. Y también, recuerda esto: soy la fantasía que tú ayudaste a crear, por tu propio deseo y por el mío.

»De modo que adiós para siempre, amor mío, mi primer y más dulce amor, y quizá, y esto lo escribo con tristeza, mi único amor verdadero. Busca a alguien tan especial como tu madre que pueda ocupar mi puesto. Ella ha sido quien te ha dado la capacidad para enfrentarte con la realidad, por dura que haya sido.

»Dios hubiera sido bondadoso si me hubiera concedido una madre como la tuya.

»Lamentablemente tuya,

MEL.»

La carta cayó de mi mano, revoloteando patéticamente hacia la alfombra. Jory y yo nos quedamos mirando aquel papel en el suelo, tan triste y definitivo.

–Ha terminado, mamá –dijo Jory, con una voz profunda y grave en que imperaba la calma–. Lo que comenzó cuando yo tenía doce años, y ella, once, ha terminado. Construí mi vida alrededor de ella, pensando que duraría hasta la vejez. Di a Melodie lo mejor que podía ofrecerle, lo que resultó insuficiente cuando desapareció el hechizo.

¿Cómo podía yo decir que Melodie no hubiera durado a su lado aunque él hubiera continuado bailando en un escenario? Algo en ella se resentía de la fuerza de mi hijo, de su habilidad innata para afrontar situaciones que ella no podía aceptar.

Sacudí la cabeza. No. No era justa.

–Lo siento, Jory, lo siento muchísimo. –No me atreví a decir: «Quizá estarás mejor sin ella.»

–También yo lo siento –murmuró él, evitando mi mirada–. ¿Qué mujer puede quererme ahora?

Jory quizá nunca volvería a disfrutar de una actividad sexual normal, y yo sabía que él necesitaba a alguien en la cama durante aquellas noches largas y solitarias. Cada mañana leía en su rostro que las noches eran la peor parte de su vida, pues le sumían en un sentimiento de aislamiento, y le volvía emocionalmente vulnerable. Jory era como yo que necesitaba brazos seguros que me sostuvieran durante la noche y besos que me cobijaran como un parasol seguro de amor.

–La madrugada pasada oí silbar el viento –me explicó Jory mientras los gemelos, sentados en sus sillitas altas, se ensuciaban la cara con el cereal pastoso y caliente–. Me desperté. Creí oír la respiración de Melodie a mi lado, pero no había nadie. Vi a los pájaros, llenos de alegría, construir sus nidos, los oí piar, saludando al nuevo día y entonces reparé en la carta. Sabía, sin leerla, lo que allí había escrito, y continué pensando en los pájaros, y sus canciones de amor se convirtieron para mí en ese momento sólo en reivindicaciones territoriales. –Su voz se quebró mientras bajaba la cabeza para ocultar su rostro–. He oído decir que los cisnes, una vez se han emparejado, no cambian nunca de compañero; yo sigo viendo a Melodie como el cisne, leal para siempre, sean cuales sean las circunstancias.

–Cariño, lo sé, lo sé –le calmaba yo, acariciándole los oscuros rizos–. Pero el amor puede llegar de nuevo, aférrate a esa esperanza... y no estás solo.

Jory asintió, diciendo:

–Gracias por estar siempre aquí, cuando te necesito. Gracias también a papá...

Bruscamente, sintiendo que iba a echarme a llorar, lo rodeé con mis brazos.

–Jory, Melodie se ha marchado, pero te ha dejado un hijo y una hija; debes sentirte agradecido por ello. Ahora que tu esposa te ha abandonado, ellos son más tuyos que nunca. No te ha abandonado sólo a ti, sino a sus hijos. Puedes divorciarte de ella y aprovechar tu fortaleza para transmitir a tus hijos tu valor y decisión. Saldrás adelante sin ella, Jory, y mientras nos necesites, sabes que puedes contar con el apoyo de tus padres.

Yo no dejaba de pensar que Melodie había ido descuidando de manera deliberada a sus propios hijos para hacer más fácil la ruptura; no se había permitido amarles, ni les había permitido que la amaran. Su regalo de despedida para su amado desde la infancia eran aquellos hijos.

Jory enjugó las lágrimas y trató de esbozar una sonrisa. Cuando lo consiguió, estaba cargada de ironía.

LIBRO TERCERO

EL VERANO DE CINDY

De pronto, Bart comenzó a realizar muchos viajes de negocios. Partía en avión para regresar al cabo de sólo unos pocos días, dos o tres días, como si temiera que fuéramos a aprovechar su ausencia para huir con su fortuna. Él mismo lo decía:

—Tengo que estar al tanto de todos mis asuntos. No puedo confiar en nadie más que en mí.

Fue una casualidad que se hallara ausente el día que Melodie abandonó Foxworth Hall dejando aquella triste carta en la mesita de noche de Jory. Bart no se inmutó cuando, al regresar a casa, encontró vacía la silla de Melodie junto a la mesa.

—¿Otra vez lamentándose en su habitación? —preguntó indiferente, señalando la silla.

—No, Bart —respondí yo al darme cuenta de que Jory rehusaba contestarle—. Melodie decidió reanudar su carrera, y se marchó tras dejar una carta a Jory.

Su ceja izquierda se arqueó cínicamente y después miró a su hermano pero no pronunció ni una palabra para lamentar lo ocurrido ni dedicó una expresión de condolencia a su hermano.

Más tarde, después de que Jory subiera a su habitación, Bart entró y se quedó a mi lado mientras yo cambiaba los pañales a los gemelos.

—Es una pena que yo estuviera en Nueva York en ese momento. Me hubiera gustado ver la expresión de Jory cuando leyó la carta. A propósito, ¿dónde está? Me gustaría leer cómo justificó ella su marcha.

Me quedé mirándolo fijamente. Por primera vez, se me ocurrió que Melodie podía haber concertado encontrarse con él en Nueva York.

—No, Bart, nunca leerás esa carta y confío mucho en que no tengas nada que ver con la decisión de Melodie.

Enfadado, se le enrojeció la cara.

—¡Yo estaba en un viaje de negocios! No había dirigido ni dos palabras a Melodie desde Navidad. Por lo que a mí concierne, que tenga un buen viaje.

En algunos aspectos, se estaba mejor sin Melodie, que siempre estaba malhumorada, ensombreciendo las habitaciones con su terrible depresión. Me impuse la costumbre de visitar a Jory antes de ir a dormir para arroparle, abrir la ventana, apagar las luces y comprobar que tuviera agua al alcance. Mi beso en su mejilla intentaba ser un sustituto del beso de una esposa.

Sólo tras la partida de Melodie, descubrí que ella había colaborado un poco al levantarse temprano de vez en cuando para asear y alimentar a los bebés. Incluso se había molestado en cambiarles los pañales algunas veces al día.

A menudo, Bart entraba en la habitación de los niños y, como atraído por un imán, se quedaba mirando a los pequeños gemelos, que habían aprendido a sonreír y descubierto, con gran deleite, que aquellas cosas que se agitaban delante de ellos eran sus propios pies y sus propias manecitas. Las alargaban para agarrar los móviles de coloreados pájaros y tiraban de ellos para llevarlos a sus bocas.

—Son graciosos —comentó Bart pensativo, lo que me agradó. Incluso me ayudó un poco entregándome el aceite infantil y el talco. Por desgracia, precisamente cuando los gemelos parecían haberse ganado su atención, Joel entró en la habitación e hizo un gesto despectivo hacia los hermosos pequeñuelos, y la amabilidad y simpatía que Bart estaba demostrando se desvanecieron por completo. Se quedó de pie junto a mí con aire de culpabilidad.

El anciano dirigió a los gemelos una mirada rápida y severa, antes de desviar sus ofendidos ojos.

—Igual que los primeros gemelos, los malignos —murmuró Joel—. El cabello rubio y los ojos azules... nada bueno saldrá tampoco de esta pareja.

—¿Qué quieres decir? —exclamé, enfurecida—. ¡Cory y Carrie nunca hicieron daño a nadie! Fueron ellos quienes sufrieron el daño. Y fueron tu hermana, tu madre y tu padre quienes les infligieron tanto dolor, Joel. ¡Nunca lo olvides!

Joel respondió con el silencio. Después salió de la habitación, arrastrando consigo a Bart.

A mediados de junio, Cindy llegó en avión para pasar con nosotros el verano. Se esforzó denodadamente por tener ordenada su habitación, colgando sus propios vestidos, que antes solía dejar en el suelo. Me ayudaba a cambiar a los gemelos y sostenía los biberones mientras los mecía hasta que se dormían. Me resultaba grato verla sentada en la mecedora, con un bebé en cada brazo, tratando de sostener las dos botellas al mismo tiempo, vestida con un pijama, y dejando que sus hermosas piernas largas quedaran encogidas debajo de su cuerpo. Ella misma parecía una niña. Se bañaba y se duchaba tan a menudo que yo pensaba que acabaría por arrugarse como una ciruela pasa.

Una noche volvió de su lujoso cuarto de baño con un aspecto fresco y radiante, oliendo como una flor exótica del jardín.

—Me gusta el crepúsculo —exclamó entusiasmada, dando vueltas y más vueltas—. Me encanta pasear por el bosque cuando la luna brilla en el cielo.

Aquella vez estábamos todos sentados en la terraza, tomando bebidas. Bart aguzó el oído y preguntó con aspereza:

—¿Quién te espera en los bosques?

—No quién querido hermano, sino qué —Volvió la cabeza para sonreírle inocentemente de un modo encantador—. Voy a ser amable contigo, Bart, aunque tú te muestres tan desagradable conmigo. He comprendido que no puedo ganar amigos lanzando observaciones groseras y ofensivas.

Bart la miró suspicaz.

—Sigo creyendo que te encuentras con algún muchacho en el bosque.

—Gracias, hermano Bart, por desear castigarme con tus desagradables sospechas. Hay un muchacho en Carolina del Sur de quien me he enamorado locamente, y es un amante de la naturaleza. Me ha enseñado a apreciar todo aquello que el dinero no puede comprar. Adoro las salidas y las puestas de sol. Cuando las liebres corren, yo las sigo. Él y yo hemos atrapado raros ejemplares de mariposas, que él conserva. Comemos en los bosques, nos bañamos en los lagos. Puesto que aquí no se me permite tener un amigo, voy a subir, sola, a lo alto de una colina e intentaré caminar lentamente hacia abajo. Resulta divertido desafiar la gravedad tratando de no correr sin aliento y descontrolada.

—¿Qué nombre das a esa gravedad? ¿Bill, John, Mark o Lance?

—Esta vez no consentiré que me molestes —replicó Cindy con arrogancia—. Me gusta contemplar el cielo, contar las estrellas, descubrir las constelaciones y observar a la luna jugar al escondite. Algunas veces, el hombre que habita en la luna me guiña el ojo, y yo le devuelvo el guiño. Dennis me ha enseñado a permanecer absolutamente quieta para absorber la sensación de la noche. Vaya, estoy viendo maravillas que ignoraba existieran porque estoy enamorada, con locura; apasionada, ridícula y demencialmente enamorada.

La envidia brilló en los ojos oscuros de Bart antes de preguntar.

–¿Y qué hay de Lance Spalding? Creía que era él el objeto de ese sentimiento. ¿O es que le destrocé su bonita cara para siempre y ahora no puedes soportar mirarle?

Cindy palideció.

–A diferencia de ti, Bart Foxworth, Lance es bello todavía, por dentro y por fuera, como papá, y sigo queriéndole todavía, y también a Dennis.

Las arrugas en la frente de Bart se acentuaron.

–¡Sé todo sobre tu naturaleza amorosa! Lo que tú deseas es tenderte de espaldas y abrirte de piernas para algún idiota del pueblo, ¡y no voy a consentirlo!

–¿Qué sucede aquí? –preguntó Chris, perplejo al volver y encontrar desvanecida la paz anterior.

Cindy se puso en pie de un salto y apoyando las manos en las caderas, adoptó una postura desafiadora miró con rabia el rostro de Bart, luchando por mantener aquel control maduro que estaba totalmente decidida a conservar ante él.

–¿Y por qué supones siempre lo peor cuando se trata de mí? Lo único que quiero es pasear a la luz de la luna, y el pueblo está a dieciséis kilómetros de distancia. Qué lástima que no puedas comprender lo que es ser humano.

Su respuesta y su mirada furiosa parecieron irritar a Bart mucho más.

–Tú no eres mi hermana; sólo eres una pequeña zorra astuta en celo... ¡igual que tu madre!

Esta vez fue Chris quien se levantó de un salto y abofeteó con inusitada violencia a Bart. Éste retrocedió y alzó los puños, como si estuviera dispuesto a golpear a su agresor en la mandíbula, cuando yo me puse en pie y me coloqué delante de Chris.

–¡No, no te atrevas a golpear al hombre que ha intentado ser el mejor de los padres! –Eso bastó para que mi hijo dirigiera su furiosa mirada hacia mí. Sus ojos se mostraban tan feroces que hubieran podido iniciar un incendio.

–¿Por qué no puedes ver a esa putita como lo que es? Ambos os fijáis sólo en lo que de malo hay en mí, pero cerráis los ojos a los pecados de vuestros favoritos. Esa muchacha no es más que una mujerzuela, una maldita mujerzuela de Dios. –Se quedó inmóvil, con los ojos desorbitados y perplejos.

Acababa de pronunciar el nombre de Dios en vano. Miró alrededor buscando a Joel, quien, por una vez, estaba fuera de la vista y el oído.

–¿Ves, madre, lo que hace conmigo? Me corrompe, y en mi propia casa, además?

Mirando a Bart con desaprobación, Chris volvió a sentarse mientras Cindy entraba en la casa. Yo la miré tristemente mientras se marchaba, al tiempo que Chris hablaba con aspereza a Bart.

–¿No te das cuenta de que Cindy está esforzándose por complacerte? Desde que ha llegado a casa, ha intentado de mil maneras apaciguarte, pero tú no se lo permites. ¿Cómo puedes ver algo malo en un paseo inocente por estos bosques solitarios? A partir de este momento, quiero que la trates con respeto. Si no lo haces es posible que la impulses a dar un mal paso. Haber perdido a Melodie ya es suficiente para un verano.

Era como si Chris no tuviera voz y Bart careciera de oídos, dado el efecto que causaron esas palabras. Chris dirigió a Bart una mirada severa y más palabras de reprimenda hasta que acabó por levantarse y entrar en la casa. Supuse que subiría a la habitación de Cindy para consolarla.

Sola con mi segundo hijo, intenté razonar con él, como siempre hacía.

–Bart, ¿por qué hablas con tanta aspereza a Cindy? Está en una edad muy delicada y es un ser humano decente que necesita ser apreciado. No es una mujerzuela ni una puta ni una zorra, sino una jovencita adorable, emocionada por ser bonita y atraer tanto la atención de los muchachos. Y eso no significa que ceda ante cada uno de ellos. Tiene escrúpulos, honor. Ese episodio con Lance Spalding no la ha corrompido.

—Madre, ella ya estaba corrompida hacía mucho tiempo aunque te niegues a creerlo. Lance Spalding no era el primero.

—¿Cómo te atreves a decir eso? —pregunté, realmente enojada—. ¿Y qué clase de hombre eres tú, en todo caso? Te acuestas con quien te place, haces lo que te parece, en cambio, se supone que ella ha de ser un ángel con una aura y alas en la espalda. ¡Sube ahora mismo y discúlpate con Cindy!

—¿Una disculpa? Eso es algo que Cindy nunca obtendrá de mí. —Se sentó para terminar su bebida—. Los sirvientes hablan de Cindy. Tú no los oyes porque estás demasiado ocupada con esos dos bebés que no puedes dejar tranquilos. Pero yo los escucho mientras limpian. Tu Cindy está hecha una buena pieza. El problema reside en que tú crees que es un ángel porque tiene aspecto de ángel.

Me acodé en el cristal de la mesa blanca de hierro forjado, abrumada, cansada. Lo mismo hizo Jory que no había pronunciado ni una palabra en favor o en contra de Cindy. Permanecer un rato cerca de Bart resultaba tan agotador..., el temor de decir algo inapropiado mantenía todo el cuerpo en tensión.

Mi mirada se clavó en las rosas carmesíes que formaban el adorno floral en la mesa.

—Bart, ¿se te ha ocurrido alguna vez que Cindy puede sentirse como si estuviera contaminada, hasta el punto de que ya nada le importe? Y lo cierto es que tú no le das motivos para valorar su propia estima.

—Es una cualquiera, una mujerzuela perdida —dijo con una convicción absoluta.

Mi voz se tornó tan fría como el hielo.

—Al parecer, por lo que yo oigo murmurar a los sirvientes, a ti te atrae precisamente esa clase de mujer que condenas.

De pie, arrojó a la mesa una servilleta y entró con decisión en la casa.

–¡Voy a echar a la calle a cada maldito sirviente que se atreva a murmurar de mí!

Suspiré. Pronto no podríamos contratar ningún criado si Bart seguía despidiéndolos continuamente.

–Mamá, voy a acostarme –dijo Jory–. Esta agradable velada en la terraza ha resultado exactamente como yo hubiera podido predecir.

Aquella misma noche, Bart despidió a todos los sirvientes menos a Trevor, quien en raras ocasiones hablaba con alguien, excepto conmigo o con Chris. Si Trevor se hubiese marchado cada vez que Bart le despedía, hacía ya mucho tiempo que no habría estado con nosotros. Trevor poseía un peculiar instinto para comprender cuándo Bart hablaba en serio. Nunca, nunca le replicó, ni se enfrentó directamente con la mirada de Bart. Quizá por esa razón Bart pensaba que tenía acobardado a Trevor. Sin embargo, yo creía que Trevor perdonaba a Bart porque lo comprendía y sentía lástima por él.

Cuando me encaminé hacia la habitación de Cindy, me encontré con Chris, que bajaba.

–Está muy alterada. Intenta calmarla, Cathy. Asegura que va a marcharse y jamás volverá.

Cindy estaba boca abajo en su cama. De su garganta salían pequeños gemidos y gruñidos.

–Lo estropea todo –se quejó–. Yo nunca conocí ni a mi padre ni a mi madre... y Bart quiere separarme de ti y papá. –Me senté al borde de su cama–. Ahora está decidido a fastidiarme el verano, y hacerme marchar como consiguió con Melodie.

Sostuve su ligero cuerpo en mis brazos y la consolé lo mejor que pude, mientras pensaba que debería enviarla lejos para evitar que Bart la dañara otra vez. ¿Dónde podía enviar a Cindy sin herir sus sentimientos, que no aguantarían otro golpe cruel? Me fui a la cama meditando sobre ello. Cindy se escapaba de la casa para encontrarse con un muchacho del pueblo. Eso lo supe más tarde.

Tal y como Bart había predicho, la experiencia de amor a la naturaleza tenía un nombre, Víctor Wade. Y así, mientras yo yacía en mi cama y Chris dormía junto a mí, mientras pensaba cómo podía salvar a Cindy sin perder su amor, y cómo conseguir que Bart no mostrase su peor faceta, nuestra Cindy salía a hurtadillas de la casa y se iba con Víctor Wade a Charlottesville.

En Charlottesville, Cindy se divirtió bailando con Víctor Wade hasta agujerear las delgadas suelas de sus frágiles y relucientes sandalias con tacones de diez centímetros. Después Víctor, fiel a su palabra, la llevó de vuelta a Foxworth Hall. Pero antes de llegar, cerca de uno de los caminos que conducían a nuestra colina, detuvo el automóvil y atrajo a Cindy a sus brazos.

—Me he enamorado —susurró con voz ronca, haciendo llover hábiles besos en la cara de ella, detrás de las orejas, recorriendo su nuca hasta terminar en los senos, que desnudó—. Nunca había conocido a una chica que fuese ni la mitad de divertida que tú. Y tenías razón; no las hay mejores en Texas...

Medio ebria por haber bebido demasiado vino, y atosigada por la destreza de su juego amoroso, los esfuerzos de Cindy para resistir que le hiciera el amor fueron débiles, ineficaces. Muy pronto, su apasionada naturaleza respondía a las caricias de Víctor y, anhelante, le ayudó a desnudarse, mientras él desabrochaba la cremallera del vestido y tras quitárselo, lo apartaba junto con el resto de la ropa. Víctor se echó encima de ella... y súbitamente Bart apareció.

Bramando como un toro enfurecido, Bart corrió hasta el coche estacionado y sorprendió a Cindy y Víctor en el mismo acto de la copulación.

Al ver sus cuerpos desnudos, los brazos y piernas entrelazados en el asiento trasero, se confirmaron todas

sus sospechas, y aún se encolerizó más. Abrió la porte-
zuela, y agarrando a Víctor por los tobillos, lo sacó por
la fuerza de modo que el muchacho cayó de bruces en
la áspera gravilla de la carretera. Sin darle la oportunidad de recobrarse, Bart lo atacó, golpeándole con los
puños con brutalidad.

Chillando de rabia, sin tener en cuenta su desnudez,
Cindy arrojó su vestido a la cara de Bart, cegándole
durante unos instantes, que dieron a Víctor tiempo para
ponerse en pie y asertarle a su vez un puñetazo que, de
momento, detuvo a Bart. Pero el muchacho ya sangraba
por la nariz y tenía un ojo amoratado.

–Bart fue tan despiadado, mamá –explicaba Cindy–.
¡Tan horrendo! Parecía un loco, sobre todo cuando
Víctor consiguió encajarle un buen derechazo en la
mandíbula. Intentó propinarle un puntapié en los genitales; acertó, pero no lo bastante fuerte. Bart se dobló,
gritó y después se lanzó contra Víctor, con tal ferocidad
que llegué a temer que lo matase. Se recuperó tan
pronto de aquel dolor, mamá, tan deprisa..., y yo siempre había oído decir que eso detenía en seco a cualquier
hombre. –Cindy sollozaba con su cabeza en mi regazo–.
Era como un demonio recién salido del infierno, profiriendo insultos contra Víctor, empleando todas esas
palabras obscenas que a mí no me permite pronunciar.
Hizo caer a Víctor y luego le golpeó hasta dejarle
inconsciente. ¡Entonces se abalanzó sobre mí! Me aterrorizaba pensar que me golpearía en la cara, me rom-
pería la nariz y me dejaría fea, como siempre ha amenazado que haría. De alguna manera, había conseguido
ponerme el vestido, pero la cremallera estaba abierta en
la espalda por completo. Me agarró por los hombros y
me sacudió con tanta fuerza que el vestido cayó hasta
mis tobillos y quedé desnuda, pero Bart no miró mi
cuerpo. Con la mirada clavada en mi rostro, me abofeteó, de modo que mi cabeza iba de un lado a otro, hasta
que me sentí mareada y aturdida. Todo me daba vueltas
antes de que Bart me recogiera como un saco de patatas,

me colocara en su hombro y me llevara a través del bosque, dejando a Víctor inconsciente en el suelo.

»Fue horrible, mamá, y tan humillante ser llevada de esa manera, como si fuese un animal. Lloré durante todo el camino, suplicando a Bart que llamase a una ambulancia por si Víctor estaba mal herido, pero no me escuchaba. Le supliqué que me dejase en el suelo y me permitiera taparme, pero Bart me ordenó que me callase o haría algo terrible. Entonces me llevó a...

Se interrumpió de repente, mirando inmóvil al frente, como si recordar le asustara.

–¿Dónde te llevó, Cindy? –pregunté. Me sentía enferma, como si su humillación fuese también la mía, y estaba furiosa con Bart y apesadumbrada por la tremenda experiencia que había vivido Cindy. Al mismo tiempo, estaba muy enojada porque ella misma había provocado esa situación al desobedecer y no tener en cuenta cuanto yo había intentado enseñarle.

Con una vocecita muy débil, y la cabeza agachada de modo que su largo cabello le ocultaba la cara, Cindy concluyó:

–Sólo a casa, mamá, sólo a casa.

Había algo más en ese asunto, pero ella no quiso contarme nada. Yo sentía deseos de reñirla, castigarla, recordarle que ella ya conocía el carácter de Bart y su feroz temperamento, pero comprendía que Cindy ya estaba bastante afectada como para escuchar más.

Me levanté para salir de su habitación.

–Te retiro todos los privilegios, Cindy. Mandaré a un criado arriba para que quite el teléfono, de modo que no puedas llamar a tus amigos para que te ayuden a escapar. He oído tu versión de la historia ahora, y Bart me contó la suya esta mañana. No estoy de acuerdo con su modo de castigarte a ti y a ese chico. Fue demasiado brutal, y por esa razón, me excuso. Sin embargo, parece que tú eres muy generosa con tus favores sexuales. No puedes seguir negándolo, pues yo misma lo vi cuando ese muchacho, Lance, estuvo aquí. Me duele descubrir que has aprendido tan poco de todo lo que he intentado enseñarte. Me doy cuenta de que es duro ser joven y diferente de tus semejantes, pero, de todos modos, confiaba en que esperarías hasta que supieras cómo afrontar las relaciones íntimas. Yo no podría soportar que un desconocido me pusiera ni un dedo encima y mucho menos que me tomara totalmente; en cambio, tú... acababas de conocer a ese muchacho, Cindy ¡Un perfecto desconocido que hubiera podido dañarte!

Alzó su linda carita lastimosa.

—Mamá, ¡ayúdame!

—¿No he hecho lo posible para ayudarte durante toda mi vida? Escúchame, Cindy, por favor, atiende por una vez de verdad. La mejor parte del amor llega al aprender a comprender a un hombre, permitiéndole que te conozca como persona antes de que comiences a pensar en el sexo... ¡Una no escoge al primer hombre que encuentra!

Con un gesto amargo, se echó hacia atrás.

—Mamá, todos los libros hablan del sexo. En cambio no mencionan el amor. La mayoría de los psicólogos opinan que el amor no existe. Tú nunca me has explicado claramente qué es el amor. No sé ni tan siquiera si existe. Creo que el sexo es tan necesario a mi edad como el agua y los alimentos, y que el amor no es más que la excitación sexual. Es la sangre que se enciende, el pulso que se acelera, el corazón que palpita con fuerza; en resumidas cuentas, no es más que una necesidad natural, no peor que el deseo de dormir. De modo que a pesar de ti y tus ideas anticuadas, yo cedo cuando un muchacho que me gusta quiere llegar hasta el final. ¡Bueno ahora no me mires con tanta indignación! No me violó, ¡yo se lo permití! ¡Yo quería que él hiciera precisamente lo que hizo! —Sus ojos azules me retaban mientras se alzaba y me miraba directamente a la cara—. Ahora vamos, llámame pecadora como hizo Bart. Grita y vocea y di que iré al infierno, pero no te creo a ti como tampoco le creo a él. Si fuese como vosotros decís, el 99 por ciento de la población mundial sería pecadora, ¡incluyéndote a ti y a tu hermano!

Asombrada, profundamente herida, me volví y salí.

Prosiguieron los hermosos días del verano mientras Cindy permanecía en su habitación, enfadada con Bart, conmigo e incluso con Chris. Rechazaba comer en la mesa si Bart o Joel estaban presentes. Dejó de ducharse dos o tres veces al día, y su cabello, por falta de cuidado, se tornó tan áspero y desvaído como el de Melodie, como si quisiera indicarnos que estaba en el camino de abandonarnos como había hecho Melodie, cuya conducta al parecer intentaba imitar en la medida de lo posible. Sin embargo, incluso en su melancolía, los ojos seguían brillándole ardientes, y tenía un aspecto hermoso a pesar de su falta de pulcritud.

—Lo único que así consigues es sentirte miserable —dije un día cuando vi que desconectaba rápidamente el aparato de televisión que tenía en su dormitorio, como si pretendiera hacerme creer que no disfrutaba con nada, cuando en su habitación disponía de todos los lujos posibles, excepto del teléfono, que yo había hecho sacar para que no pudiera concertar citas secretas con Víctor Wade o cualquier otro.

Cindy se sentó en la cama mirándome con resentimiento.

—Déjame marchar, por favor, mamá. Ve y di a Bart que me deje marchar y nunca más volveré a molestarle. ¡Jamás volveré a esta casa! ¡Jamás!

—¿Adónde irás? ¿Qué vas a hacer, Cindy? —pregunté preocupada, temerosa de que una noche huyera y jamás volviésemos a saber de ella. Y yo sabía que Cindy no tenía suficiente dinero ahorrado para poder pasar más de dos semanas:

—¡Haré lo que tengo que hacer! —exclamó mientras por sus pálidas mejillas corrían lágrimas de autocompasión. Su tez estaba perdiendo ya el bronceado–. Tú y papá habéis sido generosos, de modo que no tendré que vender mi cuerpo, si es que estás pensando eso. A menos que quiera, porque lo cierto es que en este momento me siento como si fuese todo aquello que Bart no quiere que yo sea, y eso le enseñaría, le enseñaría de verdad.

–En tal caso, te quedarás en esta habitación hasta que te sientas como aquello que yo quiero que seas. Cuando puedas dirigirte a mí con respeto, sin gritar, y puedas expresarme algunas de las decisiones maduras en que intentes basar tu vida, te ayudaré a escapar de esta casa.

–¡Mamá! –gimió–. ¡No me odies! ¡No puedo evitar que me atraigan los muchachos! Y yo les atraigo a ellos. Me gustaría reservarme para el príncipe perfecto, pero nunca he encontrado a nadie tan excepcional. Cuando rehúso sus proposiciones los chicos me dejan y van directamente hacia otra que no les rechace. ¿Cómo lo hiciste tú, mamá? ¿Cómo lograste tener a todos esos hombres amándote a ti, y solamente a ti?

¿Todos esos hombres? No supe responder, de modo que, como otros padres en un apuro, evité dar una contestación directa, que de todos modos no tenía.

–Cindy, tu padre y yo te queremos mucho, deberías saberlo. Jory también te quiere. Y los gemelos sonríen en cuanto te ven acercarte a ellos. Antes de actuar con precipitación, háblalo con tu padre, con Jory. Da tu opinión y cuéntanos lo que deseas para ti, y si es algo razonable nosotros haremos todo lo posible para que tú obtengas lo que desees.

–¿Dejarás a Bart intervenir en esto? –preguntó Cindy con suspicacia.

–No, cariño. Bart ha demostrado que no razona cuando se trata de ti. Desde el día en que entraste a formar parte de nuestra familia, Bart ha estado resentido contigo, y así ha continuado hasta ahora. Después de tanto tiempo, no parece que nosotros podamos hacer mucho al respecto. En cuanto a Joel, a mí tampoco me gusta, además, no tiene ningún lugar en nuestras discusiones familiares sobre tu futuro.

De pronto, Cindy me echó los brazos al cuello.

—Oh, mamá, estoy tan avergonzada por haber dicho tantas cosas desagradables. Quería herirte porque Bart me había avergonzado muchísimo. Sálvame de él, mamá. Encuentra algún medio, por favor, por favor.

Después de que Chris, Jory, Cindy y yo hubimos deliberado, encontramos un medio para salvar a Cindy, no sólo de Bart, sino de ella misma. Procuré apaciguar a Bart, que se proponía castigarla más drásticamente.

—Lo único que hace es añadir leña al fuego que ya está ardiendo en el pueblo —vociferó cuando entramos en su oficina—. Yo intento llevar una vida decente, grata a Dios... de modo que no me vengas diciendo que tú has oído contar otras cosas. Admito que me revolqué en el fango durante un tiempo, pero las cosas han cambiado. Yo no gozo con esas mujeres. Melodie fue la única que me entregó algo parecido al amor.

Intenté despejar la expresión malhumorada de mi semblante. Observando todos los objetos valiosos de su despacho, me pregunté una vez más si Bart no amaría las cosas más que las personas. Contemplé las lujosas piezas orientales antiguas por las que había pagado en subastas centenares de miles de dólares. El mobiliario haría avergonzar al de la Casa Blanca. Bart acabaría por convertirse en el hombre más rico del mundo si, como hasta entonces, seguía duplicando sus quinientos mil anuales cada pocos meses. Incluso antes de su independencia, ya habría alcanzado los primeros mil millones. Bart era inteligente, rápido, brillante. Resultaba lamentable que no fuera nada más que otro millonario, egoísta y avaricioso.

—Déjame ahora, madre. Me haces perder el tiempo. —Hizo girar su sillón y miró a través de la ventana hacia los bellos jardines en plena floración—. Envía lejos a Cindy..., a cualquier parte. Lo que debes hacer es sacármela de encima.

–Cindy nos dijo la noche pasada que le gustaría pasar el resto del verano en una escuela de arte dramático de Nueva Inglaterra. Tiene el nombre y la dirección de una que le gusta. Chris llamó para comprobarlo y parece ser de confianza y tener una buena reputación. Por tanto, Cindy se marchará dentro de tres días.

–Es sano deshacerse de la basura –dijo con indiferencia.

Le lancé una mirada compasiva.

–Antes de condenar tan duramente a Cindy, Bart, piensa un poco en ti mismo. ¿Ha hecho ella algo peor de lo que tú has hecho?

Bart comenzó a trabajar con el ordenador sin responder.

Di un portazo detrás de mí.

Tres días después, yo ayudaba a Cindy a terminar de preparar su equipaje. Habíamos ido de compras, de modo que tenía ropa más que suficiente, seis pares de zapatos nuevos y dos trajes de baño también nuevos. Dio un beso de despedida a Jory y después se entretuvo con los gemelos.

–Queridos bebés, pequeñuelos –canturreó con ellos en brazos–. Volveré. Entraré y saldré a hurtadillas para que Bart no me descubra. Jory, tú también deberías marcharte, con mamá y papá. –De mala gana dejó a los gemelos en el parquecito y se acercó para abrazarme y besarme. Yo ya estaba llorando. Estaba perdiendo a mi hija. Lo sabía por su modo de mirarme, que indicaba que nada entre nosotras volvería a ser igual nunca más.

Sin embargo, me abrazó.

–Papá me llevará al aeropuerto –dijo mientras apoyaba su cabeza en mi hombro–. Tú también puedes venir si no lloras y sientes pena de mí, porque yo estoy contenta por liberarme de esta maldita casa. Es una mansión maligna, y ahora odio su espíritu tanto como en otro tiempo amé su belleza.

Nos fuimos en coche al aeropuerto sin que Cindy se despidiera de Bart ni de Joel.

No necesitó pronunciar ni una palabra, pues su expresión me lo decía todo. Se mostró más cariñosa con Chris, a quien besó al despedirse. A mí sólo me saludó con la mano.

–No os quedéis esperando a que mi avión despegue. Me voy de aquí con gran alegría –dijo, mientras corría hacia la puerta de embarque.

–¿Escribirás? –preguntó Chris.

–Claro, cuando tenga tiempo.

–Cindy –dije a pesar de mí misma, queriéndola proteger de nuevo–, escribe por lo menos una vez a la semana. Nos preocupa lo que pueda sucederte. Estaremos aquí para hacer lo que podamos cuando nos necesites. Y, tarde o temprano, Bart encontrará lo que está buscando y cambiará. Yo me ocuparé de que cambie. Lucharé para que volvamos a ser una familia.

–Bart no encontrará su alma, mamá –replicó Cindy, fría, alejándose más todavía–. Nació sin alma.

Antes de que su avión despegara, mis lágrimas dejaron de brotar y mi decisión se afirmó en una meta. En verdad antes de que muriese, iba a ver a mi familia reunida, entera y sana, aunque para ello necesitase todo el resto de mi vida.

Chris intentó sacarme de mi depresión mientras me conducía hacia lo que se suponía era un hogar.

–¿Qué tal la nueva empleada?

Mi preocupación por Cindy me había tenido tan absorta que había dedicado poca atención, a la bella enfermera, de cabello oscuro, que Chris había contratado recientemente para ayudarnos a cuidar de los gemelos y Jory. Hacía algunos días que estaba en la casa y yo apenas le había dirigido media docena de palabras.

–¿Qué opina Jory sobre Toni? –preguntó Chris–. Me tomé muchas molestias para encontrar la persona adecuada. En mi opinión, es un auténtico hallazgo.

—No creo que Jory la haya mirado ni una sola vez, Chris. Está tan ocupado con sus pinturas y los gemelos... Ya comienzan a gatear sin esfuerzo. Bueno, ayer vi que Cory, quiero decir Darren, recogía un insecto de la hierba y trataba de llevárselo a la boca. Fue Toni quien corrió para impedirlo. Y no recuerdo que Jory le dirigiera ni una mirada.

—Se fijará en ella antes o después. Y, oye, Cathy, has de dejar de pensar en estos gemelos como si fuesen Cory y Carrie. Si Jory te oye llamarlos Cory o Carrie, se enfadará. No son nuestros gemelos; son de Jory.

Chris no dijo nada más durante el largo trayecto de regreso a Foxworth Hall, ni tan siquiera cuando giró por nuestra avenida para entrar lentamente en el garaje.

—¿Qué ocurre en esta casa de locos? —preguntó Jory en cuanto salimos a la terraza donde estaba sentado en el suelo, sobre una estera de gimnasia. Los gemelos se hallaban con él, jugando alegremente bajo el sol.

—Poco después de que os marcharais para acompañar a Cindy al aeropuerto, llegó una cuadrilla de albañiles que han estado golpeando y alborotando en ese cuartito de abajo donde Joel suele rezar. No he visto a Bart y no quería hablar con Joel. Y hay algo más...

—No entiendo...

—Es esa condenada enfermera que tú y papá habéis contratado, mamá. Es espléndida y muy buena en su trabajo..., cuando aparece. Hace diez minutos que la estoy llamando y no ha respondido. Los gemelos están empapados y no hay suficientes pañales, de modo que no puedo cambiarlos. Si entro en la casa para buscar más, tendría que dejarlos solos aquí fuera. Ahora lloran cuando intento sujetarlos con las correas. Quieren ir por sí solos, en especial Deirdre.

Cambié los pañales a los gemelos y los acosté. Después fui a buscar al miembro más reciente de nuestro hogar. Para mi asombro, la encontré en la nueva piscina, con Bart; ambos reían, salpicándose mutuamente de agua.

—¡Hola, madre! —saludó Bart, bronceado y sano, como no lo había visto desde los días en que creía estar enamorado de Melodie—. Toni juega al tenis de manera extraordinaria. Es formidable tenerla aquí. Los dos estábamos tan acalorados después del esfuerzo que decidimos refrescarnos en la piscina.

La expresión de mis ojos fue correctamente interpretada por Antonia Winters. Salió de inmediato de la piscina y comenzó a secar su rizado cabello oscuro y después se envolvió con la misma toalla blanca.

—Bart me ha pedido que lo llame por su nombre. No le importará si lo hago, ¿verdad, señora Sheffield?

La observé evaluándola, preguntándome si sería lo bastante responsable para hacerse cargo de Jory y los gemelos. Me gustó su cabello oscuro, que ahuecó formando suaves ondas y rizos que enmarcaban espléndidamente su rostro sin maquillaje. Mediría alrededor de un metro setenta y tenía tantas curvas voluptuosas como Cindy, curvas que, si bien Bart había despreciado en su hermana, en la figura de la enfermera merecían toda su aprobación, a juzgar por la manera en que la contemplaba.

—Toni —dije, dominándome—, Jory, a quien tienes que ayudar, pues para ello te contratamos, estuvo llamándote para que le llevases más pañales para los gemelos. Se encontraba en la terraza con sus hijos, y tú deberías haber estado con él, no con Bart. Te empleamos para que te ocuparas de que ni Jory ni sus hijos quedaran desatendidos.

Se ruborizó avergonzada.

—Lo siento, pero Bart... —vaciló y pareció más azorada mientras le echaba una mirada.

—Está bien, Toni. Acepto la culpa —dijo Bart—. Yo le aseguré que Jory estaba bien y era capaz de cuidar de sí mismo y de los gemelos. Tengo la impresión de que se preocupa mucho de mostrarse independiente.

—Procura que esto no vuelva a suceder, Toni —dije, ignorando a Bart.

¡Ese condenado iba a volvernos a todos locos! Entonces se me ocurrió una brillante idea.

—Bart, tú y Toni hubierais prestado un gran favor a Jory incluyéndole en vuestra fiesta en la piscina. Jory puede utilizar los brazos. De hecho, tiene unos brazos poderosos. Por otro lado, deberías tener presente, Bart, que es bastante peligroso que una piscina como ésta no disponga de la protección de una valla, sobre todo habiendo dos niños pequeños. De modo que, Toni, me gustaría que tú y Jory comenzarais a enseñar a los gemelos... por si acaso.

Bart se quedó mirándome reflexivo, como si leyera mis pensamientos. Echó una mirada a Antonia, que ya se encaminaba hacia la casa.

—Así pues, vais a continuar aquí, ¿por qué?

—¿Acaso no quieres que nos quedemos?

—Vaya, sí, por supuesto, sobre todo ahora que Toni ha venido para alegrar mis horas solitarias.

Su sonrisa irradiaba el encanto de su difunto padre.

—¡Déjala en paz, Bart!

Él hizo una mueca maliciosa y empezó a nadar de espaldas y, con un movimiento, se impulsó hacia donde yo estaba. Entonces me agarró por los tobillos con tal fuerza que me hizo daño y por un momento temí que me haría caer en la piscina y estropearía el vestido de seda que llevaba.

Miré hacia abajo y observé sus ojos oscuros, repentinamente amenazadores.

—Suéltame. Ya he nadado esta mañana.

—¿Y por qué no nadas conmigo alguna vez?

¿Qué vería Bart en mí que la amenaza se desvaneció cediendo paso a la tristeza, reflejada en una mirada tan melancólica? Se inclinó para besarme los dedos de los pies, que asomaban por las sandalias. En ese momento me rompió el corazón. Habló exactamente con el mismo tono de su difunto padre.

–Creo que nunca encontraré a nadie tan adorable como tú... –Alzó la mirada–. Oye, madre, yo también tengo algo de talento artístico.

Ésa era mi oportunidad. Bart era vulnerable, conmovido por algo que veía en mi rostro.

–Sí, claro que lo tienes, Bart, pero, ¿no te entristece un poco que Cindy se haya marchado?

Sus oscuros ojos se endurecieron.

–No, en absoluto. Estoy contento de que se haya ido. ¿No te demostré lo que ella era en realidad?

–Sólo me demostraste lo odioso que puedes llegar a ser.

Su mirada se oscureció más, tornándose tan ferozmente decidida que me asustó. Volvió la vista hacia la casa al oír un leve arrastrar de pies. Miré hacia allí. Joel acababa de salir y se hallaba en la zona de césped que rodeaba la larga piscina ovalada.

Joel nos condenó silenciosamente con sus pálidos ojos azules, mientras sus huesudas manos de largos dedos le sostenían la barbilla. Inclinó la cabeza hacia atrás y miró al cielo. Su dulce voz quejumbrosa nos llegó balbuceante.

–Haces esperar al Señor, Bart, mientras estás perdiendo el tiempo.

Desesperanzada observé que los ojos de Bart se inundaban de culpa. Salió con rapidez de la piscina y, por un momento, se quedó en pie, mostrando toda su joven masculinidad gloriosa, sus largas y fuertes piernas bronceadas, su vientre duro y liso, sus amplios hombros y sus firmes músculos. Por un segundo creí que estaba tensando sus poderosos músculos, preparándose para una embestida de león que lo catapultaría directamente a la garganta de Joel. Me quedé rígida, preguntándome si alguna vez Bart había pensado en la posibilidad de golpear a su tío.

Una nube cubrió el sol. De alguna manera hizo que las sombras de las lámparas apagadas junto a la piscina formasen una cruz en el suelo. Bart miró hacia abajo.

—Ya ves, Bart —dijo Joel con un tono apremiante que nunca antes le había oído—, tú olvidas tus deberes, y el sol desaparece. Dios te envía este signo de la cruz. Él siempre está vigilante. Él oye. Él te conoce. Porque tú has sido escogido.

Escogido, ¿para qué?

Casi como si Joel le hubiera hipnotizado, Bart siguió a su tío abuelo dentro de la casa, dejándome sola junto a la piscina. Me apresuré a contarle a Chris lo sucedido con Joel.

—¿Qué puede querer decir, Chris, cuando declara que Bart ha sido escogido?

Chris me obligó a sentarme, a relajarme. Incluso me preparó mi bebida favorita antes de tomar asiento junto a mí en el pequeño balcón que daba a los jardines y las montañas.

—Acabo de tener unas palabras con Joel. Parece que Bart contrató trabajadores para que construyeran una pequeña capilla en ese cuarto vacío que Joel utiliza para sus plegarias.

—¿Una capilla? —pregunté muy asombrada—. ¿Y para qué necesitamos una capilla?

—No creo que la construyan para nosotros. Es para Bart y Joel; un lugar donde podrán rezar sin ir al pueblo y enfrentarse con todos los lugareños que desprecian a los Foxworth. Y si eso es lo que Bart cree que le ayudará a encontrarse a sí mismo, por el amor de Dios, no digas ni una palabra para condenar lo que está haciendo junto con Joel. Cathy, yo no creo que ese anciano sea un hombre malvado, sino que está intentado convertirse en un candidato para la santidad.

—¿Un santo? ¡Vaya, eso sería como coronar con un aura la cabeza de Malcolm!

Chris se impacientó conmigo.

—Deja que Bart haga lo que le plazca. De todos modos he decidido que ya es hora de que nos marchemos de aquí. No puedo hablar contigo en esta casa y esperar una respuesta sensata. Nos trasladaremos a

Charlottesville, junto con Jory, los gemelos y Toni, en cuanto encuentre una vivienda adecuada.

Sin que yo lo advirtiera Jory había entrado en nuestras habitaciones y me sorprendió al oírle hablar.

—Mamá, papá puede tener razón. Quizá Joel sea el santo bondadoso y benigno que a veces parece ser. En ocasiones creo que tú y yo somos demasiado suspicaces, aunque, claro, a menudo tú tienes razón. Observo a Joel cuando está distraído y me parece que en muchos aspectos él intenta no ser lo que nosotros más tememos; una réplica del abuelo que vosotros dos odiasteis.

—¡Todo esto es ridículo! Desde luego que Joel no es como su padre o, de lo contrario, no le hubiera odiado tanto —intervino Chris con un enojo repentino y anormal, con expresión dura, totalmente agotada la paciencia, no sólo conmigo sino también con Jory—. Toda esta palabrería sobre almas que se reencarnan en generaciones posteriores es una absoluta majadería. No necesitamos añadir más complicaciones a nuestras vidas, bastante complicadas de por sí.

El lunes siguiente, Chris marchó de nuevo en su coche para dirigirse al trabajo que le gustaba tanto como en otro tiempo el ejercicio de la medicina. Yo me quedé mirando su vehículo, sintiendo que mi rival era su floreciente aventura amorosa con la bioquímica.

La mesa parecía solitaria sin la presencia de Chris y Cindy. Toni estaba arriba, acostando a los gemelos, lo que molestaba enormemente a Bart, quien había insinuado a Jory que la enfermera ya estaba locamente enamorada de él, de Bart. Tal información no afectó a Jory en absoluto, pues estaba demasiado absorto en sus propios pensamientos. No había pronunciado ni dos palabras durante toda la comida, y tampoco lo hizo cuando finalmente Toni se unió a nosotros.

Llegó otra tarde de viernes, y con ella volvió Chris, tal como papá había hecho en otro tiempo, regresando a casa todos los viernes. De un modo u otro me turbaba el paralelismo entre nuestra vida y la de nuestros padres. El sábado pasamos la mayor parte del día en la piscina, con Jory y los gemelos; Toni y yo aguantábamos a los bebés, mientras Chris ayudaba a Jory, quien realmente no necesitaba mucha ayuda. Se atrevió a cruzar la piscina, nadando con destreza, compensando sobradamente con sus vigorosos brazos las piernas inútiles que flotaban inertes detrás de él. En la piscina, con las piernas bajo el agua, Jory se parecía más a sí mismo, lo que se reflejaba en su rostro feliz.

–¡Eh, esto es formidable! No nos mudemos todavía a Charlottesville. Allí no hay muchas casas con piscina como ésta. Además, necesito los pasillos anchos y el ascensor. Y ya me he acostumbrado a Bart, y hasta a Joel.

–Quizá yo no pueda venir el próximo fin de semana. –Chris rehuyó mi mirada mientras soltaba esta sorprendente información en nuestra mesa del desayuno dominical. Evitando encontrarse con los ojos de los presentes, prosiguió–: Se celebra una convención de bioquímicos en Chicago, y me gustaría asistir. Estaría fuera dos semanas. Si quisieras acompañarme, Cathy, te lo agradecería mucho.

Bart hundió la cuchara en el maduro melón. Sus ojos oscuros tenían una expresión de impaciente espera como si toda su vida dependiera de mi respuesta. Yo deseaba ir con Chris, deseaba ardientemente escapar de aquella casa y sus problemas, para estar a solas con el hombre a quien amaba. Anhelaba permanecer cerca de él, pero tenía que negarle ese deseo y hacer un último gran esfuerzo para salvar a Bart.

–Me gustaría muchísimo ir contigo, Chris. Pero Jory se avergüenza de pedirle a Toni que le ayude en ciertas cosas íntimas. Me necesita aquí.

–¡Por el amor de Dios! Para eso la contratamos. ¡Es una enfermera!

–Chris, bajo mi techo, no pronuncies en vano el nombre del Señor.

Mirando furiosamente a Bart tras estas palabras, Chris se puso en pie.

–He perdido el apetito súbitamente. Desayunaré en la ciudad, si es que recupero las ganas de comer.

Chris me miró con enojo, acusador. Echando un furioso vistazo a Bart, colocó levemente la mano en el hombro de Jory y se marchó.

Había sido un acierto que le hubiera pedido que emplease una enfermera antes de que eso sucediera. Después de mi negativa a acompañarle, era más que probable que Chris no quisiera escuchar lo que me proponía por mis dos hijos que, de un modo u otro, estaban abriendo una brecha en la familia. Sin embargo, yo no podía abandonar a Jory sin estar realmente segura de que Toni cuidaría de él a la perfección; todavía no.

Toni se unió a nosotros en la mesa vestida con un uniforme blanco recién planchado. Nosotros tres, alrededor de la mesa, hablamos del tiempo y otras trivialidades mientras ella permanecía sentada con los ojos clavados en Bart. Aquellos ojos grises, bellos, suaves y luminosos estaban llenos de asombro... y enamorados. Era tan obvio que yo estuve tentada de advertirla que mirase a Jory y no al hombre que, con toda seguridad, la destruiría.

Presintiendo su admiración, Bart exhibió su encanto, riendo y refiriendo algunas historias bobas que se mofaban del muchachito que había sido. Cada palabra que él pronunciaba la hechizaba más, en tanto Jory permanecía sentado y olvidado en su detestada silla de ruedas fingiendo leer el periódico de la mañana.

Día tras día yo apreciaba cómo crecía el amor de Toni por Bart, incluso mientras atendía a los gemelos con todo cariño y hacía pacientemente todo lo necesario por Jory. Mi primogénito estaba melancólico, esperando continuamente llamadas telefónicas de Melodie, cartas que no recibía; esperando que alguien le ayudara con las cosas que solía hacer por él y ya nadie hacía. Yo sufría por su impaciencia, que se manifestaba cuando los sirvientes tardaban demasiado en hacerle la cama, asear su habitación o apartarse de su camino y dejarle solo.

Jory se dedicaba a la pintura sin descanso, y contrató un profesor de arte para que tres veces a la semana le enseñara las distintas técnicas. Trabajo, trabajo, trabajo... Estaba entregándose con afán para llegar a ser el mejor artista posible, como en otro tiempo se había dedicado a sus ejercicios de ballet mañana, tarde y noche.

Las cuatro «D» del mundo del ballet nunca morían en algunos de nosotros: estímulo,[1] dedicación, deseo y decisión.

–¿Crees que Toni es una niñera adecuada para los bebés? –pregunté una tarde mientras ella se alejaba por la avenida, paseando a los gemelos en el cochecito doble.

A los pequeños les gustaba estar al aire libre, y el solo hecho de ver el cochecito provocaba en ellos grititos de placer y excitación. No habían terminado de salir las palabras de mi boca cuando ambos vimos que Bart se apresuraba para reunirse con la enfermera. Ambos comenzaron entonces a empujar el cochecito.

Intranquila, esperé a que Jory hablase, pero no dijo nada. Advertí su expresión de amargura mientras contemplaba a Bart acompañar a sus hijos y a la enfermera que habíamos contratado para él. Era como si yo pudiera leer sus pensamientos. Ya no tenía ninguna oportunidad de conquistar a una mujer estando en aquella silla de ruedas, sin poder danzar, ni tan siquiera caminar. Sin embargo, los médicos nos habían dicho a Chris y a mí que muchos hombres inválidos se casaban y llevaban una vida más o menos normal. Los porcentajes de matrimonios eran más altos para los hombres que para las mujeres inválidas.

–Las mujeres son más sensibles que los hombres. La mayoría de ellos, si no tienen problemas físicos, piensan más en sus propias necesidades. Se precisa un hombre excepcionalmente compasivo y comprensivo para casarse con una mujer que no sea físicamente normal.

1. En inglés *drive*: estímulo, impulso. (*N. del T.*).

—Jory, ¿añoras todavía a Melodie?

Jory miró con tristeza al frente, desviando la mirada de Toni y Bart, que se habían detenido para sentarse a hablar en un tronco de árbol.

—Intento no pensar demasiado. Es una buena manera para no preocuparse de los años que me esperan y de cómo voy a arreglármelas. Tarde o temprano estaré solo, y ese día sí que lo temo, pues creo que será más duro de lo que yo puedo soportar.

—Chris y yo siempre estaremos contigo, mientras tú nos necesites y nosotros vivamos; pero mucho antes de que alguno de nosotros muera, tú ya habrás encontrado alguna otra persona. Sé que eso sucederá.

—¿Cómo lo sabes? Yo no estoy seguro ni de que pueda necesitar a nadie. Ahora me avergonzaría tener una esposa. Trato de encontrar algo que llene el vacío que dejó la danza en mí, y hasta el momento no lo he hallado.

Lo mejor de mi vida son ahora los gemelos y mis padres.

Miré de nuevo a la pareja sentada en el tronco del árbol a tiempo para ver a Bart sacar a los gemelos del cochecito doble y dejarles en la hierba, junto al camino, donde empezó a jugar con ellos. Los bebés gustaban de todo el mundo e incluso intentaron conquistar a Joel, que nunca los tocaba, ni les hablaba como hacíamos nosotros. A lo lejos oía la risa de los niños que cada día se hacían más hermosos. Bart parecía y actuaba como un hombre feliz. Me dije que él necesitaba a alguien tan desesperadamente como Jory. En cierto modo, Bart lo necesitaba con más urgencia que su hermano, pues éste encontraría su camino, con o sin una esposa. Bart era distinto.

Nos quedamos sentados, contemplando a la pareja que jugaba con los gemelos. Se alzó una luna llena, con un aspecto impresionante y dorado a la luz del crepúsculo. Un pájaro sobre el lago, no muy lejano, lanzó su grito solitario.

—¿Qué es eso? —pregunté, poniéndome muy rígida—. Nunca antes había oído un pájaro como ése por aquí.

—Es un somorgujo —respondió Jory, mirando en dirección del lago—. Algunas veces la tempestad los arrastra hasta aquí. Mel y yo solíamos alquilar una casita en la isla Mount Desert, y oíamos los gritos de los somorgujos, que considerábamos románticos. Me pregunto por qué pensaríamos eso. Ahora ese grito lo único que me sugiere es tristeza; me parece fantasmal incluso.

Desde las sombras, cerca de los arbustos, Joel habló.

—Algunos dicen que las almas perdidas habitan los cuerpos de los somorgujos.

Me volví con brusquedad y me quedé mirándolo.

—¿Qué es un alma perdida, Joel? —pregunté.

Su voz benevolente respondió con suavidad:

—Son aquellos que no logran encontrar la paz en sus tumbas, Catherine; aquellos que vacilan entre el cielo y el infierno, mirando hacia atrás, hacia su estancia en la tierra para ver qué dejaron sin terminar. Por mirar hacia atrás, quedan atrapados para siempre, o por lo menos hasta que hayan completado el trabajo de su vida.

Me estremecí como si un viento frío hubiera soplado desde el cementerio.

—No trates de digerir eso, mamá —dijo Jory con impaciencia—. Me gustaría poder usar alguno de los descriptivos adjetivos que los jóvenes de la edad de Cindy lanzan con tanta facilidad sin sentirme vulgar. Es raro —añadió, reflexivo, mientras Joel desaparecía en la oscuridad—, cuando estaba en Nueva York y me disgustaba, impacientaba o enojaba, también empleaba un lenguaje vulgar. Ahora, aun cuando a veces pienso en usar esas palabras, algo me detiene y no lo hago.

Jory no necesitaba aclarármelo. Sabía exactamente qué quería decir. Estaba en la atmósfera que nos rodeaba, la claridad del aire de las montañas, la cercanía de las estrellas; era la presencia de un Dios estricto y exigente. En todas partes.

LOS NUEVOS AMANTES

Se encontraban en la penumbra. Se besaban en los pasillos. Frecuentaban los soleados y espaciosos jardines, por donde paseaban a la luz de la luna. Nadaban juntos, jugaban juntos al tenis, paseaban cogidos de la mano por las riberas del lago, corrían por entre los árboles, comían al borde de la piscina, junto al lago, en el bosque. Iban a bailar, a los restaurantes, el teatro y el cine.

Vivían en su propio mundo mientras nosotros parecíamos invisibles, ni vistos ni oídos por ellos; y así sería mientras ellos pudieran mirarse el uno al otro a través de la mesa con los ojos hechizados, como si hubieran atrapado al mundo por la cola y nunca quisieran soltarlo. Me sentí envuelta en su romance a mi pesar, emocionada por tener cerca de mí unos jóvenes amantes tan bellos y resplandecientes, parecidos entre sí por el cabello oscuro, casi del mismo tono. Me sentía a la vez feliz e infeliz, encantada y, sin embargo, triste porque no era Jory el que había encontrado a otra mujer a quien amar. Hubiera querido advertir a Toni que se hallaba en un terreno traicionero, que no debería confiar en Bart, pero entonces el rostro radiante de Bart, limpio de culpa o vergüenza, pues en esta ocasión no estaba robando nada que perteneciera a su hermano. Así, mis palabras de crítica se desvanecían sin haber sido pronunciadas. ¿Quién era yo para indicarle a quién podía o no podía amar? Yo debía permanecer callada y permitirle que tuviera su oportunidad. Aquello era diferente de la aventura con Melodie; Toni no pertenecía a Jory.

Bart manifestaba su felicidad mostrándose más confiado, y con la seguridad de su reciente amor olvidó sus peculiares costumbres y su obsesiva preocupación por la pulcritud y hasta se permitió relajarse vistiendo ropas más informales. En el pasado, un traje de mil dólares acompañado de camisas de seda y corbatas caras simbolizaban su posición social. Ahora no se preocupaba, ya que Toni le había dado otro sentido a su valía. Podía adivinar que, por primera vez en su vida, Bart había encontrado un suelo firme sobre el que caminar.

Bart sonrió y me besó varias veces en la mejilla.

—Ya sé que tú no querías que sucediera así, lo sé ¡Lo sé! Pero es a mí a quien ama, madre ¡A mí! ¡Toni encuentra en mí algo maravilloso y noble! ¿Te das cuenta de cómo me hace sentir? Melodie también solía decir que veía esas cualidades en mí, pero yo no me sentía noble ni maravilloso porque sabía el daño que estaba causando a Jory. Ahora es diferente. Toni nunca ha estado casada, no había tenido antes ningún amante, aunque sí montones de amigos. Madre, ¡piensa en eso! ¡Soy su primer amante! Hace sentirme tan especial ser aquel que ella esperaba. Madre, algo maravillosamente especial. Ella aprecia en mí las mismas cosas que tú ves en Jory.

—Creo que eso es estupendo, Bart. Los dos me hacéis feliz. —Sus ojos oscuros se pusieron serios mientras buscaban confirmar la sinceridad de mi declaración. Antes de que pudiera responderle, Joel habló desde el umbral de la puerta abierta del estudio de Bart.

—¡Bobo estúpido! ¿Crees que esa enfermera te quiere a ti en realidad? ¡Esa mujer ve la nobleza en tu dinero! ¡Son tus cuentas bancarias las que le interesan,

Bart Foxworth! ¿Has observado la manera en que deambula por esta casa, con los ojos entornados, con la clara pretensión de que es la dueña de todo? Ella no te ama. Te utiliza para conseguir lo que quieren todas las mujeres. Dinero, control, poder y después más dinero todavía. Una vez os hayáis casado, ella ya tendrá solucionada la vida, aunque tú más tarde te divorciaras.

—¡Cállate! —atajó Bart, volviéndose para mirar furiosamente al viejo—. Tienes celos porque no me queda tiempo para dedicártelo a ti. Éste es el amor más limpio, el más puro de mi vida..., ¡y no permitiré que tú me lo estropees!

Joel inclinó la cabeza con sumisión, como abatido, mientras juntaba las palmas de las manos debajo de la barbilla antes de encaminarse, sin duda, hacia aquel cuartito que Bart había convertido en una capilla familiar, aunque sólo él y Joel rezaban allí. Yo ni me había molestado en echar una mirada dentro.

Me puse de puntillas para besar a Bart en la mejilla, abrazarle y desearle buena suerte.

—Me siento feliz por ti, Bart, sinceramente feliz. Admito que abrigaba la esperanza de que Toni se enamorara de Jory y lo compensara por la pérdida de Melodie. Deseaba que los gemelos tuvieran una madre mientras todavía son bebés. Ella hubiera tenido la oportunidad de aprender a quererlos como propios, y ellos no hubieran recordado a otra madre más que a ella. Pero ya que eso no ha sucedido, sólo con ver tu felicidad y la de ella, me siento dichosa.

Aquellos ojos oscuros ahondaban, escrutaban, intentando leer en mi alma.

—¿Te casarás con ella? —pregunté.

Sus manos descansaron ligeramente en mis hombros.

—Sí, pronto se lo pediré, cuando esté seguro de que ella no está engañándome. He ideado un método para ponerla a prueba.

—Bart, eso no es justo. Cuando se ama hay que confiar.

—Tener una fe ciega en alguien que no sea Dios, es una idiotez.

Yo recordaba muy bien lo que Chris siempre estaba diciéndome: «Busca y encontrarás.» Yo conocía aquel sentimiento a la perfección. Siempre me había mostrado suspicaz con lo mejor que la vida me concedía, y muy pronto acababa perdiéndolo a causa de mi recelo.

—Madre... —comenzó Bart con sorprendente candor—, sé bien que Melodie nunca me hubiera permitido ni tocarla, si Jory hubiera conservado sus piernas de bailarín. Ella le amaba a él, no a mí. Incluso pudo haber imaginado que yo era él, pues algunas veces noto cierto parecido entre nosotros dos. También creo que Melodie veía en mí lo que deseaba y recurrió a mí porque Jory ya no podía satisfacer sus necesidades físicas. Yo fui un amante sustituto de mi hermano, de la misma manera que siempre he sido el segundón de Jory. Sólo con Toni soy el primero.

—En eso tienes razón, Bart. Toni ni siquiera ve a Jory en su silla de ruedas. Sólo te ve a ti, únicamente a ti.

Sus labios se torcieron con ironía.

—Claro..., pero estás recalcando que yo me sostengo sobre mis piernas y él está incapacitado. Yo poseo muchísimo dinero, y él, una miseria en comparación. Y Jory ya soporta la carga de dos niños que no serían de ella. Tres puntos contra Jory..., de modo que yo gano.

Esa vez yo quería que él ganase; Bart necesitaba a Toni diez veces más que Jory. Mi primogénito era fuerte, incluso estando incapacitado; Bart, en cambio, vulnerable e inseguro, aunque tuviera una salud perfecta.

—Bart, si tú mismo no te aceptas tal como eres, ¿cómo esperas que otra persona te ame? Has de comenzar por creer que aunque no tuvieras dinero Toni te amaría de la misma manera.

—Muy pronto lo descubriremos —dijo indiferente, con cierta expresión en sus ojos que me recordaba a Joel. Bart me despedía al parecer—: Madre, tengo trabajo. Ya te veré más tarde... –Y sonrió con más amor del que me había demostrado desde que tenía nueve años.

Contradictorio, complicado, asombroso, arrogante; así era el hombre en que se había convertido mi pequeño y problemático Bart...

Cindy había escrito para referirnos lo fabulosos que eran sus días de verano asistiendo a las clases de arte dramático en Nueva Inglaterra.

«Trabajamos en producciones de verdad, mamá, en patios que se convierten en teatros de manera provisional. Me encantan todos y cada uno de los aspectos del espectáculo.»

Con frecuencia echaba de menos a Cindy a medida que pasaban los días de verano. Todos nadábamos en el lago o en la piscina, incluidos los gemelos, que crecían rápidamente para apreciar todas las maravillas de la naturaleza. Ya tenían dientecillos y ambos nadaban hacia donde quisieran ir, que era a todas partes.

Nada estaba a salvo de sus manitas ávidas, que consideraban todos los objetos apropiados para su nutrición. Su cabello rubio estaba formando abundantes rizos que rodeaban sus cabezas. Sus labios tenían un sano color rosado, y el sol había coloreado sus mejillas. Sus grandes ojos, azules e inocentes, devoraban todos los rostros, absorbiendo cada una de las primeras impresiones.

Pasaron gloriosos los calurosos días del verano, inmortalizados por cada una de las fotografías que llenarían los álbumes, impidiendo que los momentos y los días felices desaparecieran del todo. Clic, clic, clic, máquinas diferentes mientras Chris, Jory y yo hacíamos una fotografía tras otra a nuestros maravillosos gemelos. A ellos les encantaba estar al aire libre, oliendo las flores, tocando la corteza de los árboles, observando los pájaros, las ardillas, las liebres, los mapaches, los patos y los gansos que a menudo invadían nuestra piscina, siendo ahuyentados rápidamente de allí por los adultos.

Antes de que me diera cuenta, el verano había pasado y ya teníamos otra vez encima el otoño. Aquel año, Jory podría disfrutar de esa mágica estación en las montañas. Los árboles de los bosques en las laderas de las montañas llameaban con sus espectaculares colores.

—Hace un año, yo me hallaba en un infierno —dijo Jory, contemplando los árboles y las montañas y echando una ojeada a su mano izquierda, que ya no llevaba la alianza de oro de matrimonio—. Han llegado los documentos definitivos para el divorcio y, ¿sabes?, no he sentido nada, como si estuviese atontado. Perdí a mi esposa el mismo día que perdí el uso de mis piernas; pero todavía sobrevivo pensando que la vida continúa y que puede ser buena a pesar de tener que ser vivida en una silla de ruedas.

Lo rodeé con mis brazos.

—Porque tienes fortaleza, Jory, y decisión. Tienes a tus hijos, de modo que tu matrimonio ha tenido su compensación. Todavía eres famoso, no lo olvides y, si quieres, puedes comenzar a impartir clases de ballet.

—No, no puedo desatender a mis hijos, no puedo ya que no tienen madre. —Inclinó la cabeza y me sonrió—. No es que tú no cumplas a la perfección con el papel de madre, pero quiero que tú y papá viváis vuestras vidas, que no tengáis que cargar con niños pequeños que pueden entorpecer vuestros planes.

Riendo, le alboroté sus negros rizos.

—¿Qué planes, Jory? Chris y yo somos felices donde estamos, con nuestros hijos y nuestros nietos.

Poco a poco, los calurosos días fueron enfriándose, y el viento traía el olor acre de los fuegos de leña. Me gustaba salir temprano todas las mañanas, acompañada por Jory y los gemelos. Los pequeños estaban aprendiendo a sostenerse en pie agarrándose a las manos de otros o a algún mueble. Deirdre se había atrevido, incluso, a dar unos pasos vacilantes, con las piernecitas muy abiertas, con el culito abultado por los pañales y las bragas de plástico, cubierto por unos lindos pantaloncitos que ella parecía adorar. Darren se daba por satisfecho con su gateo que le transportaba con rapidez allí adonde quería ir. Un día lo atrapé bajando por la alta escalera principal, seguido muy de cerca por Deirdre.

Un precioso día de octubre, Deirdre, sentada en el regazo de Jory, parloteaba alegremente consigo misma, mientras yo llevaba a Darren, más sosegado, recorriendo los nuevos senderos que Bart, muy amablemente, había ordenado nivelar para que Jory pudiera conducir su silla por los bosques. Costó una suma considerable de dinero arrancar las raíces de los árboles que hubieran podido hacer volcar su silla de ruedas. Desde que Bart tenía su propio amor, trataba a su hermano con mucha más consideración y respeto.

—Mamá, Bart y Toni son amantes, ¿verdad? —preguntó de pronto Jory.

—Sí —admití de mala gana.

Entonces me dijo algo que me asombró:

—¿No es raro que nazcamos en familias y tengamos que aceptar lo que se nos da? Nosotros no nos hemos escogido los unos a los otros y, sin embargo, permanecemos pegados toda nuestra vida a personas con las que jamás hubiéramos intercambiado dos palabras si no tuviéramos relación de sangre.

—Jory, en realidad, tú no encuentras a Bart tan despreciable, ¿no es cierto?

—No estoy hablando de Bart, mamá. Estos últimos meses se ha portado bastante bien. Es ese viejo que dice ser tu tío quien no me gusta. Cuanto más lo veo, más lo detesto. Al principio, cuando se presentó, me dio pena. Ahora miro a Joel y veo algo malo en sus desvaídos ojos azules. De alguna manera, me recuerda a John Amos Jackson. Creo que está utilizándonos, mamá, no sólo por razones prácticas, para tener una casa y comida que llevarse a la boca, sino que me parece que trama algo. Hoy precisamente oí por casualidad lo que Joel murmuraba a Bart en el vestíbulo. Por lo que he oído sin querer, Bart tiene intención de contar a Toni toda la verdad sobre su pasado, ya sabes, sus problemas psicológicos. También le va a anunciar que si alguna vez le encerraran en un manicomio perdería toda su herencia. Joel es quien le empuja a hacer eso. Mamá, no debería decírselo porque si Toni lo ama de verdad, aceptará el hecho de que Bart haya tenido sus problemas. Me parece por lo que veo, que mi hermano es ahora normal y tan brillante que está acrecentando su fortuna.

Incliné la cabeza.

—Sí, Jory. Bart me comentó que quería hacer eso, pero está retrasando esas revelaciones, como si él mismo creyese que ella busca su dinero.

Jory asintió, cogiendo con fuerza a Deirdre, que estaba intentando bajar de su regazo y emprender su propia exploración. Darren, al ver a su hermana, sintió la ansiedad de imitarla.

—¿Ha dicho Joel algo que indique que pudiera intentar anular el testamento de su hermana para quedarse con el dinero que Bart espera heredar el día que cumpla los treinta y cinco años?

La risa de Jory fue seca, breve.

—Mamá, ese viejo nunca dice nada que no sea con doble intención. Yo no le gusto y me evita tanto como le es posible. Desaprueba que yo fuese bailarín en otro tiempo y que saliese a los escenarios con poca ropa. A ti te censura también. Le sorprendo a veces observándote con los ojos entornados y murmurando para sí: «Igual que su madre..., pero peor, mucho peor.» Siento decirte esto, pero ese hombre da miedo, mamá. Es un viejo siniestro en verdad. Mira a papá con odio. Deambula por la casa durante la noche. Desde que estoy inválido, mis oídos se han aguzado mucho, oigo crujir las tablas del pasillo donde está mi habitación, y algunas veces la puerta de mi dormitorio se abre ligeramente. Es Joel. Sé que es él.

—Pero, ¿por qué había de husmear en tu cuarto?

—Lo ignoro.

Me mordí el labio inferior, imitando la costumbre nerviosa de Bart.

—Ahora eres tú quien está asustándome, Jory. También tengo razones para creer que Joel no nos aprecia en absoluto. Sospecho que fue él quien destrozó el barco de vela que construiste para Bart, y presumo que Joel nunca envió aquellas invitaciones de Navidad por correo. Quería dañar a Bart, de modo que las llevó a su habitación, sacó las tarjetas de respuesta y las firmó como si se hubieran aceptado las invitaciones; entonces las echó al correo para que Bart las recibiera. Es la única explicación a que nadie apareciera.

—Mamá, ¿por qué no me explicaste esto antes?

¿Cómo podía yo haberle contado todas mis sospechas sobre Joel sin que reaccionara de un modo parecido al de Chris? Chris había rechazado totalmente mi conjetura sobre cómo Joel había tratado de herir a Bart. Algunas veces, incluso yo pensaba que era demasiado imaginativa y juzgaba a Joel peor de lo que en realidad era.

—Y aún más, Jory, creo que fue Joel quien escuchó a los sirvientes comentar en la cocina que Cindy se había citado con ese muchacho, Víctor Wade, y enseguida transmitió la información a Bart. ¿Cómo hubiera podido averiguarlo Bart de otro modo? Los sirvientes son para Bart como los dibujos del papel de la pared, no merecedores de su atención. Es Joel quien se dedica a escuchar a escondidas para poder informar a Bart de lo que ellos dicen.

—Mamá, creo que quizá tengas la razón sobre el barco, las invitaciones y también sobre Cindy. Joel está discurriendo algo para todos nosotros, y me temo que no es para nuestro bien.

Absorta en mis pensamientos, Jory tuvo que decirme dos veces que pusiera en su regazo a su hijo, para que, sentado sobre su otra pierna, avanzáramos más deprisa por el bosque. Aunque sólo fuese un niño ya era una pesada carga para llevar en una distancia larga, de modo que, con mucho gusto, dejé a Darren en el regazo de su padre. Deirdre chilló de alegría y abrazó a su hermanito.

—Mamá, creo que si Toni ama de verdad a Bart, se quedará, sin importarle cuál sea el pasado de él..., o lo que deba heredar.

—Jory, eso es exactamente lo que Bart está intentando poner a prueba.

Alrededor de la media noche, cuando ya casi estaba dormida, unos golpes suaves sonaron en la puerta de mi habitación. Era Toni.

Entró ataviada con una bonita bata rosada, con su largo cabello oscuro suelto. Al andar, mostraba sus largas piernas mientras se acercaba a la cama.

—Espero que no le moleste, señora Sheffield. Quería hablar con usted cuando no estuviera su esposo.

—Llámame Cathy —dije, mientras me sentaba y cogía mi bata—. No estaba dormida; sólo pensando, y me gusta tener a otra mujer con quien poder hablar.

Toni comenzó a pasear de un lado a otro.

—También yo tengo que hablar con una mujer, con alguien capaz de comprenderme con más facilidad que un hombre. Por eso estoy aquí.

—Siéntate, estoy dispuesta a escuchar. —Se sentó al borde del sofá, retorciendo una y otra vez un mechón de su negro cabello, que algunas veces apretaba entre sus labios.

—Estoy terriblemente turbada, Cathy. Bart me ha contado hoy algunos hechos muy inquietantes. Ha asegurado que usted ya está al corriente de lo nuestro, de nuestro amor. Me temo que usted nos ha sorprendido en alguna habitación en momentos más bien íntimos. Le agradezco que fingiera no verlo, para que no me sintiera avergonzada. Soy fiel a muchos principios que la mayoría de la gente cree anticuados. —Me dedicó una sonrisa nerviosa, buscando mi comprensión–. En el momento en que vi a Bart, me enamoré. Hay algo magnético en sus ojos oscuros, tan místicos y cautivadores.

»Esta noche me ha llevado a su despacho, se ha sentado en su escritorio y, como un extraño, distante y frío, me ha contado una larga historia sobre sí mismo, como si estuviera refiriéndose a otra persona, a alguien que no le gustase. Me sentía como un cliente de negocios a quien estuvieran midiendo cada una de sus reacciones. No sé qué esperaba que yo le demostrase. Tal vez pensase que iba a mostrarme asombrada o disgustada. Al mismo tiempo, sus ojos eran tan suplicantes...

»Cathy, Bart te ama. Te quiere hasta el punto de la obsesión –dijo Toni, haciendo que me sentase muy erguida perpleja ante una opinión tan demencial–. Creo que ni él se da cuenta de lo mucho que te adora. Está convencido de que te odia a causa de tu relación con su hermano. –Al decir esto, se ruborizó y bajó la mirada–. Siento haberlo mencionado, pero estoy intentando ser sincera.

–Adelante –animé.

–Ya que Bart cree que debería odiarte por eso, trata de que así sea. Sin embargo, algo en ti, en él, le impide confirmar la emoción que ha de dominar, si el amor o el odio. En realidad, quiere una mujer como tú, pero lo ignora.

Hizo una pausa alzando los párpados para encontrarse con mis ojos, muy abiertos e interesados.

–Cathy, le he dicho que yo creía sinceramente que él estaba buscando una mujer como su madre. Entonces empalideció. Parecía escandalizado en extremo ante tal idea.

Hizo una pausa para observar mi reacción.

–Toni, has de estar equivocada. Bart no quiere una mujer como yo, sino todo lo contrario.

–Cathy, he estudiado psicología. Bart despotrica demasiado contra ti, de modo que mientras lo escuchaba, procuré mantener la mente alerta. Bart también manifestó que nunca ha sido mentalmente estable y que cualquier día podría perder el juicio y, con él, su herencia. Es como si pretendiera que yo le odiase, que cortase todos los lazos y echara a correr... –Sollozó, cubriéndose el rostro con las manos de modo que las lágrimas se filtraban por entre sus dedos, largos y elegantes–. Tanto como le amo, y creía que él me amaba. No puedo continuar queriendo y acostándome con un hombre que tiene tan poca fe en mi integridad y peor todavía, en su propia integridad.

Me había acercado a ella para consolarla.

–No te marches, por favor, Toni, quédate. Da otra oportunidad a Bart. Concédele tiempo para que medite un poco sobre todo esto. Bart siempre se ha dejado llevar por sus impulsos. Además está ese viejo pariente que le murmura que tú lo quieres solamente por su dinero. No es Bart quien está loco, sino Joel, que le dice qué ha de buscar en una futura esposa.

Ella me miró fijamente, esperanzada, intentando controlar sus lágrimas. Yo proseguí, decidida a ayudar a Bart a liberarse de ese sentimiento infantil de no valer nada y de la influencia de Joel.

–Toni, los gemelos te adoran, y yo no puedo atender a todo. Quédate para ayudar a Jory y a mí. Jory necesita ayuda profesional para afianzar sus progresos. Ten en cuenta que Bart es imprevisible, algunas veces irracional, pero te ama. Me ha dicho varias veces cuánto te ama y admira. Está probando tu amor con mentiras. De niño, era mentalmente inestable, pero existían buenas razones que provocaron ese trastorno mental. Aférrate a tu confianza en él y podrás salvarle de sí mismo y de su tío abuelo.

Toni se quedó, y la vida siguió como de costumbre.

Antes de su primer aniversario Dierdre ya caminaba e iba a donde quería, o al menos hasta donde nosotros le permitíamos llegar. Pequeña y delicada, con sus dorados ricitos juguetones, nos encantaba a todos con su incesante balbuceo, que pronto se convirtió en palabras sencillas, emprendiendo un camino que Darren siguió.

Cuando Deirdre se oyó hablar, ya no pudo detenerse. Aunque Darren fue más lento en caminar, no lo era en explorar lugares oscuros y tenebrosos que asustaban a su hermana gemela. Darren investigaba continuamente; él era quien tenía que cogerlo todo para examinarlo, de modo que hubo que colocar los objetos artísticos, delicados y caros, en estantes que él no pudiera alcanzar.

Recibimos una carta de Cindy en la que declaraba que añoraba a su familia y quería pasar la Navidad en casa. Después, como había sido invitada a una fabulosa fiesta de fin de año, regresaría a Nueva York en avión para asistir a ella.

Entregué la carta a Jory para que la leyese. Sonriente, alzó la mirada.

–¿Le has contado a Cindy los amores de Bart con Toni?

–No –respondí. Quería que ella lo descubriera por sí misma. Naturalmente, antes de que Cindy se marchara el pasado verano, Toni tan sólo llevaba dos días con nosotros, pero en aquella época Cindy había estado tan descontenta que no había prestado atención a quien consideraba sólo una nueva sirvienta contratada.

El día en que esperábamos la llegada de Cindy fue extremadamente frío. Chris y yo estábamos en el aeropuerto cuando ella cruzó la puerta de entrada, vestida de rojo, tan hermosa que toda la gente del aeropuerto se volvió para contemplarla.

–¡Mamá! ¡Papá! –saludó alegremente, arrojándose primero a mis brazos y después a los de Chris–. Me siento muy feliz de veros. Y antes de que me advirtáis, prometo no hacer ni decir nada que pueda hacer volcar ese carromato llamado Bart. Esta Navidad seré el angelito dulce y perfecto que él quiere que sea, aunque, sin duda, ya encontrará Bart algo que criticarme; pero no haré caso.

A continuación se interesó por Jory y los mellizos y dejó escapar un aluvión de preguntas; ¿sabíamos algo de Melodie? ¿Qué resultado estaba dando la nueva enfermera? ¿Teníamos todavía el mismo cocinero? ¿Era Trevor tan amable como siempre?

De una u otra manera, Cindy me transmitía la sensación de que, a pesar de todo, éramos una familia auténtica, y eso bastaba para hacerme muy dichosa.

Cuando llegamos al gran vestíbulo, Toni, Bart y Jory con los gemelos en su regazo, esperaban para darnos la bienvenida. Únicamente Joel se quedó atrás y se negó a saludar a nuestra hija. Bart estrechó la mano de Cindy con calor, lo que me produjo mucho alivio y placer. Ella echó a reír.

—Algún día, hermano Bart, te sentirás más que contento al verme, y quizá entonces permitas que tus castos labios depositen un beso en mi impura mejilla.

Bart se ruborizó y echó una mirada inquieta a Toni.

—He de hacerte una confesión, Toni. En el pasado, Cindy y yo no siempre nos hemos entendido.

—Bueno, eso es un eufemismo –dijo Cindy–. Pero tranquilo, Bart, no he venido para causar problemas ni he traído ningún amigo. Me portaré bien. He venido porque quiero a mi familia y no podía soportar estar lejos durante las vacaciones.

Las fiestas de aquel año no podían ser mejores, a menos que hubiéramos podido hacer retroceder el tiempo restituyendo a Jory su antigua plenitud física y devolviéndole a Melodie.

En cuestión de pocos días, Cindy y Toni se hicieron muy amigas. Toni fue con nosotros de compras, y Jory se ocupó de los gemelos con la ayuda de una doncella. El tiempo volaba como jamás ocurría cuando Cindy estaba lejos. Los cuatro años de diferencia de edad entre ella y Toni carecían de importancia. Generosamente, Cindy le prestó uno de sus más bonitos vestidos para el viaje a Charlottesville, la víspera de Navidad, donde mi hija podría bailar con uno de los hijos de un médico que había conocido el año anterior. Jory también nos acompañó y permaneció sentado con aspecto infeliz mientras Bart bailaba con Toni.

–Mamá –murmuró Cindy cuando regresó a nuestra mesa–. Creo que Bart ha cambiado. Ahora es una persona mucho más sensible. Vaya, comienzo a pensar incluso que es un ser humano.

Asentí sonriendo, pero todavía no podía evitar pensar en el excesivo tiempo que Joel y Bart pasaban en aquel cuartito que habían convertido en capilla. ¿Por qué? En los alrededores había iglesias por doquier.

Llegó la víspera de fin de año y Bart y Toni decidieron viajar en avión a Nueva York con Cindy, para celebrarlo allí. Chris, Jory y yo deberíamos arreglárnoslas lo mejor que pudiéramos sin ellos. Aprovechamos aquella oportunidad para invitar a algunos de los colegas de Chris, junto con sus esposas, a nuestra casa, conscientes de que Joel informaría de ello a Bart cuando regresara. Sin embargo, no nos importaba.

Una noche me topé con Joel cuando yo salía de la habitación de los niños. Sonriendo, me enfrenté a su mirada.

–Vaya, Joel, parece que mi hijo no dependerá tanto de ti cuando se case con Toni.

–Bart nunca se casará con ella –dijo Joel a su manera áspera y agorera–. Bart es, como todos los jóvenes enamorados, un bobo incapaz de ver la verdad. Ella quiera su dinero, no a él, y muy pronto Bart lo descubrirá.

–Joel –dije con compasiva suavidad–, Bart es un hombre joven muy atractivo y apasionado y, aunque fuese un picador de piedra, las chicas se enamorarían de él. Cuando olvida su obsesión por demostrar al mundo lo brillante que es, resulta un hombre muy agradable. Déjale tranquilo, deja de intentar convertirle en algo que a ti te complacerá, pero que a él puede no convenirle. Déjale que encuentre solo su propio camino porque eso será lo mejor para él, aunque su decisión no coincida con lo que tú tienes previsto para él.

Joel me miró despectivamente de arriba abajo.

–¿Y qué sabes tú de lo que está bien y de lo que está mal, sobrina? ¿No has demostrado ya que no tienes ninguna percepción de la moralidad? Bart nunca se encontrará a sí mismo sin mi guía. ¿No ha estado buscando toda su vida en vano? ¿Le ayudaste tú con anterioridad? ¿Le estás ayudando ahora? Dios proveerá para Bart, Catherine, mientras tú continúas castigando a Bart con tus pecados.

Se volvió y se alejó por el pasillo arrastrando los pies.

Mientras Bart estuvo en Nueva York con Toni y Cindy, Jory completó su acuarela más impresionante, que plasmaba Foxworth Hall. Oscureció los ladrillos rosados con un tono más viejo, polvoriento y desgastado, convirtiendo los inmaculados jardines en una exuberante maraña de malas hierbas; puso el cementerio más cerca, de modo que las tumbas aparecían a la izquierda, arrojando unas sombras largas que atrapaban a la mansión en su malla. Foxworth Hall parecía tener más de dos mil años y estar habitado por espectros.

—Guarda eso bien guardado, Jory, y prueba con un tema más alegre —aconsejé, sintiéndome extraña. Creo que fue la única acuarela pintada por Jory que no me gustó.

Bart y Toni regresaron a casa desde Nueva York, e inmediatamente noté el cambio. Ya no se miraban ni se hablaban, se dirigieron directamente a sus habitaciones sin darnos detalles de las diversiones de que habían disfrutado. Cuando intenté abordar el tema, ambos rehusaron hablar.

—¡Déjame tranquilo! —rugió Bart—. Ésa no es más que una mujer, a fin de cuentas.

—No puedo contártelo, Cathy —gimió Toni—. No me ama, ¡eso es todo!

Enero pasó volando, y llegó febrero, cuando Jory cumpliría treinta y un años. Preparamos un enorme pastel para él, con forma de un corazón recubierto con lustre rojo para representar el regalo de san Valentín que él había significado. Escribimos su nombre en blanco, y colocamos rosas blancas. A los gemelos les encantó, y chillaron al ver a Jory soplar las velas. Ambos estaban sentados en sillitas altas, uno a cada lado de su padre, y antes de que Jory pudiera cortar el pastel, Deirdre y Darren tendieron simultáneamente las manitas y agarraron puñados de la blanda golosina. Todos nos quedamos mirando en qué habían convertido aquella obra de arte mientras los niños colmaban de pastel sus bocas y se manchaban la cara de rojo.

—Lo que ha quedado es todavía comestible —dijo Jory sonriendo.

Silenciosamente, Toni se levantó para lavar las manos y las caras de aquellos dos traviesos de un año de edad. Bart seguía los movimientos de Toni con ojos tristes y meditabundos.

Nos quedamos atrapados, todos nosotros, entre las nieblas invernales, atrapados en el tiempo helado, teniendo que conformarnos los unos con los otros cuando otras personas hubieran sido bien acogidas, aun cuando algunos de nosotros seguíamos queriendo a la persona equivocada.

Llegó el día en que la nieve cesó, y Chris pudo regresar con su equipo de investigación del cáncer, que trabajaba y se afanaba continuamente sin llegar nunca a conclusiones definitivas.

Una nueva niebla retuvo a Chris en Charlottesville, así transcurrieron lentamente dos semanas, aunque hablábamos por teléfono todos los días que las líneas no estaban cortadas; pero no eran conversaciones consoladoras. Yo siempre tenía la sensación de que alguien estaba escuchando por otro teléfono.

Chris me llamó el jueves siguiente para decirme que vendría a casa, que encendiera el fuego del hogar, que preparara un filete de carne, ensalada..., y me pusiera «aquel nuevo camisón blanco que te regalé por Navidad».

Ansiosamente esperé ante una ventana del piso superior para ver el coche azul de Chris dar la vuelta por la avenida. Cuando lo vi, bajé corriendo por la escalera hasta el garaje para estar allí cuando él aparcara. Nos abrazamos como amantes que, después de una larga separación, corriesen el riesgo de no poder abrazarse y besarse nunca más. Pero no fue hasta que estuvimos en el santuario de nuestras habitaciones, con las puertas cerradas, cuando mis brazos rodearon de nuevo su cuello.

—Todavía estás frío, de modo que, para calentarte, escucharás todas las cosas tristes que suceden por aquí..., y con todo detalle. La noche pasada oí que Joel decía otra vez a Bart que Toni solamente busca su dinero.

—¿Y es cierto? —preguntó Chris, mordisqueándome la oreja.

—Lo dudo, Chris. Creo que ella lo ama de verdad, pero no estoy segura de cuánto durará el amor de ella o el de él. Parece que cuando fueron con Cindy a Nueva York, la víspera de fin de año, Bart riñó despiadadamente otra vez con Cindy, humillándola en un local nocturno. Cindy cuenta en su carta que después se enfrentó con Toni por bailar con otro hombre. A Toni le escandalizaron tanto sus brutales acusaciones que desde entonces no ha sido la misma. Creo que tiene miedo de los celos de Bart.

Chris arqueó interrogativamente las cejas, aunque no dijo nada para recordarme que se trataba de «mi Bart».

—Y Jory, ¿cómo está?

—Está de maravilla, pero se siente solo y melancólico, con la esperanza de que Melodie escriba. Se despierta por las noches y pronuncia su nombre. Algunas veces me llama Mel a mí sin darse cuenta. He leído un pequeño artículo en *Variety* sobre Melodie. Se ha unido a su antigua compañía de ballet y tiene otra pareja. Hoy mismo se lo enseñé a Jory, creyendo que debía saberlo. Sus ojos se velaron. Dejó a un lado las acuarelas precisamente cuando estaba pintando el más hermoso cielo invernal y se negó a acabar la obra. De todos modos, he puesto la pintura en lugar seguro, pensando que la terminará más adelante.

–Sí... Todo saldrá bien al final. –Y con eso nos rendimos el uno al otro, olvidando nuestros problemas durante el éxtasis que tan bien sabíamos cómo crear.

El tiempo volaba, derrochado en nimiedades. Bart y Toni se enzarzaban a diario en discusiones concernientes a la actitud de él hacia Cindy, con quien Toni simpatizaba de verdad, así como las sospechas que Bart albergaba respecto a la lealtad de Toni para con él, y solamente él.

–¡No debías haber bailado con aquel hombre que acababas de conocer!

Y así una y otra vez. También discutían diariamente sobre los mellizos y cómo debían ser tratados. Muy pronto el estrecho golfo que les separaba se ensanchó para convertirse en un océano.

Nos irritábamos los unos a los otros. Vernos y oírnos, vivir tan cerca tenía su precio.

Yo no contribuía en nada para evitar o animar las peleas diarias de Toni y Bart. Estaba convencida de que tenían que resolver entre ellos sus diferencias, y yo solamente podía complicar más la situación. Bart comenzó a visitar de nuevo los bares de la localidad y a menudo se quedaba en la población toda la noche. Yo sospechaba que pasaba más de una noche en burdeles, a menos que hubiera encontrado alguna otra mujer en la ciudad. Toni dedicaba más tiempo a los gemelos y, puesto que Jory estaba intentando enseñarles a bailar y hablar más claramente, también permanecía más horas con él.

Por fin llegó mayo, con los vientos fuertes y las copiosas lluvias, pero portador también de leves señales que presagiaban la primavera. Yo observaba a Toni atentamente, esperando indicios que me informaran de que tomaba a Jory más como un hombre y menos como un paciente. Los ojos de Jory la seguían a donde ella fuese. Durante algunas semanas, cuando estuve en cama con un fuerte resfriado, ella asumió todos los deberes, incluyendo lavar la espalda de Jory y dar masaje a sus largas piernas que poco a poco iban perdiendo su buen aspecto. Yo odiaba ver cómo aquellas hermosas piernas iban convirtiéndose en palos delgados. Sugerí a Toni que les diera masaje varias veces al día.

—Siempre se sintió muy orgulloso de sus piernas, Toni. Las sabía utilizar tan bien y tenía un aspecto tan magnífico en sus mallas... Aunque no caminen ni bailen, ni tan siquiera se muevan, haz todo lo que puedas para que no pierdan su forma. Así Jory podrá conservar un poco de su orgullo.

—Cathy, sus piernas son hermosas todavía; delgadas pero bien formadas. Es un hombre maravilloso, bueno y comprensivo, y siempre muestra alegría. Durante mucho tiempo no he visto a nadie más que a Bart.

—¿Crees que Bart es igualmente bello?

Su expresión se endureció.

—Así solía creerlo. Ahora me doy cuenta de que es muy atractivo, pero no bello en la medida en que lo es Jory. En otro tiempo lo consideré perfecto, pero durante nuestra estancia en Nueva York, se mostró tan odioso con Cindy y conmigo que comencé a verle de otro modo. Fue desagradable y cruel con ambas. Antes de que yo supiera lo que sucedía, me avergonzó en un club nocturno criticando mi vestido, que era perfectamente correcto. Quizá tenía un escote algo pronunciado, pero todas las demás chicas llevaban vestidos parecidos. Regresé aquí, después de ese viaje, sintiendo un poco de miedo de Bart. Y todos los días crece ese miedo; me parece demasiado estricto respecto a cosas inofensivas y supone que todo el mundo es malvado. Creo que se corrompe a sí mismo con sus pensamientos y se olvida de que la belleza sale del alma. Precisamente la pasada noche me acusó de intentar excitar sexualmente a su hermano. No me hablaría de esa manera si me quisiera realmente. Cathy, él nunca me amará como yo deseo y necesito ser amada. Esta mañana me he despertado con un gran vacío en mi corazón al comprender que lo que sentía por Bart ha terminado. Él ha arruinado lo que había entre nosotros, al darme a conocer lo que puedo llegar a sufrir si me caso con él –prosiguió Toni, sollozando–. Bart tiene un modelo ideal de la mujer perfecta, y yo no lo soy. Cree que tu único defecto es tu amor hacia Chris. Sé que si alguna vez Bart encuentra a una mujer a la que considere perfecta al principio, seguirá buscando hasta que encuentre algo que pueda odiar en ella. Por tanto renuncio a Bart.

Sentía vergüenza por tener que preguntarlo, pero debía saberlo:

–Pero..., ¿sois amantes todavía, tú y Bart, a pesar de vuestros desacuerdos?

Toni sacudió la cabeza furiosamente.

–¡No! ¡Naturalmente que no! Bart se transforma todos los días, convirtiéndose en alguien que ni tan siquiera me gusta. Ha encontrado la religión, Cathy, y según la manera en que la interpreta, la religión va a salvarle. Todos los días me dice que debería rezar más, ir a la iglesia..., y alejarme de Jory. Si continúa así, acabaré odiándolo, y no quiero que eso suceda. Era tan hermoso lo que hubo entre nosotros al principio... Quiero conservar el recuerdo de esa época maravillosa como una flor que pueda prensar entre las páginas de mi memoria.

Se levantó para marcharse, enjugándose las lágrimas con el pañuelo hecho una bola, tirando de su estrecha falda blanca e intentando sonreír.

–Si prefieres que me vaya para que podáis contratar a otra enfermera para Jory y sus hijos, me marcharé.

–No, Toni, quédate –dije rápidamente, temerosa de que se marchara de todos modos.

No quería que se fuese ahora que me acababa de comunicar abiertamente que ya no amaba a Bart. Por su parte, Jory había renunciado a sus esperanzas de que Melodie retornara a su lado y puesto los ojos en la mujer que creía era la amante de su hermano.

Por lo tanto, en cuanto me fuese posible, le informaría de que no era así.

Toni salió de la habitación, empecé a reflexionar sobre Bart y lo triste que resultaba que no pudiera conservar el amor cuando ya lo poseía. ¿Lo destruía a propósito por miedo a sentirse esclavo del amor, como a menudo me acusaba a mí de haber esclavizado a Chris, mi propio hermano?

Los días pasaban interminables. La mirada de Toni ya no seguía melancólicamente anhelante a Bart, suplicándole en silencio que la amase de nuevo como al principio. Comencé a admirar la manera en que podía mantener su dignidad a pesar de algunas de las insultantes observaciones que Bart le dirigía durante las comidas. Bart utilizó el antiguo amor de Toni hacia él para arrojárselo contra ella misma, haciéndola aparecer como una mujer ligera, depravada e inmoral que le había seducido con artimañas.

Comida tras comida, yo los observaba, notándolos cada vez más distantes, a causa de las feas palabras que Bart profería con tanta facilidad.

Toni ocupó mi lugar y entretenía a Jory con los juegos que yo solía distraerle, pero ella sabía hacerlo de modo que los ojos de Jory se iluminaran al sentir nuevamente que era un hombre.

Poco a poco, los días se suavizaron. En el césped pardusco se apreciaban briznas de verde fresco, el azafrán brotó en los bosques, florecieron los narcisos, los tulipanes se inflamaron y las anémonas griegas que Jory y yo habíamos plantado allí donde no crecía la hierba convirtieron las colinas en paletas de pintor salpicadas de pigmentos. Chris y yo volvíamos a sentarnos en la terraza para contemplar a los gansos que volaban hacia el norte mientras veíamos a nuestra vieja amiga, y algunas veces enemiga, la luna.

La vida mejoró con la llegada del verano, cuando la nieve no podía retener a Chris alejado durante los fines de semana.

En junio, los gemelos cumplieron un año y medio, y eran capaces de correr libremente hasta donde nosotros les permitíamos ir. Instalamos columpios en las ramas de los árboles, y qué felices eran de subir bien alto..., o lo que ellos consideraban suficientemente alto para ser peligroso. Arrancaban los capullos de mis mejores flores, pero no me enfadaba. Teníamos millares de flores, suficientes para llenar todos los días las habitaciones con ramilletes frescos.

Bart insistía en que no sólo los gemelos debían asistir a los servicios religiosos, sino también Chris, Jory, Toni y yo. No suponía un gran esfuerzo. Cada domingo nos acomodábamos en las filas delanteras y contemplábamos en lo alto la hermosa ventana con vidriera de colores detrás del púlpito. Los gemelos siempre se sentaban entre Jory y yo. Joel vestía una sotana negra mientras predicaba sermones de fuego y azufre. Bart se sentaba a mi lado, sosteniendo mi mano con tanta fuerza que yo tenía que escuchar o exponerme a que me rompiese los huesos. Junto a Toni, deliberadamente separada de mí por mi hijo menor, se hallaba Chris. Yo sabía que aquellos sermones nos estaban dedicados, para salvarnos de los fuegos eternos del infierno. Los gemelos se inquietaban, como todos los niños de su edad, y no les gustaba estar confinados allí, pues les aburrían aquellos tristes servicios religiosos excesivamente largos. Sólo cuando nos levantábamos para cantar himnos, ellos alzaban su mirada hacia nosotros y parecían encantados.

—Cantad, cantad —les animaba Bart un día, inclinándose para pellizcar sus bracitos o tirar de sus rizos de oro.

—¡Quita las manos de mis hijos! —ordenó bruscamente Jory—. Ellos cantarán o no, según les apetezca.

Se reanudaba la guerra entre hermanos.

Llegó el otoño de nuevo. El día de Halloween[1] cogimos a los gemelos por sus manitas y los llevamos a

1. Día de Todos los Santos. En Estados Unidos es conocido por el día de las brujas.

casa de un vecino que consideramos lo suficientemente fiable como para no recriminarnos, ni a nosotros ni a los niños. Nuestros pequeños espíritus aceptaron con timidez su primera golosina de Halloween y estuvieron chillando todo el camino de vuelta a casa, emocionados por sus dos barras de caramelo y el par de paquetes de chicle de su propiedad.

Pasó el invierno, la Navidad, el nuevo año se inició sin ningún acontecimiento especial, pues este año Cindy no vino a casa. Estaba demasiado ocupada con su incipiente carrera, de modo que sólo podía telefonearnos o escribirnos cartas, cortas pero bastante informativas.

Bart y Toni ya se movían en universos distintos.

Tal vez no era yo la única que había adivinado que Jory se había enamorado profundamente de Toni, ahora que todos sus intentos por restablecer una relación fraternal con Bart habían fracasado. Yo no podía culpar a Jory, sobre todo si tenía en cuenta que había sido Bart quien había tomado a Melodie y la había ahuyentado de allí. Incluso ahora estaba intentando retener a Toni únicamente porque advertía el creciente interés de Jory. Estaba rondando otra vez a Toni para evitar que su hermano pudiera conseguirla.

Amar a Toni proporcionó a Jory nuevas razones para vivir. Estaba escrito en sus ojos, en su nuevo interés por levantarse temprano por las mañanas y realizar aquellos duros ejercicios, poniéndose en pie por primera vez con la ayuda de las barras paralelas que habíamos instalado en su habitación. Tan pronto como el agua se había calentado lo suficiente, Jory nadaba tres veces la longitud de la gran piscina volvía a repetirlo a última hora de la tarde.

Quizá Toni estaba esperando todavía que Bart la hiciera su esposa, aunque a menudo lo negaba.

—No, Cathy, ahora no lo quiero. Lo que sucede es que me inspira lástima porque ni él mismo sabe quién es ni aún más importante, que quiere él aparte de dinero y más dinero.

Se me ocurrió pensar que, de manera inexplicable, Toni estaba tan enraizada en aquella casa como cualquiera de nosotros.

Los servicios religiosos del domingo me irritaban y me cansaban. Las palabras fuertes proferidas desde los débiles pulmones de un anciano me hacían recordar a otro hombre viejo a quien solamente había visto una vez. «Producto del diablo; simiente del diablo; mala simiente plantada en suelo malo.» Incluso los malos pensamientos eran juzgados con la misma severidad que las malas acciones. A fin de cuentas, ¿qué no era pecaminoso para Joel? Nada. Absolutamente nada.

–No asistiremos más –dije con decisión a Chris–. Fuimos unos bobos al intentar complacer a Bart. No me gusta la clase de ideas que Joel está inculcando en las mentes impresionables de los gemelos.

Como Chris estaba de acuerdo, ambos rehusamos asistir a los servicios religiosos o permitir a los gemelos que oyesen todos esos gritos sobre el infierno y sus castigos.

Joel se presentó en la zona de juego de los jardines, donde, junto a una pila de arena, se hallaban los columpios, un tobogán y un aparato para dar vueltas que encantaba a los gemelos. Era un hermoso día soleado de julio, y Joel parecía más bien emocionado y dulce al sentarse entre los niños y comenzar a enseñarles un juego con el cordel, retorciéndolo e intrigando a los curiosos gemelos. Abandonaron la pila de arena bajo el lindo toldillo protector y se sentaron junto a Joel, mirándole con la sana esperanza de hacer un nuevo amigo de un viejo enemigo.

–Un viejo sabe muchos pequeños trucos para entretener a los pequeños. ¿Sabéis que puedo construir aeroplanos y barcos con papel? Y los barcos navegarán por el agua.

Sus ojos redondos de asombro no me gustaron. Fruncí el entrecejo. Cualquiera podía hacer aquello.

–Conserva tus energías para escribir nuevos sermones, Joel –dije, encontrándome con sus ojos lacrimosos, humildes–. Ya me he cansado de los antiguos. ¿Por qué no basas tus sermones en el Nuevo Testamento? Enséñale a Bart algo sobre eso. Cristo nació. Él pronunció su sermón en la montaña. Pronuncia ante Bart ese sermón en especial, tío. Háblanos de perdón, de hacer a los demás lo que te harías a ti mismo. Háblanos del pan arrojado a las aguas, del perdón que nos será retornado.

–Perdóname si he sido negligente con el único hijo de nuestro Señor –dijo con falsa humildad.

–Vámonos, Cory, Carrie –llamé, levantándome para marcharme–. Vamos a ver qué hace papá.

La cabeza de Joel se irguió de repente. Sus descoloridos ojos azules adquirieron un azul mucho más profundo. Me mordí la lengua al observar la retorcida sonrisa que Joel mostró. Asintió sabiamente.

–Sí, lo sé. Para ti son los otros gemelos, aquellos nacidos de mala simiente plantada en suelo malo.

–¡Cómo te atreves a decir eso! –repliqué, airada.

No me di cuenta en ese momento que al llamar a los gemelos de Jory por el nombre de mis adorables gemelos difuntos, lo que estaba haciendo era añadir más combustible al fuego, a un fuego que ya estaba, sin que yo lo supiese, levantando pequeñas chispas rojas de azufre.

LLEGA UNA MAÑANA OSCURA

La tormenta amenazaba un perfecto día de verano con sus siniestras nubes oscuras, lo que me obligó a salir temprano al jardín para cortar mis flores mientras todavía estaban frescas por el rocío. Me detuve al ver a Toni coger margaritas blancas y amarillas que llevó a Jory, metidas en un pequeño vaso de leche. Las colocó cerca de la mesa donde mi hijo trabajaba en otra acuarela que representaba a una adorable mujer de cabello oscuro bastante parecida a Toni recogiendo flores. Me ocultaban los densos arbustos y sólo podía echar una ojeada de vez en cuando sin que ninguno de ellos me viese. Por alguna extraña razón, mi instinto me advirtió que debía permanecer quieta y silenciosa.

Jory le dio las gracias a Toni con cortesía, le dedicó una leve sonrisa, enjuagó el pincel en agua clara, lo sumergió en su mezcla azul y dio algunos retoques aquí y allá.

—Nunca consigo mezclar el color exacto del cielo —murmuró como para sí mismo—. El cielo siempre está cambiando... Oh, cuánto daría por tener a Turner de maestro.

Toni se quedó de pie, contemplando cómo jugueteaba el sol con el cabello negro y ondulado de Jory. Éste no se había afeitado, lo que le hacía parecer más viril. De súbito, él alzó los ojos y observó la larga mirada de Toni.

—Me disculpo por el aspecto que tengo, Toni –dijo como avergonzado–. Estaba ansioso por levantarme y afanarme esta mañana antes de que llegue la lluvia y me estropee otro día. Odio los días que no puedo salir al jardín.

Ella continuó sin hablar, mientras el sol glorificaba su piel, bellamente bronceada. Los ojos de Jory se entretuvieron en el rostro limpio y fresco de Toni antes de que por un instante bajase la mirada y observara el resto de su cuerpo.

—Te agradezco las margaritas. Se supone que algo callan. ¿Cuál es el secreto?

Agachándose, Toni recogió algunos bocetos que él había arrojado a la papelera sin acertar. Antes de tirarlos al cubo, Toni dedicó su atención a los temas, y entonces su adorable rostro se ruborizó.

—Has estado dibujándome –susurró.

—¡Tíralos! –ordenó Jory casi enfadado–. No son buenos. Puedo pintar flores y montañas y hacer algunos paisajes medianamente buenos, pero los retratos, ¡son tan difíciles! Nunca puedo captar tu esencia.

—Creo que éstos son muy buenos –protestó ella, estudiándolos otra vez–. No deberías tirar tus bosquejos. ¿Puedo guardarlos?

Con gran esmero, Toni intentó alisar las arrugas de los papeles y los colocó después en una mesa poniendo pesados libros encima de ellos.

—Me contrataron para que cuidara de ti y los gemelos. Pero tú nunca me pides que te ayude en nada. Y a tu madre le gusta jugar con los gemelos por las mañanas, de modo que eso me proporciona un poco de tiempo libre, el suficiente para poder hacer muchas otras cosas. ¿Qué puedo hacer ahora por ti?

El pincel goteando gris coloreó el fondo de las nubes antes de que Jory hiciera una pausa y volviera su silla para poder mirarla de frente. Una sonrisa maliciosa pasó por sus labios.

—En otro tiempo hubiera podido pensar en algo. Ahora te sugiero que me dejes solo. Los inválidos no jugamos a nada excitante, siento decírtelo.

Desilusionada por el aparente fracaso, Toni se dejó caer en una tumbona, larga y cómoda.

—Ahora estás diciendo lo mismo que Bart repite siempre: «¡Vete!», me ordena. «¡Déjame solo!», aúlla. No creí que tú fueses igual que él.

—¿Por qué no? —preguntó Jory con amargura—. Somos hermanos, medio hermanos. Ambos tenemos nuestros momentos odiosos..., entonces es mejor dejarnos solos.

—Creía que era el hombre más maravilloso que existía —dijo ella con tristeza—. Pero supongo que ya no puedo confiar en mi buen juicio. Pensé que Bart quería casarse conmigo y ahora me grita y me ordena que desaparezca de su vista, después me llama y me suplica que lo perdone. Deseo abandonar esta casa y nunca más volver, pero algo me retiene aquí, algo que me susurra a menudo que todavía no es el momento de marchar...

—Sí —dijo Jory, pintando de nuevo con trazos cuidadosos, inclinando la tela para hacer correr sus mezclas y crear fusiones accidentales que en ocasiones daban un bello resultado—. Así es Foxworth Hall. Una vez que cruzas sus puertas, es muy raro que vuelvas a salir.

—Tu esposa se escapó.

—Cierto.

—Pareces tan amargado.

—No estoy amargado, estoy avinagrado, como un encurtido. Disfruto con mi vida. Estoy atrapado entre el cielo y el infierno en una especie de purgatorio donde los fantasmas del pasado vagan por los pasillos durante la noche. Puedo oír el sonido metálico de las cadenas que arrastran, y agradezco que nunca aparezcan; quizá el sonido silencioso de las ruedas de caucho de mi silla les asusta y aleja.

—¿Por qué te quedas si piensas de esa manera?

Jory se apartó de su cuadro, y fijó en ella sus ojos oscuros.

—¿Qué demonios estás haciendo aquí conmigo? Ve junto a tu amante, pues al parecer te gusta la manera en que te trata. A ti te resultaría bastante fácil huir porque no estás aquí atada por los recuerdos, llena de esperanzas o sueños que no se hacen realidad. Tú no eres una Foxworth, ni una Sheffield. Este Hall no tiene cadenas que te aten.

—¿Por qué lo odias?

—¿Por qué no lo odias tú?

—Algunas veces sí lo odio.

—Confía en tu sensatez y vete. Vete antes de que te transforme, por contagio, en lo que somos nosotros.

—Y, ¿qué eres tú?

Jory acercó su silla al borde de las losas, donde comenzaban los macizos de flores, y miró fijamente hacia las montañas.

—En otros tiempos fui un bailarín, y no pretendí nada más allá de eso. Ahora que no puedo bailar, debo suponer que no soy nada importante para nadie. De modo que me quedo, pensando que pertenezco a este lugar más que a cualquier otro.

—¿Cómo puedes decir lo que acabo de escuchar? ¿No crees que eres importante para tus padres, tu hermana, y sobre todo para tus hijos?

—Ellos no me necesitan en realidad, ¿o no es así? Mis padres se tienen el uno al otro, mis hijos los tienen a ellos, Bart te tiene a ti y Cindy tiene su carrera. Eso me deja a mí como el hombre que sobra.

Toni se levantó, se situó detrás de la silla de ruedas y comenzó a hacerle un masaje en la nuca con dedos hábiles.

—¿Te sigue molestando la espalda durante la noche?

—No —respondió él roncamente. Mentía. Oculta detrás de los arbustos, proseguí cortando rosas, presintiendo que ellos ignoraban que yo me encontraba allí.

—Si alguna vez te duele otra vez la espalda, llámame y te daré un masaje que te alivie el dolor.

Girando su silla para encararse con Toni, Jory la miró con ferocidad. Ella tuvo que retroceder de un salto para no ser derribada.

—De modo que parece que, ya que no puedes conseguir un hermano, te conformas con el otro, con el inválido que no podrá resistir tus muchos encantos, ¿verdad? Gracias, pero no, gracias. Mi madre me dará masajes si la espalda me duele.

Toni se alejó con lentitud, volviéndose un par de veces para mirarle. Sin darse cuenta de que le dejaba con el corazón herido. Toni cerró una de las contrapuertas detrás de ella sin hacer ruido. Yo dejé de cortar rosas para la mesa del desayuno y me senté en la hierba. Detrás de mí, los gemelos estaban jugando a «iglesias».

Siguiendo las instrucciones de Chris, estábamos haciendo todo lo posible para incrementar su vocabulario a diario, y parecía dar resultado.

—Y el Señor dijo a Eva: «Vete de este lugar.» —La voz infantil de Darren estaba llena de risitas.

Me volví para mirarles. Ambos se había quitado los trajes y las sandalias blancas para tomar el sol. Deirdre puso una hoja en el pequeño órgano viril de su hermano, y después miró a su propio lugar íntimo. Frunció el entrecejo.

—Dare, ¿qué es pecar?

—Es como correr —respondió su hermano—. Malo cuando estás descalzo.

Ambos rieron con malicia y se incorporaron ligeros para correr hacia mí. Los tomé en mis brazos y sostuve sus cuerpos suaves, cálidos y desnudos cerca de mí, bañando sus rostros con una lluvia de besos.

—¿Habéis desayunado ya?

—Sí, abuelita. Toni nos ha dado jugo de pomelo, que es horrible. Hemos comido todo menos los huevos. No nos gustan.

Ésa fue Deirdre, que era la que hablaba casi siempre en nombre de Darren, de la misma manera que Carrie había sido la voz de Cory la mayor parte del tiempo.

—Mamá..., ¿cuánto hace que estás aquí? —preguntó Jory. Parecía molesto, algo avergonzado.

Levantándome, sostuve a los gemelos desnudos en mis brazos y me encaminé hacia mi hijo.

—He encontrado a Toni en la piscina enseñando a nadar a los gemelos, le he pedido que viniera a ver cómo estabas tú mientras yo cuidaba de los pequeños. Han adelantado mucho. Se mueven en el agua con mucha más soltura. ¿Por qué no nos has acompañado esta mañana?

—¿Por qué te has ocultado?

—Sólo he estado cogiendo rosas, como todas las mañanas, Jory. Sabes que lo hago todos los días. Las flores recién cortadas con que todas las mañanas adorno las habitaciones hacen la casa más acogedora y le dan mayor calidez. —Juguetonamente le puse una rosa roja detrás de la oreja. Jory se la quitó con brusquedad y la metió con las margaritas que Toni le había ofrecido.

—Nos has oído a Toni y a mí, ¿verdad?

—Jory, cuando estoy al aire libre en agosto, sabiendo que septiembre se avecina, aprovecho todos los momentos y les doy el valor que tienen. El aroma de la rosa me hace pensar que estoy en el cielo, o en el jardín de Paul. Tenía los jardines más preciosos que pueda haber. Eran de todas clases, divididas en zonas que representaban jardines ingleses, japoneses, italianos...

—¡Todo eso lo he oído muchas veces! —atajó Jory con impaciencia—. Te he preguntado si nos has oído.

—Sí. He oído cada una de vuestras fascinantes palabras y cuando he tenido ocasión, he echado una miradita por encima de las rosas para observaros.

El semblante de Jory se ensombreció, mientras yo dejaba en el suelo a los gemelos y daba una palmadita en sus traseros desnudos, diciéndoles que buscaran a Toni para que les ayudara a vestirse. Ellos se alejaron corriendo, como pequeños muñecos desnudos.

Me senté y sonreí a Jory, que me lanzó una mirada furiosa y acusadora. Se parecía mucho más a Bart cuando se enfadaba.

–De verdad, Jory, no quería fisgonear. Estaba ahí antes de que vosotros salierais. –Hice una pausa y miré su cara enfurruñada–. Amas a Toni, ¿verdad?

–¡No la amo! ¡Es de Bart! Maldita sea si voy a quedarme otra vez con las sobras de Bart.

–¿Otra vez?

–Vamos, mamá. Sabes tan bien como yo el motivo por el que Mel se marchó de esta casa. Bart lo dejó bastante claro, y también ella, aquella mañana que el clíper fue destrozado tan misteriosamente. Melodie se habría quedado aquí para siempre si Bart se hubiera mantenido en su posición de sustituto mío. Creo que ella se enamoró de él sin darse cuenta, mientras trataba de satisfacer su necesidad de mí y el sexo que compartíamos. Tumbado en mi cama la oía llorar por las noches, y me compadecía de ella, más que de mí mismo. Era un infierno entonces y sigue siendo un infierno ahora; una clase distinta de infierno.

–Jory, ¿qué puedo hacer para ayudarte?

Jory se inclinó, mirándome a los ojos con tal intensidad que me acordé de Julián y de las muchas maneras en que yo lo había defraudado.

–Mamá, a pesar de todo lo que esta casa representa para ti, yo he terminado por sentirla como si fuera mi hogar. Los pasillos y las puertas son anchas. Dispongo de un ascensor para subir y bajar en mi silla. Hay una piscina, terrazas, jardines y bosques. Realmente... es una especie de paraíso, excepto por algunos fallos. Antes sufría porque nunca llegaba el momento de alejarme. Ahora no deseo marcharme. Aunque no deseo añadir nuevas preocupaciones a las que ya tienes, necesito hablar.

Esperé angustiada oír esos pocos «fallos».

–Cuando yo era niño, creía que el mundo rebosaba de maravillas y que los milagros podían suceder; los ciegos verían algún día, los inválidos caminarían y así sucesivamente. Pensando de esa manera, todas las injusticias que veía alrededor y toda la fealdad, mi mirada los mejoraba. Creo que el ballet no me permitió crecer del todo y por eso mantuve la idea de que los milagros podían ocurrir de verdad si uno creía en ellos con vehemencia, como en esa canción: «Cuando formulas un deseo en una estrella, los sueños se hacen realidad.»

Como en el ballet los milagros ocurren continuamente, seguí siendo niño aun después de convertirme en adulto. Todavía estaba convencido de que en el mundo exterior, en el mundo real, todo resultaría bien a la larga si yo lo deseaba con suficiente fe. Mel y yo compartíamos esa creencia. Hay algo en el ballet que te mantiene virginal, por decirlo de alguna manera. No ves el mal, no lo oyes, aunque eso no significa que no se hable de él. Ya sabes lo que quiero decir, estoy seguro, pues también ése fue tu mundo.

Hizo una pausa y miró hacia el cielo amenazador.

—En ese mundo yo tuve una esposa que me amaba. En el mundo exterior, el mundo real, ella encontró rápidamente un amante que me sustituyera. Yo odiaba a Bart por habérmela arrebatado cuando yo más la necesitaba. Después odié a Mel por permitir a Bart que la utilizara como un medio más para dañarme. Y continúa hiriéndome, mamá. No te contaría todo lo que está pasando si no fuese porque algunas veces temo por mi vida. Tengo miedo por mis hijos.

Yo escuchaba tratando de no demostrar asombro, mientras Jory hablaba de todo aquello que antes ni siquiera había insinuado.

—¿Recuerdas las barras paralelas donde yo realizaba ejercicios para aprender a usar los soportes de la espalda y las piernas? Bueno, pues alguien raspó el metal de modo que, cuando deslicé las manos por los raíles, se clavaron trocitos de metal en la piel de mis manos. Papá me los extrajo y me prometió que no te lo diría.

Sentí un profundo estremecimiento en mi interior.

–¿Qué más ha habido, Jory? Eso no es todo, puedo adivinarlo por tu expresión.

–No hay mucho más, mamá. Cosas pequeñas cuyo único propósito es amargarme la vida; insectos en el café, el té o la leche, el azucarero lleno de sal, el salero lleno de azúcar..., trucos estúpidos, travesuras infantiles que, sin embargo, podrían resultar peligrosas. Chinchetas en la cama, en el asiento de mi silla de ruedas... En esta casa, siempre es Halloween para mí. Algunas veces me echaría a reír porque es todo tan estúpido... Pero cuando meto el pie en un zapato y hay en la puntera un clavo que mis dedos no pueden sentir y me causa una infección porque la circulación de mi pierna no es muy buena, ésta ya no es una cuestión de risa. Podría costarme una pierna. Pierdo mucho tiempo revisándolo todo antes de usarlo, como, por ejemplo, las maquinillas con hojas nuevas que, de pronto, están oxidadas.

Miró alrededor como si quisiera comprobar que Joel o Bart no estaban a la escucha y, aunque no vio nada, pues yo miré también, el volumen de su voz bajó hasta convertirse en murmullo.

–Ayer hizo mucho calor, ¿recuerdas? Tú misma abriste tres de las ventanas de mi habitación para que yo tuviera brisa fresca; después el viento cambió, sopló del norte y se volvió muy frío. Te apresuraste a cerrar las ventanas y cubrirme con otra manta. Yo me dormí. Media hora después me desperté como si me hallaba en el Polo Norte. Las ventanas, las seis ventanas, estaban completamente abiertas, permitiendo que la lluvia entrase y mojase mi cama. Pero eso no era lo peor. Me habían quitado las mantas. Iba a pulsar el timbre para que alguien acudiese a ayudarme, pero el timbre no estaba. Me senté e intenté coger la silla de ruedas. No estaba donde normalmente la dejo, junto a mi cama. Por un momento me sentí aterrorizado. Entonces gracias a que ahora noto que tengo más fuerza en los brazos, bajé hasta el suelo y los utilicé para encaramarme a una silla normal que pude colocar cerca de las ventanas. Pensé que, desde el asiento de la silla, podría bajar las ventanas con facilidad, pero fui incapaz de cerrar la primera ventana. Me acerqué a otra y tampoco aquélla podía cerrarse. Estaba pegada con la capa de pintura fresca que mandamos dar hace algunas semanas. Me di cuenta de que era inútil que lo intentase con las otras cuatro, enfrentándome a aquella lluvia helada y el viento frío que pasaban por los huecos abiertos. Sin embargo, tozudo, como dices a menudo que soy, insistí. No hubo suerte. Entonces me deslicé al suelo y me arrastré hacia la puerta. Estaba cerrada con llave. Recorrí toda la habitación, ayudándome con las patas de los muebles, hasta llegar al armario, donde me metí, tiré de un abrigo de invierno, con el que me cubrí y me quedé dormido.

¿Qué le ocurría a mi rostro? Me sentía tan aturdida que no podía mover los labios, ni hablar, ni siquiera mostrar asombro. Jory me miraba con severidad.

–Mamá, ¿estás escuchando? ¿Estás pensando? Vamos..., no hagas comentarios hasta que termine mi historia. Como te acabo de decir, me quedé dormido en el armario, empapado de agua. Cuando me desperté, me hallaba otra vez en la cama, y estaba seca. Me habían arropado con las sábanas y las mantas, y llevaba un pijama limpio. –Hizo una dramática pausa y miró directamente a mis ojos horrorizados–. Mamá, si alguien de esta casa quería que yo contrajera una pulmonía y muriese, ¿me habría dejado otra vez en la cama y me habría abrigado? Papá no se encontraba en casa para cogerme, y tú no tienes fuerza suficiente.

–Pero Bart no te odia tanto –murmuré–. No te odia en absoluto.

–Quizá fue Trevor quien me encontró, y no Bart. Pero de todos modos, no creo que Trevor sea lo bastante joven y fuerte para levantarme. Sin embargo, alguien de esta casa me odia –declaró firmemente–. Alguien a quien le gustaría que me marchara. He estado reflexionando sobre esto detenidamente y he llegado a la conclusión de que tuvo que ser Bart quien me encontró en el armario y me puso en la cama. ¿Se te ha ocurrido pensar que si tú, papá y los gemelos no os interpusierais, Bart tendría nuestro dinero además del suyo propio?

—Pero, ¡si ya es escandalosamente rico! ¡No necesita más!

Jory hizo girar su silla de ruedas de modo que la encaró hacia el este.

—En realidad, Bart nunca antes me había dado miedo. Siempre me había inspirado lástima y había querido ayudarle. He pensado en marcharme de aquí con los gemelos, contigo y con papá..., pero ésa es la salida cobarde. Si fue Bart quien abrió esas ventanas para que entraran la lluvia y el viento, más tarde cambió de intención y decidió rescatarme. Pienso en el clíper y en cómo fue destrozado, y sé que Bart no pudo ser responsable de ello, ya que lo deseaba mucho. Y pienso en Joel, a quien tú crees responsable, y luego me planteo en quién entre nosotros tiene más influencia sobre Bart. Alguien está sobre Bart, haciendo retroceder el reloj para que vuelva a ser aquel muchachito atormentado de diez años que quería que tú y su abuela murierais en el fuego para ser redimidas...

—Por favor, Jory, me dijiste que nunca mencionarías de nuevo ese período de nuestras vidas.

Se produjo un silencio, un silencio prolongado, interminable, antes de que Jory prosiguiera.

—Los peces de mi acuario murieron la noche pasada. Alguien desconectó su filtro de aire y el control de temperatura estaba destrozado. —De nuevo hizo una pausa, observando detenidamente mi rostro—. ¿Crees algo de lo que acabo de contarte?

Fijé la mirada en las vagas montañas azuladas, de cimas suaves y redondeadas que me evocaban la imagen de antiguas vírgenes gigantescas muertas, abandonadas en hileras curvadas, quedando de ellas solamente sus senos firmes, cubiertos de musgo. Mi mirada se alzó al cielo, profundamente azul, donde nubes tormentosas se alargaban como plumas junto a otras leves, relucientes y doradas, que, detrás de aquéllas, preludiaban un día mejor.

Bajo un cielo como aquél, rodeados por las mismas montañas, Chris, Cory, Carrie y yo habíamos afrontado el horror mientras Dios nos observaba. Mis dedos alejaron nerviosamente aquellas invisibles telarañas, intentando encontrar las palabras adecuadas.

—Mamá, aunque mucho me desagrade tener que decirlo, creo que hemos de renunciar a la esperanza de que Bart cambie. No podemos confiar en su esporádico amor hacia nosotros. Bart necesita otra vez ayuda profesional. Siempre había creído sinceramente que llevaba dentro una gran cantidad de amor que era incapaz de expresar o sacar de su interior, pero aquí estoy ahora, pensando que ya no tiene remedio ni salvación. No podemos sacarle de su propia casa... a menos que se le declare demente y lo internen en un sanatorio psiquiátrico. No quiero que eso suceda, y sé que tú tampoco. Por lo tanto, lo único que podemos hacer es marcharnos. Y es extraño, pero ahora no tengo ganas de irme aunque sienta que mi vida está amenazada. Me he acostumbrado a esta casa; amo estar aquí, y no me importa arriesgar mi vida ni las vuestras. La intriga de lo que pueda suceder hoy impide que me sienta aburrido. Mamá, el mayor tormento de mi vida es el aburrimiento.

Yo no estaba escuchando a Jory. Mis ojos se agrandaban al ver a Deirdre y a Darren seguir a Joel y a Bart hacia la pequeña capilla, que disponía de su propia puerta exterior y a la que se podía acceder desde los jardines. Desaparecieron dentro y la puerta se cerró.

Olvidé mi cesto de rosas recién cortadas y me puse en pie de un salto. ¿Dónde estaba Toni? ¿Por qué no estaba protegiendo de Bart y de Joel a los mellizos? Entonces me sentí como una tonta, ¿por qué debía creer Toni que Bart o Joel supusiesen una amenaza para aquellas dos criaturas pequeñas e inocentes? Me despedí apresuradamente de Jory, le dije que no se preocupase, que volvería al cabo de unos minutos con Darren y Deirdre para que todos comiéramos juntos.

–Jory, ¿no te importa si te dejo solo algunos minutos?

–Claro, mamá. Ve a buscar a mis pequeños. Esta mañana he hablado con Trevor y me ha dado un intercomunicador que funciona con baterías y nos mantiene en contacto. Se puede confiar totalmente en Trevor.

Con la tranquilidad que me daba la lealtad de nuestro mayordomo, me apresuré a ir junto a los cuatro que ya estaban dentro de la capilla.

Pocos minutos después, me deslizaba por la pequeña escalera que conducía a la puerta interior para entrar en la capilla que, según Joel había dicho a Bart, era imprescindible si éste deseaba redimir su alma del pecado. Era una habitación pequeña que intentaba imitar los oratorios de que muchos viejos castillos y palacios disponían para el recogimiento religioso de la familia. Allí estaba Bart, arrodillado detrás de la primera fila de asientos, con Darren a un lado y Deirdre al otro. Joel se hallaba de pie en el púlpito, con la cabeza inclinada, como si comenzara a rezar. Con el mayor sigilo posible, me acerqué despacio para esconderme en la sombra de una columna.

–No nos gusta estar aquí –se quejó Deirdre en un murmullo.

–Estáte quieta. Ésta es la casa de Dios –advirtió Bart.

–Oigo que mi gatito está llorando –dijo Darren débilmente, alejándose temeroso de Bart.

–No puedes oír a tu gato de ninguna manera, ni a ningún gato que llore a tanta distancia. Además, no es tuyo, sino de Trevor, que te permite jugar con él.

Los gemelos empezaron a respingar, intentando sofocar sollozos de angustia. A ambos les encantaban los gatitos, los cachorros, los pájaros, cualquier animal que fuese menudo.

—¡Silencio! —ordenó Bart—. No oigo nada procedente del exterior, pero si escucháis con atención, Dios hablará y os dirá cómo sobrevivir.

—¿Qué es sobrevivir?

—Darren, ¿por qué permites que tu hermana haga siempre todas las preguntas?

—Ella pregunta mejor.

—¿Por qué está tan oscuro aquí dentro, tío Bart?

—Deirdre, como todas las mujeres, hablas demasiado.

La pequeña comenzó a gemir.

—¡No es cierto! A la abuelita le gusta que le hable...

—A tu abuela le gusta que hable cualquier persona mientras no sea yo —respondió Bart amargamente, pellizcando a Deirdre en su diminuto brazo para hacer que se estuviera quieta.

En el estrado, donde Joel alzaba la cabeza, ardían docenas de velas. Los arquitectos había dispuesto la construcción para que los puntos del techo convergieran en aquel que se hallara en el púlpito, de modo que Joel quedaba encuadrado en el mismo centro de una cruz luminosa y mística.

Con voz clara y alta, Joel dijo:

—Nos alzaremos y cantaremos alabanzas al Señor antes de que se inicie el sermón de hoy. —Su voz resonaba, segura y autoritaria.

Me había instalado en incómoda postura detrás de la columna desde donde podía espiar sin ser vista. Como dos pequeños robots, los mellizos, que parecían haber estado allí otras muchas veces, sin que su padre, Chris, Toni o yo nos enterásemos, estaban bien adiestrados o intimidados. Se levantaron muy obedientes, uno a cada lado de Bart, que presionaba con las manos los hombros de los pequeños, y comenzaron, con él, a entonar himnos. Sus voces eran débiles, balbuceantes, incapaces de seguir bien la tonada. Sin embargo, se esforzaban por mantenerse a tono con Bart, que me sorprendió con una asombrosa voz de excelente barítono.

¿Por qué Bart no había cantado de igual manera cuando nosotros asistíamos a los servicios religiosos? ¿Acaso Chris, Jory y yo intimidábamos a Bart de tal modo que escondía lo que debía de ser un don natural con el que Dios le había bendecido? Cuando habíamos elogiado a Cindy por su bonita voz, Bart había fruncido el entrecejo sin decir nada que indicase que él también poseía esa misma facultad para el canto. Oh, esa complejidad de Bart me conduciría a la locura.

En otras circunstancias menos siniestras, me hubiera emocionado al oír la voz de Bart elevándose tan gozosa mientras ponía en ella todo su corazón. A través de las vidrieras de las ventanas se filtraba la luz del sol glorificando la cara de Bart con tonos púrpura, rosa y verde. Qué hermoso aparecía mientras cantaba, con los ojos alzados, como si realmente estuviera inspirado por el Espíritu Santo.

Me conmovió su fe en Dios. A mis ojos acudieron lágrimas mientras me invadía una sensación de alivio que me hacía sentir limpia.

«Oh, Bart, no puedes ser del todo malo si cantas de esa manera y tienes ese aspecto. No es demasiado tarde para salvarte, ¡no puede serlo!»

No era de extrañar que Melodie lo hubiese amado, ni que Toni fuese incapaz de dar media vuelta y abandonar a un hombre semejante.

«Oh, cantad esta canción..., esta canción de amor hacia Ti. En Dios confiamos, en Dios confiamos...» Su voz se elevaba, ahogando las voces de los gemelos. Me sentí transportada, fuera de mí, deseando creer en los poderes de Dios. Me hinqué de rodillas, inclinando la cabeza.

–Gracias, Dios mío –murmuré–. Gracias por salvar a mi hijo.

Entonces lo observé de nuevo, acogiéndome al Espíritu Santo y deseando creer en todo lo que Bart hacía.

De pronto, me llegaron palabras del pasado, palabras que Bart había escuchado en su día.

—Hemos de tener cuidado con Jory —había advertido Chris—. Su sistema de inmunidad ha quedado desequilibrado. No podemos permitir que contraiga un resfriado que pudiera llenar de líquido sus pulmones...

Sin embargo, yo seguía arrodillada, transfigurada. En esos momentos no podía creer que Bart fuese nada más que un hombre joven muy angustiado intentando, con enorme desesperación, encontrar lo que era justo para él.

La voz poderosa de Bart acabó el himno. ¡Oh, si Cindy hubiera podido oírle! Si ambos hubieran podido cantar juntos, amigos al fin, unidos por sus talentos. No había nadie para aplaudir cuando terminó su canto. Sólo quedaron el silencio y el palpitar de mi alborotado corazón.

Los gemelos miraron a Bart con sus azules ojos, grandes e inocentes.

—Canta otra vez, tío Bart —suplicó Deirdre—. Canta aquello acerca de la roca...

Ahora ya sabía por qué los niños acudían a la capilla: para oír cantar a su tío, para sentir lo que yo estaba sintiendo, una presencia invisible, cálida y consoladora.

Sin ningún acompañamiento, Bart cantó *Roca de los tiempos*. Para entonces, yo era una confusión de emociones. Con una voz como aquélla, Bart podía tener el mundo a sus pies y, en cambio, prefería encerrar bajo llave su talento en un despacho.

—Con eso basta, sobrino —dijo Joel cuando la segunda canción hubo terminado—. Ahora sentaos todos, y comenzaremos el sermón de hoy.

Bart, obediente, tomó asiento y obligó a sentarse a los gemelos junto a él. Mantuvo el brazo protector sobre los hombros de los pequeños de tal modo que de nuevo me emocioné hasta llorar. ¿Amaba Bart a los hijos de Jory? ¿Había fingido durante todo el tiempo que le desagradaban porque se parecían a los malignos gemelos del pasado?

—Inclinemos nuestras cabezas y roguemos —dijo Joel.
Mi cabeza también se inclinó.

Escuché su rezo con incredulidad. Parecía enormemente profesional, preocupado por aquellos que nunca habían experimentado el gozo de ser «salvados» y pertenecer enteramente a Cristo.

—Cuando abrís vuestros corazones y dejáis que Cristo entre, Él os llena de amor. Cuando vosotros améis al Señor, améis a su Hijo, que murió por vosotros, y creáis en los caminos justos de Dios y de su Hijo crucificado de modo tan cruel, encontraréis la paz llena de plenitud que siempre os ha sido esquiva anteriormente. Abandonad vuestros pecados, vuestras espadas, vuestras corazas, vuestra ambición de poder y de dinero. Abandonad vuestras apetencias terrenales que anhelan los placeres de la carne. Abandonad todos vuestros deseos terrenales que nunca pueden satisfacerse y ¡creed! ¡creed! Seguid los pasos de Cristo, seguidle allí a donde Él os conduzca, creed en sus enseñanzas y seréis salvados. Salvados de las maldades de este mundo pecador y ambicioso de sexo y de poder. ¡Salvaos antes de que sea demasiado tarde!

Su ardoroso celo era terrible. ¿Cómo podía yo creer en su feroz sermón como creía en la bella voz de Bart? ¿Por qué acudían a mí visiones de viento y lluvia cayendo sobre Jory que alejaban de mí la oratoria evangélica de Joel? Sentí que había traicionado a Jory con mi creencia momentánea de que incluso Joel era lo que parecía ser en ese momento.

Había más en su sermón. Me quedé sobrecogida ante el inusitado tono coloquial que adquirió en ese momento, como si estuviera hablando directamente con Bart.

—Las voces del pueblo se han acallado por ahora porque hemos construido, en esta gran mansión de la montaña, un pequeño templo dedicado a adorar al Señor. Los trabajadores que construyeron esta casa divina de adoración y crearon los complicados adornos les han contado lo que hemos hecho, y otros han corrido la voz de que los Foxworth están tratando de salvar sus almas. Ellos sólo hablan de venganza contra los Foxworth, que les han gobernado durante más de doscientos años. En lo más profundo de sus corazones permanecen enterrados muchos agravios por el mal que les causaron en el pasado nuestros ascendientes ambiciosos y egoístas. Ellos no han olvidado ni perdonado los pecados de Corrine Foxworth, que se casó con su medio tío, ni han perdonado los pecados de tu madre, Bart, y el hermano al que ama. Bajo tu mismo techo, ella le da todavía el placer de gozar de su cuerpo, como ella toma el placer del de él... y bajo el propio cielo azul de Dios, ambos yacen desnudos antes de fundirse los dos en uno. No pueden pasar el uno sin el otro, como si fuesen adictos a alguna de las muchas drogas que abundan en nuestra sociedad de hoy, sin rumbo, inmoral, egoísta y obstinada.

»Él, el médico, su propio hermano, se redime un poco con sus esfuerzos por servir a la humanidad, dedicando su vida profesional a la medicina y a la ciencia. De modo que él puede ser perdonado con más facilidad que la mujer pecadora, tu madre, que nada ofrece al mundo salvo una hija pervertida que se volverá, quizá, todavía peor, y un primogénito que danzaba de forma indecente por dinero y para glorificar su cuerpo. Por tal pecado ha tenido que pagar, y ha pagado un alto precio, perdiendo el uso de sus piernas; y al perder sus piernas, ha perdido su cuerpo; y al perder su cuerpo, ha perdido a su esposa. El destino demuestra una sabiduría infinita cuando decide a quién castigar y a quién ayudar.

Hizo una pausa, como para producir un efecto dramático, antes de clavar en Bart su penetrante mirada llena de fanatismo, como si quisiera imprimir su voluntad en el cerebro de mi hijo por la fuerza bruta.

—Ahora, hijo mío, conozco el amor que sientes por tu madre y sé que algunas veces se lo perdonarías todo... Error, error..., porque, ¿la perdonará Dios? No, no creo que lo haga. Sálvala, porque, ¿cómo puede Dios perdonarla si ella es culpable de seducir a su hermano atrayéndole a sus brazos?

Hizo una nueva pausa, con sus pálidos ojos iluminados por un ardor religioso, esperando que Bart le respondiera.

—¡Tengo hambre! —gimió Deirdre de repente.

—Yo también —amenazó Darren.

—¡Os quedaréis, y haréis lo que tenéis que hacer, o sufriréis las consecuencias! —amenazó Joel desde el púlpito.

Los gemelos se encogieron hasta convertirse en pequeñas conchas, mirando fijamente a Joel con los ojos agrandados por el miedo. ¿Qué había hecho Joel para inspirarles tanto temor? ¡Oh, Dios mío! ¿Habría yo facilitado a Joel y Bart una oportunidad para dañar de alguna manera a los pequeños?

Transcurrieron largos minutos, como si Joel estuviera poniéndoles a prueba deliberadamente. Yo hubiera querido levantarme de un salto y ordenar a Joel que cesase de inculcar pensamientos malignos a unos niños inocentes. Pero allí estaba Bart, como si no oyera las palabras de Joel. Tenía sus oscuros ojos fijos en la magnífica ventana con vidriera de colores situada tras el púlpito, que mostraba a Jesús con los niños a sus pies, mirándole a la cara con adoración; la misma adoración que apreciaba en la cara de Bart. No estaba escuchando a su tío abuelo, sino llenándose con la presencia que incluso yo podía sentir en ese lugar.

Dios existía, siempre había estado allí aun cuando yo había querido negarle.

Las palabras de Cristo tenían en verdad significado en el mundo de hoy y, de alguna manera, sus enseñanzas habían penetrado y encontrado un lugar en las perturbadas ondas cerebrales de Bart.

—Bart, ¡tus sobrinos están durmiéndose! —reprochó Joel muy enfadado—. ¡Estás descuidando tus deberes! ¡Despiértalos! ¡Inmediatamente!

—Tolera a los pequeños, tío Joel —dijo Bart—. Tus sermones duran demasiado, y ellos se aburren y se inquietan. No son malos ni están corrompidos. Han nacido dentro de los votos sagrados del matrimonio. No son aquellos primeros gemelos, los gemelos nacidos de la misma sangre. Tío, no son los gemelos malignos...

Aunque veía a Bart alzar a Darren y Deirdre en sus brazos, sosteniéndolos de una manera protectora, sentí temor y a la vez esperanza. Bart estaba demostrándose que era tan puro y noble como su padre.

De pronto oí palabras que me helaron la sangre. Me quedé atónita en las sombras.

Bart se había levantado con los gemelos en sus brazos.

—Déjalos en el suelo —ordenó Joel. Había terminado su sermón y su voz fuerte tornaba a su débil susurro habitual. ¿Había agotado su suministro de energía de modo que ya era ineficaz?

Rogué que así fuese.

—Ahora, niños que no habéis aprendido cómo controlar las exigencias físicas, repetid las lecciones que he intentado enseñaros. Hablad, decidme, ¡Darren, Deirdre! Pronunciad las palabras que habéis de guardar para siempre en vuestras mentes y corazones. Hablad, y dejad que Dios os oiga.

Los pequeños tenían voces idénticas finas e infantiles. Raras veces decían más que unas pocas palabras al mismo tiempo. A menudo utilizaban mal la sintaxis..., pero en esta ocasión entonaron y se expresaron tan correcta y gravemente como adultos.

Bart escuchaba con atención, como si hubiera de ayudarles en su aprendizaje.

—Nosotros somos niños nacidos de mala semilla. Somos sucesores del diablo, procreación suya. Hemos heredado todos los genes malos que conducen a una relación inces... incestuosa.

Complacidos con ellos mismos, sonrieron con alegría por haberlo dicho bien, sin comprender el significado de las palabras en lo más mínimo. Después, ambos volvieron sus graves ojos azules hacia aquel terrible viejo del púlpito.

—Mañana continuaremos con nuestras lecciones —dijo Joel cerrando su enorme Biblia negra.

Bart cogió a los gemelos, les besó en la mejilla y les dijo que ahora se pondrían unos pantalones limpios y secos, comerían el almuerzo, se bañarían y, tras una buena siesta, asistirían de nuevo a los servicios en la capilla.

En ese momento me levanté y avancé un paso a plena luz.

—Bart, ¿qué estás tratando de hacer con los hijos de Jory?

Se quedó mirándome de hito en hito, al tiempo que palidecía su tez bronceada.

—Madre, se supone que tú no has de venir aquí excepto los domingos...

—¿Por qué? ¿Esperas mantenerme alejada para que tú puedas moldear a los gemelos hasta convertirlos en seres humanos retorcidos que más tarde puedas castigar? ¿Es ése tu propósito?

—¿Quién te torció a ti convirtiéndote en lo que eres? —me preguntó Joel con frialdad en sus ojos pequeños y duros.

En una salvaje acometida de rabia, di la vuelta para enfrentarme a él.

—¡Tus padres! —exclamé—. Tu hermana, Joel, nos encerró con llave y nos tuvo aislados, viviendo de promesas un año tras otro mientras Chris y yo nos convertíamos en adultos sin nadie a quien amar, salvo el uno al otro. Por tanto, culpa a aquellos que hicieron de Chris y de mí lo que somos. Pero antes de que pronuncies otras palabra más, déjame hablar a mí.

»Amo a Chris y no me avergüenzo. Crees que no he dado nada al mundo que sea importante y, sin embargo, aquí tienes a tu sobrino nieto, sosteniendo a mis nietos, y en la terraza se halla otro de mis hijos. ¡Y ellos no están corrompidos! No son hijos del diablo, o procreación suya. ¡Nunca te atrevas, por mucho que vivas, a decir esas palabras otra vez a cualquiera de los que me pertenecen o te prometo, que me encargaré de que seas declarado senil y te encierren!

El color volvió al rostro de Bart mientras la piel pastosa de Joel se ponía pálida. Su mirada buscaba desesperadamente la de Bart, pero éste estaba mirándome con fijeza como si nunca me hubiera visto hasta ese momento.

–Madre –dijo débilmente, y hubiera dicho más pero los gemelos se arrancaron de sus brazos y se acercaron a mí corriendo.

–Hambre, abuelita, hambre...

Mi mirada se clavó en los ojos de Bart.

–Tienes la voz más hermosa que haya oído en mi vida –dije, retrocediendo y llevándome conmigo a los niños–. Sé tú mismo, Bart. No necesitas a Joel. Tú has encontrado tu talento, utilízalo.

Bart se quedó allí inmóvil, como si tuviera un caudal de cosas que decir, pero Joel estaba tirando de su brazo, suplicante, del mismo modo que los gemelos pedían la comida.

EL CIELO NO PUEDE ESPERAR

Pocos días después, Jory enfermó de un resfriado que no quería desaparecer. El frío, la lluvia y el viento habían hecho su trabajo. Estaba tumbado en la cama, débil, con las cejas perladas de sudor, retorciéndose y girando la cabeza continuamente de un lado a otro, mientras gemía, gruñía y llamaba sin descanso a Melodie. Noté que Toni fruncía el entrecejo cada vez que Jory repetía el nombre de Melodie a pesar de que ella se desvivía por cuidarle.

Mientras les observaba juntos, me di cuenta de que en verdad Toni estaba preocupada por Jory; se hacía patente en cada gesto que le prodigaba, en sus ojos suaves y compasivos y en sus labios, que rozaban la cara de mi hijo cuando ella creía que yo no la miraba.

Toni se volvió para dedicarme una valiente sonrisa.

—Intenta no preocuparte demasiado, Cathy —me suplicó, humedeciendo el pecho desnudo de Jory con agua fría—. La mayoría de la gente ignora que una fiebre suele ser muy útil para quemar el virus. Como esposa de un médico estoy seguro de que tú ya lo sabes y que estás angustiada por si contrae una pulmonía. Pero eso no ocurrirá.

—Recemos para que así sea...

Pero yo seguía inquieta, porque ella sólo era una buena enfermera, pero carecía de la habilidad médica de Chris. Yo telefoneaba a éste a todas horas, intentando encontrarle en aquel enorme laboratorio de la universidad. ¿Por qué no respondía Chris a mis llamadas urgentes? Comencé a sentir, además de preocupación, enfado por no poder encontrarle. ¿No había prometido estar siempre cuando se le necesitara?

Habían transcurrido dos días desde que Joel predicó su sermón, y Chris no había telefoneado.

El tiempo sofocante, húmedo, la lluvia intermitente y las tormentas sólo contribuían a crear más tristeza y confusión en mi mente.

El estampido del trueno rugía sobre nuestras cabezas. El resplandor de los relámpagos iluminaba unos instantes un cielo terrible, oscuro. Cerca de mis pies, los gemelos jugaban y susurraban que era la hora de acudir a las lecciones de la capilla.

—Por favor, abuelita. Tío Joel dice que hemos de ir.

—Deirdre, Darren, quiero que me escuchéis con mucha atención y olvidéis lo que tío Joel y tío Bart os dicen. Vuestro padre quiere que os quedéis conmigo y con Toni, cerca de él. Ya sabéis que vuestro papá está enfermo y lo último que desearía es que sus hijos visiten esa capilla donde..., donde... —vacilé. Porque, ¿qué podía yo decir de Joel que más tarde no se volviera contra mí? Él estaba enseñando a los niños lo que creía justo. Si por lo menos no les hubiera enseñado aquellas frases... «Hijos del diablo. Procreación del diablo.»

Los dos gimieron, como una sola voz.

—¿Se morirá papaíto? —preguntaron al mismo tiempo.

—No, claro que no morirá. ¿Y qué sabéis vosotros dos de la muerte?

Les expliqué que su abuelo era un médico maravilloso y que llegaría en cualquier momento a casa. Se quedaron mirándome sin entender nada hasta que me di cuenta de que a menudo ellos pronunciaban palabras que habían aprendido de memoria sin comprender su significado. La muerte... ¿Qué podían saber ellos de la muerte?

Toni se volvió para dirigirme una extraña mirada.

—¿Sabes una cosa? Mientras ayudo a estos dos pequeños a vestirse y desnudarse, y los baño, ellos charlan sin cesar. En verdad son unos chiquillos notables y brillantes. Supongo que al pasar tanto tiempo con los adultos han aprendido más deprisa que jugando con otros niños de su edad. La mayor parte de lo que dicen mientras juegan solos son tonterías, pero, de pronto, entre ese parloteo de bobadas, surgen palabras graves, palabras de adultos. Entonces, se les agrandan los ojos, murmuran, miran alrededor y parecen asustados. Es como si esperasen ver a alguien. De pronto, susurrando, se hablan el uno al otro de Dios y su ira. Me alarman. —Pasó su mirada de mí a los gemelos, y de nuevo a Jory.

—Toni, escucha con atención. Nunca pierdas de vista a los gemelos. Manténlos junto a ti durante todo el día, a menos que sepas con toda seguridad que están conmigo, con Jory o mi marido. Cuando estés cuidando de Jory y demasiado ocupada para vigilar sus pasos, llámame y yo los atenderé. Sobre todo, no les permitas ir con Joel. —Y, por mucho que odiase tener que hacerlo, tuve que añadir el nombre de Bart.

Ella me dirigió otra mirada de inquietud.

—Cathy, creo que no sólo fue lo que sucedió en Nueva York con Cindy y conmigo, sino también lo que Joel debió decirle cuando regresamos lo que hizo que Bart comenzara a mirarme como si yo fuese una pecadora de la peor especie. Duele que el hombre al que crees amar te lance acusaciones tan feas. —De nuevo refrescaba los brazos y el pecho de Jory—. Jory nunca diría cosas tan horribles, al margen de lo que yo hiciera. Algunas veces parece enfurecido pero, incluso entonces, es lo bastante delicado para no expresar nada que pueda ofenderme. Nunca había conocido a un hombre tan comprensivo y considerado.

—¿Estás diciendo que amas a Jory? —pregunté, queriendo creer que así era, pero temerosa de que su desilusión con Bart provocase un rebote que le hiciera amar a Jory como un sustituto.

Se ruborizó y bajó la cabeza.

—Hace casi dos años que estoy en esta casa y he visto y oído muchísimas cosas. Aquí he encontrado satisfacción sexual con Bart, pero no era romántico ni delicado, tan sólo excitante. Es ahora cuando estoy comenzando a sentir el amor de un hombre que intenta comprenderme y darme lo que necesito. Sus ojos nunca condenan. De sus labios nunca salen palabras terribles. Mi amor hacia Bart fue un fuego ardiente, enardecido en llamas desde el primer día que nos conocimos, mientras mis pies se asentaban en arenas movedizas, sin saber que buscaba a alguien como tú...

—Me gustaría que dejaras de decir eso, Toni —protesté molesta. Bart se despreciaba todavía tanto a sí mismo que temía que una mujer lo rechazara primero. Para evitar que eso sucediera, descartó a Melodie antes de que ella tuviera oportunidad de volverle la espalda. Más tarde, dirigió su ira contra Toni antes de que ella pudiera odiarle y abandonarle. Suspiré otra vez.

Toni estuvo de acuerdo en que nunca discutiría sobre Bart conmigo, y entonces, con mi ayuda, comenzó a poner a Jory una chaqueta de pijama limpia. Juntas trabajábamos como un equipo, mientras los gemelos jugaban en el suelo, empujando cochecitos y camiones, igual que habían hecho Cory y Carrie.

—Asegúrate bien de saber a qué hermano amas antes de dañarlos a los dos. Hablaré de nuevo con mi marido y con Jory e intentaré por todos los medios convencerles de que nos marchamos de esta casa tan pronto como Jory se recupere. Puedes venir con nosotros si así lo deseas.

Sus bonitos ojos grises se animaron. Me miró primero a mí y después pasó su mirada a Jory, que se puso de lado y murmuró incoherentemente en su delirio.

—Mel... ¿es nuestro turno? —creí que decía.

—No, soy Toni, tu enfermera —dijo ella, acariciándole el cabello y retirándolo hacia atrás de su sudorosa frente—. Has tenido un mal resfriado..., pero pronto te encontrarás perfectamente.

Jory alzó la mirada hacia Toni, confuso, como si intentase distinguir esa mujer de aquella en que soñaba todas las noches. Durante el día, Jory sólo tenía ojos para Toni pero, por las noches, Melodie volvía para atormentarle. ¿Qué hay en la condición humana que nos aferra a la tragedia con tanta tenacidad y nos hace olvidar fácilmente la felicidad que tenemos a nuestro alcance?

Jory tuvo un violento acceso de tos, que le produjo ahogos y expulsó abundante mucosidad. Toni le sostuvo con ternura la cabeza, y después arrojó los pañuelos de papel sucios.

Cuanto Toni hacía por Jory, lo hacía con ternura; ahuecarle las almohadas, hacerle masajes en la espalda, moverle las piernas para mantenerlas flexibles aunque él no pudiera controlarlas. Yo no podía evitar sentirme impresionada con todo lo que ella se preocupaba para que Jory se sintiera a gusto.

Retrocedí hacia la puerta, con la sensación de que era una intrusa presenciando un momento íntimo muy importante, cuando Jory logró enfocar la mirada lo suficiente para coger la mano de Toni y mirarla a los ojos. Aunque estaba muy enfermo, algo en sus ojos hablaba a ella. En silencio tomé la mano de Darren y la de Deirdre después.

—Hemos de irnos ahora —susurré mientras contemplaba cómo Toni temblorosa inclinaba la cabeza.

Ante mi sorpresa, antes de que yo cerrase la puerta, ella se llevó la mano de Jory a los labios y le besó cada uno de los dedos.

—Estoy aprovechándome de ti —murmuró— en un momento en que no puedes defenderte, pero necesito decirte lo tonta que he sido. Tú has estado aquí todo el tiempo, y yo nunca te he visto. No me he fijado en ti porque Bart se interponía.

Con cálidos ojos, Jory respondió débilmente, mientras bebía en la sinceridad de las palabras de Toni y, por encima de todo, en la expresión amorosa y ardiente de ella.

—Supongo que es fácil no ver a un hombre que está en una silla de ruedas y quizá eso fue suficiente para cegarte. Pero yo he estado aquí, esperando, confiando...

—Oh, Jory, no me guardes rencor porque permití que Bart me hechizara con su encanto. Estaba abrumada y como aturdida al notar que él me encontraba tan deseable. Me arrebató por completo. Creo que todas las mujeres, en secreto, deseamos a un hombre que no esté dispuesto a aceptar un rechazo y nos persiga incansable hasta que nos rindamos. Perdóname por haber sido una tonta, y una conquista fácil.

—Está bien, está bien —susurró él, cerrando los ojos—. No dejes que lo que sientes por mí sea piedad... o lo sabré.

—¡Tú eres lo que yo deseaba que Bart fuese! —exclamó ella mientras sus labios se acercaban a los de él.

Cerré la puerta.

De regreso a mis propias habitaciones, me senté cerca del teléfono esperando que Chris me llamase en respuesta a mis muchos mensajes urgentes. Al borde del sueño, con los gemelos arropados cuidadosamente en mi cama haciendo su siesta, el teléfono sonó. Lo cogí de prisa y respondí. Una voz profunda, gruñona, preguntó por la señora Sheffield, y yo me identifiqué.

—No la queremos aquí, ni a usted ni a su especie —dijo esa voz profunda, aterradora—. Sabemos que está sucediendo ahí arriba. Esa pequeña capilla que habéis construido no nos engaña. Es un escudo detrás del que ocultaros mientras os burláis de las normas de la decencia impuestas por Dios. Marchaos... antes de que nosotros ejecutemos la ley de Dios con nuestras manos y hagamos salir de nuestras montañas hasta el último miembro de vuestra familia.

Incapaz de encontrar una respuesta inteligente, permanecí en silencio, perpleja y temblorosa, hasta que quienquiera que fuese colgó. Durante un largo rato me quedé allí sentada con el auricular en la mano. El sol se filtró entre las nubes y calentó mi rostro, y en ese momento colgué. Miré las habitaciones que yo había decorado para satisfacer mi propio gusto y descubrí, que esas habitaciones ya no me recordaban a mi madre y su segundo marido. Allí sólo quedaban restos del pasado que yo quería recordar.

Las fotografías de Cory y Carrie cuando eran bebés enmarcadas en plata sobre mi tocador, colocadas junto a las de Darren y Deirdre. Eran gemelos parecidos, pero cuando se conocían bien se comprobaba que no eran exactos. Mi mirada pasó al otro marco de plata, desde donde Paul me sonreía, Henny estaba en otro. Julián hacía un mohín desde el suyo, de una manera que él creía seductora. También tenía allí algunas instantáneas de su madre, madame Marisha, enmarcada cerca de su hijo. Pero no había ninguna fotografía de Bartholomew Winslow. Contemplé la de mi propio padre, que había muerto cuando yo tenía doce años. Se parecía mucho a Chris, aunque ahora éste parecía más viejo. Nos damos la vuelta y el muchacho que conocimos tan bien ya es un hombre. Los años volaban tan deprisa. En otro tiempo, un momento había parecido más largo de lo que era un año ahora.

De nuevo miré a las dos parejas de gemelos. Únicamente alguien muy familiarizado con ambas distinguiría las ligeras diferencias. En los hijos de Jory se apreciaba un vago parecido a Melodie. Miré otra fotografía, con Chris y yo misma, tomada cuando vivíamos todavía en Gladstone, Pennsylvania. Yo tenía diez años y él acababa de cumplir trece. Estábamos de pie en la nieve junto al muñeco que acabábamos de hacer, sonriendo a papá mientras él nos fotografiaba. Nuestra madre había guardado aquella fotografía, ahora amarillenta, en su álbum azul. Nuestro álbum azul, ahora.

En aquellos pequeños pedazos cuadrados de papel brillante, había atrapados recuerdos de nuestras vidas, congelados para siempre en el tiempo; como aquella Catherine Doll sentada en el alféizar de la ventana del ático, vestida con un camisón transparente mientras Chris tomaba desde las sombras la fotografía. ¿Cómo había conseguido yo sentarme tan quieta, y mantener aquella expresión? ¿Cómo? A través del camisón se adivinaba la forma tierra de unos senos jóvenes, y en aquel perfil adolescente la tristeza melancólica que yo había sentido por aquel entonces.

Qué adorable era aquella muchacha..., yo misma. La contemplé larga y minuciosamente. Aquella joven débil, esbelta, hacía mucho tiempo que se había convertido en la mujer de mediana edad que yo era. Suspiré por la pérdida de aquella chica especial con la cabeza llena de sueños. Traté de desviar la mirada pero, en lugar de eso, me levanté para coger la fotografía que Chris había llevado con él a la universidad, a la Facultad de Medicina. Cuando era interno, todavía llevaba esa fotografía consigo. ¿Era aquel papel que yo tenía en la mano el que había conservado tan constante su amor por mí? ¿Ese rostro de una chica de quince años, sentada a la luz de la luna? ¿Anhelante, siempre anhelando un amor que durase para siempre? Ya no me parecía a aquella joven cuya fotografía sostenía en mi mano. Me parecía a mi madre la noche que ella incendió el Foxworth Hall original. El timbre del teléfono me sorprendió y volví al presente.

—Se reventó un neumático de mi automóvil —dijo Chris al oír mi voz débil—. He ido a otro laboratorio y allí he pasado algunas horas, de modo que cuando he vuelto me he encontrado con todos esos mensajes sobre Jory. No estará peor, ¿verdad?

—No, cariño, no está peor.

—Cathy, ¿qué sucede?

—Te lo contaré cuando regreses.

Chris llegó a casa una hora después y entró corriendo para abrazarme antes de ir junto a Jory.

–¿Cómo está mi hijo? –preguntó al sentarse en la cama de Jory y tomarle el pulso–. Tu madre me ha explicado que alguien abrió todas tus ventanas y quedaste empapado por la lluvia.

–¡Oh! –exclamó Toni–. ¿Quién pudo hacer algo tan cruel? Lo siento mucho, doctor Sheffield. Tengo la costumbre de comprobar que todo vaya bien con Jory, quiero decir el señor Marquet, aunque él no me haya llamado.

Jory le hizo un guiño alegre y feliz.

–Creo que puedes dejar de llamarme señor Marquet ahora, Toni. –Su voz era muy débil y ronca–. Y todo eso sucedió en tu día libre.

–Vaya –dijo ella–. Debió de ser la mañana que fui a la ciudad para visitar a mi amiga.

–Sólo es un resfriado, Jory –dijo Chris, palpando su tórax–. No hay indicios de líquido en los pulmones y por los síntomas que presentas no tienes una gripe. De modo que toma tu medicina, bebe los líquidos que Toni te traiga y deja de inquietarte por Melodie.

Más tarde, acomodado en su sillón favorito en nuestra sala de estar, Chris escuchó cuanto yo tenía que contarle.

–¿Reconociste la voz?

–Chris, no conozco a ninguna de las gentes del pueblo lo bastante bien para eso. Procuro permanecer alejada de ellos.

–¿Y cómo sabes que era del pueblo?

No se me había ocurrido antes. Lo que había hecho yo era suponer. En todo caso, tan pronto como Jory estuviera lo suficientemente recuperado, nos marcharíamos de esa casa.

–Si es eso lo que necesitas –dijo Chris, mirando alrededor apenado–. Debo admitir que me gusta esto. Me gusta el entorno que nos rodea, los jardines, los sirvientes que nos atienden, y sentiré marcharme de aquí. Pero no huyamos demasiado lejos. No quiero tener que dejar mi trabajo en la universidad.

—Chris, no te preocupes. No quiero apartarte de eso. Cuando nos vayamos de aquí, nos instalaremos en Charlottesville y rogaremos a Dios que nadie de allí sepa que soy tu hermana.

—Cathy, mi esposa, la más querida y la más dulce, no creo que aunque lo supieran les importase un comino. Además, pareces más mi hija que mi esposa.

Gracias a su dulzura tan maravillosa, Chris podía decir eso con honestidad en los ojos. Yo sabía que estaba ciego cuando me miraba a mí. Chris sólo veía lo que quería ver, y que aún era la chica que yo había sido.

Se echó a reír ante mi expresión dubitativa.

—Amo a la mujer en que te has convertido. Así pues no empieces a buscar defectos cuando yo te muestro una honestidad de dieciocho quilates. De modo que te doy lo mejor que tengo: mi amor, que cree de todo corazón que eres bella interior y exteriormente.

Cindy se presentó en una de sus visitas torbellino que revolucionaban toda la casa, vertiendo sin respirar todos los detalles de su vida, desde la última vez que nos había visto. Parecía increíble que pudieran suceder-le tantas cosas a una chica de diecinueve años.

En el momento en que estuvimos en el gran vestíbu-lo, Cindy subió corriendo por la escalera para arrojarse a los brazos de Jory con tanto ímpetu que yo temí que hiciera volcar la silla.

—Realmente —dijo Jory—, pesas menos que una plu-ma, Cindy. —La besó, la examinó de pies a cabeza y echó a reír—. ¡Oh! ¿Qué clase de traje es éste? ¡Vaya, por Dios!

—Uno que sin duda llenará de horror los ojos de cierto hermano llamado Bart. Escogí éste precisamente para fastidiarle a él y al querido tío Joel.

Jory se volvió solemne.

—Cindy, si yo estuviera en tu lugar, dejaría de tender trampas a Bart. Ya no es un muchachito.

Sin que Cindy lo notara, Toni había entrado en la habitación y esperaba pacientemente para tomar la temperatura a Jory.

–Oh –dijo Cindy, volviéndose hacia Toni al advertir su presencia–. Pensaba que después de aquella terrible escena que Bart hizo en Nueva York te darías cuenta de cómo es él en realidad y te marcharías de este lugar. –La mirada en los ojos de Toni hizo que Cindy echara otra ojeada a Jory, de nuevo mirase a Toni, y se echase a reír–. Vaya, ¡ahora sí que has demostrado sentido común! Lo leo en vuestros ojos, Toni, Jory. ¡Estáis enamorados! ¡Hurra! –Corrió a abrazar y besar a Toni antes de sentarse junto a la silla de Jory mirándole con adoración–. Encontré a Melodie en Nueva York. Lloró mucho cuando le expliqué lo lindos que están los gemelos..., pero al día siguiente de fallarse vuestro divorcio, Melodie se casó con otro bailarín. Jory, se parece mucho a ti, aunque no es ni la mitad de guapo ni baila tan bien como tú.

Jory conservó su leve sonrisa y volvió la cabeza para hacer una mueca a Toni.

–Bueno, ahí va mi paga de pensión alimenticia. Por lo menos hubiera podido avisarme.

De nuevo Cindy se quedó mirando a Toni.

–¿Y qué tal Bart?

–¿Qué sucede conmigo? –preguntó una voz de barítono desde el umbral de la puerta abierta.

Sólo entonces nos dimos cuenta de que Bart estaba allí apoyado indolentemente contra el marco de la puerta, atendiendo a lo que decíamos y hacíamos como si fuésemos especímenes en su zoo especial de rarezas familiares.

–Vaya –dijo arrastrando las palabras–, tan seguro como que vivo y respiro que nuestra pequeña imitación de Marilyn Monroe ha venido para impresionarnos con su espectacular presencia.

–No es así como yo describiría mis sentimientos al verte otra vez –replicó Cindy con los ojos encendidos–. Yo estoy helada, no impresionada.

Bart la examinó de arriba abajo, fijándose en los pantalones de cuero dorados y estrechos y el suéter de algodón blanco y dorado que vestía. Las rayas horizontales resaltaban sus senos, que se agitaban con libertad cada vez que ella se movía, y unas botas doradas, altas hasta las rodillas, cubrían sus pies y piernas.

—¿Cuándo te irás? —preguntó Bart, mirando a Toni, que, sentada en la cama, sostenía la mano de Jory. Chris estaba sentado junto a mí en su sofá, intentando ponerse al día con algunas cartas que habían sido enviadas a casa y no a su oficina.

—Querido hermano, di lo que quieras, no me importa. He venido a ver a mis padres y al resto de mi familia. Pronto me iré. Ni unas cadenas de acero podrían retenerme aquí más tiempo del necesario. —Echó a reír, se acercó a él y lo miró directamente a la cara—. No tienes por qué simpatizar conmigo ni aprobarme. Y aunque abras tu bocaza sólo para decir algo insultante, yo me reiré otra vez. ¡He encontrado un hombre que me ama y también te hace parecer a ti como algo extraído del pantano siniestro!

—¡Cindy! —terció Chris ásperamente, dejando el correo sin abrir—. Mientras estés aquí te vestirás adecuadamente y tratarás a Bart con respeto, como él te tratará a ti. Estoy harto de estas discusiones infantiles sobre idioteces.

Cindy lo miró con ojos dolidos.

—Querida, es la casa de Bart —intervine—. Y algunas veces me gustaría verte vestir ropa menos ajustada.

Los ojos azules de Cindy cambiaron, dejando de ser los de una mujer para convertirse en los de una niña. Gimió.

—¿Los dos os ponéis de su lado, a pesar de saber que es un intrigante loco dispuesto a amargarnos a todos?

Toni estaba sentada manifestando cierta inquietud, hasta que Jory se inclinó para susurrarle algo al oído que la hizo sonreír.

—No tiene importancia —oí que Jory decía—. Creo que Bart y Cindy disfrutan atormentándose.

Desgraciadamente la atención de Bart ya no estaba centrada en Cindy. Observaba a Jory, que tenía el brazo por encima de los hombros de Toni. Hizo un gesto de desprecio y después una señal a Toni.

—Ven conmigo. Quiero enseñarte el interior de la capilla con todas las cosas nuevas.

—¿Una capilla? ¿Y por qué necesitamos una capilla? —exclamó Cindy, que no había sido informada de la última transformación de aquel cuarto.

—Cindy, Bart ha querido añadir una capilla a su hogar.

—Bueno, mamá, si alguien ha necesitado alguna vez una capilla cerca, a mano, es el intrigante de la colina y del Hall.

Mi hijo segundo no pronunció ni una palabra.

Toni se negó a acompañarle con la excusa de que debía bañar a los gemelos. Por unos instantes, los ojos de Bart brillaron de ira, quedándose después allí, de pie, con un aspecto extrañamente desolado. Me levanté para cogerle de la mano.

—Cariño, me gustaría ver esas cosas nuevas que han hecho en la capilla.

—En otro momento —dijo.

Estuve observándole disimuladamente mientras cenábamos. Cindy fastidiaba a Bart con maneras más bien ridículas que nos hubieran hecho reír a los demás si él hubiera podido apreciar el humor que ella mostraba. Sin embargo, Bart nunca había sido capaz de reír de sí mismo, ¡una lástima! Lo tomaba todo muy en serio.

—¿Sabes, Bart? —decía—. Yo puedo dejar de lado mis debilidades infantiles, incluso las físicas, pero tú no puedes apartar nada de lo que te avinagra las entrañas y te roe el cerebro. Eres como una cloaca, dispuesto a conservar lo podrido y hediondo, sin renunciar nunca a ello.

Bart seguía sin decir nada.

—Cindy —intervino Chris, que había permanecido silencioso hasta entonces—, discúlpate con Bart.

—No.

—Entonces levántate, abandona la mesa y cena en tu habitación hasta que aprendas a hablar de un modo correcto y amable.

Sus ojos centellearon con odio, pero esta vez dirigido a Chris.

—¡De acuerdo! Me retiraré a mi habitación, pero mañana me marcharé de esta casa y ¡nunca más volveré! ¡Nunca más!

Por fin, Bart tuvo algo que decir.

—Hace años que no oía tan buenas noticias.

Cindy lloraba cuando cruzaba el arco del comedor. Esa vez no me levanté para acompañarla. Seguí sentada, fingiendo que nada iba mal. En el pasado siempre había protegido a Cindy, castigando a Bart, pero en ese momento lo veía con nuevos ojos. El hijo que nunca había conocido tenía facetas que no eran oscuras y peligrosas.

—¿Por qué no vas al lado de Cindy, como siempre has hecho madre? —preguntó Bart, como si estuviera desafiándome.

—Todavía no he terminado de cenar, Bart. Y Cindy ha de aprender a respetar las opiniones de los demás.

Bart se quedó mirándome como si mi respuesta le asombrara.

A la mañana siguiente temprano, Cindy entró intempestivamente en nuestra habitación, sin llamar, sorprendiéndome envuelta en una toalla, recién salida del baño, y a Chris afeitándose todavía.

—Mamá, papá, me marcho —dijo rígidamente—. Aquí no me divierto. Me pregunto por qué me habré molestado en venir. Está claro que habéis decidido poneros del lado de Bart en cada discusión, y siendo ése el caso, yo estoy acabada. El próximo abril tendré veinte años, edad suficiente para no necesitar una familia. —Sus ojos se llenaron de lágrimas a su pesar. Su voz se tornó débil–. Quiero agradeceros que hayáis sido unos padres maravillosos cuando yo era pequeña y necesitaba a alguien como vosotros. Os añoraré a ti, papá, Jory, Darren y Dierdre, pero cada vez que vengo aquí me pongo enferma. Si alguna vez decidís vivir en algún lugar lejos de Bart, quizá entonces me veréis otra vez..., quizá.

–¡Oh, Cindy! –exclamé abrazándola–. ¡No te vayas!

–Me marcho, mamá –dijo Cindy con determinación–. Regreso a Nueva York. Mis amigos me ofrecerán una fiesta, de las mejores. En Nueva York todo lo hacen mejor.

Pero sus lágrimas fluían más rápidas y copiosas. Chris se limpió la espuma de afeitar de la cara y se acercó para abrazarla.

–Comprendo cómo te sientes, Cindy. Bart puede ser irritante, pero tú llegaste demasiado lejos la noche pasada. En algún aspecto, resultabas divertida, pero, por desgracia, Bart no sabe apreciar eso. Has de calibrar a quién puedes gastar bromas y a quién no. Has exasperado a Bart, Cindy. Por otro lado, nosotros no nos opondremos si quieres irte tan pronto, pero antes de que lo hagas queremos que sepas que tu madre y yo nos trasladaremos, junto con Jory, sus hijos, y también Toni, a Charlottesville. Encontraremos una casa grande y nos estableceremos entre otras personas, de modo que cuando vuelvas, no te sentirás sola. Bart seguirá aquí, en lo alto de la colina, lejos de ti.

Sollozando, Cindy se abrazó a Chris.

–Lo siento, papá. He sido desagradable con él, pero siempre me dice cosas desagradables, y yo tengo que devolverle el golpe, pues si no me siento pisoteada. No me gusta que me pisotee..., y Bart es como una cloaca, lo es.

–Espero que algún día lo veas de otra manera –dijo Chris con suavidad, alzándole su linda carita cubierta de lágrimas y besándola ligeramente–. De modo que besa a tu madre, despídete de Jory, Toni, Darren y Deirdre..., pero no digas que no volverás a visitarnos. Todos nos sentiríamos muy desgraciados si eso sucediera. Tú nos proporcionas mucha alegría y nada debería estropear eso.

Mientras ayudaba a Cindy a guardar en la maleta los vestidos que acababa de desempaquetar, noté que ella estaba indecisa; quería quedarse y esperaba que yo se lo pidiera. Por desgracia habíamos dejado la puerta abierta y al volverme vi a Joel en el umbral, vigilándonos.

Joel dirigió su pálida mirada hacia Cindy.

—¿Por qué tienes los ojos enrojecidos, muchachita?

—¡No soy una muchachita! —protestó ella. Lanzó una mirada de odio a Joel—. Tú estás de acuerdo con él, ¿no es cierto? Tú le ayudas a ser lo que es. Estás ahí, de pie, jubiloso porque estoy haciendo el equipaje, ¿no es cierto? Te alegras de que me vaya... pero antes de marcharme, te digo que te vayas también tú, viejo. Y no me importa si mis padres me riñen por no mostrar respeto a un anciano. —Se acercó a él, erguida, dominando la forma encogida de Joel—. ¡Te odio, viejo! ¡Te odio por impedir que mi hermano sea normal, como hubiera podido ser sin ti! ¡Te odio!

Al oír eso, Chris, que había estado sentado cerca de la ventana, se enfureció.

—Cindy, ¿por qué? Hubieras podido marcharte sin decir nada.

Joel había desaparecido al instante. Cindy miraba a Chris con ojos sombríos.

—Cindy —dijo Chris suavemente, alargando la mano para acariciarle el cabello—, Joel es un hombre viejo que está muriendo de cáncer. No estará mucho tiempo entre nosotros.

—¿Qué quieres decir? —preguntó ella—. Parece más sano que cuando vino.

—Quizá ha experimentado una ligera mejoría. Se niega a que lo atienda un médico y no permite que yo le examine. Dice que está resignado a morir pronto.

—Supongo que ahora querréis que me disculpe con él... Bueno, ¡pues no lo haré! ¡Cuanto he dicho es cierto!

Aquella vez en Nueva York, cuando Bart era tan feliz con Toni, y parecían tan enamorados, apareció de pronto en aquella fiesta un viejo que se parecía a Joel... y Bart se transformó al instante. Se volvió mezquino, odioso, como si le hubieran echado una maldición y comenzó a criticar mis trajes. Dijo que el bonito vestido de Toni era vergonzoso,... y hacía sólo unos minutos que había elogiado ese mismo vestido. Así pues, no niegues que Joel tiene mucho que ver con el comportamiento demencial de Bart.

Enseguida suscribí las opiniones de Cindy.

—¿Ves, Chris? Cindy piensa como yo. Si Joel no estuviera utilizando su influencia, Bart se enderezaría. Saca a Joel de esta casa, Chris, antes de que sea demasiado tarde.

—Sí, papá, haz que ese hombre se marche. Dale dinero, líbrate de él.

—¿Y cómo se lo explico a Bart? —preguntó Chris mirándonos—. ¿No os dais cuenta de que es Bart quien ha de ver a Joel tal como es? Nosotros no podemos hacerle comprender que Joel es una influencia dañina. Bart ha de descubrirlo por sí mismo.

Poco después de esa conversación fuimos en el coche a Richmond para acompañar a Cindy al avión que la llevaría a Nueva York. Cindy tenía previsto trasladarse a Hollywood al cabo de una semana para iniciar su carrera cinematográfica.

—Nunca volveré a Foxworth Hall, mamá —repetía—. Te quiero y quiero a papá, aunque ahora esté enfadado conmigo por haber dicho lo que pensaba. Di a Jory que le quiero, a él y a sus hijos. No puedo vivir en esa casa, porque en cuanto de nuevo entro en ella, me acosan malos pensamientos. Marchaos de allí, mamá, papá. Marchaos antes de que sea demasiado tarde.

Yo asentía, confusa.

—Mamá, ¿recuerdas la noche que Bart dio aquella paliza a Víctor Wade? Me arrastró a casa desnuda..., y me condujo a la habitación de Joel. Me sujetó de modo que Joel pudiera verme entera, y ese viejo me escupió y me maldijo. Entonces fui incapaz de explicártelo. Los dos me asustan cuando están juntos. Sin Joel, Bart podría ser bueno, pero, con él y su influencia, puede resultar peligroso.

Pronto estuvo a bordo y nosotros nos quedamos en tierra contemplando el avión que la alejaba.

Cindy partía hacia la luz. Nosotros volvíamos a casa, a las tinieblas.

La situación no podía durar mucho. Para salvar a Jory, Chris, los gemelos y a mí misma, debíamos marcharnos, aunque ello significara no ver nunca más a Bart.

JARDÍN EN EL CIELO

Pobre Cindy, pensaba yo, ¿cómo le iría en Hollywood? Suspiré y después busqué a los gemelos. Estaban sentados con gran solemnidad en su caja de arena protegidos del sol por el toldo, aunque estando a principios de septiembre el tiempo se tornaba más frío de manera paulatina. No jugaban a llenar de arena los lindos cubos, ni a construir castillos de arena. No hacían nada.

—Escuchamos sólo cómo sopla el viento —dijo Deirdre.

—No me gusta el viento —añadió Darren.

Antes de que yo pudiera responder, Chris se acercó a nosotros y enseguida dije:

—Cindy acaba de telefonear desde Hollywood. Dice que ya tiene montones de amigos. No sé si es cierto o no. Ya he llamado a uno de mis amigos para pedirle que la controle.

—Es mejor así —dijo Chris lanzando un suspiro de inquietud—. Parece que nada puede resultar bien para Cindy estando aquí. No se entiende con Bart, y ahora también se ha enemistado con Joel. De hecho, ella cree que Joel es peor que Bart.

—¡Lo es, Chris! ¿Acaso, todavía lo dudas a estas alturas?

Chris se impacientó a pesar de que yo creía haberle convencido.

—Estás cargada de prejuicios contra él porque es hijo de Malcolm; eso es lo que ocurre. Durante un tiempo, cuando Cindy también lo condenaba, las dos casi llegasteis a convencerme, pero Joel no está haciendo nada para influenciar a Bart. Éste, por lo que oigo contar, es un joven impetuoso que se está divirtiendo muchísimo, aunque tú no lo sepas. Joel ya no vivirá mucho tiempo. Ese cáncer le está devorando día tras día, a pesar de que siga manteniendo su peso. Probablemente no aguantará más de uno o dos meses.

No me afectó. Ni tan siquiera me sentí culpable o avergonzada en aquel momento. Consideraba que Joel estaba obteniendo de la vida lo único que merecía.

—¿Y cómo sabes que está enfermo de cáncer?

—Él me dijo que por esa razón volvió, para morir en la tierra de su hogar. Quiere ser enterrado en el cementerio familiar.

—Chris, como dijo Cindy, ahora tiene mejor aspecto que cuando llegó.

—Porque está bien alimentado y bien alojado. En aquel monasterio vivía en la pobreza. Tú lo ves de una manera y yo de otra. Él confía en mí, Catherine, y me explica cuánto se ha esforzado por granjearse tu afecto. Se le llenan los ojos de lágrimas. «Y ella se parece tanto a su querida madre, mi querida hermana», repite una y otra vez.

Ni por un momento, después de haber presenciado lo ocurrido en aquella capilla, volvería a creer en aquel viejo maligno. Aunque conté a Chris el incidente de la capilla con todo detalle, él no lo juzgó tan terrible hasta que le mencioné lo que Joel había enseñado a los mellizos.

—¿Tú oíste eso? ¿Oíste realmente que los pequeños

decían que eran hijos del diablo? —En sus ojos azules se apreciaba claramente que le costaba creerlo.

—¿No te suena familiar? ¿No ves de nuevo a Cory y Carrie arrodillados junto a sus camas rogando a Dios que les perdonase por haber nacido hijos del diablo? Ni ellos mismos sabían lo que significaba eso ¿Quién conoce, mejor que tú y que yo, el daño que pueden causar esas ideas imbuidas en mentes tan jóvenes? ¡Chris, hemos de irnos pronto! No después de que Joel muera, sino ¡en cuanto nos sea posible!

Chris dijo exactamente lo que yo había temido que dijese. Teníamos que pensar en Jory, que necesitaba una vivienda y un equipamiento especiales.

—Necesitará un ascensor. Tendremos que ensanchar las puertas. Los pasillos han de ser amplios. Además..., Jory quizá se case con Toni. Me preguntó qué opinaba yo al respecto, queriendo saber si yo creía que él estaba capacitado para hacer feliz a Toni. Le dije que sí, que naturalmente era posible. El amor entre ellos crece día a día. Me gusta la manera en que ella lo trata, como si no viese la silla de ruedas o lo que él no es capaz de realizar. Sólo se fija en lo que él puede hacer.

»Además, Cathy, no fue amor lo que existió entre Toni y Bart, hubo sólo apasionamiento físico, glándulas atraídas por glándulas..., o llámalo como quieras, pero no era amor. No nuestra clase de amor eterno.

—No... —dije, suspirando—, no de la clase que perdura a lo largo del tiempo...

Dos días después, Chris telefoneó desde Charlottesville, para comunicarme que había encontrado una casa.

—¿Cómo es?

Parecerá pequeña comparada con Foxworth Hall. No obstante, las habitaciones son espaciosas, aireadas y alegres. Tiene cuatro baños y un vestidor, cinco dormitorios, una habitación para huéspedes y un baño más encima del garaje. En el segundo piso hay una gran habitación que podríamos convertir en estudio para Jory, y uno de los dormitorios que sobran podría ser mi despacho. Te gustará esta casa.

Dudé de que fuera cierto, pues la había encontrado demasiado deprisa, aunque era eso lo que yo le había pedido que hiciera. Parecía tan contento que me hizo abrigar felices esperanzas. Chris se echó a reír y después se explicó un poco más.

—Es hermosa, Cathy, realmente la clase de casa que siempre te he oído decir que querías; no demasiado grande ni demasiado pequeña, con mucha intimidad. Hay macizos de flores por doquier.

Acordamos que en cuanto hiciéramos las maletas y empaquetáramos las muchas pertenencias personales acumuladas durante los años que habíamos vivido en Foxworth Hall, nos trasladaríamos allí.

De algún modo, yo sentía tristeza cuando cruzaba los grandes salones que poco a poco había hecho agradables decorándolos según mi gusto. Bart se había quejado más de una vez de que estaba cambiando lo que nunca debería cambiarse. Pero incluso él, cuando había visto que las mejoras convertían aquello en un hogar y no en un museo, había accedido a que prosiguiera con la tarea.

Chris regresó el viernes por la noche y me dedicó una tierna mirada.

—Así pues, hermosa mía, aguanta unos días más y déjame volver a Charlottesville para revisar esa casa más detenidamente antes de que firmemos el contrato. He encontrado un bonito apartamento que podríamos alquilar antes de cerrar el trato de la casa. Además, tengo asuntos pendientes en el laboratorio, creo que podré tomarme algunos días libres para ayudar a instalarnos. Como te decía por teléfono, creo que dos semanas de trabajo, después de formalizado el contrato, bastarán para que nuestra nueva casa esté a punto para acogernos a todos nosotros... Rampas, ascensor y todo lo demás.

Delicadamente Chris no mencionó todos los años que había vivido con Bart, sabiendo que era como vivir con una bomba oculta en alguna parte, pronta a explotar tarde o temprano. Nunca profirió una palabra de reproche hacia mí por haberle dado un hijo irrespetuoso y desafiador que se negaba a apreciar tanto amor como se le daba.

Cuánta agonía habría sufrido Chris a causa de Bart y, sin embargo, no pronunció ni una palabra para condenarme por haber ido, con intenciones deliberadas, detrás del segundo marido de mi madre. Me llevé las manos a la cabeza notando que aquel profundo dolor comenzaba de nuevo.

Christopher salió temprano por la mañana en su coche. Yo estaba nerviosa, sabiendo que me aguardaba otro día inquieto. Con el transcurso de los años yo había llegado a depender más de él, aunque en otros tiempos me ufanaba de ser independiente, capaz de seguir mi propio camino y no necesitar a nadie como otros me necesitaban a mí. Había mirado a la vida de manera tan egoísta cuando era joven. Mis necesidades eran lo primero. En cambio ahora anteponía las necesidades de los otros a las mías.

Deambulaba por la casa, inquieta, vigilando de cerca a quienes amaba, observando atentamente a Bart cuando regresaba a casa, muriéndome por lanzarle toda clase de acusaciones y, sin embargo compadeciéndome de él. Bart se sentaba en su despacho, con el aspecto resuelto del joven ejecutivo perfecto. Sin culpa. No sentía ninguna vergüenza mientras regateaba, manipulaba, negociaba; ganando más y más dinero con sus conversaciones telefónicas o comunicando con su ordenador. Alzó la mirada hacia mí y esbozó una auténtica sonrisa de bienvenida.

—Cuando Joel me dijo que Cindy había decidido marcharse, me alegró el día, y todavía me siento eufórico. Sin embargo, ¿qué cosa extraña había detrás de la oscuridad de sus ojos? ¿Por qué me miraba como si estuviera a punto de llorar?

—Bart, si alguna vez deseas confiar en mí...

—No tengo nada que confiarte, madre.

Su voz era suave. Demasiado suave, como si hablase con alguien que pronto tenía que marcharse..., marcharse para siempre.

—Tal vez no sepas apreciarlo, Bart, pero el hombre a quien tanto odias, mi hermano y tío tuyo, ha hecho todo lo posible para ser un buen padre.

Bart negó con la cabeza.

—Hacer todo lo posible hubiera sido romper esa incestuosa relación contigo, su hermana, y no lo ha hecho. Habría podido amarle si hubiera seguido siendo mi tío. Tú hubieras debido actuar mejor y no tratar de engañarme. Hubieras debido saber que todos los niños crecen, formulan preguntas y recuerdan escenas que los adultos olvidan pronto; pero esos niños no olvidan. Se guardan los recuerdos y los entierran en lo más profundo de sus cerebros para desenterrarlos cuando al fin pueden entender las cosas. Y todo lo que yo recuerdo me indica que vosotros dos estáis atados de modo indisoluble hasta la muerte.

Mi corazón se aceleró. Bajo el techo de Foxworth Hall bajo el sol y las estrellas, Chris y yo habíamos hecho votos de amarnos hasta la eternidad. Qué jóvenes e inocentes éramos para tender nuestras propias trampas...

Últimamente las lágrimas acudían con tanta facilidad a mis ojos...

—Bart, ¿cómo podría yo vivir sin él?

—Oh, madre, podrías. Tú sabes que podrías. Déjale marchar, madre. Dame a mí la clase de madre decente, temerosa de Dios, que siempre he necesitado para mantener mi juicio.

—Y si yo no digo adiós a Chris..., ¿qué ocurrirá, Bart?

Su cabeza oscura se inclinó.

—Que Dios te ayude, madre, porque yo no podré. Dios también me ayuda a mí. A pesar de ello, tengo que pensar en mi propia alma inmortal.

Me alejé de allí.

Durante toda aquella noche estuve soñando con fuego, con cosas terribles. Me desperté. No recordaba casi nada del sueño salvo el fuego. Sin embargo, había habido algo más, alguna cosa terrible del pasado que yo empujaba, incansable, hacia el fondo de mi mente. ¿Qué? ¿Qué? Incapaz de sobreponerme a la inexplicable fatiga que me abatía, volví a dormirme y me sumí otra vez en una continua pesadilla, en la que aparecían los gemelos de Jory como si fueran Cory y Carrie, que eran arrastrados para ser devorados. Por segunda vez me esforcé por despertar. Me propuse levantarme, aunque la cabeza me dolía tremendamente.

Con la mente confusa, como si estuviese embriagada, me dispuse a dedicarme a mis quehaceres diarios. Los gemelos me seguían, planteando mil y una preguntas, sobre todo Deirdre. Me recordaba mucho a Carrie con su ¿por qué?, ¿dónde?, ¿y de quién es? Charla que te charla, una y otra vez, mientras Darren, por su parte, exploraba en los armarios, abría cajones, examinaba sobres y hojeaba revistas, que, en el proceso de búsqueda, dejaba inservibles para la lectura.

—Cory, ¡deja eso quieto! —me veía obligada a decir—. Pertenecen a tu abuelo y a él le gusta leer el texto aunque a ti sólo te gusten las ilustraciones. ¿Carrie, quieres estar quieta aunque sean cinco minutos? ¿Solamente cinco? —Eso, naturalmente, provocaba nuevas preguntas para averiguar quiénes eran Cory y Carrie y por qué los llamaba siempre con esos nombres tan divertidos.

Finalmente, Toni acudió a relevarme de aquellos pequeños demasiado inquisitivos.

—Lo siento, Cathy, pero Jory quería que hoy posara para él en el jardín antes de que todas las rosas muriesen...

¿Antes de que todas las rosas muriesen? La miré fijamente, y después sacudí la cabeza, pensando que estaba buscando interpretaciones exageradas en palabras corrientes. Sin embargo las rosas vivirían hasta que se produjera una fuerte helada y el invierno tardaría meses en llegar.

Alrededor de las dos de la tarde, sonó el teléfono de mi habitación. Yo acababa de tumbarme para descansar un poco. Era Chris.

—Cariño, no he podido evitar sentirme inquieto por lo que pudiera suceder. Creo que me has transmitido tus temores. Ten paciencia. Te veré dentro de una hora ¿Estás bien?

—¿Por qué no tendría que estarlo?

—No, nada. He tenido un mal presentimiento, te quiero.

—Yo también te quiero.

Los gemelos estaban inquietos. No querían jugar en su caja de arena ni a nada de lo que yo les sugería.

—Di-di no quiere saltar a la cuerda —dijo Deirdre, que no sabía pronunciar su nombre, o mejor dicho, se negaba a hacerlo. Cuanto más intentábamos enseñárselo de la manera correcta, tanto más balbuceaba. Era tan tozuda como lo había sido Carrie. Darren siempre estaba más que dispuesto a seguirla allí a donde ella le condujera, e imitaba su balbuceo. ¿Y qué diferencia había si un muchachito de su edad jugaba a casitas?

Acomodé a los gemelos para su siesta. Protestaron ruidosamente y no pararon hasta que Toni, como había prometido, les leyó un cuento. ¡Y yo acababa de leerles aquella condenada historia tres veces! Muy pronto, se habían dormido en su linda habitación, con las cortinas corridas. ¡Qué dulces parecían, acostados de lado, frente a frente, tal como Cory y Carrie habían hecho!

En mi propia habitación, después de haber visto a Jory, que estaba absorto leyendo un libro sobre cómo excitar ciertos músculos sexuales, me dediqué a mi manuscrito olvidado y lo puse al día. Cuando me cansé, distraída por el absoluto silencio de la casa, fui a despertar a los gemelos.

¡No estaban en sus camitas!

Encontré a Jory y Toni en la terraza, tendidos de lado en la estera acolchada para ejercicios. Estaban abrazados, besándose larga y apasionadamente.

–Siento interrumpir –me disculpé avergonzada por tener que intervenir en su intimidad y estropear lo que debía de ser una experiencia maravillosa para Jory..., y para ella–. ¿Dónde están los niños?

–Creíamos que estaban contigo –respondió Jory, guiñándome un ojo antes de volverse hacia Toni–. Corre a buscarlos, mamá... Estoy ocupado con la lección de hoy.

Me dirigí a la capilla por el camino más corto. Corrí por los jardines, echando miradas inquietas al bosque que ocultaba el cementerio. Las sombras de los árboles comenzaban a alargarse en el suelo, cruzándose, mientras yo me acercaba a la puerta de la capilla. Un extraño olor flotaba en la cálida brisa veraniega; incienso. Corrí hasta llegar a la capilla sin aliento, con el corazón palpitante. Desde la última vez que había estado allí había sido instalado un órgano. Entré tan sigilosamente como pude.

Joel estaba sentado al órgano, tocando espléndidamente, demostrando que en otro tiempo había sido un músico profesional de notable habilidad. Bart se levantó para cantar. Me relajé cuando vi a los gemelos en la primera fila, con aspecto satisfecho, mientras clavaban la mirada en su tío, que cantó tan bien que casi disipó mi miedo y me llenó de paz.

Cuando el himno terminó, los gemelos, como autómatas, se arrodillaron y colocaron las pequeñas palmas de sus manos debajo de sus barbillas. Parecían querubines... O corderos dispuestos al sacrificio.

¿Por qué había surgido tal pensamiento? Ése era un lugar sagrado.

–Y aunque caminemos por el valle de las sombras de la muerte, no temeremos el mal... –dijo Bart, también arrodillado–. Repetid después de mí, Darren, Deirdre.

–Y aunque caminemos por el valle de las sombras de la muerte, no temeremos el mal –obedeció Deirdre, con su vocecita aguda guiando el camino que Darren debía seguir.

–Porque Tú estás conmigo...

–Porque Tú estás conmigo...

–Tu poder y Tu báculo me consolarán.

–Tu poder y Tu báculo me consolarán.

Avancé un paso.

–Bart, ¿qué demonios estás haciendo? Ni estamos en domingo, ni ha muerto nadie.

Bart alzó la cabeza. Sus ojos oscuros mostraban tanta aflicción...

–Vete, madre, por favor.

Yo corrí hacia los pequeños, que se pusieron en pie, y los cogí en brazos.

–No nos gusta estar aquí –murmuró Deirdre–. Odio este lugar.

Joel se había levantado. Parecía alto y esbelto entre las sombras, y los colores de la vidriera se reflejaban en su cara larga y macilenta. No había pronunciado ni una palabra. Se limitaba a mirarme de arriba abajo..., cáusticamente.

–Vuelve a tus habitaciones, madre, por favor, por favor.

–No tienes ningún derecho a enseñar a estos niños a temer a Dios. Cuando se enseña religión, Bart, se habla del amor de Dios, no de su ira.

–Ellos no temen a Dios, madre. Estás hablando de tu propio temor.

Comencé a retroceder, llevando a los niños conmigo.

–Algún día comprenderás qué es el amor, Bart. Descubrirás que no aparece porque lo quieras o lo necesites sino que sólo es tuyo cuando lo ganas. Viene a ti cuando menos lo esperas, cruza la puerta y la cierra suavemente y, cuando es justo, permanece. No intriga, ni seduce para conquistar al otro. Tienes que merecerlo, o nunca tendrás a nadie que se quede el tiempo suficiente a tu lado.

Sus ojos oscuros parecían fríos. Se levantó, y su figura dominó la capilla. Entonces avanzó, bajando los tres peldaños.

—Nos iremos todos, Bart. Eso debería alegrarte. Ninguno de nosotros volverá para molestarte otra vez, Bart. Jory y Toni vendrán con nosotros. Tú serás absolutamente independiente. Cada una de las habitaciones de esta solitaria y monstruosa Foxworth Hall será totalmente tuya. Si así lo deseas, Chris cederá la tutoría a Joel hasta que tú cumplas los treinta y cinco años.

Por un momento, un breve momento revelador, el miedo se reflejó en la cara de Bart, del mismo modo que el júbilo colmó los ojos lacrimosos de Joel.

—Que Chris ceda la tutoría a mi abogado —dijo Bart rápidamente.

—Muy bien, si así lo quieres. —Sonreí a Joel que volvió la cara. Dirigió una dura mirada de desilusión a Bart, que confirmaba mis sospechas... Estaba enfadado porque Bart recibiría lo que hubiera podido ser suyo...

—Por la mañana nos habremos marchado, todos nosotros —murmuré.

—Sí, madre. Te deseo buen viaje y buena suerte.

Me quedé mirando a mi segundo hijo, que se hallaba a unos metros de distancia de mí. ¿Dónde había oído yo decir eso por última vez? Oh sí, hacía tanto tiempo. El revisor alto del tren nocturno en que habíamos viajado cuando, siendo unos niños, nos dirigíamos a Foxworth Hall. Había permanecido de pie en el estribo del coche cama y nos dijo aquello, al tiempo que el tren hacía sonar un triste silbido de despedida.

Al encontrarme con la endurecida mirada de Bart, se me ocurrió que debería pronunciar ahora mis palabras de despedida, en aquella capilla de su casa, y renunciar a decir nada al día siguiente, cuando probablemente me echaría a llorar.

Bart habló primero.

—Parece que las madres siempre huyen y abandonan los hijos a sus sufrimientos. ¿Por qué me abandonas?

El tono dolorido de su voz me llenó de angustia. Sin embargo dije lo que era preciso decir.

—Porque tú me abandonaste hace muchos años —respondí con voz quebrada—. Yo te quiero Bart. Siempre te he querido, aunque tú no pareces creerlo así. También Chris te quiere, pero tú no deseas su cariño. Te dices a ti mismo, todos los días de tu vida, que tu verdadero padre hubiera sido un padre mejor... Pero no sabes cómo hubiera sido. Él no fue fiel a su esposa, mi madre... Y te aseguro que yo no fui su primera amante. No quiero hablar sin respeto de un hombre al que amé mucho en aquel tiempo, pero él no era la misma clase de hombre que es Chris. Él no te hubiera dado tanto de sí mismo.

El sol que se filtraba por las vidrieras encendió con rojo de fuego el rostro de Bart. Movía la cabeza de un lado a otro, atormentado una vez más. Sus manos se cerraron en fuertes puños.

—¡No digas ni una palabra más del padre que yo quiero, que siempre he querido! —exclamó—. Chris no me ha dado nada salvo vergüenza y bochorno. ¡Marchaos! Me alegro de que os vayáis. ¡Llevaos con vosotros vuestra suciedad y olvidaos de que existo!

Pasaban las horas y Chris no llegaba. Telefoneé al laboratorio de la universidad. Su secretaria aseguró que había salido tres horas antes.

—Ya debería estar ahí, señora Sheffield.

Inmediatamente, pensamientos sobre mi propio padre acudieron a mi mente. Un accidente en la carretera. ¿Estábamos repitiendo el acto de nuestra madre a la inversa, huyendo de, y no hacia Foxworth Hall? Tictac, los relojes no se detenían. Bum bum bum, resonaban los latidos de mi corazón. Tuve que leer poesías infantiles a los gemelos para que durmieran y dejaran de formular preguntas. «*Little Tommy Tucker, sing for your supper... When you wish upon a star... dancing in the dark... all our lives, dancing in the dark...*»

—Madre, por favor, deja de ir de un lado para otro —ordenó Jory—. Me crispas los nervios. ¿Por qué tanta prisa por irnos? Dime el porqué por favor, di algo.

Joel y Bart entraron para unirse a nosotros.

—No has venido a cenar, madre. Diré al cocinero que te prepare una bandeja. —Echó una mirada a Toni—. Tú puedes quedarte.

—No, gracias, Bart. Jory me ha pedido que me case con él. —Alzó la barbilla en un gesto de desafío—. Me ama de una manera que tú nunca podrías igualar.

Bart dirigió sus ojos dolidos, traicionados, hacia su hermano.

—Tú no puedes casarte. ¿Qué clase de marido crees que puedes ser ahora?

—¡Exactamente la clase de marido que yo quiero! —replicó Toni, avanzando para colocarse junto a la silla de Jory y posar la mano en su hombro.

—Si quieres dinero, él no tiene ni la centésima parte de lo que yo poseo.

—No me preocuparía aunque no tuviese nada —repuso ella con orgullo, enfrentándose con su mirada dominante, oscura—. Lo amo como nunca he amado a nadie antes.

—Sientes lástima de él —sentenció Bart sin darle más importancia.

Jory frunció el entrecejo pero no habló. Parecía saber que Toni necesitaba aclarar las cosas con Bart.

—En otro tiempo me inspiraba lástima —admitió ella con sinceridad—. Pensé que era terrible que un hombre tan maravilloso y con tanto talento hubiera quedado inválido. Ahora, sin embargo, ya no lo veo como un inválido. ¿Sabes, Bart? Todos nosotros estamos inválidos de alguna manera. Jory lo es físicamente. En cambio, tu invalidez está oculta, es una enfermedad impalpable. Tú estás tan enfermo que ahora yo siento lástima... de ti.

Ardientes emociones retorcieron las facciones de Bart. Por alguna razón eché una mirada a Joel, que miraba fijamente a Bart, como si le ordenase que permaneciera silencioso.

Dando la vuelta, Bart me increpó:

—¿Por qué estáis todos reunidos en esta habitación? ¿Por qué no te vas a la cama? Es tarde.

—Estamos esperando a que Chris llegue.

—Se ha producido un accidente en la carretera —dijo Joel—. He oído las noticias por la radio. Un hombre ha muerto. —Parecía encantado de darme tal noticia.

Mi corazón pareció hundirse en el infinito. ¿Otro Foxworth muerto en un accidente?

No Chris, no mi Christopher Doll. No, todavía no, todavía no.

Oí débilmente que se abría y cerraba la puerta de la cocina. Pensé que sería el cocinero que iría a su apartamento encima del garaje. O quizá Chris. Esperanzada, me dirigí hacia el garaje. No encontré ojos azules brillantes, ni sonrisas, ni unos brazos dispuestos a abrazarme. Nadie cruzó la puerta.

Durante varios minutos todos nos mirábamos con inquietud. El corazón me latía dolorosamente; ya debía haber llegado a casa. Había transcurrido tiempo suficiente.

Joel me observaba con fijeza, con los labios apretados de una forma especialmente odiosa, como si supiera más de lo que decía. Me volví hacia Jory, me arrodillé junto a su silla de ruedas y le dejé que me abrazase con fuerza.

—Estoy asustada, Jory —sollocé—. Ya debería estar en casa. No puede tardar tres horas en venir, ni siquiera en invierno con las carreteras resbaladizas.

Nadie dijo nada. Ni Jory, que me sostenía fuertemente, ni Toni, ni Bart. Tampoco Joel. Evocaba la escena del doctor que había saltado de su automóvil para ayudar a las víctimas heridas y moribundas tumbadas en la cuneta, y la de los dos policías que acudieron para comunicarnos la muerte de mi padre.

Sentí que en mi garganta nacía un grito dispuesto a brotar cuando vi que un coche blanco subía por nuestro camino privado, con una luz roja dando vueltas en el techo.

El tiempo retrocedió.

¡No! ¡No! ¡No! Una y otra vez, mi cerebro gritaba, incluso mientras ellos narraban los detalles del accidente; el doctor había saltado de su automóvil para ayudar a las víctimas heridas y moribundas tumbadas en la cuneta, y al cruzar corriendo la carretera fue atropellado por un vehículo que huyó del lugar.

Cuidadosa y respetuosamente, depositaron sus objetos personales sobre una mesa, de la misma manera que dejaron las pertenencias de mi padre en otra mesa, en Gladstone. Esta segunda vez yo contemplaba las cosas que Chris solía llevar en sus bolsillos. Todo era irreal, otra pesadilla de la que despertaría... no era mi fotografía que siempre llevaba en su cartera, ni aquéllos el reloj de pulsera y el anillo con el zafiro que yo le había regalado en Navidad. No mi Christopher Doll, no, no, no.

Los objetos se hicieron vagos, confusos. La oscuridad del crepúsculo me invadió, dejándome en ninguna parte, en ninguna parte. Los policías empequeñecieron. Jory y Bart parecían estar lejos a mucha distancia. Toni, en cambio, se agrandó cuando se acercó para ayudarme a levantarme.

—Cathy, lo siento tanto... Lo siento tantísimo...

Creo que dijo algo más. Yo me desprendí de sus manos y corrí, corrí como si todas las pesadillas que me habían atormentado estuvieran agarrándome.

Corriendo sin cesar, intentando escapar de la verdad, llegué a la capilla. Me arrojé al suelo frente al púlpito y comencé a orar como si nunca lo hubiera hecho antes.

—Por favor, Dios mío, ¡no puedes hacernos esto a Chris y a mí! No existe un hombre mejor que Chris... Tú debes saberlo... —Y entonces rompí en sollozos.

Brotaron lágrimas por mi padre, que había sido un hombre maravilloso, sin que eso hubiera servido para librarle de su triste final. El destino no escogía a los despreciados, los abandonados, los no queridos o no necesitados. El destino era una forma sin cuerpo con una mano cruel que alargaba al azar, descuidadamente, y golpeaba sin ninguna piedad.

Enterraron el cuerpo de mi Christopher Doll, no en el terreno sagrado de la familia Foxworth, sino en el cementerio donde Paul, mi madre, el padre de Bart y Julián yacían bajo tierra. No muy lejos de allí se hallaba la pequeña tumba de Carrie.

Yo ya había dado orden de que el cuerpo de mi padre fuese exhumado de aquel terreno frío, duro y solitario en Gladstone, Pensylvania, para que él también pudiera descansar con el resto de la familia. Creí que eso le gustaría, si podía enterarse.

Yo era la última de las cuatro muñecas de Dresde. Sólo quedaba yo... ¡Y no deseaba continuar!

El sol era ardiente, brillante. Un buen día para pescar, nadar, jugar a tenis y divertirse, y ellos pusieron a mi Christopher bajo tierra.

Intenté no verlo allí abajo, con sus ojos azules cerrados para siempre. Miré fijamente a Bart, que pronunció el panegírico con lágrimas en los ojos. Oía su voz como si estuviera a mucha distancia, pronunciando todas las palabras que debió haber pronunciado cuando Chris estaba vivo; así hubiera podido apreciar todas aquellas palabras amables, cariñosas.

—Se dice en la Biblia —comenzó Bart con la voz bella y persuasiva que sabía emplear cuando quería— que nunca es demasiado tarde para pedir perdón. Espero y ruego que sea verdad, pues yo pido a este hombre que yace delante de mí que su alma me contemple desde el cielo y me perdone por no haber sido el hijo amante y comprensivo que hubiera debido y podido ser. Este padre, a quien nunca acepté como tal, salvó muchas veces mi vida, y yo estoy aquí con el corazón rebosante de culpa y vergüenza por una infancia y una juventud desperdiciadas que podrían haber hecho más feliz su vida. –Inclinó su oscura cabeza de modo que el sol hizo brillar su cabello y sus lágrimas vertidas–. Yo te amo, Christopher Sheffield Foxworth. Espero que me oigas. Ruego y confío en recibir el perdón por haber estado ciego a lo que tú eras. –Las lágrimas resbalaban por sus mejillas. Su voz se volvió ronca. La gente le acompañó en su llanto.

Únicamente yo tenía secos los ojos, seco el corazón.

–El doctor Christopher Sheffield rechazó su apellido Foxworth –prosiguió Bart cuando recuperó de nuevo la voz–. Ahora sé que así debía ser. Fue médico hasta el último momento, entregado a aliviar el sufrimiento humano, mientras yo, su hijo, le negaba el derecho de ser mi padre. Humillado, con remordimientos y avergonzado, inclino mi cabeza y rezo esta plegaria...

Y así prosiguió mientras yo cerraba mis oídos y desviaba la mirada, aturdida por la aflicción.

–¿No fue un tributo maravilloso, mamá? –preguntó Jory en un día oscuro–. Lloré, no pude evitarlo. Bart se humilló, madre, y delante de tanta gente... Nunca antes lo había visto humillarse. Has de concederle eso por lo menos.

Sus ojos azules me suplicaban.

–Mamá, has de llorar también. No es bueno para ti quedarte sentada, mirando al vacío. Ya han pasado dos semanas. No estás sola, nos tienes a nosotros. Joel ha regresado en avión a ese monasterio para morir allí. Nunca más lo veremos. Dejó por escrito que no quería ser enterrado en terreno de los Foxworth. Me tienes a mí, tienes a Toni, Bart, Cindy y tus nietos. Te queremos y te necesitamos. Los gemelos no comprenden por qué no juegas con ellos. No nos dejes fuera. Siempre te has recuperado después de cada tragedia. Vuelve otra vez, sal de tu aflicción, sobre todo, por el bien de Bart, pues si tú te dejas arrastrar por la congoja hasta la muerte, lo destruirás.

Por el bien de Bart permanecí en Foxworth Hall, intentando adaptarme a un mundo que realmente ya no me necesitaba.

Transcurrieron nueve solitarios meses. En cada cielo azul veía los ojos azules de Chris. En cada brillo dorado veía el color de su pelo. Me detenía en las calles para contemplar a niños que se parecían a Chris cuando él tenía su edad; miraba a los jóvenes que me recordaban al Chris adolescente; observaba nostálgica las espaldas de los hombres altos, robustos, de cabello rubio encanecido, anhelando que se volviesen y yo pudiera ver otra vez a Chris sonreír. En algunas ocasiones me devolvían la mirada, como si presintieran el ardor ansioso en mis ojos, y yo desviaba la vista pues no eran él, ¡nunca eran él!

Erré por los bosques y las colinas, sintiéndole junto a mí, fuera de mi alcance, pero junto a mí.

Mientras caminaba sola, pero acompañada por el espíritu de Chris, se me ocurrió que había un modelo en nuestras vidas, y nada de lo que sucedía era azaroso.

De todas las maneras posibles, Bart intentó hacerme volver a ser la que era antes, y yo sonreía, me esforzaba en reír y de ese modo, le proporcionaba la paz y la confianza que mi hijo siempre había necesitado para apreciar en sí mismo su auténtica valía.

Sin embargo, ¿quién y qué era yo ahora que Bart se había encontrado a sí mismo? Esa sensación de conocer el modelo hacia el que tendía creció más y más mientras yo permanecía con frecuencia sentada, sola, en la fastuosa elegancia de Foxworth Hall.

Desde la oscuridad, la angustia, las en apariencia tragedias azarosas y los acontecimientos patéticos de nuestras vidas, por fin comprendí. ¿Por qué ninguno de los psiquiatras de Bart se había dado cuenta, cuando él era más joven que estaba probando, buscando, intentando encontrar el papel que mejor podía desempeñar? Durante la agonía de su infancia, durante su juventud, él había atacado implacablemente sus fallos, rechazando la fealdad que él creía empañaba su alma, sujetándose con fuerza a la creencia de que el bien triunfaría sobre el mal. Y, a sus ojos, Chris y yo habíamos representado el mal.

Finalmente, después de tanto tiempo, Bart había encontrado su lugar en el esquema de lo que tenía que ser. Todo lo que yo debía hacer era conectar la televisión cualquier domingo por la mañana, y algunas veces a mitad de semana, y ver a mi hijo cantando y predicando, reconocido como el evangelista más carismático del mundo. Agudamente penetrantes, sus palabras se clavaban en la conciencia de todos, propiciando que el dinero afluyera a sus cofres por millones, millones que Bart utilizaba para extender su ministerio.

Un domingo por la mañana me encontré con la sorpresa de ver a Cindy, que se levantaba para unirse a Bart en la tarima. De pie junto a él, enlazó su brazo en el de Bart, que sonrió con orgullo antes de anunciar:

—Mi hermana y yo dedicamos esta canción a nuestra madre. Madre, si nos estás viendo, sabrás exactamente cuánto significa esta canción, no solamente para nosotros dos, sino también para ti.

Juntos, como hermano y hermana, cantaron mi himno favorito. Hacía mucho tiempo que yo había renunciado a la religión, convencida de que no me satisfacía dado que tanta gente religiosa estaba llena de prejuicios, y era cruel y estrecha de miras. Sin embargo, las lágrimas surcaron mi rostro... Lloré por primera vez desde que Chris fuera atropellado en aquella carretera; después de tanto tiempo, estaba agotando aquel pozo sin fondo de mis lágrimas.

Bart había eliminado hasta el último fragmento ponzoñoso de los genes de Malcolm y había conservado solamente lo bueno.

Para crearle a él, las flores de papel habían florecido en el ático polvoriento; para crearle a él, los fuegos habían quemado casas, nuestra madre y nuestro padre habían muerto. Todo había sido necesario para crear al líder que alejaría a la humanidad del camino hacia la destrucción.

Desconecté el aparato de televisión cuando terminó el programa de Bart, el único que yo veía. No muy lejos de Foxworth Hall se estaba construyendo un enorme monumento conmemorativo en honor de mi Christopher.

CENTRO INVESTIGADOR DEL CÁNCER A LA MEMORIA DE CHRISTOPHER SHEFFIELD

Era justo que se denominase así.

En Geenglenna, Carolina del Sur, Bart había creado también una fundación para jóvenes abogados, llamada FUNDACIÓN BARTHOLOMEW WINSLOW.

Yo sabía que Bart estaba intentando compensar con el bien todo el mal que había causado al negar al hombre que había puesto su mejor empeño en ser su padre. Un centenar de veces tuve que tranquilizarle diciéndole que Chris se sentiría muy complacido.

Jory y Toni se habían casado. Los gemelos la adoraban. Cindy había firmado un contrato cinematográfico que la estaba alzando rápidamente al estrellato. Me resultaba extraño, después de haberme estado entregando toda una vida, primero a los gemelos de mi madre, después a mis maridos, mis hijos y nietos, que ya no me necesitasen. No tenía un lugar propio. Ahora yo era la que sobraba.

–¡Mamá! –dijo Jory un día–. ¡Toni está embarazada! No puedes imaginar lo que eso significa para mí. Si tenemos un hijo se llamará Christopher, y si es niña, Catherine. Y ahora no trates de disuadirnos, porque lo haremos de todos modos.

Recé para que tuvieran un hijo semejante a Christopher, o Jory, y para que un día, en el futuro, Bart encontrase a la mujer adecuada que lo hiciera feliz. Sólo entonces me di cuenta de que Toni había tenido razón al afirmar que Bart estaba buscando a una mujer como yo, pero sin mis flaquezas; quería que ella tuviera sólo mi fortaleza. Bart nunca la encontraría.

—Y, oye, mamá —había proseguido Jory—. He ganado el primer premio en el apartado de acuarelas... De modo que de nuevo voy camino del éxito en esta nueva profesión.

—Tal como tu padre predijo —concluí.

Yo apreciaba todo aquello, sintiéndome vagamente feliz por Jory y Toni, feliz por Bart y Cindy... mientras subía por la doble escalera curvada que me llevaba arriba, arriba...

Había oído al viento de las montañas llamarme la noche anterior para anunciarme que había llegado mi hora de partir. Me desperté sabiendo qué debía hacer.

Cuando me hallé en aquel cuarto frío, tenebroso, sin muebles ni alfombras con sólo una casa de muñecas que no era tan hermosa como la que yo recordaba, abrí la alargada y angosta puerta y comencé mi ascensión por los peldaños altos y estrechos. Camino del ático, hacia el lugar donde había encontrado a mi Christopher, para reunirme con él otra vez...

EPÍLOGO

Fue Trevor quien encontró a mi madre allá arriba, sentada en el alféizar de lo que quizá había sido la escuela que ella mencionaba tan a menudo en las historias que no contaba de su vida de prisión en Foxworth Hall. Su hermoso pelo largo estaba suelto y caía sobre sus hombros. Sus ojos estaban abiertos, mirando vidriosos hacia lo alto.

Trevor me telefoneó para explicarme los detalles, sin poder esconder su aflicción, mientras yo llamaba a Toni para que se acercara y pudiera escuchar también. Lástima que Bart estuviera haciendo una gira por el mundo, pues habría volado a casa en un minuto si hubiera adivinado que ella lo necesitaba.

Trevor prosiguió:

–Hacía días que no se encontraba bien, podía adivinarlo. Se la veía meditabunda, como si estuviera intentando dar sentido a su vida. Se percibía una terrible tristeza en sus ojos, un anhelo patético que me rompía el corazón cuando la miraba. Fui a buscarla, ignorando dónde se hallaba, y finalmente descubrí el segundo tramo de escalera, alta y estrecha, hacia el ático. Miré alrededor. Me sorprendió ver que el ático estaba adornado con flores de papel. Sin duda debió hacerlo ella.

Se interrumpió y yo ahogué las lágrimas, lamentando no haber hecho más para hacerla sentir necesaria y necesitada. Con una nota extraña en su voz, Trevor prosiguió:

—Debo explicarte algo extraño. Su madre sentada allí en el alféizar de la ventana, parecía tan joven, tan esbelta y frágil..., y en su cara se reflejaba una expresión de enorme gozo, de felicidad.

Trevor me comunicó otros detalles.

Como si supiera que pronto iba a morir, mi madre había pegado flores de papel en las paredes del ático, así como un extraño caracol de color naranja y un gusano púrpura. Había escrito una nota que fue hallada en su mano, agarrada fuertemente:

«Hay un jardín en el cielo, que está esperando. Es un jardín que Chris y yo imaginamos hace muchos años, mientras yacíamos en una losa dura y negra del tejado y contemplábamos las estrellas.

»Chris está allá arriba, susurrando en los vientos para decirme que es allí donde nace la hierba púrpura. Todos están allí, esperándome.

»De modo que, perdonadme por estar cansada, demasiado cansada para quedarme. He vivido el tiempo suficiente y puedo decir que mi vida ha estado llena de felicidad y también de tristeza. Aunque algunos no lo verían de esa manera.

»Os amo a todos, a todos por igual. Quiero a Darren y a Deirdre y les deseo buena suerte en sus vidas, y lo mismo deseo para tu próximo bebé, Jory.

»La saga de los Dollanganger ha terminado.

»Encontraréis mi último manuscrito en mi caja fuerte particular. Haced con él lo que gustéis.

»Había de suceder de esta manera. No tengo ningún lugar adonde ir, sino allí. Nadie me necesita más que Chris.

»Pero, por favor, nunca digáis que fracasé en alcanzar mi objetivo más importante. Es posible que no haya sido la *prima ballerina* que me proponía ser, ni la madre, ni la esposa perfecta..., pero conseguí, finalmente, convencer a cierta persona de que tenía el padre adecuado.

»Y no fue demasiado tarde, Bart.

»Nunca es demasiado tarde.»